עִבְרִית חַיָּה

MODERN HEBREW

*A First-Year Course in Conversation, Reading
and Grammar*

HARRY BLUMBERG, Ph.D.

*Professor in charge of Hebrew Division; Hunter College,
New York City*

and

MORDECAI H. LEWITTES

*Principal, Secondary School System; Board of Education,
New York City*

PART ONE   *REVISED EDITION*

HEBREW PUBLISHING COMPANY
NEW YORK

Typography by Hebrew Publishing Co., New York
Printed and bound in the United States of America

הַתֹּכֶן

סִפּוּרִים נוֹסָפִים

Appendix   נִסְפָּח

שִׁירִים

ILLUSTRATIONS
between pages 198–199

Israeli Children on an Excursion

Hauling Potash from the Dead Sea

Setting Up a Watchtower in a New Settlement

Arab and Jew Working Together

Oriental Settler in Israel

A Colony on the Sea of Galilee

Members of Mission from Ghana Receive Instruction at a Kibbutz

Ein Hashofet — Colony Named after Judge Brandeis

Purim Procession in Tel Aviv

Independence Day Parade

The Mann Auditorium in Tel Aviv

The Hebrew University in Jerusalem

Nahalal in the Emek

Arab Citizens of Israel Go to the Polls

On Guard at a Kibbutz Near the Gaza Strip

Marching to Work

In Old Jerusalem

Kibbutz Ein Gedi Near the Dead Sea

Beersheba

Eilath — Solomon's Ancient Port Revived

Israeli Dance Group

The Wailing Wall in Jerusalem

עִבְרִית חַיָּה

PREFACE

The revival of Hebrew as a spoken language may well be regarded as one of the miracles of our age. That Hebrew has permanently taken its place among the living languages of our time can no longer be disputed. The use of Hebrew as the language of daily speech in Israel, the growth of the Hebrew press and theatre and the rebirth of modern Hebrew literature bear eloquent testimony to this fact.

In appreciation of the new role that the Hebrew language has begun to play, many secondary schools, colleges and adult institutes throughout the United States have introduced instruction in modern Hebrew as a regular part of the curriculum. The Board of Education of the City of New York, in particular, has pioneered in this field and now offers instruction in Hebrew in eighteen junior and senior high schools.

The need for suitable Hebrew texts which would appeal to older students and to adults has been keenly felt. The authors, therefore, have prepared this basic beginners' text in Hebrew in the hope of filling a genuine need for a text which would incorporate the best features of modern language pedagogy.

The authors have sought to emphasize the following aims:

1. SPOKEN HEBREW. The war has shown the importance of stressing skill in speaking as one of the primary aims of modern language instruction. The text emphasizes this aim by means of narrative material that can serve as the basis for conversation, exercises to promote spoken Hebrew, conversational guides and a carefully chosen active vocabulary of 350 words based on the frequency list compiled by Dr. Rieger of the Hebrew University. (The words for active recall have been listed after each five lessons in the first review exercise.) In accordance with the emphasis on spoken Hebrew, the pronunciation indicated is the Sefardic, since it is the Sefardic pronunciation which is used in every-day speech in Israel.

The stories lend themselves to narration and teachers are urged to develop aural comprehension by telling the story in Hebrew before the story is read. (According to this method, new words and their translation are written on the board at the beginning of the lesson and presented in context as the instructor tells the story in simple Hebrew. After the story has been told orally, the student can refer to the printed word.)

2. READING. To promote reading ability, the authors have presented a series of carefully-graded stories. Besides the basic story in each lesson many additional stories for extensive reading have been included. There are also supplementary stories after the 50 lessons of the regular text. The stories are based on daily experiences, Hebrew folk-lore and life in Israel or America, and will appeal to the student both from the point of view of content and presentation. The book employs, in addition to the 350 active words, about 750 words, nearly all of which are of high frequency on the Rieger list.

3. GRAMMAR. The grammatical principles are arranged systematically; they have been integrated with the reading lessons, and have been presented functionally with numerous illustrations. A variety of exercises for each lesson, review drills, comprehensive tests after every 5 lessons, useful paradigms, English-Hebrew and Hebrew-English dictionaries have been added in the hope that they will help the student to acquire a thorough grasp of the basic elements of Hebrew.

The ultimate aim of all language instruction, of course, is to acquaint the student with the culture and civilization of the people whose language he is studying. The authors have striven, therefore, to include stories that have interesting cultural content. In addition, proverbs, songs, photographs, maps and extensive supplementary material will serve to introduce the student to the rich world of Hebrew culture.

H. B.
M. H. L.

PREFACE TO REVISED EDITION

The unusually favorable and appreciative reception accorded *Modern Hebrew* by students, teachers and educators alike, since the first edition appeared in 1946, has encouraged the authors to undertake a thorough re-examination and revision of the text in the light of the more recent trends in modern language teaching. The writers have felt that the acceptance of *Modern Hebrew* as an approved text for the study of the Hebrew language by so many public and private schools in this country and abroad is chiefly due to two desirable features of the book: 1) the interesting, challenging, and culturally valuable reading materials contained in the text, and 2) the pedagogically sound methodology employed in presenting the vocabulary, reading materials and grammar to the beginning student. The authors have therefore aimed to preserve these two worthwhile features in the revised edition.

In line with the recent emphasis upon the audio-lingual aspect of modern language learning, the authors have revised a number of lessons by adding useful and pertinent conversational material. They have also introduced a few new lessons reflecting modern Israeli living and speech patterns, and have transferred the Conversational Guide, which appeared as a supplement to the first edition, to appropriate lessons in the present edition. Some stylistic changes have likewise been made in keeping with current Israeli usage.

Since the ability to speak Hebrew is one of the basic aims of a course in Modern Hebrew, the teacher is urged to use varied audio-lingual devices in the classroom. Special recordings to accompany the text have been prepared to help the student improve his Hebrew pronunciation and develop an ability to comprehend the spoken word.

It is the hope of the authors that the revisions made in this edition will enhance the usefulness of the text and that *Modern Hebrew* will continue to serve as a helpful medium for the acquisition and dissemination of the fundamentals of the modern Hebrew language and culture.

ACKNOWLEDGMENTS

We should like to express our appreciation to our colleagues: Abraham Aaroni, Clara Barras, Benjamin Benari, George Epstein, Solomon Feffer, Abraham S. Halkin, Edward Horowitz, Abraham Katsh, Bilhah Klein, Judah Lapson, Rose Mereson, Joseph Snow, Levi Soshuk, Reuben Wallenrod, Max Zeldner and to the late Israel S. Chipkin and Samuel Rakowitz. Thanks to their leadership and pioneering efforts, many thousands of students in the public high schools and colleges have been inspired to study Hebrew as a modern language.

The authors are also indebted to Moshe Nathanson for permission to use his arrangement of the Hebrew songs, to Judith T. Blumberg for proofreading the music notes, to the Israeli Office of Information and to the Jewish National Fund for permission to use their photographs.

H. B.
M. H. L.

דבר אל המורה

עמדה חשובה כבשה השפה העברית בשנים האחרונות בין חוגי הדור הצעיר
וביחוד בין תלמידי בתי הספר התיכוניים הממשלתיים והמכללות. למוד הלשון
העברית כבר חדר לבתי ספר תיכוניים רבים שע"י ועד החינוך הכללי בניו יורק
ולכמה מכללות, ולא זו בלבד, אלא שבאותם המוסדות החינוכיים הועמדה השפה
העברית על מדרגה אחת עם שאר השפות החיות ולומדיה מקבלים זכויות שוות.

עובדה היא שרוב ספרי הלמוד העבריים שהופיעו עד עתה נועדו לתלמידים
בגיל הילדות, והורגש זה מכבר הצורך בחומר נאות למתחילים בוגרים ולמתלמדים
הרוצים לקנות את ראשית ידיעת השפה העברית בדבור ובכתב. הספר הנוכחי
הוכן, איפוא, בכדי להמציא את החומר הדרוש בצורה נאה שתתאים לרוחם והבנתם
של מתחילים מבוגרים, והוא יכול לשמש ספר למוד לשנה הראשונה בקורס
אינטנסיבי יום-יומי, או אפילו לשנתיים במקום שאין מקדישים להוראה למעלה
משנים-שלושה שעורים לשבוע.

ואלה הן המטרות העיקריות שהציבו להם המחברים בספר זה:

א. הדגשת השפה המדוברת, כי עיקר שאיפתו של הלומד הוא לרכוש את שפת
   הדבור.

ב. הכנת פרקי קריאה קלים ומודרגים שיש בהם תוכן מעניין לקורא המבוגר.

ג. הסברת הדקדוק העברי עפ"י שיטה נוחה וקלה והקניית הדקדוק הכללי לתלמיד
   ע"י הסברים והערות פשוטים ומובנים, לוחות פעלים ושמות, תרגילים מגוונים
   ומבחנים מקיפים.

ד. הצתת ניצוץ האהבה בלב התלמיד לתרבות העברית אגב קריאה בסיפורים
   עבריים מקוריים, למוד שירי ארץ ישראל החדשה וידיעות מעניינות מחיי העברים
   בעבר ובהווה.

וכאן רוצים המחברים להעיר את תשומת לב המורה לכמה מעניני הוראה חשובים:

1. שיחה

הרבה מן השעורים עובדו בצורת שיחות מעניינות בין אנשים על נושאים מעשיים
ויום-יומיים; וגם הכינו המחברים תקליטים כדי להרגיל את התלמיד למבטא הנכון.

חוץ מזה, קל יהיה למורה המנוסה להפוך את פרקי הקריאה להצגות ומחזות וע"י
כך לתת לחניכים הזדמנות מצוינה להתבטא בעברית חיה.

2. אוצר המלים

לשם הוראת שפה חדשה נחלק אוצר המלים לשני סוגים: א) אקטיביות, ב) פא-
סיביות. בסוג הראשון הוכנסו 350 מלים שכיחות, רובן ככולן לקוחות מאוצר מות

[XVII]

היסוד" של הד"ר אליעזר ריגר מהאוניברסיטה העברית. המלים האקטיביות נרשמו וסודרו אחר כל שעור חמישי (בחזרה, בתרגיל הראשון שבו נתבקש התלמיד לתת תרגום כל מלה אקטיבית מאנגלית לעברית). שאר המלים, 750 בערך, פאסיביות הן וטעונות הכרה והבנה בלבד. גם המלים מן הסוג השני הן מן המצויות ביותר בשפה.

3. למוד מלים חדשות

מרובות הן הדרכים אשר בהן יוכל המורה ללמד מלים וניבים חדשים, אולם כאן יספיק לציין שתים מהמקובלות והמוצלחות ביותר בהוראת לשונות:

א. המורה יספר את הספור או את תוכן פרק הקריאה בע"פ קודם שיקריא אותו לתלמידים והוא ירשום למפרע את המלים והניבים החדשים על הלוח ובאוריהן ותרגומיהן בצדן, ואח"כ יצרף את המלים החדשות באופן שתבלענה המלים בתוך הרצאת השעור או הספור. ובאחרון אחרון יפתח התלמיד את ספרו ויקרא בו את השעור החדש. יוצא מזה שהתלמיד רוכש לו את המלים החדשות אגב התענינות בתוכן הספור וע"י כך הוא מסתגל להבנת השפה המדוברת.

ב. המורה יבור את המלים החדשות ויחבר בהן שיחות מעניינות, שאלות ותשובות, משחקי לשון, משפטים הקולעים אל המטרה, וכדומה, עד שהתלמיד יתרגל למלים החדשות, וגם כאן מוטב שהמורה יכתוב את המלים על הלוח, ואחר שינון מספיק יגש המורה ללמד את פרק הקריאה בספר.

4. דקדוק

השעורים בדקדוק משולבים בחומר לקריאה ואגב קריאת השעור יתעורר הצורך לבאר תמונה דקדוקית, ואחר שיבינו התלמידים את השמוש הדקדוקי, יעלה בידי התלמידים לשנן את הכלל הדקדוקי בעזרת המון תרגילים המצויים בסוף כל שעור. בסוף הספר ימצאו לוחות נאים וברורים של תמונות הפעלים והשמות.

אם ליודעי לשון וספר מהוה תורת הנקוד פרשה מסובכת למדי, למתחילים גמורים עאכו"כ. ולכן החליטו המחברים לוותר במקומות אחדים על רפיית הדגש אחר אותיות אהו"י לבל ייכשלו הלומדים המתחילים בהבנת פירוש המלות. בשאר המקומות, כמובן, נשמרו כל כללי הנקוד.

5. קריאה אינטנסיבית

פרקי הקריאה חוברו באופן הדרגתי. הוכנס מספר מצומצם של מלים חדשות בכל שעור. החומר נלקט מחיי התלמיד וחויותיו בבית הספר, מההוי הארץ־ ישראלי, מאוצר האגדה והמדרש ומחיי היהודים באמריקה. בסוף חמשים פרקי הקריאה נוספו עוד כמה שעורים אם המורה יזדקק לחומר נוסף.

6. קריאה נוספת וחרישית

החל משיעור עשרים ושבעה נוספו שני ספורים קלים לכל חמשה שעורים לשם
עבודה עצמית וחרישית בכדי שהתלמיד יסתגל לקריאה רהוטה שאינה טעונה הכנה
לשונית מרובה.

7. עניני תרבות

בסוף כל שעור כמעט, נוסף חומר תרבותי רב תוכן וענין לשם הרחבת אופקו של
הלומד המתחיל. החומר ניתן בעברית ותרגומו האנגלי בצדו, ולקוח הוא עפ"י רוב
מחיי היהודים בארץ ישראל והוא מכיל ידיעות חשובות בדבר תחית הארץ והשפה.
רוב הפרטים התרבותיים יש להם קשר ישר בגוף פרקי הקריאה וקל יהיה למורה
לצרף את שניהם כי הם מתמלאים זה מזה ומשלימים זה את זה.

ערך מיוחד יש לזמרה ולמוסיקה העברית החדשה בטיפוח האהבה לשפה
והרחבת ידיעתה ולזה הכניסו המחברים מספר ידוע של שירים עבריים שנתחבבו
על לב העם, יחד עם תווי הזמרה.

8. תרגילי קריאה

מדור מיוחד בסוף הספר הוקדש לתרגילי קריאה מיכנית ומובנת עפ"י המבטא
הספרדי ובו מבוארים כללי המבטא הזה, ונוספו הערות לאלה הרוצים ללמוד את
הספר עפ"י המבטא האשכנזי. לתלמידים שאין להם ידיעה בקריאת הא"ב העברי,
כדאי להתחיל במדור הזה מיד, ואחר למוד האותיות העבריות יעבור המורה אל
פרקי הקריאה.

9. תרגילים, חזרות ומבחנים

עובדה היא ששפת האם אינה נקנית אלא אחר הרבה חקוי לשון וחזרה, ואם אצל
שפת האם כך הוא, לגבי שפה זרה עאכו"כ. ולכן הוכנסו תרגילים מרובים בלשון
ובדקדוק שמושי. סודרה רשימה שלמה של "מלות היסוד" בסוף כל חמשה שעורים,
ועובדו חזרות וגם מבחנים מקיפים – הכל לשם קליטת החומר המלולי במוחו
של התלמיד וסוף כל סוף בכדי שיוכל התלמיד להתבטא במדה מספיקה בשפה
העברית החיה.

הקדמה למהדורה השנייה

עברו שבע עשרה שנה מאז יצא לאור הספר ‏„עברית חיה‟‏ במהדורתו הראשונה.
במשך השנים האלו זכה הספר ונתקבל כספר לימוד בהרבה בתי ספר תיכוניים,
אוניברסיטאות, ובתי ת״ת בכל רחבי ארצות הברית ומחוצה לה. ואמנם התגובה
החיובית הזאת מצד סטודנטים ומורים ותפוצתו הרחבה של הספר עודדו והניעו
את המחברים לגשת להכנת מהדורה מתוקנת שתשקף ביתר הטעמה את השיטה
החדשה הנהוגה כעת בהוראת שפות זרות, דהיינו השיטה השמעית-לשונית בה יושם
הדגש בשמיעת השפה ודבורה. המחברים משוכנעים ששתי המעלות הטובות של
הטכסט במהדורתו הראשונה הן: א) חומר-המקרא המשובח והמלא ערך תרבותי,
ב) המיתודיקה המסודרת והיעילה בהרצאת שעורי המקרא והדקדוק. משום כך
החליטו העורכים לשמור צביון מיוחד זה של הספר גם במהדורתו השנייה.

ברם, כדי להקנות לסטודנטים את שפת הדבור ביתר קלות והרחבה, הוסיפו
המחברים בכמה שעורים שיחות מעניינות הנוגעות לנושאי השעורים. הוכנסו גם כן
מספר שעורים חדשים המשקפים את ההווי הארץ-ישראלי ודרכי הבעה
חדישות הנהוגה בארץ כיום. השיחון השמושי שנמצא במהדורה הראשונה בסוף
הספר הועבר ושולב בשעורים המתאימים לשיחות השונות. נעשו גם כן כמה שנויים
קלים בסגנון העברי בהתאם לשמוש הלשון הרווח כעת בארץ.

תקוותם הנאמנה של המחברים היא שהתיקונים והשנויים שנעשו במהדורה
השנייה יהיו לעזר לסטודנט ולמורה ויעלו את ערכו השמושי של הספר, ושהטכסט
ימשיד לשמש אמצעי יעיל לרכישת יסודות השפה העברית ותרבותה.

צ. ב.

מ. צ. ל.

TO THE STUDENT

Shalom!

You are now beginning the study of the Hebrew language, the language of the ancient Bible and modern Israel.

The Hebrew language has had a tremendous influence on world civilization. The Ten Commandments, for example, were originally written in Hebrew; so too was the golden rule of brotherhood, "Love thy neighbor as thyself." It is characteristic that the American colonists, who were inspired by the historic Israelite struggle for freedom, chose the translation of a Hebrew verse as the inscription for the Liberty Bell, "Proclaim liberty throughout all the land unto all the inhabitants thereof."

The stories of Adam and Eve in the garden of Eden, Abraham in Canaan, Joseph and his brethren, Moses in Egypt, Ruth and Naomi, David and Solomon, Mordecai and Esther were first told in Hebrew. These narratives, as well as the prophecies of Isaiah and Jeremiah, the poetry of the Psalms, "The Ethics of the Fathers," the poems of Halevi and Bialik are among the great literary treasures composed in Hebrew.

It is important for the student to remember that Hebrew is both a modern and an ancient language. Some day if you have the good fortune to visit Israel you will observe how the tongue of the prophets has been reborn on the lips of young and old. Hebrew, now a living language, is spoken in the homes and in the schools, in the factories and on the farms, in the cities and settlements of Israel. As one author picturesquely described it, "Airplanes as well as angels now fly through Hebrew literature." Hebrew is the key to the soul of the Jewish people and to the culture of modern Israel.

עִבְרִית חַיָּה

שִׁעוּר רִאשׁוֹן

LESSON 1

מִלּוֹן Vocabulary

pupil (*m.*)	תַּלְמִיד	Sarah	שָׂרָה
how are you? (*m. s.*)	מַה שְׁלוֹמְךָ?	and	וְ
how are you? (*f. s.*)	מַה שְׁלוֹמֵךְ?	Dan	דָן
fine; O.K.; all right (literally, "in order")	בְּסֵדֶר	hello; good-bye; peace	שָׁלוֹם
good	טוֹב	who (are)?	מִי
teacher (*m.*)	מוֹרֶה	you (*m. s.*)[1]	אַתָּה
the teacher	הַמּוֹרֶה	I (am)	אֲנִי
uncle	דּוֹד		

שָׂרָה וְדָן

Sarah and Dan meet and exchange greetings in Hebrew.

דָן: שָׁלוֹם.

שָׂרָה: מִי אַתָּה?

דָן: אֲנִי דָן, אֲנִי תַּלְמִיד.

שָׂרָה: שָׁלוֹם, דָן. אֲנִי שָׂרָה. מַה שְׁלוֹמְךָ?

דָן: בְּסֵדֶר. מַה שְׁלוֹמֵךְ?

שָׂרָה: טוֹב.

דָן: שָׁלוֹם, שָׂרָה.

שָׂרָה: שָׁלוֹם, דָן.

[1] Masculine singular; for a complete list of abbreviations see page 391.

[1]

עברית חיה

Grammar דִּקְדּוּק

A. Indefinite and Definite Articles

DEFINITE		INDEFINITE	
the pupil	הַתַּלְמִיד	(a) pupil	תַּלְמִיד .1
the teacher	הַמּוֹרֶה	(a) teacher	מוֹרֶה .2
the uncle	הַדּוֹד	(an) uncle	דּוֹד .3

The indefinite article "a" or "an" is omitted in Hebrew. (It is understood.) The definite article "the" is expressed by the letter הַ which is attached as a prefix to the noun.

B. Masculine and Feminine

FEMININE נְקֵבָה		MASCULINE זָכָר	
(a) pupil	תַּלְמִידָה	(a) pupil	תַּלְמִיד .1
(an) aunt	דּוֹדָה	(an) uncle	דּוֹד .2
(a) teacher	מוֹרָה	(a) teacher	מוֹרֶה .3

The feminine is usually formed by adding ָה as a suffix to the noun. (Note: מוֹרֶה is made feminine by changing the vowel ֶ to ָ.)

C. The Conjunction "And"

Sarah and Dan	שָׂרָה וְדָן .1
an uncle and an aunt	דּוֹד וְדוֹדָה .2
the teacher and the pupil	הַמּוֹרָה וְהַתַּלְמִיד .3

"And" is expressed in Hebrew by the letter וְ which is always attached as a prefix to the following word.

[2]

D. Omission of "Am," "Is," "Are"

I (am) a pupil.	1. אֲנִי תַּלְמִיד.
Sarah (is) a pupil.	2. שָׂרָה תַּלְמִידָה.
You (are) a pupil.	3. אַתָּה תַּלְמִיד.

The various forms of "to be" in the present tense, "am," "is" and "are," are not expressed in Hebrew. (They are understood.)

Exercises תַּרְגִּילִים

I. Translate the dialogue on page 1 into English.

II. Translate the following dialogue into Hebrew:

Teacher: Hello, Sarah. Hello, Dan.
Sarah and Dan: Hello.
Teacher: How are you, Sarah?
Sarah: Fine.
Teacher: Who is a pupil?
Sarah: Dan is a pupil.
Teacher: Who am I?
Sarah: You are a teacher.
Teacher: How are you, Dan?
Dan: Fine.
Teacher: Who is Sarah?
Dan: A pupil.
Teacher: Good-bye, Sarah and Dan.
Sarah and Dan: Good-bye.

III. Make the following nouns definite:

1. תַּלְמִיד 2. תַּלְמִידָה 3. מוֹרֶה 4. מוֹרָה 5. דּוֹד

IV. What is the gender of each of the following nouns?

1. הַתַּלְמִיד 2. דָּן 3. מוֹרֶה 4. מוֹרָה

5. תַּלְמִידָה 6. דּוֹד 7. דּוֹדָה 8. שָׂרָה

[3]

V. Connect each pair of words with וְ:

‏1. דָן ...שָׂרָה 2. דוֹד ...דוֹדָה 3. הַמּוֹרָה ...הַתַּלְמִיד

‏4. אֲנִי ...אַתָּה 5. דָן ...הַדּוֹד

VI. Translate. (Remember that "am," "is" and "are" are understood in Hebrew, but must be added in English.)

‏1. דָן תַּלְמִיד.

‏2. אֲנִי תַּלְמִיד.

‏3. שָׂרָה תַּלְמִידָה.

‏4. מִי אַתָּה?

‏5. אֲנִי הַמּוֹרָה.

VII. Vocabulary test. (Translate into Hebrew):

1.	hello	6.	how are you? (*m.*)	11.	you
2.	good	7.	how are you? (*f.*)	12.	who?
3.	uncle	8.	I	13.	and
4.	the pupil	9.	Sarah	14.	fine
5.	teacher	10.	Dan	15.	book

VIII. Oral Hebrew:

Pretend you have met somebody in Tel Aviv. Exchange greetings and inquire about each other's welfare in Hebrew.

שָׁעוּר שֵׁנִי

LESSON 2

מִלּוֹן

book	סֵפֶר	room	חֶדֶר
on	עַל	in the room	בַּחֶדֶר
table	שֻׁלְחָן	pupils (m.)	תַּלְמִידִים
chair	כִּסֵּא	(in) Hebrew	(בְּ)עִבְרִית¹
yes	כֵּן	where (is)?	אֵיפֹה
blackboard	לוּחַ	what (is)?	מַה, מָה
writes, is writing	כּוֹתֵב	this (is)	זֶה
wall	קִיר		

מוֹרֶה וְתַלְמִיד

Can you answer questions in Hebrew? Dan discovers that it can be done.

הַמּוֹרֶה בַּחֶדֶר. הַתַּלְמִידִים בַּחֶדֶר.

הַמּוֹרֶה (בְּעִבְרִית): שָׁלוֹם, תַּלְמִידִים.

הַתַּלְמִידִים: שָׁלוֹם.

הַמּוֹרֶה: מַה שְׁלוֹמְךָ, דָּן?

דָּן: בְּסֵדֶר.

הַמּוֹרֶה: מִי תַּלְמִיד?

דָּן: אֲנִי תַּלְמִיד.

¹ בְּ means "in;" בַּ means "in the."

[5]

הַמּוֹרֶה: מִי הַמּוֹרֶה?

דָּן:‎ אַתָּה הַמּוֹרֶה.

הַמּוֹרֶה: מִי בַּחֶדֶר?

דָּן:‎ הַתַּלְמִיד בַּחֶדֶר.

הַמּוֹרֶה: מִי תַּלְמִידָה?

דָּן:‎ שָׂרָה.

הַמּוֹרֶה: אֵיפֹה שָׂרָה?

דָּן:‎ שָׂרָה בַּחֶדֶר.

הַמּוֹרֶה: מַה זֶּה?

דָּן:‎ זֶה סֵפֶר.

הַמּוֹרֶה: טוֹב. אֵיפֹה הַסֵּפֶר?

דָּן:‎ הַסֵּפֶר עַל הַשֻּׁלְחָן.

הַמּוֹרֶה: מַה זֶּה?

דָּן:‎ כִּסֵּא.

הַמּוֹרֶה: כֵּן. מַה זֶּה?

דָּן:‎ לוּחַ.

הַמּוֹרֶה: מִי כּוֹתֵב עַל הַלּוּחַ?

דָּן:‎ אַתָּה. הַמּוֹרֶה כּוֹתֵב עַל הַלּוּחַ.

הַמּוֹרֶה: אֵיפֹה הַלּוּחַ?

דָּן:‎ הַלּוּחַ עַל הַקִּיר.

הַמּוֹרֶה: כֵּן. שָׁלוֹם, דָּן. שָׁלוֹם, תַּלְמִידִים.

הַתַּלְמִידִים: שָׁלוֹם.

דִּקְדּוּק

A. PLURAL OF NOUNS

PLURAL רַבִּי		SINGULAR יָחִיד	
	MASCULINE זָכָר		
pupils	תַּלְמִידִים	pupil	תַּלְמִיד
uncles	דּוֹדִים	uncle	דּוֹד
lessons	שִׁעוּרִים	lesson	שִׁעוּר
exercises	תַּרְגִּילִים	exercise	תַּרְגִּיל
vocabularies	מִלּוֹנִים	vocabulary	מִלּוֹן

	FEMININE נְקֵבָה		
pupils	תַּלְמִידוֹת	pupil	תַּלְמִידָה
aunts	דּוֹדוֹת	aunt	דּוֹדָה
teachers	מוֹרוֹת	teacher	מוֹרָה

1. Masculine nouns generally form their plural by adding ־ִים.
Feminine nouns ending in ־ָה form their plural by dropping the ־ָה
and adding וֹת.

2. Note that תַּרְגִּיל, שִׁעוּר and מִלּוֹן are regarded as masculine
and form their plurals by adding ־ִים.

3. The plural of מוֹרָה is מוֹרִים.

B. Auxiliary Verbs

I (am) writing on the board.	1. אֲנִי כּוֹתֵב עַל הַלּוּחַ.
The teacher (is) writing on the board.	2. הַמּוֹרֶה כּוֹתֵב עַל הַלּוּחַ.
What (does) the teacher write?	3. מַה כּוֹתֵב הַמּוֹרֶה?
What (are) you writing?	4. מָה אַתָּה כּוֹתֵב?

The auxiliary verbs "am," "is" and "are", used in the progressive form of the English verb ("am writing," "is writing"), are not expressed in Hebrew. (See sentences 1, 2 and 4, above.) Similarly, the verbs "do" and "does," used frequently in English in interrogative sentences, are not expressed in Hebrew. (See sentence 3, above.)

תַּרְגִּילִים

I. Answer each question in Hebrew:

5. מִי תַּלְמִיד?	1. מַה שְׁלוֹמְךָ?
6. מִי בַּחֶדֶר?	2. מִי תַּלְמִידָה?
7. מַה בַּחֶדֶר?	3. אֵיפֹה הַסֵּפֶר?
8. מִי כּוֹתֵב עַל הַלּוּחַ?	4. אֵיפֹה הַלּוּחַ?

II. Choose the correct word:

(בַּחֶדֶר, בַּסֵּפֶר)	1. הַתַּלְמִידִים ———.
(דָּן, שָׂרָה)	2. מַה שְׁלוֹמְךָ, ———?
(מִי, אֵיפֹה)	3. ——— הַכִּסֵּא?
(הַלּוּחַ, הַשֻּׁלְחָן)	4. הַסֵּפֶר עַל ———.
(תַּלְמִידִים, תַּרְגִּילִים)	5. שָׁלוֹם, ———.
(הַכִּסֵּא, הַקִּיר)	6. הַלּוּחַ עַל ———.

[8]

III. Change into the plural. (Study the rule on page 7.)

1. תַּלְמִיד 2. דּוֹד 3. שִׁעוּר 4. תַּרְגִּיל 5. מָלוֹן

6. מוֹרֶה 7. מוֹרָה 8. דּוֹדָה 9. תַּלְמִידָה 10. הַדּוֹד

IV. Translate into Hebrew. (Auxiliary verbs are not translated.)

1. What (is) this? This (is) a book.
2. The book (is) on the table.
3. Where (is) the teacher?
4. I (am) writing on the blackboard.
5. What (does) the pupil write?
6. What (are) you writing?

V. Match the following:

room	שֻׁלְחָן
Hebrew	סֵפֶר
blackboard	כִּסֵּא
yes	לוּחַ
uncle	תַּלְמִיד
book	מוֹרֶה
chair	דּוֹד
table	עִבְרִית
teacher	חֶדֶר
pupil	כֵּן

VI. Oral Hebrew:

Pretend you are the teacher. Ask 5 questions in Hebrew about people or objects in the classroom.

HEBREW NAMES

Hebrew has contributed more proper names to English than **any** other language. Here are some examples:

MEANING	ENGLISH	HEBREW
Exalted father	Abraham	1. אַבְרָהָם
Praise	Judah	2. יְהוּדָה
Judge	Dan	3. דָן
Father of light	Abner	4. אַבְנֵר
God has given	Jonathan	5. יְהוֹנָתָן
Beloved	David	6. דָוִד
Peace	Solomon	7. שְׁלֹמֹה
Strong	Ethan	8. אֵיתָן

שִׁעוּר שְׁלִישִׁי

LESSON 3

מִלּוֹן

nice, pretty	יָפֶה ז· (נ· יָפָה)²	only	רַק
Solomon	שְׁלֹמֹה	says, say	אוֹמֵר (ר· אוֹמְרִים)¹
picture	תְּמוּנָה	to	אֶל
David	דָּוִד	see	רוֹאֶה
English	אַנְגְּלִית	what else?	מָה עוֹד
no	לֹא	asks, ask	שׁוֹאֵל
bell	פַּעֲמוֹן	pen	עֵט
		rings	מְצַלְצֵל

רַק עִבְרִית

The students grow eloquent in Hebrew—all except David. But David
is saved by the bell.

הַמּוֹרֶה בַּחֶדֶר. הַתַּלְמִידִים בַּחֶדֶר.

הַמּוֹרֶה אוֹמֵר שָׁלוֹם. הַתַּלְמִידִים אוֹמְרִים שָׁלוֹם אֶל הַמּוֹרֶה.

הַמּוֹרֶה אוֹמֵר אֶל דָּן: "דָּן, מָה אַתָּה רוֹאֶה בַּחֶדֶר?"

"אֲנִי רוֹאֶה מוֹרֶה וְתַלְמִידִים," אוֹמֵר דָּן.

"מָה עוֹד?" שׁוֹאֵל הַמּוֹרֶה.

"אֲנִי רוֹאֶה שֻׁלְחָן. עַל הַשֻּׁלְחָן עֵט וְסֵפֶר יָפֶה."

¹ The ר· stands for רַבּוּי (plural). For a complete list of abbreviations see page 391.

² The ז· stands for זָכָר (masculine). The נ· stands for נְקֵבָה (feminine).

[11]

‏„טוֹב,‟ אוֹמֵר הַמּוֹרֶה. „שְׁלֹמֹה, מָה אַתָּה רוֹאֶה?‟

‏אוֹמֵר שְׁלֹמֹה: „אֲנִי רוֹאֶה לוּחַ. הַלּוּחַ עַל הַקִּיר.

‏עַל הַקִּיר תְּמוּנָה. בַּתְּמוּנָה אֲנִי רוֹאֶה תַּלְמִיד וְתַלְמִידָה.

‏הַתַּלְמִידָה יָפָה.‟

‏„טוֹב, שְׁלֹמֹה,‟ אוֹמֵר הַמּוֹרֶה. „דָּוִד, מָה אַתָּה רוֹאֶה בַּחֶדֶר?‟

‏„בְּאַנְגְּלִית?‟ שׁוֹאֵל דָּוִד.

‏„לֹא, רַק עִבְרִית,‟ אוֹמֵר הַמּוֹרֶה.

‏אוֹמֵר דָּוִד: „אֲנִי רוֹאֶה... אֲנִי רוֹאֶה...‟

‏„כֵּן,‟ שׁוֹאֵל הַמּוֹרֶה, „מָה אַתָּה רוֹאֶה?‟

‏„אֲנִי רוֹאֶה... אֲנִי רוֹאֶה... אֲנִי רוֹאֶה...‟

‏הַפַּעֲמוֹן מְצַלְצֵל.

‏„שָׁלוֹם,‟ אוֹמֵר דָּוִד. „הַפַּעֲמוֹן מְצַלְצֵל.‟

‏„שָׁלוֹם,‟ אוֹמֵר הַמּוֹרֶה.

דִּקְדּוּק

A. CONJUGATION OF אוֹמֵר

נְקֵבָה	זָכָר
יָחִיד	
שָׂרָה אוֹמֶרֶת שָׁלוֹם.	דָּן אוֹמֵר שָׁלוֹם.
Sarah says, "Hello."	Dan says, "Hello."
רַבִּי	
הַתַּלְמִידוֹת אוֹמְרוֹת שָׁלוֹם.	הַתַּלְמִידִים אוֹמְרִים שָׁלוֹם.
The pupils say, "Hello."	The pupils say, "Hello."

1. A verb agrees with its subject in number and in gender.

2. Note the ending of each verb:

In the feminine singular, add ‎ת‎— (אוֹמֶרֶת).

In the masculine plural, add ‎ים‎— (אוֹמְרִים).

In the feminine plural, add ‎וֹת‎— (אוֹמְרוֹת).

Note, too, the changes of vowel under the ‎מ‎.

B. WORD-ORDER

I. The Verb

"How are you?" the teacher asks.	‏מַה שְׁלוֹמְךָ?" שׁוֹאֵל הַמּוֹרֶה.‏
"Fine," the pupil says.	‏בְּסֵדֶר," אוֹמֵר הַתַּלְמִיד.‏

In Hebrew, the verb often precedes the noun.

II. The Adjective

a nice book	סֵפֶר יָפֶה
a good pen	עֵט טוֹב

The adjective in Hebrew follows the noun.

תַּרְגִּילִים

I. Answer the questions, based on the story on page 11, in complete Hebrew sentences:

5. מָה רוֹאֶה שְׁלֹמֹה בַּתְּמוּנָה?	1. מִי בַּחֶדֶר?
6. מַה שׁוֹאֵל דָּוִד?	2. מַה שׁוֹאֵל הַמּוֹרֶה?
7. מִי אוֹמֵר, "רַק עִבְרִית"?	3. מָה רוֹאֶה דָּן?
8. מַה מְצַלְצֵל?	4. אֵיפֹה הַתְּמוּנָה?

II. Complete each sentence with the missing word:

‏1. הַמּוֹרֶה אוֹמֵר שָׁלוֹם אֶל ———.

‏2. עַל הַשֻּׁלְחָן ——— ———.

‏3. הַלּוּחַ עַל ——— ———.

‏4. הַמּוֹרֶה שׁוֹאֵל: מָה אַתָּה ———?"

‏5. הַמּוֹרֶה אוֹמֵר אֶל דָּוִד: "רַק ———."

‏6. הַפַּעֲמוֹן ———.

III. Rewrite the story "רַק עִבְרִית" in the form of a dialogue.

IV. Fill in the correct form of the verb אוֹמֵר. (Study the rule on page 13.)

‏1. דָּן ——— שָׁלוֹם.

‏2. הַתַּלְמִידָה ——— שָׁלוֹם.

‏3. "אֲנִי רוֹאֶה תְּמוּנָה," ——— שְׁלֹמֹה.

‏4. "רַק עִבְרִית," ——— ——— הַתַּלְמִידִים.

‏5. הַתַּלְמִידוֹת ——— שָׁלוֹם אֶל הַמּוֹרֶה.

V. Translate. (Note that the English word-order often differs from the Hebrew. Study page 13.)

‏1. "מָה עוֹד בַּחֶדֶר?" שׁוֹאֵל הַמּוֹרֶה.

‏2. "בְּאַנְגְּלִית?" שׁוֹאֵל דָּוִד.

‏3. "לֹא, רַק עִבְרִית," אוֹמֵר הַמּוֹרֶה.

‏4. דָּן תַּלְמִיד טוֹב.

‏5. זֶה סֵפֶר יָפֶה.

VI. Oral Hebrew:

Tell in Hebrew what you see in the classroom.

[14]

HEBREW NAMES

Here are some female names borrowed by English from the Hebrew language.

MEANING	ENGLISH	HEBREW
Life	Eve	1. חַוָּה
Princess	Sarah	2. שָׂרָה
A ewe-lamb	Rachel	3. רָחֵל
Palm tree	Tamar	4. תָּמָר
Pleasantness	Naomi	5. נָעֳמִי'
Friendship	Ruth	6. רוּת
Gracious	Hannah	7. חַנָּה

---

¹ Pronounced *Naw-aw-mee* in both Sefardic and Ashkenazic.

שִׁעוּר רְבִיעִי

LESSON 4

מִלוֹן

learns, studies	לוֹמֵד	house	בַּיִת יּ
came, comes	בָּא	(the) father, papa	(הָ)אָב,¹ אַבָּא
they	הֵם	mother, mama	אֵם, אִמָּא
looks at (ר· מַבִּיטִים)	מַבִּיט בַּ...	son	בֵּן
television	טֶלֶוִיזְיָה	daughter	בַּת
do; doing; make	עוֹשֶׂה	sits, sit (ר· יוֹשְׁבִים)	יוֹשֵׁב
homework	שִׁעוּרֵי בַיִת	reads	קוֹרֵא בְּ...
finishes the lesson	גּוֹמֵר אֶת הַשִּׁעוּר		

בַּבַּיִת

An enjoyable evening at home—but one member of the family has too much homework.

בַּיִת. הָאָב וְהָאֵם בַּבַּיִת. הַבֵּן וְהַבַּת בַּבַּיִת. הַבַּיִת יָפֶה.

שְׁלֹמֹה יוֹשֵׁב וְקוֹרֵא בְּסֵפֶר. שְׁלֹמֹה לוֹמֵד. הַדּוֹד בָּא.

„שָׁלוֹם,‟ אוֹמֵר הַדּוֹד.

„שָׁלוֹם.‟

הָאָב, הָאֵם, הַדּוֹד וְשָׂרָה יוֹשְׁבִים. הֵם מַבִּיטִים בַּטֶלֶוִיזְיָה.

שְׁלֹמֹה לוֹמֵד.

¹ The definite article becomes הָ before א, ע, ר.

[16]

שְׁלֹמֹה, מָה אַתָּה עוֹשֶׂה? שׁוֹאֵל הָאָב.

אֲנִי לוֹמֵד, אַבָּא, אוֹמֵר שְׁלֹמֹה. אֲנִי כּוֹתֵב שִׁעוּרֵי בַיִת.

הָאָב, הָאֵם, הַדּוֹד וְשָׂרָה מַבִּיטִים בַּטֶּלֶוִיזְיָה.

שְׁלֹמֹה לוֹמֵד וְגוֹמֵר אֶת הַשִּׁעוּר.

דִּקְדּוּק

A. אֶת

I. אֶת and the Direct Object

DEFINITE DIRECT OBJECT	INDEFINITE DIRECT OBJECT	
דָּוִד גּוֹמֵר אֶת הַשִּׁעוּר.	דָּוִד גּוֹמֵר שִׁעוּר.	1.
David finishes the lesson.	David finishes a lesson.	
דָּן רוֹאֶה אֶת הַתְּמוּנָה.	דָּן רוֹאֶה תְּמוּנָה.	2.
Dan sees the picture.	Dan sees a picture.	
אֲנִי רוֹאֶה אֶת דָּוִד.	אֲנִי רוֹאֶה תַּלְמִיד.	
I see David.	I see a pupil.	

Note that אֶת is placed before the direct object of a verb if the object is definite. (See sentences 1 and 2, above.) In sentence 3, "David" is a proper noun and is regarded as definite even without the definite article. (There is no equivalent for the word אֶת in English.)

II. Object of a Preposition

Dan sits on the chair.　　　　דָּן יוֹשֵׁב עַל הַכִּסֵּא.

The teacher says　　　הַמּוֹרֶה אוֹמֵר שָׁלוֹם אֶל הַתַּלְמִיד.
hello to the pupil.

אֶת is not required before the object of a preposition.

[17]

B. Present Tense of לוֹמֵד and יוֹשֵׁב

נְקֵבָה	זָכָר
הַתַּלְמִידָה לוֹמֶדֶת	הַתַּלְמִיד לוֹמֵד
הַתַּלְמִידוֹת לוֹמְדוֹת	הַתַּלְמִידִים לוֹמְדִים
הַתַּלְמִידָה יוֹשֶׁבֶת	הַתַּלְמִיד יוֹשֵׁב
הַתַּלְמִידוֹת יוֹשְׁבוֹת	הַתַּלְמִידִים יוֹשְׁבִים

The verbs לוֹמֵד and יוֹשֵׁב are conjugated in the present tense like אוֹמֵר. Many other verbs, such as כּוֹתֵב and גּוֹמֵר, are conjugated in similar manner.

תַּרְגִּילִים

I. Answer in Hebrew.

4. מִי מַבִּיט בַּטֶּלֶוִיזְיָה?   1. אֵיפֹה הָאָב וְהָאֵם?

5. מַה שׁוֹאֵל הָאָב?   2. מָה עוֹשֶׂה שְׁלֹמֹה?

6. מָה אוֹמֵר שְׁלֹמֹה?   3. מִי בָּא?

II. Act out the following dialogue.

הָאֵם וְשָׂרָה

הָאֵם: שָׁלוֹם, שָׂרָה.

שָׂרָה: שָׁלוֹם, אִמָּא.

הָאֵם: מַה שְׁלוֹמֵךְ?

שָׂרָה: בְּסֵדֶר. אֵיפֹה אַבָּא?

הָאֵם: בַּבַּיִת. אַבָּא קוֹרֵא.

שָׂרָה: מִי עוֹד בַּבַּיִת?

הָאֵם: שְׁלֹמֹה וְהַדּוֹד.

שָׂרָה: מָה עוֹשֶׂה שְׁלֹמֹה?

הָאֵם: שְׁלֹמֹה לוֹמֵד.

שָׂרָה: וְהַדּוֹד?

הָאֵם: הַדּוֹד מַבִּיט בַּטֶּלֶוִיזְיָה.

III. Write a Hebrew sentence with each of the following words:

1. קוֹרֵא   2. בַּיִת   3. מַבִּיט   4. בָּא   5. עוֹשֶׂה

6. לוֹמֵד   7. אִמָּא   8. יוֹשֵׁב   9. הֵם   10. גּוֹמֵר

IV. Rewrite each sentence inserting אֶת where necessary. (Remember that אֶת is placed before the definite object of a verb.)

1. דָּן רוֹאֶה תְּמוּנָה.   5. דָּן רוֹאֶה הַתְּמוּנָה.

2. אֲנִי לוֹמֵד שָׁעוּר.   6. אֲנִי לוֹמֵד הַשָּׁעוּר.

3. הַתַּלְמִיד כּוֹתֵב הַתַּרְגִּיל.   7. שְׁלֹמֹה רוֹאֶה דָּן.

4. הַסֵּפֶר עַל הַשֻּׁלְחָן.   8. שָׂרָה כּוֹתֶבֶת הַשָּׁעוּר.

V. Substitute שָׂרָה for דָּן in the following sentences. Change the underlined words from masculine to feminine.

1. דָּן יוֹשֵׁב בַּבַּיִת.

2. דָּן שׁוֹאֵל, ״אֵיפֹה אַבָּא וְאִמָּא?״

3. ״מַה שְׁלוֹמְךָ, דָּן?״

4. דָּן אוֹמֵר, ״בְּסֵדֶר.״

5. דָּן לוֹמֵד עִבְרִית.

6. דָּן כּוֹתֵב עַל הַלּוּחַ.

עברית חיה

VI. Conjugate each of the following verbs in the present tense. (Study the correct forms on page 18.)

‏1. אוֹמֵר 2. גוֹמֵר 3. לוֹמֵד 4. יוֹשֵׁב 5. כּוֹתֵב

VII. Oral Hebrew:

Summarize the story ‏בַּבַּיִת in Hebrew.

THE ALPHABET

Two Hebrew letters, "aleph" and "bet," are easily recognized in the English word "alphabet." This is no accident since the English alphabet is indirectly derived from the Hebrew.

The Hebrew alphabet is regarded by some scholars as the oldest in existence. Many ancient inscriptions in the Hebrew language have been unearthed by scientists. The Phoenicians, a seafaring race inhabiting the coastal region directly north of Israel, spoke a language almost identical with Hebrew and used the same alphabet. The Greeks learned about the letters of the Hebrew or Phoenician alphabet while trading with the Phoenicians and began to use this alphabet to write down the words of their own language. The Romans, in turn, borrowed the alphabet from the Greeks, the Latin alphabet later serving as the basis for the English and many other Western alphabets.

Of course, the ancient Hebrew characters found on inscriptions look much different from modern Hebrew characters, but the names of the letters have remained the same.

שִׁעוּר חֲמִישִׁי

LESSON 5

מִלּוֹן

sings	שָׁר (ר. שָׁרִים)	a Hebrew song	שִׁיר עִבְרִי
also; too	גַּם	word	מִלָּה (ר. מִלִּים)
very	מְאֹד	he; it	הוּא
thanks	תּוֹדָה	tra-la-la	זוּם גַּלִּי
you (m. pl.)	אַתֶּם	(the) pioneer	(הֶ)חָלוּץ
good (m. pl.)	טוֹבִים	for the sake of	לְמַעַן
boy, child	יֶלֶד	work (n.)	עֲבוֹדָה
girl	יַלְדָּה		

שִׁיר עִבְרִי

The students learn a Hebrew song.

חֶדֶר. הַמּוֹרֶה בַּחֶדֶר. הַתַּלְמִידִים בַּחֶדֶר.

הַמּוֹרֶה כּוֹתֵב עַל הַלּוּחַ.

שׁוֹאֵל דָּן: ״מָה אַתָּה כּוֹתֵב עַל הַלּוּחַ?״

אוֹמֵר הַמּוֹרֶה: ״אֲנִי כּוֹתֵב שִׁיר עִבְרִי עַל הַלּוּחַ.״

הַמּוֹרֶה כּוֹתֵב אֶת הַמִּלִּים עַל הַלּוּחַ. הוּא כּוֹתֵב:

זוּם גַּלִּי, גַּלִּי, גַּלִּי,

זוּם גַּלִּי, גַּלִּי.

הֶחָלוּץ לְמַעַן עֲבוֹדָה,

עֲבוֹדָה לְמַעַן הֶחָלוּץ.

זוּם גַּלִּי, גַּלִּי, גַּלִּי,

זוּם גַּלִּי, גַּלִּי.

הַמּוֹרֶה שָׁר אֶת הַשִּׁיר.

גַּם הַתַּלְמִידִים שָׁרִים אֶת הַשִּׁיר.

„זֶה שִׁיר יָפֶה," אוֹמֵר דָּן.

„כֵּן," אוֹמְרִים הַתַּלְמִידִים, „זֶה שִׁיר יָפֶה מְאֹד."

„תּוֹדָה," אוֹמֵר הַמּוֹרֶה. „וְאַתֶּם תַּלְמִידִים טוֹבִים."

Zoom gal-lee gal-lee gal-lee zoom gal-lee gal-lee.

He-cha-loots l'-maan a-vaw-dah

Zoom gal-lee gal-lee gal-lee zoom gal-lee gal-lee

a-vaw-dah l'-maan he-cha-loots.

zoom gal-lee gal-lee gal-lee zoom gal-lee gal-lee.

דִּקְדּוּק

A. THE ADJECTIVE

<table>
<tr><td align="center">נְקֵבָה</td><td align="center">זָכָר</td></tr>
<tr><td align="center">תַּלְמִידָה טוֹבָה</td><td align="center">תַּלְמִיד טוֹב</td></tr>
<tr><td align="center">a good pupil</td><td align="center">a good pupil</td></tr>
<tr><td align="center">תַּלְמִידוֹת טוֹבוֹת</td><td align="center">תַּלְמִידִים טוֹבִים</td></tr>
<tr><td align="center">good pupils</td><td align="center">good pupils</td></tr>
<tr><td align="center">מוֹרָה יָפָה</td><td align="center">מוֹרֶה יָפֶה</td></tr>
<tr><td align="center">a nice teacher</td><td align="center">a nice teacher</td></tr>
<tr><td align="center">מוֹרוֹת יָפוֹת</td><td align="center">מוֹרִים יָפִים</td></tr>
<tr><td align="center">nice teachers</td><td align="center">nice teachers</td></tr>
</table>

An adjective must agree with the noun it modifies in number and in gender.

Note that the plural of יָפֶה is יָפִים. (The ה of יָפֶה drops out.)

B. ACCENT

1. שָׂרָה, תַּלְמִיד, מוֹרֶה, עִבְרִית, שֻׁלְחָן, כּוֹתֵב, אוֹמְרִים, תְּמוּנָה, יַלְדָּה, טוֹבוֹת.

2. בְּסֵדֶר, חֶדֶר, לוּחַ, סֵפֶר, בַּיִת, לְמַּעַן, יֶלֶד.

Most Hebrew words, as in the first list, are accented on the last syllable. Some words are accented on the syllable before the last. (See the second list.) This is especially true of words following the pattern of בַּיִת and יֶלֶד.

תַּרְגִּילִים

I. Answer in Hebrew:

4. מִי שָׁר?   1. אֵיפֹה הַתַּלְמִידִים?

5. מָה אוֹמְרִים הַתַּלְמִידִים?   2. מִי כּוֹתֵב עַל הַלּוּחַ?

6. מָה אוֹמֵר הַמּוֹרֶה?   3. מַה שׁוֹאֵל דָּן?

II. Act out the following dialogue:

דָּן וְהֶחָלוּץ

חָלוּץ: שָׁלוֹם.

דָּן: שָׁלוֹם.

חָלוּץ: מִי אַתָּה?

דָּן: אֲנִי דָּן. מִי אַתָּה?

חָלוּץ: שְׁלֹמֹה. אֲנִי חָלוּץ. (הוּא שָׁר שִׁיר.)

דָּן: מָה אַתָּה שָׁר?

חָלוּץ: שִׁיר עִבְרִי, ״זוּם גַּלִּי גַּלִּי.״

דָּן: שִׁיר יָפֶה.

חָלוּץ: כֵּן, שִׁיר יָפֶה מְאֹד.

דָּן: שָׁלוֹם.

חָלוּץ: שָׁלוֹם.

[24]

III. Fill in the correct form of the adjective:

‏1. (טוֹב) שָׂרָה תַּלְמִידָה ——— .

‏2. (יָפֶה) הַבַּת ——— מְאֹד.

‏3. (יָפֶה) הַיֶּלֶד שָׁר שִׁירִים ——— .

‏4. (טוֹב) שְׁלֹמֹה וְדָוִד תַּלְמִידִים ——— .

‏5. (יָפֶה) הָאֵם וְהַבַּת ——— .

IV. Change the underlined words into the plural:

‏1. שָׂרָה אוֹמֶרֶת שָׁלוֹם אֶל הַמּוֹרָה.

‏2. עַל הַשֻּׁלְחָן עֵט.

‏3. הֶחָלוּץ שָׁר שִׁיר.

‏4. הַדּוֹד בַּבַּיִת.

‏5. הַיַּלְדָּה כּוֹתֶבֶת אֶת הַתַּרְגִּיל.

‏6. הַתַּלְמִיד קוֹרֵא אֶת הַשִּׁעוּר.

V. Which syllable is accented? (Consult page 23.)

‏1. מוֹרִים ‏2. יֶלֶד ‏3. יַלְדָּה ‏4. שָׂרָה ‏5. בְּסֵדֶר

‏6. כּוֹתְבִים ‏7. בַּיִת ‏8. לוּחַ ‏9. שִׁירִים ‏10. חֶדֶר

VI. Fill in the correct form of the verb:

‏1. (שׁוֹאֵל) שָׂרָה ——— , ‏"אֵיפֹה הָעֵט?"

‏2. (כּוֹתֵב) הַתַּלְמִידִים ——— אֶת הַמִּלִּים עַל הַלּוּחַ.

‏3. (יוֹשֵׁב) הָאָב וְהַדּוֹד ——— בַּחֶדֶר.

‏4. (גּוֹמֵר) הַתַּלְמִידוֹת ——— אֶת הַשִּׁעוּר.

‏5. (לוֹמֵד) הַיַּלְדָּה ——— עִבְרִית.

‏6. (אוֹמֵר) הָאֵם ——— שָׁלוֹם אֶל הַדּוֹדָה.

Review חֲזָרָה

I. Do you know how to say these words in Hebrew?

1. and	22. table	43. mama
2. hello (peace)	23. chair	44. son
3. who?	24. yes	45. daughter
4. you (*m. s.*)	25. blackboard	46. sits
5. I	26. writes	47. reads
6. pupil	27. wall	48. learns, studies
7. how are you? (*m. s.*)	28. only	49. came, comes
8. how are you? (*f. s.*)	29. says	50. they
9. fine; all right	30. too	51. lesson
10. good	31. see	52. finishes
11. teacher	32. what else?	53. song
12. the	33. asks	54. word
13. uncle	34. pen	55. sings
14. room	35. nice	56. also, **too**
15. in, in the	36. picture	57. very
16. Hebrew	37. English	58. thanks
17. where?	38. no	59. boy
18. what?	39. house	60. girl
19. this	40. father	61. doing, make
20. book	41. papa	62. homework
21. on	42. mother	63. story

II. Do you know the meaning of these words?

13. חָלוּץ	7. זָכָר	1. דוֹדָה
14. לְמַעַן	8. נְקֵבָה	2. מִלּוֹן
15. עֲבוֹדָה	9. רִבּוּי	3. דִּקְדּוּק
16. אַתֶּם	10. מַבִּיט בַּ...	4. תַּרְגִּילִים
17. חֲזָרָה	11. טֶלֶוִיזְיָה	5. פַּעֲמוֹן
18. רִאשׁוֹן	12. מִלִּים	6. מְצַלְצֵל

III. Which English names are derived from the following Hebrew
names?

1. שָׂרָה	6. יְהוֹנָתָן	11. תָּמָר
2. דָּן	7. דָּוִד	12. נָעֳמִי
3. אַבְרָהָם	8. שְׁלֹמֹה	13. רוּת
4. יְהוּדָה	9. חַוָּה	14. חַנָּה
5. אַבְנֵר	10. רָחֵל	15. אֵיתָן

IV. Do you know the following grammatical forms?

A. Noun: feminine, page 7; plural, page 7.

B. Verb: omission of "to be" and auxiliary verbs, page 3 and page
8; present tense, page 12 and page 18.

C. Adjective: definite article, page 2; position of adjective, page 13;
declension, page 23.

D. Miscellaneous: אֶת, page 17; accent, page 23; word order, page 13.

V. Oral Hebrew:

A. Can you summarize in Hebrew each of the first five stories?

B. Can you converse in Hebrew on each one of these topics:

1. מַה שְׁלוֹמְךָ? ‏2. בַּבַּיִת ‏3. מוֹרֶה וְתַלְמִיד

מִבְחָן Test

I. Answer in Hebrew: (20)

3. מִי בַּחֶדֶר?   1. מַה שְּׁלוֹמְךָ?

4. מָה אַתָּה רוֹאֶה בַּתְּמוּנָה?   2. מָה עַל הַשֻּׁלְחָן?

5. אֵיפֹה הַלּוּחַ?

II. Translate: (20)

1. The father and the mother are in the house.
2. The teacher and the pupils are sitting in the room.
3. I see a pretty girl in the picture.
4. Sarah is writing Hebrew on the blackboard.

III. Write the following nouns in the plural: (15)

5. תַּלְמִידָה   4. שִׁיר   3. מוֹרֶה   2. עֵט   1. דּוֹדָה

IV. Write the correct form of the verb. (15)

1. (יוֹשֵׁב) הָאֵם וְהַבַּת ———— בַּבַּיִת.

2. (אוֹמֵר) הַתַּלְמִידִים ———— שָׁלוֹם.

3. (כּוֹתֵב) הַמּוֹרָה ————אֶת הַשִּׁיר עַל הַלּוּחַ.

4. (שׁוֹאֵל) שָׂרָה ————: "מַה שְּׁלוֹמְךָ?"

5. (קוֹרֵא) דָּוִד וְדָן ————.

V. Fill in the correct form of the adjective: (10)

1. (יָפֶה) שָׂרָה יַלְדָּה ————.

2. (טוֹב) חַנָּה בַּת ————.

3. (יָפֶה) הֶחָלוּץ שָׁר שִׁירִים ————.

4. (טוֹב) אַתֶּם תַּלְמִידִים ————.

5. (טוֹב) חַנָּה וְשָׂרָה תַּלְמִידוֹת ————.

VI. Summarize in Hebrew the story "בַּבַּיִת" either orally or in writing. (20)

[28]

שִׁעוּר שִׁשִּׁי

LESSON 6

מִלּוֹן

I have	יֵשׁ לִי	composition	חִבּוּר
school	בֵּית סֵפֶר	near, alongside of, at	עַל יַד
in school	בְּבֵית הַסֵּפֶר	she	הִיא
why?	מַדּוּעַ	you (f. s.)	אַתְּ
not, do not	אֵין	by	מֵאֵת
know	יוֹדֵעַ	Shalom Aleichem (popular Jewish author)	שָׁלוֹם עֲלֵיכֶם
more	עוֹד	small	קָטָן י׳ (נ׳ קְטַנָּה)

חִבּוּר עִבְרִי

David struggles with a Hebrew composition.

בַּיִת. הָאָב וְהָאֵם וְדָוִד וְשָׂרָה בַּבַּיִת.

דָּוִד הַבֵּן, וְשָׂרָה הַבַּת.

דָּוִד יוֹשֵׁב עַל יַד הַשֻּׁלְחָן וְהוּא כּוֹתֵב.

שָׂרָה יוֹשֶׁבֶת עַל כִּסֵּא וְהִיא קוֹרֵאת בְּסֵפֶר.

הָאָב שׁוֹאֵל: ,,שָׂרָה, מָה אַתְּ קוֹרֵאת?״

אוֹמֶרֶת שָׂרָה: ,,אֲנִי קוֹרֵאת סֵפֶר מֵאֵת שָׁלוֹם עֲלֵיכֶם.״

שׁוֹאֵל הָאָב אֶת דָּוִד: ,,מָה אַתָּה כּוֹתֵב?״

אוֹמֵר הַבֵּן הַקָּטָן: ,,אֲנִי כּוֹתֵב חִבּוּר עִבְרִי.״

דָּוִד קוֹרֵא אֶת הַחִבּוּר אֶל הָאָב.

בַּבַּיִת

אֲנִי יוֹשֵׁב (live) בְּבַיִת יָפֶה. יֵשׁ לִי אָב, וְיֵשׁ לִי אֵם. אֲנִי הַבֵּן וְשָׂרָה הַבַּת. שָׂרָה לוֹמֶדֶת בְּבֵית הַסֵּפֶר. הִיא תַּלְמִידָה טוֹבָה. הִיא קוֹרֵאת בְּסֵפֶר יָפֶה. גַּם אֲנִי לוֹמֵד בְּבֵית הַסֵּפֶר.

שׁוֹאֵל הָאָב: „דָּוִד, מַדּוּעַ אֵין אַתָּה כּוֹתֵב עוֹד?"

אוֹמֵר דָּוִד: „אֵין אֲנִי יוֹדֵעַ עוֹד מִלִּים."

דִּקְדּוּק

A. PERSONAL SUBJECT PRONOUNS (מִלּוֹת־הַגּוּף)

I am studying in school.	1. אֲנִי לוֹמֵד בְּבֵית הַסֵּפֶר.
He is writing a Hebrew composition.	2. הוּא כּוֹתֵב חִבּוּר עִבְרִי.
We live in a beautiful house.	3. אֲנַחְנוּ יוֹשְׁבִים בְּבַיִת יָפֶה.

The words אֲנִי, הוּא and אֲנַחְנוּ in the above sentences are personal subject pronouns. They are used only as subjects of sentences. The following is a complete list of personal subject pronouns:

	נְקֵבָה			זָכָר	
I	אֲנִי		I	אֲנִי	1.
you	אַתְּ		you	אַתָּה	2.
she	הִיא		he	הוּא	3.

רִבּוּי נְקֵבָה		רִבּוּי זָכָר	
we	אֲנַחְנוּ	we	אֲנַחְנוּ .1
you	אַתֶּן	you	אַתֶּם .2
they	הֵן	they	הֵם .3

B. Adjectives and the Definite Article

the small son	הַבֵּן הַקָּטָן .1
the small daughter	הַבַּת הַקְּטַנָּה .2
the good student	הַתַּלְמִיד הַטּוֹב .3
the pretty songs	הַשִּׁירִים הַיָּפִים .4
this son	הַבֵּן הַזֶּה .5

If the noun is definite, the adjective which modifies it must also be definite.

תַּרְגִּילִים

I. If the statement is true, write כֵּן. If the statement is false, write לֹא, and rewrite the sentence making it correct. (Based on the story on page 29.)

1. רַק דָּוִד בַּבַּיִת.
2. דָּוִד יוֹשֵׁב עַל יַד הַטֶּלֶוִיזְיָה.
3. דָּוִד כּוֹתֵב חִבּוּר.
4. הָאָב שׁוֹאֵל: ,,דָּוִד, מָה אַתָּה כּוֹתֵב?׳׳
5. דָּוִד קוֹרֵא אֶת הַחִבּוּר אֶל הָאֵם.
6. שָׂרָה כּוֹתֶבֶת חִבּוּר עִבְרִי.
7. אֵין דָּוִד יוֹדֵעַ עוֹד מִלִּים בְּעִבְרִית.

‏II. עֲנֵה בְעִבְרִית:‏

‏1. מִי בַּבַּיִת?‏

‏2. אֵיפֹה דָוִד?‏

‏3. מַה כּוֹתֵב דָוִד?‏

‏4. מַה קוֹרֵאת שָׂרָה?‏

‏5. מִי לוֹמֵד בְּבֵית הַסֵּפֶר?‏

‏6. מַה שׁוֹאֵל הָאָב אֶת שָׂרָה?‏

‏7. מַדּוּעַ אֵין דָוִד כּוֹתֵב עוֹד?‏

III. Change the underlined words from the singular to the plural:

‏1. אֲנִי בַּחֶדֶר.‏

‏2. מִי אַתָּה?‏

‏3. אֵיפֹה הוּא?‏

‏4. הִיא בַּחֶדֶר.‏

‏5. אֵיפֹה אַתְּ?‏

IV. Change the underlined words from the plural to the singular:

‏1. מִי אַתֶּם?‏

‏2. אֲנַחְנוּ בְּבֵית הַסֵּפֶר.‏

‏3. מִי הֵן?‏

‏4. הֵם בַּבַּיִת.‏

‏5. אֵיפֹה אַתֶּן?‏

V. Write the correct form of the adjective in parenthesis:

1. תְּמוּנָה (יָפֶה) ———— עַל הַקִּיר.

2. הַתַּלְמִידִים (טוֹב) ———— לוֹמְדִים.

3. בַּבַּיִת יֵשׁ בַּת (קָטָן) ————.

4. הַסֵּפֶר (זֶה) ———— עַל הַשֻּׁלְחָן.

5. אֲנִי יוֹדֵעַ שִׁירִים (יָפֶה) ————.

VI. Review the use of the word אֶת on page 17; then translate the following sentences:

1. He is writing a good composition in Hebrew.
2. We are studying the Hebrew lesson.
3. She is writing to David.
4. Sarah is reading (in) a Hebrew book.
5. He sees the teacher and says, "Hello."

VII. Reread lesson 6 on page 29 and compose a dialogue with the following persons taking part: שָׂרָה ,הָאָב ,דָּוִד.

HEBREW AND ENGLISH ALPHABETS

We have already seen that the English alphabet is indirectly derived from the Hebrew. "Aleph" in Hebrew, for example, became "alpha" in Greek and "a" in English; "bet" in Hebrew became "beta" in Greek and "b" in English. Of course, many changes took place; thus, English has 26 letters and Hebrew only 22.

Here are several examples of English letters indirectly derived from Hebrew.

ENGLISH DERIVATIVE	HEBREW	
	PRINTED FORM OF LETTER	NAME OF LETTER
A	א	אָלֶף
B	ב	בֵּית
D	ד	דָלֶת
K	כ	כָּף
L	ל	לָמֶד
M	מ	מֵם
N	נ	נוּן
P	פ	פֵּא
R	ר	רֵישׁ
S	שׂ, שׁ	שִׁין, שִׂין
T	ת	תָּו

שָׁעוּר שְׁבִיעִי

LESSON 7

מִלּוֹן

a little	מְעַט	tourist	תַּיָּר
now	עַכְשָׁו	Tel Aviv	תֵּל אָבִיב
American	אֲמֶרִיקָאִי	Allenby Road (a main thoroughfare in Tel Aviv)	רְחוֹב אַלֶּנְבִּי
from New York	מִנְּיוּ יוֹרְק	man	אִישׁ
want	רוֹצֶה	walk	הוֹלֵךְ
of	שֶׁל	speak	מְדַבֵּר
Bialik Street (street named after Bialik, Hebrew national poet)	רְחוֹב בְּיַאלִיק	pardon!	סְלִיחָה
garden, park	גַּן	Sir, Mr.	אֲדוֹנִי

תַּיָּר בְּתֵל אָבִיב

An American tourist in Tel Aviv looks for the Bialik Museum.

רְחוֹב אַלֶּנְבִּי בְּתֵל אָבִיב.

תַּיָּר הוֹלֵךְ בָּרְחוֹב.

הַתַּיָּר רוֹאֶה אִישׁ.

הַתַּיָּר הוֹלֵךְ אֶל הָאִישׁ.

הַתַּיָּר מְדַבֵּר אֶל הָאִישׁ.

הַתַּיָּר: סְלִיחָה, אֲדוֹנִי, אַתָּה מְדַבֵּר אַנְגְּלִית?

הָאִישׁ: לֹא, אֲדוֹנִי, רַק עִבְרִית. אַתָּה מְדַבֵּר עִבְרִית?

הַתַּיָּר: מְעַט. אֲנִי לוֹמֵד עִבְרִית עַכְשָׁו.

הָאִישׁ: אַתָּה אֲמֶרִיקָאִי?

הַתַּיָּר: כֵּן, אֲנִי תַּיָּר אֲמֶרִיקָאִי מִנְּיוּ יוֹרְק.

הָאִישׁ: מָה אַתָּה רוֹצֶה, אֲדוֹנִי?

הַתַּיָּר: אֵיפֹה הַבַּיִת שֶׁל בְּיַאלִיק?

הָאִישׁ: הַבַּיִת שֶׁל בְּיַאלִיק[1] בִּרְחוֹב בְּיַאלִיק עַל יַד הַגַּן.
הַבַּיִת שֶׁל בְּיַאלִיק יָפֶה מְאֹד.

הַתַּיָּר: תּוֹדָה, אֲדוֹנִי. שָׁלוֹם.

הָאִישׁ: שָׁלוֹם.

דִּקְדּוּק

I am studying Hebrew now.	1. אֲנִי לוֹמֵד עִבְרִית עַכְשָׁו.
She is studying in school.	2. הִיא לוֹמֶדֶת בְּבֵית הַסֵּפֶר.
You (f. pl.) study Hebrew.	3. אַתֶּן לוֹמְדוֹת עִבְרִית.
We are also studying English.	4. אֲנַחְנוּ לוֹמְדִים גַּם אַנְגְּלִית.

The present tense of the verb has different endings for the masculine and feminine, singular and plural.

CONJUGATION OF לוֹמֵד (STUDY) IN PRESENT TENSE

נְקֵבָה		זָכָר	
I study, am studying	אֲנִי לוֹמֶדֶת	I study, am studying	1. אֲנִי לוֹמֵד
you study, are studying	אַתְּ לוֹמֶדֶת	you study, are studying	2. אַתָּה לוֹמֵד
she studies, is studying	הִיא לוֹמֶדֶת	he studies, is studying	3. הוּא לוֹמֵד

[1] Bialik's former house now serves as a museum.

רִבּוּי נְקֵבָה		רִבּוּי זָכָר	
we study, are studying	אֲנַחְנוּ לוֹמְדוֹת	we study, are studying	.1 אֲנַחְנוּ לוֹמְדִים
you study, are studying	אַתֶּן לוֹמְדוֹת	you study, are studying	.2 אַתֶּם לוֹמְדִים
they study, are studying	הֵן לוֹמְדוֹת	they study, are studying	.3 הֵם לוֹמְדִים

Note that the present tense in Hebrew may be translated in any of three ways, thus: אֲנִי לוֹמֵד, I study, I am studying, I do study.

תַּרְגִּילִים

I. עֲנֵה בְעִבְרִית:

.1 אֵיפֹה הוֹלֵךְ הַתַּיָּר?

.2 אֶל מִי הוּא מְדַבֵּר?

.3 מַה שׁוֹאֵל הָאִישׁ?

.4 מַה שׁוֹאֵל הַתַּיָּר?

.5 מָה אוֹמֵר הָאִישׁ?

II. Compose a Hebrew sentence with each of the following words:

.5 רוֹצֶה .4 הוֹלֵךְ .3 מְדַבֵּר .2 סְלִיחָה .1 אִישׁ

.10 גַּן .9 תַּיָּר .8 עַכְשָׁו .7 רְחוֹב .6 מְעַט

III. Conjugate the following verbs in the present tense (see page 36):

.3 יוֹשֵׁב .2 כּוֹתֵב .1 אוֹמֵר

IV. Fill in the correct form of the verb in the present:

.1 (לוֹמֵד) אַתָּה —— בְּבֵית הַסֵּפֶר.

.2 (אוֹמֵר) הִיא ——, "שָׁלוֹם, אֲדוֹנִי."

.3 (קוֹרֵא) מַדּוּעַ אֵין אַתֶּם —— סֵפֶר עִבְרִי?

[37]

4. (יוֹשֵׁב) אֲנַחְנוּ ——— בַּחֶדֶר.

5. (יוֹדֵעַ) הֵן ——— עִבְרִית.

6. (הוֹלֵךְ) הֵם ——— בִּרְחוֹב בְּיַאלִיק.

7. (כּוֹתֵב) דָּוִד ——— חִבּוּר עִבְרִי.

V. עִבְרִית מְדֻבֶּרֶת (Oral Hebrew):

The dialogue on page 35 is to be read aloud by two students taking the parts of the tourist and the Israeli respectively. Then the conversation is to be acted out without the aid of the text.

MEANINGS OF LETTERS OF ALPHABET[1]

The name of each Hebrew letter has a meaning. Here are some of the meanings:

Meaning	Printed Form	Name of Letter
house	ב	בֵּית
camel	ג	גִּמֶל
door	ד	דָּלֶת
hook	ו	וָו
weapon	ז	זַיִן
hand	י	יוֹד
palm of hand	כ	כָּף

[1] For complete alphabet see page 369.

LESSON 8

מִלּוֹן

Aleph, Bet	א, ב	Samuel	שְׁמוּאֵל
call out; read	קוֹרֵא	Persian	פַּרְסִי
that (*conj.*)	כִּי	wise, clever	חָכָם
to mock him	לִצְחֹק בּוֹ	The Land of Israel נ׳	אֶרֶץ יִשְׂרָאֵל
strikes, hits	מַכֶּה	to study	לִלְמֹד
ear אֹזֶן נ׳		opens	פּוֹתֵחַ
my ear	הָאֹזֶן שֶׁלִּי	this	זֹאת נ׳
everybody	כָּל אִישׁ	hand	יָד נ׳

שְׁמוּאֵל וְהַפַּרְסִי

Here is a story, taken from the Talmud, of an ancient scholar named Samuel who taught courtesy to a rude student.

שְׁמוּאֵל אִישׁ חָכָם. הוּא יוֹשֵׁב בְּאֶרֶץ יִשְׂרָאֵל.

פַּרְסִי בָּא אֶל הַבַּיִת שֶׁל שְׁמוּאֵל.

"שָׁלוֹם," אוֹמֵר הַפַּרְסִי.

"שָׁלוֹם," אוֹמֵר שְׁמוּאֵל, "מָה אַתָּה רוֹצֶה?"

אוֹמֵר הַפַּרְסִי: "אֲנִי רוֹצֶה לִלְמֹד עִבְרִית."

"טוֹב," אוֹמֵר שְׁמוּאֵל.

הָאִישׁ יוֹשֵׁב עַל יַד הַשֻּׁלְחָן.

[39]

שְׁמוּאֵל פּוֹתֵחַ סֵפֶר וְאוֹמֵר: „זֹאת א, וְזֹאת ב.״

הַפַּרְסִי אוֹמֵר: „א, ב.״

„מַה זֹּאת?״ שׁוֹאֵל שְׁמוּאֵל.

„ב,״ קוֹרֵא הַפַּרְסִי.

„לֹא,״ אוֹמֵר שְׁמוּאֵל, „זֹאת א.״

„לֹא, זֹאת ב,״ אוֹמֵר הַפַּרְסִי.

שׁוֹאֵל שְׁמוּאֵל, „מַה זֹּאת?״

„א,״ אוֹמֵר הַפַּרְסִי.

„ב,״ אוֹמֵר שְׁמוּאֵל.

„לֹא, א,״ קוֹרֵא הַפַּרְסִי.

שְׁמוּאֵל רוֹאֶה כִּי הָאִישׁ רוֹצֶה לִצְחֹק בּוֹ.
הוּא מַכֶּה אֶת הַפַּרְסִי עַל הָאֹזֶן.

„אוֹי (ouch) הָאֹזֶן שֶׁלִּי, הָאֹזֶן שֶׁלִּי!״ קוֹרֵא הַפַּרְסִי.

„אֵין זֹאת אֹזֶן,״ אוֹמֵר שְׁמוּאֵל, „זֹאת יָד.״

„מַה אַתָּה אוֹמֵר?״ קוֹרֵא הַפַּרְסִי. „כָּל אִישׁ יוֹדֵעַ
כִּי זֹאת אֹזֶן.״

„כֵּן,״ אוֹמֵר שְׁמוּאֵל, „וְכָל אִישׁ יוֹדֵעַ כִּי זֹאת א וְזֹאת ב.״

דִּקְדּוּק

1. אֲנִי קוֹרֵא בְּסֵפֶר עִבְרִי.	I am reading a Hebrew book.	
2. שָׂרָה קוֹרֵאת אֶת הַחִבּוּר.	Sarah is reading the composition.	
3 הַתַּלְמִידִים קוֹרְאִים אֶת הַמִּלִּים.	The pupils are reading the words.	

[40]

A. Present Tense of קוֹרֵא (READS, CALLS)

זָכָר

אֲנִי	
אַתָּה	קוֹרֵא
הוּא	

נְקֵבָה

אֲנִי	
אַתְּ	קוֹרֵאת
הִיא	

רִבּוּי זָכָר

אֲנַחְנוּ	
אַתֶּם	קוֹרְאִים
הֵם	

רִבּוּי נְקֵבָה

אֲנַחְנוּ	
אַתֶּן	קוֹרְאוֹת
הֵן	

Note that the א, although silent, is retained throughout. In the feminine singular, the vowel under the third letter is ֶ. All verbs ending in א are conjugated in the present like קוֹרֵא. For example: יוֹצֵא (go out), נוֹשֵׂא (carry), שׂוֹנֵא (hate).

B. The Verb מְדַבֵּר (SPEAK)

David speaks Hebrew.	1. דָּוִד מְדַבֵּר עִבְרִית
The pupil (f.) speaks English.	2. הַתַּלְמִידָה מְדַבֶּרֶת אַנְגְלִית.
The son and daughter speak nicely.	3. הַבֵּן וְהַבַּת מְדַבְּרִים יָפֶה.

PRESENT TENSE

זָכָר

אֲנִי	
אַתָּה	מְדַבֵּר
הוּא	

נְקֵבָה

אֲנִי	
אַתְּ	מְדַבֶּרֶת
הִיא	

רִבּוּי נְקֵבָה		רִבּוּי זָכָר	
אֲנַחְנוּ		אֲנַחְנוּ	
אַתֶּן מְדַבְּרוֹת		אַתֶּם מְדַבְּרִים	
הֵן		הֵם	

Note that some verbs are formed in the present tense by prefixing the letter מְ as in the verb מְדַבֵּר. Other such verbs are: מְקַבֵּל (receive), מְסַפֵּר (tell), מְלַמֵּד (teach).

תַּרְגִּילִים

I. עֲנֵה בְּעִבְרִית:

1. אֵיפֹה יוֹשֵׁב שְׁמוּאֵל?

2. מִי בָּא אֶל שְׁמוּאֵל?

3. מָה רוֹצֶה הַפַּרְסִי לִלְמֹד?

4. מַדּוּעַ אוֹמֵר הַפַּרְסִי: "זֹאת ב, זֹאת א"?

5. מַדּוּעַ קוֹרֵא הַפַּרְסִי, "אוֹי"?

II. Translate:

1. Sarah speaks Hebrew nicely (יָפֶה).

2. David is sitting near the table and reading a Hebrew book.

3. Solomon says, "I am studying Hebrew. I want to see (לִרְאוֹת) Israel."

4. "(Do) you (*m. pl.*) speak Hebrew?" "A little."

5. The Persian comes to Samuel to learn Hebrew.

III. Change the underlined words from masculine to feminine:

1. הָאָב קוֹרֵא בְּסֵפֶר אַנְגְּלִי.

2. הוּא יוֹשֵׁב בַּחֶדֶר.

3. הַתַּלְמִידִים קוֹרְאִים: שָׁלוֹם, אֲדוֹנִי.

4. הַדּוֹד מְדַבֵּר עִבְרִית.

5. הַמּוֹרֶה כּוֹתֵב עַל הַלּוּחַ.

6. הַבֵּן כּוֹתֵב חִבּוּר עִבְרִי.

7. אֲנִי קוֹרֵא בַּסֵּפֶר.

8. הֵם מְדַבְּרִים מְעַט עִבְרִית.

9. הַמּוֹרֶה מְדַבֵּר עִבְרִית אֶל הַתַּלְמִידִים.

10. הֵם אוֹמְרִים „שָׁלוֹם."

IV. Conjugate in the present tense:

1. כּוֹתֵב   2. יוֹצֵא   3. מְסַפֵּר   4. מְקַבֵּל

V. Fill in the correct word:

1. יֵשׁ לִי מוֹרֶה ———.   (טוֹב, טוֹבָה)

2. ——— מְדַבֶּרֶת עִבְרִית וְאַנְגְּלִית.   (הָאָב, הָאֵם)

3. ——— קוֹרֵא בַּסֵּפֶר.   (דָּוִד, שָׂרָה)

4. ——— כּוֹתְבוֹת חִבּוּר עִבְרִי.   (אַתֶּם, אַתֵּן)

5. ——— אוֹמֵר: „הַכֹּל בְּסֵדֶר."   (הוּא, הִיא)

VI. Translate the following dialogue into Hebrew:

Teacher: What do you wish, David?
David: I wish to learn Hebrew.
Teacher: I am writing on the blackboard Aleph and Bet.
David: What is Aleph and what is Bet?
Teacher: This is Aleph and this is Bet.
David: No, teacher, this is Bet and this is Aleph.
      (Teacher strikes David's ear.)
David: Ouch, my ear.
Teacher: That's not the ear. That's the hand.
David: Everybody knows this is my ear.
Teacher: And everybody knows this is Aleph and this is Bet.

עברית חיה

פִּתְגָם עִבְרִי

Say little and do much.

(Ethics of the Fathers, I)

אֱמֹר מְעַט וַעֲשֵׂה הַרְבֵּה.

(פִּרְקֵי אָבוֹת, א)

MEANINGS OF LETTERS OF ALPHABET

Here are the meanings of some of the letters in the second half of the alphabet.

MEANING	PRINTED FORM	NAME OF LETTER
water	מ	מֵם
fish	נ	נוּן
eye	ע	עַיִן
mouth	פ	פֵּא
head	ר	רֵישׁ
tooth	שׁ	שִׁין
sign	ת	תָּו

שִׁעוּר תְּשִׁיעִי

LESSON 9

מִלּוֹן

took	לָקַח	morning	בֹּקֶר
again	עוֹד פַּעַם	Torah (usually the 5 Books of Moses)	תּוֹרָה
laugh	צוֹחֵק (ר׳ צוֹחֲקִים)	one	אֶחָד
aloud	בְּקוֹל	name	שֵׁם
in the beginning	בְּרֵאשִׁית	answers (v.)	עוֹנֶה
created	בָּרָא	Dan has a pen	לְדָן עֵט
God	אֱלֹהִים	afterwards	אַחֲרֵי כֵן
heavens	שָׁמַיִם	takes	לוֹקֵחַ
		earth	אֶרֶץ נ׳

„לֹא אֲנִי"

Story of a student who never admits his faults.

בֹּקֶר. הַתַּלְמִידִים לוֹמְדִים בְּבֵית הַסֵּפֶר.

הֵם לוֹמְדִים אֶת הַתּוֹרָה בְּעִבְרִית.

רַק תַּלְמִיד אֶחָד לֹא טוֹב.

הַשֵּׁם שֶׁל הַתַּלְמִיד הוּא אַבְנֵר.

אֵין אַבְנֵר לוֹמֵד. הוּא מְדַבֵּר אֶל דָּוִד.

„מִי מְדַבֵּר?" שׁוֹאֵל הַמּוֹרֶה.

„לֹא אֲנִי," עוֹנֶה אַבְנֵר, „לֹא אֲנִי."

לְדָן עֵט יָפֶה.

[45]

אַבְנֵר לוֹקֵחַ אֶת הָעֵט שֶׁל דָּן.

רוֹאֶה דָן כִּי אֵין הָעֵט עַל הַשֻּׁלְחָן, וְהוּא שׁוֹאֵל:
‏„אֵיפֹה הָעֵט שֶׁלִּי?"

‏„מִי לָקַח אֶת הָעֵט שֶׁל דָּן?" שׁוֹאֵל הַמּוֹרֶה.

‏„לֹא אֲנִי," עוֹנֶה אַבְנֵר, „לֹא אֲנִי."

אַבְנֵר מְדַבֵּר עוֹד פַּעַם. אַחֲרֵי כֵן הוּא צוֹחֵק בְּקוֹל.

‏„מִי צוֹחֵק?" שׁוֹאֵל הַמּוֹרֶה.

‏„לֹא אֲנִי," קוֹרֵא אַבְנֵר, „לֹא אֲנִי."

אוֹמֵר הַמּוֹרֶה אֶל שְׁלֹמֹה: „קְרָא (read) בַּסֵּפֶר!"
שְׁלֹמֹה קוֹרֵא:

‏„בְּרֵאשִׁית בָּרָא אֱלֹהִים אֵת הַשָּׁמַיִם וְאֵת הָאָרֶץ."

שׁוֹאֵל הַמּוֹרֶה: „מִי בָּרָא אֶת הַשָּׁמַיִם וְאֶת הָאָרֶץ?"

‏„לֹא אֲנִי!" קוֹרֵא אַבְנֵר בְּקוֹל, „לֹא אֲנִי!"

הַתַּלְמִידִים יוֹשְׁבִים וְצוֹחֲקִים.

דִּקְדּוּק

A. Possession

I. Affirmative

David has a book (literally, "To David there is a book").	‏1. לְדָוִד יֵשׁ סֵפֶר.
Miriam has a pen.	‏2. לְמִרְיָם יֵשׁ עֵט.
Dan has a good teacher.	‏3. לְדָן יֵשׁ מוֹרֶה טוֹב.
Sarah has an uncle.	‏4. לְשָׂרָה דּוֹד.

There is no Hebrew equivalent for the English verb "have."
Possession is indicated by the phrase יֵשׁ ...לְ, as in sentences 1, 2, 3,
above; or simply by the letter לְ placed before the possessor, as in
sentence 4, above.

II.   Negative

David does not have a book.   .1 לְדָוִד אֵין סֵפֶר.

Miriam does not have a pen.   .2 לְמִרְיָם אֵין עֵט.

Negative possession is indicated by the phrase לְ... אֵין.

B.   Repetition of Pronoun After Subject

The name of the boy
(it) is Abner.   הַשֵּׁם שֶׁל הַיֶּלֶד הוּא אַבְנֵר.

The teachers (they) are good.   הַמּוֹרִים הֵם טוֹבִים.

The girl (she) is pretty.   הַיַּלְדָּה הַזֹּאת הִיא יָפָה.

In Hebrew the subject is often reinforced by the addition of the
personal pronoun, particularly when the subject is separated from its
predicate by intervening words.

תַּרְגִּילִים

I. עֲנֵה בְעִבְרִית:

.1 מַה לּוֹמְדִים הַתַּלְמִידִים?

.2 מִי מְדַבֵּר אֶל דָּוִד?

.3 מַה לּוֹקֵחַ אַבְנֵר מִדָּן?

.4 מִי בָּרָא אֶת הַשָּׁמַיִם וְאֶת הָאָרֶץ?

.5 מָה אוֹמֵר אַבְנֵר?

II. תַּרְגֵּם לְעִבְרִית:

Use the additional personal pronouns wherever necessary:

1. The name of the boy is Solomon.
2. David has a nice pen.
3. Dan does not have a book.
4. This teacher is clever.
5. I have a good teacher.

III. Change each word into the plural:

‎1. דּוֹדָה ‏ 2. תְּמוּנָה ‏ 3. תַּלְמִיד ‏ 4. שָׁעוּר ‏ 5. סִפּוּר

‎6. תַּרְגִּיל ‏ 7. שִׁיר ‏ 8. מוֹרָה ‏ 9. עֵט ‏ 10. גַּן

IV. Complete each sentence with one of the words in parenthesis:

(אַחֲרֵי, עַל יַד, עַל, אֵין, אֶת, מִי, אֶל, יֵשׁ לִי, כִּי, עוֹד)

‎1. —— עֵט יָפֶה.

‎2. —— לָקַח אֶת הַסֵּפֶר?

‎3. הַמּוֹרֶה בַּחֶדֶר —— .

‎4. שְׁמוּאֵל רוֹאֶה —— הַפַּרְסִי רוֹצֶה לְצַחֵק בּוֹ.

‎5. הַתַּלְמִידִים שָׁרִים —— הַשִּׁיר.

‎6. הַסֵּפֶר —— הַשֻּׁלְחָן.

‎7. אֲנִי בָּא —— הַבַּיִת.

‎8. "מָה —— אַתָּה רוֹאֶה?" שׁוֹאֵל הַמּוֹרֶה.

‎9. —— כֵּן צוֹחֵק אַבְנֵר בְּקוֹל.

‎10. שְׁלֹמֹה יוֹשֵׁב —— הַשֻּׁלְחָן.

V. עִבְרִית מְדֻבֶּרֶת:

Give an oral Hebrew summary of the story "לֹא אֲנִי".

שִׁעוּר עֲשִׂירִי

LESSON 10

מִלוֹן

or	אוֹ	conversation	שִׂיחָה
(introduces a question)	הַאִם	(on the) telephone	(בַּ)טֶלֶפוֹן
Is the book nice?	הַאִם הַסֵּפֶר יָפֶה?	everything	הַכֹּל
if you please; please	בְּבַקָשָׁה	hello	הַלוֹ
come! (*imp. m. s.*)	בּוֹא	perhaps	אוּלַי
(this) evening	(הָ)עֶרֶב	there is; there are	יֵשׁ
I shall come	אָבוֹא	you (*m. s.*) have	יֵשׁ לְךָ
You're welcome (literally, "over nothing")	עַל לֹא דָבָר	about, concerning; on	עַל
au revoir (I hope to see you soon)	לְהִתְרָאוֹת		

שִׂיחָה בַּטֶלֶפוֹן

A Hebrew telephone conversation.

אַבְרָהָם: הַלוֹ, הַלוֹ!

יְהוּדָה: מִי מְדַבֵּר?

אַבְרָהָם: זֶה הוּא אַבְרָהָם. מַה שְׁלוֹמְךָ?

יְהוּדָה: בְּסֵדֶר, תּוֹדָה. וּמַה שְׁלוֹמְךָ, אַבְרָהָם?

אַבְרָהָם: הַכֹּל בְּסֵדֶר, יְהוּדָה, אוּלַי יֵשׁ לְךָ סֵפֶר עַל אֶרֶץ יִשְׂרָאֵל?

יְהוּדָה: עַל אֶרֶץ יִשְׂרָאֵל? בְּעִבְרִית אוֹ בְּאַנְגְּלִית?

אַבְרָהָם: בְּאַנְגְּלִית. אֲנִי רוֹצֶה סֵפֶר עַל הַחֲלוּצִים.

יְהוּדָה: כֵּן, יֵשׁ לִי סֵפֶר בְּאַנְגְּלִית. בַּסֵּפֶר תְּמוּנוֹת יָפוֹת.

אַבְרָהָם: מַה הַשֵּׁם שֶׁל הַסֵּפֶר?

יְהוּדָה: הַשֵּׁם שֶׁל הַסֵּפֶר הוּא ‫"הַחֲלוּצִים בְּאֶרֶץ יִשְׂרָאֵל.‬•

אַבְרָהָם: הַאִם הַסֵּפֶר יָפֶה?

יְהוּדָה: כֵּן, זֶה הוּא סֵפֶר יָפֶה מְאֹד. הַאִם אַתָּה רוֹצֶה אֶת הַסֵּפֶר?

אַבְרָהָם: בְּבַקָּשָׁה.

יְהוּדָה: בּוֹא אֶל הַבַּיִת שֶׁלִּי הָעֶרֶב.

אַבְרָהָם: אָבוֹא הָעֶרֶב. תּוֹדָה, יְהוּדָה.

יְהוּדָה: עַל לֹא דָבָר. שָׁלוֹם, אַבְרָהָם.

אַבְרָהָם: שָׁלוֹם, יְהוּדָה, לְהִתְרָאוֹת.

דִּקְדּוּק

A. GENDER OF NOUNS

זָכָר

חִבּוּרִים טוֹבִים	חִבּוּר טוֹב
good compositions	a good composition
סִפּוּרִים יָפִים	סִפּוּר יָפֶה
nice stories	a nice story

נְקֵבָה

תְּמוּנוֹת יָפוֹת	תְּמוּנָה יָפָה
nice pictures	a nice picture
מִטּוֹת גְּדוֹלוֹת	מִטָּה גְּדוֹלָה
large beds	a large bed

In Hebrew all nouns are either masculine or feminine. Nouns ending in ‏הָ‏- are usually feminine. Most other nouns are masculine. Other classes of nouns regarded as feminine will be taken up later. Note that the adjective must agree with the noun it modifies in gender and in number.

B. INTERROGATIVE

Is David at home?   ‏הַאִם דָּוִד בַּבַּיִת?‏ .1

Does Dan speak Hebrew?   ‏הַאִם דָּן מְדַבֵּר עִבְרִית?‏ .2

The word ‏הַאִם‏ introduces a question. It takes the place of auxiliary verbs like "is" and "does" in English questions.

Is the house large?   ‏הֲגָדוֹל הַבַּיִת?‏ .1

Are you studying Hebrew?   ‏הֲלוֹמֵד אַתָּה עִבְרִית?‏ .2

Questions may also be introduced by placing the letter ‏הֲ‏ before the word about which the question is asked.

‏תַּרְגִּילִים‏

I. ‏עֲנֵה בְעִבְרִית:‏

‏1. אֶל מִי מְדַבֵּר אַבְרָהָם?‏

‏2. מָה רוֹצֶה אַבְרָהָם?‏

‏3. מָה עוֹנֶה יְהוּדָה?‏

‏4. מָה הַשֵּׁם שֶׁל הַסֵּפֶר?‏

‏5. מִי אוֹמֵר: "בּוֹא אֶל הַבַּיִת שֶׁלִּי הָעֶרֶב"?‏

[51]

II. Translate:

1. The students (*m.*) are reading nice stories.
2. We are writing good compositions.
3. This is a beautiful picture.
4. Do you have a pen?
5. Abner has a clever teacher.
6. David does not have a book.
7. Is this a good book?
8. Hannah has a nice house.

III. Match the following:

ב	א
בִּיאָלִיק	אֶרֶץ
שְׁלוֹמְךָ	תֵּל
גַּלִּי	הַכֹּל
יִשְׂרָאֵל	עַל
לֹא דָבָר	רְחוֹב
אָבִיב	יֵשׁ
פַּעַם	מַה
כֵּן	אַחֲרֵי
בְּסֵדֶר	עוֹד
לִי	זוּם

IV. Make the following sentences negative:

‫1. לְדָוִד יֵשׁ עֵט.‬
‫2. לְשָׂרָה יֵשׁ טֶלֶפוֹן בַּבַּיִת.‬
‫3. לְרוּת יֵשׁ מוֹרִים טוֹבִים.‬
‫4. לְאַבְנֵר יֵשׁ אָח קָטָן.‬
‫5. לְמִרְיָם סֵפֶר עִבְרִי.‬

V. ‫עִבְרִית מְדֻבֶּרֶת:‬

Pretend you are conversing over the telephone. Carry on a Hebrew conversation similar to that of Judah and Abraham in the text.

חֲזָרָה

I. Do you know how to say these words in Hebrew?

1. composition
2. near, at
3. he
4. she
5. you (*f. s.*)
6. by
7. small
8. I have
9. school
10. why?
11. is not
12. know
13. more
14. man
15. walk
16. speak
17. Sir, Mr.

18. a little
19. now
20. want
21. of
22. park (garden)
23. wise
24. Land of Israel
25. open (*v.*)
26. this (*f.*)
27. hand
28. that (because)
29. ear
30. morning
31. Torah
32. one (*m.*)
33. name
34. answer (*v.*)

35. afterwards
36. take
37. laugh
38. beginning
39. God
40. heavens
41. earth
42. conversation
43. perhaps
44. everything
45. there is (are)
46. you have (*m. s.*)
47. or
48. please
49. evening
50. you're welcome
51. Is the book nice?

II. Do you know the meanings of these words?

1. תַּיָּר
2. רְחוֹב אֶלֶנְבִּי
3. סְלִיחָה
4. אֲמֵרִיקָאִי
5. רְחוֹב בִּיאָלִיק
6. שְׁמוּאֵל

7. פַּרְסִי
8. לְצַחֵק בּוֹ
9. מַכֶּה
10. כָּל אִישׁ
11. עוֹד פַּעַם
12. בְּקוֹל

13. בָּרָא
14. טֶלֶפוֹן
15. הַלּוּ
16. בּוֹא
17. אָבוֹא
18. לְהִתְרָאוֹת

III. Alphabet. (For a complete list of the names of the letters, see page 367.)

A. Give the Hebrew name of each of the following letters:

א, ב, ב, ג, ד, ה, ו, ז, ח, ט, י, כ, כ, ל, מ, נ, ס,
ע, פ, פ, צ, ק, ר, שׁ, שׂ, ת.

עברית חיה

B. From what Hebrew letters are the following English letters indirectly derived?

A, B, D, K, L, M, N, P, R, S, T.

C. Give the meanings of at least 5 Hebrew letters.

IV. Do you know the following grammatical forms?

A. Noun: Gender, page 50.

B. Verb: Present tense of לוֹמֵד, page 36; קוֹרֵא and מְדַבֵּר, page 41.

C. Personal pronoun, page 30 and page 31.

D. Adjective and definite article, page 31.

E. Possession, page 46.

F. Interrogative, page 51.

V. Oral Hebrew:

A. Retell each story in Hebrew:

"חִבּוּר עִבְרִי"; "לֹא אֲנִי"; "יְהוּדָה וְהַפַּרְסִי"

B. Converse on each of these topics:

"תַּיָּר בְּתֵל אָבִיב"; "שִׂיחָה בַּטֶּלֶפוֹן"

[54]

מִבְחָן

I. עֲנֵה בְּעִבְרִית:

1. מָה אַתָּה קוֹרֵא בְּבֵית הַסֵּפֶר?

2. מַה שׁוֹאֵל תַּיָּר אֲמֵרִיקָאִי בְּתֵל אָבִיב?

3. מַדּוּעַ בָּא הַפַּרְסִי אֶל שְׁמוּאֵל?

4. מִי בָּרָא אֶת הַשָּׁמַיִם?

5. מַה שֵׁם סֵפֶר עִבְרִי?

II. הַשְׁלֵם בַּמִּלָּה הַנְּכוֹנָה (Fill in the correct word):

(הָאִישׁ, לוֹקֵחַ, פּוֹתֵחַ, עַל יַד, סְלִיחָה, אֹזֶן,
בְּבַקָּשָׁה, אוּלַי, אֶרֶץ יִשְׂרָאֵל, יוֹדֵעַ)

1. הַתַּלְמִיד —————— אֶת הַסֵּפֶר וְקוֹרֵא.

2. —————— שׁוֹאֵל: „הַאִם אַתָּה מְדַבֵּר עִבְרִית?"

3. „אֵין זֹאת —————— ; זֹאת יָד."

4. אֵין דָּוִד —————— עוֹד מִלִּים בְּעִבְרִית.

5. „——————, אֲדוֹנִי, אֵיפֹה בֵּית בְּיַאלִיק?"

6. דָּן —————— עִפָּרוֹן וְכוֹתֵב.

7. יְהוּדָה יוֹשֵׁב בְּ——————.

8. „—————— יֵשׁ לְךָ סֵפֶר עַל הַחֲלוּצִים?"

9. ——————, בּוֹא אֶל הַבַּיִת שֶׁלִּי הָעֶרֶב.

10. הַבַּיִת שֶׁל בְּיַאלִיק הוּא —————— הַגַּן.

III. Translate: (20)

1. David is writing a good composition in Hebrew.
2. The tourist asks the man, "Where is Bialik's house?"
3. David is studying Hebrew; he wants to see Israel.
4. Sarah is sitting near the table and reading a Hebrew book.
5. The students (*f.*) are reading nice stories.

IV. Write the correct form of the adjective in parenthesis: (10)

1. הַתַּלְמִידִים כּוֹתְבִים חִבּוּרִים (יָפֶה) ————.
2. הַבַּיִת (קָטָן) ———— הוּא עַל יַד הַגַּן.
3. הַתְּמוּנָה (יָפֶה) ———— עַל הַקִּיר.
4. הֵן תַּלְמִידוֹת (טוֹב) ————.
5. אֲנַחְנוּ לוֹמְדִים שִׁירִים (יָפֶה) ————.

V. Change to the plural: (10)

1. אַתְּ לוֹמֶדֶת.   3. הִיא מְדַבֶּרֶת.
2. הַתַּלְמִיד כּוֹתֵב.   4. אַתָּה קוֹרֵא.
5. הוּא יוֹשֵׁב.

VI. Change the underlined words to the feminine: (10)

1. הַתַּלְמִיד מְדַבֵּר עִבְרִית.
2. הָאָב יוֹשֵׁב בַּבַּיִת.
3. הֵם קוֹרְאִים אֶת הַשִּׁעוּר.
4. הַיֶּלֶד מְסַפֵּר סִפּוּר יָפֶה.
5. הַמּוֹרָה הוֹלֵךְ אֶל בֵּית הַסֵּפֶר.

VII. Write the dialogue of a telephone conversation between David and Abraham in at least 10 sentences. (20)

שִׁעוּר אַחַד עָשָׂר

LESSON 11

מִלּוֹן

brother	אָח (ר׳ אַחִים)	family	מִשְׁפָּחָה
sister	אָחוֹת	large, big	גָּדוֹל (נ׳ גְּדוֹלָה)
too bad	חֲבָל	how many?	כַּמָּה
ten	עֲשָׂרָה	people; men	אֲנָשִׁים (י׳ אִישׁ)
dog	כֶּלֶב	your, yours	שֶׁלְּךָ (נ׳ שֶׁלָּךְ)
cat	חָתוּל (ר׳ חֲתוּלִים)	three	שְׁלֹשָׁה
bird	צִפּוֹר נ׳	four	אַרְבָּעָה
fish	דָּג		

מִשְׁפָּחָה גְדוֹלָה

Abner boasts of his large family.

הַמּוֹרָה: שָׁלוֹם, תַּלְמִידִים וְתַלְמִידוֹת.

הַתַּלְמִידִים: שָׁלוֹם.

הַמּוֹרָה: רוּת, מַה שְׁלוֹמֵךְ?

רוּת: בְּסֵדֶר, תּוֹדָה.

הַמּוֹרָה: כַּמָּה אֲנָשִׁים בַּמִּשְׁפָּחָה שֶׁלָּךְ?

רוּת: שְׁלֹשָׁה אֲנָשִׁים – אַבָּא, אִמָּא וַאֲנִי.

הַמּוֹרָה: מִשְׁפָּחָה קְטַנָּה. שְׁלֹמֹה, כַּמָּה אֲנָשִׁים בַּמִּשְׁפָּחָה שֶׁלָּךְ?

שְׁלֹמֹה: אַרְבָּעָה.

הַמּוֹרָה: מִי הֵם?

[57]

שְׁלֹמֹה: אַבָּא, אִמָּא, אָח וַאֲנִי.

הַמּוֹרֶה: וְאֵין אָחוֹת?

שְׁלֹמֹה: לֹא.

הַמּוֹרֶה: חֲבָל, חֲבָל. וְאַתָּה, אַבְנֵר?

אַבְנֵר: יֵשׁ לִי אָחוֹת קְטַנָּה.

הַמּוֹרֶה: וְאָח?

אַבְנֵר: כֵּן, גַּם אָח יֵשׁ לִי.

הַמּוֹרֶה: מִי עוֹד בַּמִּשְׁפָּחָה?

אַבְנֵר: יֵשׁ לִי מִשְׁפָּחָה גְדוֹלָה – עֲשָׂרָה בַּמִּשְׁפָּחָה.

הַמּוֹרֶה: עֲשָׂרָה? מִי הֵם?

אַבְנֵר: יֵשׁ לִי אָב, אֵם, דּוֹד, כֶּלֶב, אָח, חָתוּל, צִפּוֹר, דָּג וְאָחוֹת קְטַנָּה.

(הַמּוֹרֶה וְהַתַּלְמִידִים צוֹחֲקִים).

הַמּוֹרֶה: שָׁלוֹם, תַּלְמִידִים.

הַתַּלְמִידִים: שָׁלוֹם.

דִּקְדּוּק

Cardinal Numbers

English	Hebrew
Only one student is in the room.	1. רַק תַּלְמִיד אֶחָד בַּחֶדֶר.
Three pupils are in the room.	2. שְׁלֹשָׁה תַּלְמִידִים בַּחֶדֶר.
There are ten people in the family.	3. עֲשָׂרָה אֲנָשִׁים בַּמִּשְׁפָּחָה.
I have two uncles.	4. יֵשׁ לִי שְׁנֵי דוֹדִים.
How many brothers does David have? Two.	5. כַּמָּה אַחִים לְדָוִד? שְׁנַיִם.

MASCULINE NUMBERS 1-10

six	שִׁשָּׁה	one	אֶחָד
seven	שִׁבְעָה	two	שְׁנַיִם (שְׁנֵי)
eight	שְׁמֹנָה	three	שְׁלֹשָׁה
nine	תִּשְׁעָה	four	אַרְבָּעָה
ten	עֲשָׂרָה	five	חֲמִשָּׁה

The number generally precedes the noun (except for אֶחָד).
Note that שְׁנֵי is used when the number is followed by a noun. (See
sentence 4, above.) שְׁנַיִם is used when the number occurs alone.
(See sentence 5.)

תַּרְגִּילִים

1. עֲנֵה בְעִבְרִית:

1. מִי בַּחֶדֶר?

2. כַּמָּה אֲנָשִׁים בַּמִּשְׁפָּחָה שֶׁל רוּת?

3. מִי בַּמִּשְׁפָּחָה שֶׁל שְׁלֹמֹה?

4. כַּמָּה בַּמִּשְׁפָּחָה שֶׁל אַבְנֵר?

5. מִי בַּמִּשְׁפָּחָה שֶׁל אַבְנֵר?

II. כֵּן אוֹ לֹא?

1. לְרוּת אָח.

2. שְׁלֹשָׁה בַּמִּשְׁפָּחָה שֶׁל רוּת.

3. חֲמִשָּׁה בַּמִּשְׁפָּחָה שֶׁל שְׁלֹמֹה.

4. לְאַבְנֵר אָחוֹת גְּדוֹלָה.

5. לְאַבְנֵר כֶּלֶב, חָתוּל, צִפּוֹר וְדָג.

‏III. כְּתֹב מִשְׁפָּטִים (sentences) בַּמִּלִּים הָאֵלֶּה:

‏1. שֶׁלְּךָ 2. גָּדוֹל 3. כַּמָּה 4. אֲנָשִׁים 5. מִשְׁפָּחָה

‏6. חֶבֶל 7. כֶּלֶב 8. חָתוּל 9. אָחוֹת 10. אַחִים

‏IV. הַשְׁלֵם בַּמִּסְפָּרִים הַנְּכוֹנִים (Fill in the correct numbers):

‏6. (3) ———— מוֹרִים   1. (5) ———— סְפָרִים

‏7. (6) ———— שִׁירִים   2. (2) ———— תַּיָּרִים

‏8. (9) ———— אֲנָשִׁים   3. כֶּלֶב (1) ————

‏9. (8) ———— חֲבוּרִים   4. (10) ———— תַּלְמִידִים

‏10. (7) ———— חֲתוּלִים   5. (4) ———— חֲלוּצִים

‏V. כַּמָּה?

‏1. בַּמִּשְׁפָּחָה אָב, אֵם וְיֶלֶד. כַּמָּה אֲנָשִׁים בַּמִּשְׁפָּחָה?

‏2. בַּמִּשְׁפָּחָה אָב, אֵם, שְׁנֵי יְלָדִים וְיַלְדָּה. כַּמָּה בַּמִּשְׁפָּחָה?

‏3. בַּמִּשְׁפָּחָה אָב, אֵם, אָח וְאָחוֹת. כַּמָּה בַּמִּשְׁפָּחָה?

‏4. בַּמִּשְׁפָּחָה אָב, אֵם וַחֲמִשָּׁה יְלָדִים (children).

‏כַּמָּה בַּמִּשְׁפָּחָה?

‏5. בַּמִּשְׁפָּחָה רַק אִישׁ וְאִשָּׁה (and wife). כַּמָּה בַּמִּשְׁפָּחָה?

VI. Oral Hebrew:

Dramatize the story on page 57.

‏פִּתְגָּם עִבְרִי

Honor your father and your mother.   ‏כַּבֵּד אֶת אָבִיךָ וְאֶת אִמֶּךָ.

(Exodus XX, 12)   ‏(שְׁמוֹת כ, יב)

שִׁעוּר שְׁנֵים עָשָׂר

LESSON 12

מִלּוֹן

night	לַיְלָה[1]	for; to	לְ, לַ, לִ
sleep (*n.*)	שֵׁנָה	want (*f. s.*)	רוֹצָה
works (*v.*)	עוֹבֵד	know (*f. s.*)	יוֹדַעַת
eats	אוֹכֵל	answers (*f. s.*)	עוֹנָה
correct, right	נָכוֹן	noon	צָהֳרַיִם[1]
when?	מָתַי	meal	אֲרוּחָה
rests	נָח	rest (*n.*)	מְנוּחָה
sleeps	יָשֵׁן		

בֹּקֶר בָּא לַעֲבוֹדָה

The students learn another Hebrew song.

בֵּית סֵפֶר. הַמּוֹרָה וְהַתַּלְמִידִים בַּחֶדֶר.

הַתַּלְמִידִים מְדַבְּרִים עִבְרִית אֶל הַמּוֹרָה.

„בְּבַקָּשָׁה," אוֹמֶרֶת שָׂרָה, „אֲנִי רוֹצָה לִלְמֹד עוֹד שִׁיר עִבְרִי."

„טוֹב," עוֹנָה הַמּוֹרָה. „אוּלַי אַתְּ יוֹדַעַת אֶת הַשִּׁיר ‚בֹּקֶר בָּא'?"

„לֹא," עוֹנָה שָׂרָה.

---

[1] The vowel under the first and second letters is pronounced like the "o" in "more" in both Sefardic and Ashkenazic.

הַמּוֹרֶה כּוֹתֵב אֶת הַמִּלִּים עַל הַלּוּחַ.

הוּא כּוֹתֵב:

בֹּקֶר בָּא לַעֲבוֹדָה,

צָהֳרַיִם בָּא לַאֲרוּחָה,

עֶרֶב בָּא לִמְנוּחָה,

לַיְלָה בָּא לְשֵׁנָה.

‏„זֶה שִׁיר שֶׁל חָלוּץ בְּאֶרֶץ יִשְׂרָאֵל,״ אוֹמֵר הַמּוֹרֶה.

הַמּוֹרֶה שָׁר אֶת הַשִּׁיר. אַחֲרֵי כֵן, הַתַּלְמִידִים שָׁרִים אֶת

הַשִּׁיר.

הַמּוֹרֶה שׁוֹאֵל: „מָה עוֹשֶׂה הֶחָלוּץ בַּבֹּקֶר?״

‏„בַּבֹּקֶר הוּא עוֹבֵד,״ עוֹנָה שָׂרָה.

‏„כֵּן,״ אוֹמֵר הַמּוֹרֶה. „מָה עוֹשֶׂה הֶחָלוּץ בַּצָּהֳרַיִם?״

‏„הוּא אוֹכֵל בַּצָּהֳרַיִם,״ עוֹנֶה אַבְנֵר.

‏„נָכוֹן. מָתַי הוּא נָח?״

‏„בָּעֶרֶב הוּא נָח,״ עוֹנֶה דָּוִד.

‏„מָתַי הוּא יָשֵׁן?״

‏„בַּלַּיְלָה,״ עוֹנָה שְׁלֹמֹה.

הַמּוֹרֶה וְהַתַּלְמִידִים שָׁרִים אֶת הַשִּׁיר עוֹד פַּעַם.

‏„זֶה שִׁיר יָפֶה מְאֹד,״ אוֹמֶרֶת שָׂרָה.

הַפַּעֲמוֹן מְצַלְצֵל.

Baw-ker baw-ker baw-ker baw-ker baw-ker

baw-ker baw-ker baw-ker baw-ker ba. baw-ker ba la-avaw-dah

baw-ker ba la-avaw-dah baw-ker ba la-avaw-dah baw-ker baw-ker ba.

דִּקְדּוּק

A. Present Tense of Verbs Ending in ה

1. ‏„אֲנִי רוֹצָה לִלְמֹד שִׁיר עִבְרִי,‟ אוֹמֶרֶת שָׂרָה.

2. ‏מָה אַתֶּם עוֹשִׂים?

Note that if the verb ends in ה, the feminine singular is formed by changing the vowel under the third letter to — (רוֹצָה). In the plural, the ה drops out (עוֹשִׂים).

The four forms of these verbs are as follows:

	רַבּוּי			יָחִיד	
נְקֵבָה	זָכָר		נְקֵבָה		זָכָר
רוֹאוֹת	רוֹאִים		רוֹאָה		רוֹאֶה
עוֹנוֹת	עוֹנִים		עוֹנָה		עוֹנֶה
רוֹצוֹת	רוֹצִים		רוֹצָה		רוֹצֶה
עוֹשׂוֹת	עוֹשִׂים		עוֹשָׂה		עוֹשֶׂה

[63]

B. PRESENT TENSE OF VERBS ENDING IN חַ OR עַ

1. שָׂרָה יוֹדַעַת שִׁיר יָפֶה.

2. הַמּוֹרָה פּוֹתַחַת אֶת הַסֵּפֶר.

3. הַתַּלְמִידִים יוֹדְעִים עִבְרִית.

Note that if the verb ends in עַ or חַ the vowel under the third and fourth letters in the feminine singular is ‑ַ. The other forms are regular (sentence 3).

תַּרְגִּילִים

I. הַשְׁלֵם (complete):

1. הַמּוֹרָה וְהַתַּלְמִידִים בַּ —————.

2. הַתַּלְמִידִים מְדַבְּרִים עִבְרִית אֶל הַ —————.

3. שָׂרָה אוֹמֶרֶת: ״אֲנִי רוֹצָה לִלְמֹד שִׁיר —————.״

4. הַמּוֹרָה כּוֹתֵב אֶת הַשִּׁיר עַל הַ —————.

5. בֹּקֶר בָּא לְ————— .

6. צָהֳרַיִם בָּא —————.

7. הֶחָלוּץ ————— בָּעֶרֶב.

8. הֶחָלוּץ ————— בַּלַּיְלָה.

9. הַמּוֹרָה וְהַתַּלְמִידִים שָׁרִים אֶת הַ —————.

II. עֲנֵה בְעִבְרִית:

מָה עוֹשֶׂה הֶחָלוּץ

1. בַּבֹּקֶר? 2. בַּצָּהֳרַיִם? 3. בָּעֶרֶב? 4. בַּלַּיְלָה?

[64]

‫III‬ ‫הַטֵּה בַּהֹוֶה‬ (conjugate in the present):

1. רוֹאֶה 2. עוֹשֶׂה 3. עוֹנֶה 4. יוֹדֵעַ 5. לוֹקֵחַ

IV. Fill in the correct form of the verb:

1. (רוֹאֶה) חַנָּה —— אֶת שָׂרָה.

2. (עוֹנֶה) מַדּוּעַ אֵין אַתְּ —— בְּעִבְרִית?

3. (עוֹשֶׂה) מָה —— הַחֲלוּצִים בַּבֹּקֶר?

4. (רוֹצֶה) הַתַּלְמִידוֹת —— לִלְמֹד שִׁיר עִבְרִי.

5. (רוֹאֶה) אֵין הָאָב וְהָאֵם —— אֶת הַבֵּן.

6. (יוֹדֵעַ) שָׂרָה —— שִׁיר עִבְרִי.

7. (פּוֹתֵחַ) הַתַּלְמִידָה —— אֶת הַמַּחְבֶּרֶת (notebook).

8. (לוֹקֵחַ) חַנָּה ——מַחְבֶּרֶת וְכוֹתֶבֶת אֶת שִׁעוּרֵי הַבַּיִת.

9. (יוֹדֵעַ) הַחֲלוּצִים —— עִבְרִית.

10. (גּוֹמֵר) אֲנַחְנוּ —— אֶת הַשִּׁעוּר.

V. Substitute שָׂרָה for דָּן in each sentence, and change the verb from masculine to feminine.

1. דָּן רוֹצֶה לִלְמֹד עִבְרִית.

2. דָּן עוֹבֵד בַּבֹּקֶר.

3. דָּן אוֹכֵל אֶת הָאֲרוּחָה.

4. דָּן יוֹדֵעַ שִׁיר יָפֶה.

5. דָּן פּוֹתֵחַ אֶת הַסֵּפֶר.

6. מָה עוֹשֶׂה דָּן?

7. הַמּוֹרֶה שׁוֹאֵל וְדָן עוֹנֶה.

8. מָה רוֹאֶה דָּן בַּחֶדֶר?

9. דָּן לוֹקֵחַ אֶת הָעֵט.

VI. Dramatize the following dialogue:

שִׂיחָה

הַמּוֹרֶה: שָׁלוֹם, דָּן.

דָּן: שָׁלוֹם, אֲדוֹנִי.

הַמּוֹרֶה: מַה שְׁלוֹמְךָ?

דָּן: הַכֹּל בְּסֵדֶר, תּוֹדָה.

הַמּוֹרֶה: מָה עַל הַקִּיר?

דָּן: תְּמוּנָה.

הַמּוֹרֶה: מָה אַתָּה רוֹאֶה בַּתְּמוּנָה?

דָּן: חָלוּץ.

הַמּוֹרֶה: אֵיפֹה יוֹשֵׁב הֶחָלוּץ?

דָּן: בְּאֶרֶץ יִשְׂרָאֵל.

הַמּוֹרֶה: מָה עוֹשֶׂה הֶחָלוּץ?

דָּן: הוּא עוֹבֵד.

הַמּוֹרֶה: מָה אַתָּה עוֹשֶׂה בַּבֹּקֶר?

דָּן: אֲנִי לוֹמֵד בְּבֵית הַסֵּפֶר.

הַמּוֹרֶה: מָה אַתָּה עוֹשֶׂה בָּעֶרֶב?

דָּן: אֲנִי מַבִּיט בַּטֶּלֶוִיזְיָה.

הַמּוֹרֶה: טֶלֶוִיזְיָה? מָתַי אַתָּה כּוֹתֵב אֶת שִׁעוּרֵי הַבַּיִת?

(דָּן צוֹחֵק. הַפַּעֲמוֹן מְצַלְצֵל.)

דָּן: שָׁלוֹם, אֲדוֹנִי.

הַמּוֹרֶה: שָׁלוֹם.

[66]

מִלּוֹן

king	מֶלֶךְ	what is your (יֹ· מַה שְׁמֵךְ) מַה שְׁמְךָ?	
love	אוֹהֵב	name?	
because	כִּי	my name (is)	שְׁמִי
(he) wrote	כָּתַב	new	חָדָשׁ
twins	תְּאוֹמוֹת	was (יֹ· הָיְתָה) הָיָה	
like, as	כְּמוֹ	nation, people	עַם
תַּנַ"ךְ (תּוֹרָה, נְבִיאִים, כְּתוּבִים)		first	רִאשׁוֹן יֹ·
Bible (Law, Prophets, Writings)		wife; woman	אִשָּׁה

מַה שְׁמְךָ הָעִבְרִי?

The students take pride in their Hebrew names.

מוֹרֶה חָדָשׁ בָּא אֶל בֵּית הַסֵּפֶר.

הַמּוֹרֶה: שָׁלוֹם, תַּלְמִידִים.

הַתַּלְמִידִים: שָׁלוֹם.

הַמּוֹרֶה: מַה שְׁמְךָ הָעִבְרִי?

אַבְרָהָם: שְׁמִי אַבְרָהָם.

הַמּוֹרֶה: מִי הָיָה אַבְרָהָם?

אַבְרָהָם: הוּא הָיָה הָאָב שֶׁל הָעָם הָעִבְרִי. הוּא הָיָה
הָעִבְרִי הָרִאשׁוֹן.

הַמּוֹרָה: נָכוֹן. מַה שְׁמֵךְ?

שָׂרָה: שְׁמִי שָׂרָה.

הַמּוֹרָה: מִי הָיְתָה שָׂרָה? מִי יוֹדֵעַ?

דָּוִד: אֲנִי יוֹדֵעַ. שָׂרָה הָיְתָה הָאִשָּׁה שֶׁל אַבְרָהָם, הִיא
הָיְתָה הָאֵם שֶׁל הָעָם הָעִבְרִי.

הַמּוֹרָה: טוֹב מְאֹד. מַה שְׁמֵךְ?

דָּוִד: שְׁמִי דָּוִד. דָּוִד הָיָה מֶלֶךְ בְּיִשְׂרָאֵל. אֲנִי אוֹהֵב
אֶת הַשֵּׁם הַזֶּה.

הַמּוֹרָה: מַדּוּעַ?

דָּוִד: כִּי דָּוִד הָיָה מֶלֶךְ טוֹב וְחָכָם, וְגַם כָּתַב שִׁירִים יָפִים.

רוּת: דָּוִד הוּא שֵׁם יָפֶה גַּם בְּאַנְגְּלִית.

הַמּוֹרָה: מַה שְׁמֵךְ?

רוּת: שְׁמִי רוּת.

הַמּוֹרָה: גַּם זֶה שֵׁם יָפֶה.

שְׁלֹמֹה: שֵׁם יָפֶה וְתַלְמִידָה יָפָה.

הַמּוֹרָה: מַה שְׁמֵךְ?

נָעֳמִי: שְׁמִי נָעֳמִי. אֲנַחְנוּ תְּאוֹמוֹת.

הַמּוֹרָה: רוּת וְנָעֳמִי. כְּמוֹ רוּת וְנָעֳמִי בַּתַּנַ"ךְ.[1]

---

[1] In the Biblical story, Ruth refused to be separated from Naomi, her mother-in-law. "Whither thou goest," said Ruth, "I will go."

שְׁלֹמֹה: בֵּן. הֵן יָפוֹת כְּמוֹ רוּת וְנָעֳמִי, וְהֵן חֲכָמוֹת כְּמוֹ רוּת

וְנָעֳמִי. רוּת אוֹהֶבֶת אֶת נָעֳמִי, וְנָעֳמִי אוֹהֶבֶת אֶת רוּת.

הַמּוֹרֶה: מַה שְּׁמְךָ?

שְׁלֹמֹה: שְׁמִי שְׁלֹמֹה, כְּמוֹ הַמֶּלֶךְ שְׁלֹמֹה בַּתַּנַ״ךְ. הוּא הָיָה

חָכָם מְאֹד.

הַמּוֹרֶה: גַּם אַתָּה חָכָם.

שְׁלֹמֹה: תּוֹדָה, אֲדוֹנִי. תּוֹדָה.

דִּקְדּוּק

Verb Root — שֹׁרֶשׁ

David wrote poems.

דָּוִד כָּתַב שִׁירִים.

Write on the blackboard!

כְּתֹב עַל הַלּוּחַ.

Solomon writes in the notebook.

שְׁלֹמֹה כּוֹתֵב בַּמַּחְבֶּרֶת.

The pupils are writing Hebrew.

הַתַּלְמִידִים כּוֹתְבִים עִבְרִית.

Note that there are three root letters that recur in each form of the verb. Nearly all Hebrew verb roots consist of three letters. These three letters also constitute the past tense, 3rd person (*m. s.*) of the verb.

[69]

VERB ROOT (and 3rd person past, *m. s.*)		PRESENT TENSE	
(he loved)	אָהַב	(love)	אוֹהֵב
(he ate)	אָכַל	(eat)	אוֹכֵל
(he said)	אָמַר	(say)	אוֹמֵר
(he finished)	גָּמַר	(finish)	גּוֹמֵר
(he went, walked)	הָלַךְ	(go, walk)	הוֹלֵךְ
(he sat, lived)	יָשַׁב	(sit, live)	יוֹשֵׁב
(he wrote)	כָּתַב	(write)	כּוֹתֵב
(he studied, learned)	לָמַד	(study, learn)	לוֹמֵד
(he worked)	עָבַד	(work)	עוֹבֵד
(he laughed)	צָחַק	(laugh)	צוֹחֵק
(he asked)	שָׁאַל	(ask)	שׁוֹאֵל
(he knew)	יָדַע	(know)	יוֹדֵעַ
(he took)	לָקַח	(take)	לוֹקֵחַ
(he opened)	פָּתַח	(open)	פּוֹתֵחַ
(he created)	בָּרָא	(create)	בּוֹרֵא
(he read, called)	קָרָא	(read, call)	קוֹרֵא
(he answered)	עָנָה	(answer)	עוֹנֶה
(he did, made)	עָשָׂה	(do, make)	עוֹשֶׂה
(he saw)	רָאָה	(see)	רוֹאֶה
(he wanted)	רָצָה	(want)	רוֹצֶה

תַּרְגִּילִים

I עֲנֵה בְּעִבְרִית:

1. מַה שּׁוֹאֵל הַמּוֹרֶה?

2. מַדּוּעַ אֵין הַמּוֹרֶה יוֹדֵעַ אֶת הַשֵּׁם שֶׁל כָּל תַּלְמִיד?

3. מִי הָיָה אַבְרָהָם?

4. מִי הָיְתָה שָׂרָה?

5. מַה כָּתַב דָּוִד הַמֶּלֶךְ?

6. מָה אוֹמֶרֶת נָעֳמִי?

7. מָה אוֹמֵר הַמּוֹרֶה אֶל שְׁלֹמֹה?

II כְּתֹב אֶת הַשֵּׁם הַנָּכוֹן:

1. —————— הָיָה הָעִבְרִי הָרִאשׁוֹן.   (אַבְרָהָם, אַבְנֵר)

2. —————— הָיְתָה הָאֵם שֶׁל הָעָם הָעִבְרִי. (רוּת, שָׂרָה)

3. —————— הָיָה מֶלֶךְ בְּיִשְׂרָאֵל.   (דָּוִד, דָּן)

4. —————— הָיָה מֶלֶךְ חָכָם.   (שְׁלֹמֹה, יְהוּדָה)

III כְּתֹב אֶת הַשֹּׁרֶשׁ (Write the three root letters):

1. דָּוִד כּוֹתֵב שִׁירִים יָפִים.

2. רוּת אוֹהֶבֶת אֶת נָעֳמִי.

3. אֲנַחְנוּ אוֹכְלִים בַּצָּהֳרַיִם.

4. הַתַּלְמִידוֹת הוֹלְכוֹת אֶל בֵּית הַסֵּפֶר.

5. הַפַּרְסִי רוֹצֶה לִלְמֹד עִבְרִית.

IV. כְּתֹב בַּהֹוֶה (present tense):

1. (כתב) יְהוּדָה ———— אֶל חָלוּץ בְּאֶרֶץ יִשְׂרָאֵל.

2. (קרא) אַבְנֵר ———— בַּסֵּפֶר.

3. (עשׂה) מָה אַתָּה ———— בָּעֶרֶב?

4. (ידע) מִי ———— אֶת הַשֵּׁם שֶׁל הָעִבְרִי הָרִאשׁוֹן?

5. (אמר) רוּת ———— שָׁלוֹם אֶל הַמּוֹרָה.

6. (הלך) הַתַּלְמִידִים ———— אֶל בֵּית הַסֵּפֶר.

7. (למד) הֵם ———— עִבְרִית וְאַנְגְּלִית.

8. (רצה) אֲנַחְנוּ ———— לִלְמֹד עִבְרִית.

9. (ישׁב) הָאֵם ———— בַּבַּיִת.

10. (אהב) נָעֳמִי ———— אֶת רוּת.

V. Change the underlined words from present to past.
(Consult page 70.)

1. אַבְנֵר לוֹמֵד עִבְרִית.

2. אַבְרָהָם אוֹמֵר שָׁלוֹם.

3. דָּן פּוֹתֵחַ אֶת הַסֵּפֶר.

4. הַמּוֹרֶה שׁוֹאֵל, "מַה שְׁמְךָ?"

5. אַבְרָהָם אוֹהֵב אֶת שָׂרָה.

6. דָּן לוֹקֵחַ אֶת הָעֵט.

7. הָאָב יוֹשֵׁב בַּבַּיִת.

8. יְהוּדָה הוֹלֵךְ אֶל בֵּית הַסֵּפֶר.

9. הֶחָלוּץ עוֹבֵד בַּבֹּקֶר.

10. אַבְנֵר צוֹחֵק בְּקוֹל.

VI. תַּרְגֵּם:

1. "What is your name, please?" "My name is David."
2. "How are you?" "Everything is all right."
3. David works in the morning and rests in the evening.
4. Sarah was the wife of Abraham; she was a good woman.
5. "What are you doing, Judah?" "I am reading in the Bible about Ruth and Naomi."

Conversational Guide שִׂיחוֹן

Good morning, Sir.	בֹּקֶר טוֹב, אֲדוֹנִי.
Good evening, Madam.	עֶרֶב טוֹב, גְּבֶרֶת.
Sabbath peace (greeting used on the Sabbath).	שַׁבָּת שָׁלוֹם.
Pleasant holiday.	חַג שָׂמֵחַ.
A happy New Year!	לְשָׁנָה טוֹבָה תִּכָּתֵב!
The same to you.	גַּם אַתֶּם.
I'll see you soon.	לְהִתְרָאוֹת בְּקָרוֹב.
Excuse me.	סְלִיחָה.
Regards to...	דְּרִישַׁת שָׁלוֹם לְ...
Good luck.	מַזָּל טוֹב.
I'm very sorry.	צַר לִי מְאֹד.
What's new?	מַה חָדָשׁ.
Nothing new.	אֵין חָדָשׁ.

שִׁעוּר אַרְבָּעָה עָשָׂר

LESSON 14

מִלּוֹן

mathematics	מַתֶּמָטִיקָה	day	יוֹם
history	הִיסְטוֹרִיָּה	pencil	עִפָּרוֹן
return	שָׁב	(and) paper	(וּ)נְיָר
from	מִן	get up, arise	קָם
play (v.)	מְשַׂחֵק בְּ...	wash (oneself)	מִתְרַחֵץ
ball	כַּדּוּר	dress (oneself)	מִתְלַבֵּשׁ
supper	אֲרוּחַת הָעֶרֶב	breakfast	אֲרוּחַת הַבֹּקֶר
		finish! (imp.)	גְּמֹר

יוֹם אֶחָד

David describes the typical activities of one day in his life.

דָּוִד לוֹקֵחַ עִפָּרוֹן וּנְיָר. הוּא כּוֹתֵב:

אֲנִי קָם בַּבֹּקֶר. אֲנִי מִתְרַחֵץ, וַאֲנִי מִתְלַבֵּשׁ.

אֲנִי יוֹשֵׁב עַל יַד הַשֻּׁלְחָן וְאוֹכֵל אֶת אֲרוּחַת הַבֹּקֶר.

אֲנִי הוֹלֵךְ אֶל בֵּית הַסֵּפֶר. בְּבֵית הַסֵּפֶר אֲנִי לוֹמֵד

אַנְגְּלִית, עִבְרִית, מַתֶּמָטִיקָה וְהִיסְטוֹרִיָה.

אַחֲרֵי כֵן, אֲנִי שָׁב מִן בֵּית הַסֵּפֶר אֶל הַבַּיִת.

אֲנִי מְשַׂחֵק בְּכַדּוּר, וַאֲנִי כּוֹתֵב אֶת שִׁעוּרֵי הַבַּיִת.

בָּעֶרֶב אֲנִי אוֹכֵל אֶת אֲרוּחַת הָעֶרֶב.

"הָאֲרוּחָה טוֹבָה מְאֹד, אִמָּא," אֲנִי אוֹמֵר.

"תּוֹדָה," אוֹמֶרֶת הָאֵם. "הַאִם אַתָּה רוֹצֶה עוֹד?"

[74]

„בְּבַקָּשָׁה."

אַחֲרֵי כֵן, אֲנִי מַבִּיט בַּטֶּלֶוִיזְיָה.

„מַדּוּעַ אַתָּה מַבִּיט בַּטֶּלֶוִיזְיָה?" שׁוֹאֵל אַבָּא. גְּמֹר

אֶת שָׁעוּרֵי הַבַּיִת."

אֲנִי גּוֹמֵר אֶת שָׁעוּרֵי הַבַּיִת.

בַּלַּיְלָה אֲנִי יָשֵׁן.

דִּקְדּוּק

A. IMPERATIVE (צִוּוּי)

David, finish the lesson.　　דָּוִד, גְּמֹר אֶת הַשָּׁעוּר. .1

Sarah, write on the blackboard.　　שָׂרָה, כִּתְבִי עַל הַלּוּחַ. .2

Pupils, close your books.　　תַּלְמִידִים, סִגְרוּ אֶת הַסְּפָרִים. .3

The imperative can be formed by adding the correct vowels to the three root letters of the verb, as in sentence 1 (גְּמֹר). In the feminine singular add ־ִי. There is also a change in vowels, as in sentence 2 (כִּתְבִי). In the plural add וּ, as in sentence 3 (סִגְרוּ).

רַבּוּי (M. PL.)	נְקֵבָה (F. S.)	זָכָר (M. S.)	Root שֹׁרֶשׁ
כִּתְבוּ	כִּתְבִי	כְּתֹב	כתב
גִּמְרוּ	גִּמְרִי	גְּמֹר	גמר
סִגְרוּ	סִגְרִי	סְגֹר	סגר

עברית חיה

‿wing the same pattern:

‏זְכֹר (remember!), זְרֹק (throw!), מְכֹר (sell!), רְקֹד (dance!),

‏שְׁבֹר (break!), שְׁמֹר (guard, keep!).

B. Predicate Adjective

הַתַּלְמִיד טוֹב	הַתַּלְמִיד הַטוֹב
The pupil is good.	the good pupil
הָאֲרוּחָה טוֹבָה	הָאֲרוּחָה הַטוֹבָה
The meal is good.	the good meal
הַשִּׁירִים יָפִים	הַשִּׁירִים הַיָּפִים
The songs are pretty.	the pretty songs

Note that the predicate adjective agrees with the subject in gender and in number. Unlike the adjective modifying a noun, the predicate adjective does not require the definite article even though the subject is definite.

תַּרְגִּילִים

I. עֲנֵה בְּעִבְרִית:

1. מָה עוֹשֶׂה דָוִד בַּבֹּקֶר?

2. מַה לּוֹמֵד דָוִד בְּבֵית הַסֵּפֶר?

3. מָה עוֹשֶׂה דָוִד בָּעֶרֶב?

4. מָה אוֹמֵר דָוִד אֶל הָאֵם?

5. מַדּוּעַ אוֹמֵר הָאָב: „גְּמֹר אֶת שִׁעוּרֵי הַבַּיִת"?

II. מָתַי אַתָּה:

1. מִתְרַחֵץ? 2. לוֹמֵד? 3. אוֹכֵל אֲרוּחַת הַצָּהֳרַיִם? 4. נָח?

5. מִתְלַבֵּשׁ? 6. יָשֵׁן? 7. מַבִּיט בַּטֶּלֶוִיזְיָה? 8. כּוֹתֵב?

III. כְּתֹב בַּצִּוּוּי (imperative):

1. דָּוִד, (סגר) אֶת הַסֵּפֶר.

2. דָּן, (כתב) עַל הַלּוּחַ.

3. אַבְנֵר, (זרק) אֶת הַכַּדּוּר.

4. שָׂרָה, (גמר) אֶת הַשִּׂיחָה.

5. רָחֵל, (קרא) בְּקוֹל.

6. חַנָּה, (זכר) אֶת הַשִּׁעוּר.

7. רוּת, (פתח) אֶת הַדֶּלֶת (door).

8. דָּן וְאַבְנֵר, (אמר) שָׁלוֹם אֶל הַדּוֹד.

9. יְלָדִים, (אכל) אֶת אֲרוּחַת הָעֶרֶב.

IV. Give the various forms in the imperative for each of the follow-
ing verbs:

1. כתב   2. גמר   3. סגר   4. זכר   5. שמר

V. Translate. (Consult the rule for the predicate adjective, page 76.)

1.	The pretty garden	2.	The garden is pretty.
3.	The good teacher	4.	The teacher is good.
5.	The small girl	6.	The girl is small.
7.	The big book	8.	The book is big.
9.	The small son	10.	The son is small.

VI. עִבְרִית מְדֻבֶּרֶת:

Pretend you are the teacher. Ask pupils to answer the following ques-
tions in Hebrew.

1. מָה אַתָּה עוֹשֶׂה בַּבֹּקֶר?

2. מָה אַתָּה עוֹשֶׂה בַּצָּהֳרַיִם?

3. מָה אַתָּה עוֹשֶׂה אַחַר הַצָּהֳרַיִם (in the afternoon)?

4. מָה אַתָּה עוֹשֶׂה בָּעֶרֶב?

5. מָה אַתָּה עוֹשֶׂה בַּלַּיְלָה?

עברית חיה

HEBREW PUZZLES חִידוֹת

I. Fill in the Hebrew equivalents. They should read the same across and down.

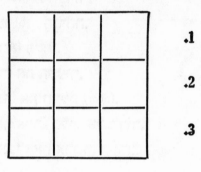

.1

.2

.3

1. Sat
2. My
3. House

II. Fill in the Hebrew equivalents of the following words. The initial letters should then spell out the name of a well-known Israeli city.

1. Pupil   ———————
2. No   ———————
3. You   ———————
4. Son   ———————
5. Pretty   ———————
6. Daughter ———————

מִלּוֹן

door	דֶּלֶת נ׳	speak! (*imp.*)	דַּבֵּר (ר׳ דַּבְּרוּ)
open! (*imp.*)	פְּתַח (נ׳ פִּתְחִי)	class	כִּתָּה
close! (*imp.*)	סְגֹר (נ׳ סִגְרִי)	get up! (*imp.*)	קוּם (נ׳ קוּמִי)
window	חַלּוֹן	go! (*imp.*)	לֵךְ (נ׳ לְכִי)
read! (*imp.*)	קְרָא	take! (*imp.*)	קַח
story	סִפּוּר	chalk	גִּיר
give to! (*imp.*)	תֵּן לְ...	sit down! (*imp.*)	שֵׁב (נ׳ שְׁבִי)
		gives	נוֹתֵן

דַּבְּרוּ עִבְרִית

The students get practice in carrying out commands and instructions
in the Hebrew language.

כִּתָּה עִבְרִית. הַתַּלְמִידִים מְדַבְּרִים אַנְגְּלִית.

„רַק עִבְרִית," אוֹמֵר הַמּוֹרֶה. „דַּבְּרוּ עִבְרִית."

„יְהוּדָה," אוֹמֵר הַמּוֹרֶה, „קוּם."

יְהוּדָה קָם.

„לֵךְ אֶל הַלּוּחַ."

יְהוּדָה הוֹלֵךְ אֶל הַלּוּחַ.

„קַח גִּיר."

יְהוּדָה לוֹקֵחַ אֶת הַגִּיר.

„כְּתֹב שִׁיר עִבְרִי עַל הַלּוּחַ."

יְהוּדָה כּוֹתֵב: „בֹּקֶר בָּא לַעֲבוֹדָה."

„טוֹב מְאֹד. שֵׁב."

יְהוּדָה יוֹשֵׁב.

„אַבְנֵר, קוּם."

אַבְנֵר קָם.

„לֵךְ אֶל הַדֶּלֶת."

אַבְנֵר הוֹלֵךְ אֶל הַדֶּלֶת.

„פְּתַח אֶת הַדֶּלֶת."

אַבְנֵר פּוֹתֵחַ אֶת הַדֶּלֶת.

„סְגֹר אֶת הַדֶּלֶת."

אַבְנֵר סוֹגֵר אֶת הַדֶּלֶת.

„שֵׁב."

אַבְנֵר יוֹשֵׁב.

„נָעֳמִי," אוֹמֵר הַמּוֹרֶה, „קוּמִי, בְּבַקָּשָׁה."

נָעֳמִי קָמָה.

„לְכִי אֶל הַחַלּוֹן.‟

נָעֳמִי הוֹלֶכֶת אֶל הַחַלּוֹן.

„פִּתְחִי אֶת הַחַלּוֹן.‟

נָעֳמִי פּוֹתַחַת אֶת הַחַלּוֹן.

„סִגְרִי אֶת הַחַלּוֹן.‟

נָעֳמִי סוֹגֶרֶת אֶת הַחַלּוֹן.

„שְׁבִי.‟

נָעֳמִי יוֹשֶׁבֶת.

„שְׁלֹמֹה, קוּם.‟

שְׁלֹמֹה קָם.

„קַח סֵפֶר עִבְרִי.‟

שְׁלֹמֹה לוֹקֵחַ סֵפֶר.

„קְרָא בְּקוֹל.‟

שְׁלֹמֹה קוֹרֵא בְּקוֹל אֶת הַסִּפּוּר „רַק עִבְרִית.‟

„תֵּן אֶת הַסֵּפֶר לְחַנָּה.‟

שְׁלֹמֹה נוֹתֵן אֶת הַסֵּפֶר לְחַנָּה.

„תּוֹדָה,‟ אוֹמֶרֶת חַנָּה.

„עַל לֹא דָּבָר,‟ עוֹנֶה שְׁלֹמֹה.

עברית חיה

‏.שֵׁב,¹ אוֹמֵר הַמּוֹרֶה

‏שְׁלֹמֹה יוֹשֵׁב.

‏.טוֹב מְאֹד, תַּלְמִידִים," אוֹמֵר הַמּוֹרֶה, וְהוּא כּוֹתֵב עַל
‏הַלּוּחַ: "רַק עִבְרִית בַּכִּתָּה הָעִבְרִית."

דִּקְדּוּק

A. Imperative of Verbs Like שְׁמַע and פְּתַח

רַבּוּי (M. PL.)	נְקֵבָה (F. S.)	זָכָר (M. S.)	Root
פִּתְחוּ	פִּתְחִי	פְּתַח	(open) פתח
סִלְחוּ	סִלְחִי	סְלַח	(pardon) סלח
שִׁלְחוּ	שִׁלְחִי	שְׁלַח	(send) שלח
שִׂמְחוּ	שִׂמְחִי	שְׂמַח	(rejoice) שׂמח
שִׁמְעוּ	שִׁמְעִי	שְׁמַע	(hear) שׁמע
קִרְעוּ	קִרְעִי	קְרַע	(tear) קרע

Note the change of vowel under the second root letter in verbs
ending in ח or ע. (Compare פְּתַח and כְּתֹב.)

These verbs follow the same pattern even though they do not
end in ח or ע:

לְמַד (learn!), לְבַשׁ (wear!), שְׁכַב (lie down!)

[82]

B. IMPERATIVE OF VERBS LIKE יוֹשֵׁב

רַבּוּ (M. PL.)	נְקֵבָה (F. S.)	זָכָר (M. S.)	Root	
שְׁבוּ	שְׁבִי	שֵׁב	(sit)	ישב
צְאוּ	צְאִי	צֵא	(go out)	יצא
רְדוּ	רְדִי	רֵד	(go down)	ירד
לְכוּ	לְכִי	לֵךְ	(go)	הלך
תְּנוּ	תְּנִי	תֵּן	(give)	נתן
קְחוּ	קְחִי	קַח	(take)	לקח
דְּעוּ	דְּעִי	דַּע	(know)	ידע

Note that in each case the first root letter of the verb drops out in the imperative.

Other irregular imperatives listed in the vocabulary on page 79 should be studied individually.

תַּרְגִּילִים

I. עֲנֵה בְעִבְרִית:

1. מָה הַשֵּׁם שֶׁל הַסִּפּוּר?

2. אֵיפֹה הַתַּלְמִידִים?

3. מָה אוֹמֵר הַמּוֹרֶה אֶל הַתַּלְמִידִים?

4. מָה עוֹשֶׂה יְהוּדָה?

5. מִי פּוֹתֵחַ וְסוֹגֵר אֶת הַדֶּלֶת?

6. יְה עוֹשָׂה נָעֲמִי?

7. מַה קוֹרֵא שְׁלֹמֹה?

8. מַה כּוֹתֵב הַמּוֹרֶה עַל הַלּוּחַ?

II. כְּתֹב מִשְׁפָּטִים בַּמִּלִּים הָאֵלֶּה:

1. כִּתָּה   2. גִּיר   3. קָם   4. דֶּלֶת   5. עִפָּרוֹן

6. נוֹתֵן   7. סִפּוּר   8. כַּדּוּר   9. נְיָר   10. חַלּוֹן

III. Choose the correct form of the imperative:

1. דָּן, —— אֶת הַסֵּפֶר.   (פְּתַח, פִּתְחִי, פִּתְחוּ)

2. יְהוּדָה, —— אֶת הַשִּׁעוּר.   (לְמַד, לְמְדִי, לְמְדוּ)

3. חַנָּה, —— עַל הַכִּסֵּא.   (שֵׁב, שְׁבִי, שְׁבוּ)

4. יְלָדִים, —— אֶל הַגַּן.   (לֵךְ, לְכִי, לְכוּ)

5. נָעֳמִי, —— אֶת הָעִפָּרוֹן לְשָׂרָה.   (תֵּן, תְּנִי, תְּנוּ)

6. שְׁלֹמֹה, —— אֶת הָעֵט.   (קַח, קְחִי, קְחוּ)

7. דָּוִד, ——.   (קוּם, קוּמִי, קוּמוּ)

8. אַבְרָהָם, —— בְּקוֹל.   (קְרָא, קְרָאִי, קְרָאוּ)

9. תַּלְמִידִים, —— עִבְרִית.   (דַּבֵּר, דַּבְּרִי, דַּבְּרוּ)

10. רוּת, —— אֶת שְׁמֵךְ עַל הַלּוּחַ.   (כְּתֹב, כִּתְבִי, כִּתְבוּ)

IV. Substitute שָׂרָה for דָּן, and change each imperative from masculine to feminine.

1. דָּן, סְגֹר אֶת הַחַלּוֹן.

2. דָּן, גְּמֹר אֶת הַשִּׁעוּר.

3. דָּן, לְמַד אֶת הַמִּלִּים.

4. דָּן, פְּתַח אֶת הַדֶּלֶת.

5. דָּן, קְרָא אֶת הַסִּפּוּר בְּקוֹל.

V. כְּתֹב בַּצִּוּוּי (imperative):

1. (סגר) תַּלְמִידִים, —— אֶת הַסְּפָרִים.

2. (פתח) נָעֳמִי, בְּבַקָּשָׁה, —— אֶת הַדֶּלֶת.

3. (גמר) אַבְרָהָם וְדָן, —— אֶת הַתַּרְגִּילִים.

4. (קום) חַנָּה, —— בְּבַקָּשָׁה.

5. (קרא) דָּוִד, —— בְּקוֹל.

6. (דבר) יְלָדִים, —— עִבְרִית.

7. (לקח) אַבְנֵר, —— אֶת הַגִּיר.

8. (הלך) יְהוּדָה וְשָׂרָה, —— אֶל בֵּית הַסֵּפֶר.

9. (למד) שְׁלֹמֹה, —— עִבְרִית.

10. (אכל) שָׂרָה, —— אֶת אֲרוּחַת הָעֶרֶב.

VI. עִבְרִית מְדֻבֶּרֶת:

Give commands in Hebrew to other students using the following imperatives:

1. קוּם 2. לֵךְ 3. פְּתַח 4. סְגֹר 5. קַח

6. תֵּן 7. —— 8. קְרָא 9. כְּתֹב 10. שֵׁב

חֲזָרָה

I. Do you know the Hebrew equivalent for each of the following words?

1. family	20. correct, right	39. breakfast
2. large, big	21. when?	40. return
3. how many?	22. what is your name?	41. from
4. people, men	23. my name is	42. supper
5. your, yours	24. new	43. finish!
6. brother	25. was	44. speak!
7. sister	26. nation, people	45. get up!
8. dog	27. first	46. go!
9. cat	28. woman, wife	47. take!
10. bird	29. king	48. chalk
11. fish	30. love (v.)	49. sit down!
12. to, for	31. because	50. door
13. noon	32. wrote	51. open!
14. meal	33. like, as	52. close!
15. night	34. Bible	53. window
16. sleep (n.)	35. day	54. read!
17. sleep (v.)	36. pencil	55. story
18. work (v.)	37. paper	56. give!
19. eat	38. get up, arise	57. gives

II. Can you translate the following words?

11. נֹחַ	6. מִתְרַחֵץ	1. חֶבֶל
12. כַּדּוּר	7. מִתְלַבֵּשׁ	2. מְנוּחָה
13. כִּתָּה	8. מַתֶמָטִיקָה	3. שֹׁרֶשׁ
14. מִשְׁפָּט	9. הִיסְטוֹרְיָה	4. תְּאוֹמוֹת
15. צִוּוּי	10. מְשַׂחֵק	5. אֲרוּחָה

III. Do you know the following grammatical forms?

A. Numbers 1-10, page 59.

B. Verb: present of **רוֹאֶה**, page 63; present of verbs ending in **עַ** or **חַ**, page 64; verb root and past, page 69; imperative, page 82 and page 83.

C. Predicate Adjective, page 76.

IV. Oral Hebrew:

A. Can you summarize in Hebrew each of the stories in Lessons 11-15?

B. Can you converse in Hebrew on each one of these topics?

‏1. הַמִּשְׁפָּחָה שֶׁלִּי. 2. חָלוּץ בְּאֶרֶץ יִשְׂרָאֵל.

‏3. מַה שְׁמְךָ? 4. בֹּקֶר טוֹב.

C. Can you give ten commands in Hebrew?

V. Culture: How many Hebrew songs and proverbs do you know?

מִבְחָן

I. עֲנֵה בְּעִבְרִית: (20)

1. כַּמָּה אֲנָשִׁים בַּמִּשְׁפָּחָה שֶׁלְּךָ?
2. מָתַי עוֹבֵד הֶחָלוּץ?
3. מַה שִׁמְךָ הָעִבְרִי?
4. מָה אַתָּה עוֹשֶׂה בָּעֶרֶב?
5. מִי הָיָה אַבְרָהָם?

II. כְּתֹב אֶת הַמִּלָּה הַנְּכוֹנָה: (20)

(אוֹהֵב, אָחוֹת, אֲרוּחָה, חָדָשׁ, יָשֵׁן, כָּתַב, מֶלֶךְ,
סָגַר, קַח, קָם)

1. ———— אֶת הַנִּיר.
2. אֲנִי ———— בַּבֹּקֶר.
3. דָּן ———— חִבּוּר.
4. מוֹרֶה ———— בָּא אֶל הַחֶדֶר.
5. אַבְרָהָם ————אֶת שָׂרָה.
6. יֵשׁ לִי אָח גָּדוֹל וְ———— קְטַנָּה.
7. אֲנִי ———— בַּלַּיְלָה.
8. דָּוִד הָיָה ———— טוֹב.
9. בַּבֹּקֶר אֲנִי אוֹכֵל ———— טוֹבָה.
10. ———— אֶת הַדֶּלֶת.

[88]

.III כְּתֹב אֶת הַמִּסְפָּר הַנָּכוֹן: (12)

.1 (3) סִפּוּרִים   .2 (2) דּוֹדִים   .3 (8) חֲלוּצִים

.4 (7) אֲנָשִׁים   .5 כֶּלֶב (1)   .6 (9) יְלָדִים

.IV כְּתֹב אֶת הַשֹּׁרֶשׁ (root): (10)

.1 שָׂרָה יוֹדַעַת שִׁיר יָפֶה.

.2 אַבָּא עוֹבֵד בַּיּוֹם.

.3 הַיְלָדִים אוֹכְלִים אֶת אֲרוּחַת הָעֶרֶב.

.4 הַתַּלְמִידוֹת גּוֹמְרוֹת אֶת הַשִּׁעוּר.

.5 יְהוּדָה אוֹהֵב אֶת חַנָּה.

.V כְּתֹב בַּהֹוֶה (present): (10)

.1 (ראה) שָׂרָה ——— צִפּוֹר.

.2 (רצה) אֲנַחְנוּ ——— לִלְמֹד שִׁיר עִבְרִי.

.3 (עשה) מָה ——— שָׂרָה וְרוּת?

.4 (שאל) "מַה שְׁלוֹמֵךְ?" ——— הַמּוֹרָה.

.5 (ענה) "הַכֹּל בְּסֵדֶר!" ——— רוּת.

.VI כְּתֹב אֶת הַצִּוּוּי (imperative): (10)

.1 תַּלְמִידִים, ——— אֶת הַסְּפָרִים.   (סְגֹר, סִגְרִי, סִגְרוּ)

.2 דָּוִד, ——— אֶת הַשִּׁעוּר.   (גְּמֹר, גִּמְרִי, גִּמְרוּ)

.3 נָעֳמִי, ——— עִבְרִית.   (לְמַד, לִמְדִי, לִמְדוּ)

.4 אַבָּא, בְּבַקָּשָׁה, ——— אֶת הַדֶּלֶת.   (פְּתַח, פִּתְחִי, פִּתְחוּ)

.5 שָׂרָה, ——— אֶל הַלּוּחַ.   (לֵךְ, לְכִי, לְכוּ)

VII. Summarize in Hebrew the story "יוֹם אֶחָד" either orally or in writing. (18)

[89]

שִׁעוּר שִׁשָּׁה עָשָׂר

LESSON 16

מִלּוֹן

notebook	(ר· מַחְבָּרוֹת) .מַחְבֶּרֶת נ	language, tongue	לָשׁוֹן א
friend	(ר· חֲבֵרִים) חָבֵר	living	חַי ג
dead	.מֵתָה נ	secondary school	בֵּי.ז סֵפֶר תִּיכוֹן
radio	רַדְיוֹ	way, road	דֶּן ךְ ז'נ
newspaper	(ר· עִתּוֹנִים) עִתּוֹן	meet	פּוֹגֵשׁ
go out, appear	(ר· יוֹצְאִים) יוֹצֵא	three	שָׁ שׁ ג
(am) happy	(ר· שְׂמֵחִים) שָׂמֵחַ		

לָשׁוֹן חַיָּה

Abraham and some of his classmates prove to a doubting friend th t Hebrew is very much alive.

אַבְרָהָם הוּא תַלְמִיד.

אַבְרָהָם לוֹמֵד בְּבֵית הַסֵּפֶר הַתִּיכוֹן. הוּא לוֹמֵד

אַנְגְלִית, עִבְרִית, מַתֶּמָטִיקָה וְהִסְטוֹרְיָה.

בַּדֶּרֶךְ לְבֵית הַסֵּפֶר הוּא פּוֹגֵשׁ שְׁנֵי חֲבֵרִים, שְׁלֹמֹה וְדָן,

וְשָׁלֹשׁ חֲבֵרוֹת, שָׂרָה, רָחֵל וְחַנָּה.

"שָׁלוֹם," אוֹמֵר אַבְרָהָם.

"שָׁלוֹם," הֵם עוֹנִים.

שְׁלֹמֹה רוֹאֶה סֵפֶר וּמַחְבֶּרֶת בְּיַד שֶׁל אַבְרָהָם.

"מַה הוּא הַסֵּפֶר הַזֶּה?" שׁוֹאֵל שְׁלֹמֹה.

„זֶה סֵפֶר עִבְרִי," עוֹנֶה אַבְרָהָם.

„אַתָּה לוֹמֵד עִבְרִית?" שׁוֹאֵל דָּן.

„כֵּן," עוֹנֶה אַבְרָהָם.

„גַּם אֲנִי לוֹמֶדֶת עִבְרִית," אוֹמֶרֶת שָׂרָה.

„גַּם אֲנַחְנוּ," אוֹמְרוֹת רָחֵל וְחַנָּה.

„מַדּוּעַ עִבְרִית?" שׁוֹאֵל שְׁלֹמֹה.

„כִּי עִבְרִית לָשׁוֹן יָפָה מְאֹד," עוֹנֶה אַבְרָהָם.

„אֲנִי אוֹהֶבֶת לִלְמֹד עִבְרִית כִּי יֵשׁ לִי מוֹרֶה טוֹב
לְעִבְרִית," אוֹמֶרֶת שָׂרָה.

„עִבְרִית הִיא הַלָּשׁוֹן שֶׁל הַתַּנַּ"ךְ וְשֶׁל עַם יִשְׂרָאֵל,"
אוֹמֶרֶת רָחֵל.

„אֲבָל עִבְרִית הִיא לָשׁוֹן מֵתָה," אוֹמֵר שְׁלֹמֹה.

„לֹא נָכוֹן," עוֹנֶה אַבְרָהָם, „הַאִם אַתָּה יוֹדֵעַ כִּי בְּאֶרֶץ
יִשְׂרָאֵל כָּל הָאֲנָשִׁים מְדַבְּרִים עִבְרִית?"

„כֵּן," אוֹמֶרֶת חַנָּה, „מְדַבְּרִים עִבְרִית בַּבַּיִת, בָּרְחוֹב,
בְּבֵית הַסֵּפֶר וְגַם בָּרַדְיוֹ."

„וְקוֹרְאִים עִתּוֹנִים עִבְרִים," אוֹמֵר אַבְרָהָם. „הַאִם אַתָּה
יוֹדֵעַ כִּי בְּתֵל אָבִיב יוֹצְאִים חֲמִשָּׁה אוֹ שִׁשָּׁה עִתּוֹנִים
בְּכָל בֹּקֶר וְגַם סְפָרִים רַבִּים יוֹצְאִים בְּעִבְרִית."

„לֹא, שְׁלֹמֹה," אוֹמֶרֶת שָׂרָה, „עִבְרִית לֹא לָשׁוֹן מֵתָה.
עִבְרִית הִיא לָשׁוֹן חַיָּה. וַאֲנַחְנוּ שְׂמֵחִים מְאֹד כִּי אֲנַחְנוּ
לוֹמְדִים עִבְרִית."

דִקְדּוּק

One student is sitting in the room.	1. תַּלְמִידָה אַחַת יוֹשֶׁבֶת בַּחֶדֶר.
Three students are writing on the blackboard.	2. שָׁלֹשׁ תַּלְמִידוֹת כּוֹתְבוֹת עַל הַלּוּחַ.
There are ten pictures on the wall.	3. עֶשֶׂר תְּמוּנוֹת עַל הַקִּיר.
I have two aunts.	4. יֵשׁ לִי שְׁתֵּי דוֹדוֹת.
How many aunts? Two.	5. כַּמָּה דוֹדוֹת? שְׁתַּיִם.

A. FEMININE NUMBERS 1-10

one	אַחַת
two	שְׁתַּיִם (שְׁתֵּי)
three	שָׁלֹשׁ
four	אַרְבַּע
five	חָמֵשׁ
six	שֵׁשׁ
seven	שֶׁבַע
eight	שְׁמֹנֶה
nine	תֵּשַׁע
ten	עֶשֶׂר

B. The number אַחַת (one) follows the noun it modifies, as in sentence 1, above. Other numbers generally precede the noun (as in sentences 2, 3 and 4, above).

C. In case of the number two, use שְׁתֵּי when it is followed by a fem-
inine noun and שְׁתַּיִם when it occurs alone (as in sentence 5,
above).

תַּרְגִּילִים

1. עֲנֵה בְּעִבְרִית:

‏.1 אֵיפֹה לוֹמֵד אַבְרָהָם?

‏.2 מַה לּוֹמֵד אַבְרָהָם?

‏.3 אֶת מִי פּוֹגֵשׁ אַבְרָהָם בַּדֶּרֶךְ?

‏.4 מָה רוֹאֶה שְׁלֹמֹה בַּיָּד שֶׁל אַבְרָהָם?

‏.5 מַדּוּעַ אוֹהֶבֶת שָׂרָה לִלְמֹד עִבְרִית?

‏.6 מַדּוּעַ אוֹמֵר שְׁלֹמֹה: „עִבְרִית לָשׁוֹן מֵתָה"?

‏.7 כַּמָּה עִתּוֹנִים עִבְרִים יוֹצְאִים בְּכָל בֹּקֶר בְּתֵל אָבִיב?

‏.8 מַדּוּעַ שְׂמֵחִים אַבְרָהָם וְהַחֲבֵרוֹת?

II. חַבֵּר מִשְׁפָּטִים בַּמִּלִּים הָאֵלֶּה: Compose sentences with
the following words:

‏.1 חָבֵר‎   ‏.2 עִתּוֹן‎   ‏.3 פּוֹגֵשׁ‎   ‏.4 שָׁלֹשׁ

‏.5 דֶּרֶךְ‎   ‏.6 מַחְבֶּרֶת‎   ‏.7 לָשׁוֹן‎   ‏.8 רַדְיוֹ

‏.9 בֵּית סֵפֶר תִּיכוֹן‎   ‏.10 שָׂמֵחַ

III. הַשְׁלֵם בְּאַחַת מִן הַמִּלִּים הָאֵלֶּה:

(חַיָּה, עִתּוֹנִים, רַדְיוֹ, מַחְבֶּרֶת, מֵתָה, תַּצִּיךְ, שָׁלֹשׁ,
בֵּית סֵפֶר תִּיכוֹן)

‏.1 אַבְרָהָם וְהַחֲבֵרִים הוֹלְכִים אֶל ——————.

‏.2 אַבְרָהָם פּוֹגֵשׁ —————— חֲבֵרוֹת.

‏.3 יֵשׁ בְּיַד אַבְרָהָם —————— אַחַת.

4. שְׁלֹמֹה אוֹמֵר: ״עִבְרִית הִיא לָשׁוֹן ———.״

5. שָׂרָה אוֹמֶרֶת: ״עִבְרִית הִיא לָשׁוֹן ———.״

6. בְּאֶרֶץ יִשְׂרָאֵל יוֹצְאִים ——— בְּכָל בֹּקֶר.

7. בְּאֶרֶץ יִשְׂרָאֵל מְדַבְּרִים הָאֲנָשִׁים עִבְרִית בְּ———.

8. עִבְרִית הִיא הַלָּשׁוֹן שֶׁל הַ———.

IV. הַשְׁלֵם בַּמִּסְפָּרִים הַנְּכוֹנִים (Fill in the correct numbers):

6. (3) ——— דּוֹדוֹת		1. (5) ——— תְּמוּנוֹת
7. (6) ——— מִשְׁפָּחוֹת		2. (2) ——— תַּלְמִידוֹת
8. (9) ——— תַּלְמִידוֹת		3. תּוֹרָה (1) ———
9. (8) ——— תְּמוּנוֹת		4. (10) ——— מַחְבָּרוֹת
10. (7) ——— מַחְבָּרוֹת		5. (4) ——— מוֹרוֹת

V. הַשְׁלֵם בִּזְמַן הֹוֶה (Fill in the present tense):

1. (שאל) הַתַּלְמִיד ——— שְׁאֵלָה יָפָה.

2. (קרא) אֲנִי ——— סֵפֶר עִבְרִי.

3. (אמר) הָאֲנָשִׁים ——— שָׁלוֹם.

4. (פתח) הָאֵם ——— אֶת הַחַלּוֹן.

5. (ראה) שָׂרָה ——— אֶת דָּוִד.

6. (עבד) הִיא ——— כָּל הַיּוֹם.

7. (כתב) אֲנַחְנוּ ——— חִבּוּרִים יָפִים.

8. (למד) הֵם ——— תּוֹרָה.

9. (פגש) בַּדֶּרֶךְ אַתֶּם ——— חֲבֵרִים.

10. (הלך) הֵן ——— אֶל בֵּית הַסֵּפֶר הַתִּיכוֹן.

VI. תַּרְגֵּם לְעִבְרִית:

1. You have (*m. s.*) five notebooks.
2. David walks to high school every day.
3. On (in) the way he meets a friend.
4. Hebrew is not a dead language; it is a living language.

VII. עִבְרִית מְדֻבֶּרֶת:

Dramatize in Hebrew the conversation between Abraham and his friends about the Hebrew language.

פִּתְגָּם עִבְרִי

Love your neighbor as yourself.

(Leviticus XIX, 18)

וְאָהַבְתָּ לְרֵעֲךָ כָּמוֹךָ.

(וַיִּקְרָא יט, יח)

שִׁעוּר שִׁבְעָה עָשָׂר

LESSON 17

מִלּוֹן

the other side	הַצַּד הַשֵּׁנִי	the land; the ground	הָאָרֶץ נ׳
to him	לוֹ	named	בְּשֵׁם
passes, crosses	עוֹבֵר	automobile	מְכוֹנִית נ׳ (ר׳ מְכוֹנִיוֹת)
suddenly	פִּתְאֹם	travel	נוֹסֵעַ (ר׳ נוֹסְעִים)
hears	שׁוֹמֵעַ	quickly	מַהֵר
sound	קוֹל	bus	אוֹטוֹבּוּס
honk! honk!	תְּרוּ... תְּרוּ...	horse	סוּס
jumps	קוֹפֵץ	Mr. Levy	אָדוֹן לֵוִי, מַר לֵוִי
falls	נוֹפֵל	side	צַד

"הָאָרֶץ"

A man tries to cross a busy street in Tel Aviv while absorbed in a
Hebrew newspaper, and then something happens.

יֵשׁ רְחוֹב גָּדוֹל בְּתֵל אָבִיב בְּשֵׁם רְחוֹב אַלֶּנְבִּי.
אֲנָשִׁים רַבִּים הוֹלְכִים בָּרְחוֹב אַלֶּנְבִּי. הָאֲנָשִׁים
מְדַבְּרִים וְצוֹחֲקִים.
גַּם מְכוֹנִיּוֹת נוֹסְעוֹת בָּרְחוֹב. הַמְּכוֹנִיּוֹת נוֹסְעוֹת מַהֵר. גַּם
אוֹטוֹבּוּסִים נוֹסְעִים בָּרְחוֹב, וְגַם סוּסִים הוֹלְכִים בָּרְחוֹב.

הָאָדוֹן לֵוִי הוֹלֵךְ בַּצַּד שֶׁל הָרְחוֹב. בְּיַד שֶׁל מַר לֵוִי עִתּוֹן עִבְרִי.

הַשֵּׁם שֶׁל הָעִתּוֹן הוּא „הָאָרֶץ.״ הוּא קוֹרֵא אֶת „הָאָרֶץ.״

מַר לֵוִי פּוֹגֵשׁ חָבֵר בָּרְחוֹב.

„שָׁלוֹם,״ אוֹמֵר הֶחָבֵר.

„שָׁלוֹם,״ אוֹמֵר לוֹ מַר לֵוִי.

מַר לֵוִי הוֹלֵךְ וְקוֹרֵא אֶת הָעִתּוֹן. הוּא עוֹבֵר אֶת הָרְחוֹב וְאֵין

הוּא רוֹאֶה אֶת הַמְּכוֹנִית. פִּתְאֹם הוּא שׁוֹמֵעַ אֶת הַקּוֹל שֶׁל

הַמְּכוֹנִית: תְּרוּ... תְּרוּ... תְּרוּ...

מְכוֹנִית גְּדוֹלָה בָּאָה מַהֵר. מַר לֵוִי רוֹאֶה אֶת הַמְּכוֹנִית.

הָאִישׁ קוֹפֵץ מַהֵר אֶל הַצַּד הַשֵּׁנִי שֶׁל הָרְחוֹב. הָעִתּוֹן נוֹפֵל מִן

הַיָּד שֶׁל הָאִישׁ. הָעִתּוֹן נוֹפֵל עַל הָאָרֶץ (the ground). הַמְּכוֹנִית

עוֹבֶרֶת עַל הָעִתּוֹן.

אַחֲרֵי כֵן בָּא אוֹטוֹבּוּס. גַּם הָאוֹטוֹבּוּס עוֹבֵר עַל הָעִתּוֹן.

אַחֲרֵי כֵן בָּא סוּס, גַּם הַסּוּס עוֹבֵר עַל הָעִתּוֹן.

הָאָדוֹן לֵוִי צוֹחֵק וְאוֹמֵר: „אֵין לִי עִתּוֹן עוֹד. „הָאָרֶץ׳ עַל הָאָרֶץ.״

דִּקְדּוּק

The friend says "Hello" to him.	1. הֶחָבֵר אוֹמֵר לוֹ שָׁלוֹם.
I write (to) him a letter.	2. אֲנִי כּוֹתֵב לוֹ מִכְתָּב.
David gives (to) her a pencil.	3. דָּוִד נוֹתֵן לָהּ עִפָּרוֹן.

[97]

עִבְרִית חַיָּה

INDIRECT OBJECT PRONOUN לִי

to us	לָנוּ	to me	לִי
to you (m.)	לָכֶם	to you (m.)	לְךָ
to you (f.)	לָכֶן	to you (f.)	לָךְ
to them (m.)	לָהֶם	to him	לוֹ
to them (f.)	לָהֶן	to her	לָהּ

Note that in English the word "to," the equivalent of לְ, is sometimes omitted as in sentences 2 and 3, above, but it is never omitted in Hebrew.

תַּרְגִּילִים

I. הַשְׁלֵם בַּמִּלָּה הַנְּכוֹנָה (Fill in the correct word):

1. הַשֵּׁם שֶׁל רְחוֹב גָּדוֹל בְּתֵל אָבִיב הוּא ——.

2. בָּרְחוֹב נוֹסְעוֹת ——.

3. גַּם אֲנָשִׁים הוֹלְכִים —— וְצוֹחֲקִים.

4. הָאָדוֹן —— הוֹלֵךְ בִּרְחוֹב אַלֶּנְבִּי.

5. הוּא קוֹרֵא —— עִבְרִי.

6. הַשֵּׁם שֶׁל הָעִתּוֹן הוּא ——.

7. אֵין הָאִישׁ רוֹאֶה אֶת ——.

8. מַר לֵוִי —— מַהֵר אֶל הַצַּד הַשֵּׁנִי שֶׁל הָרְחוֹב.

9. הַמְּכוֹנִית —— עַל הָעִתּוֹן.

10. מַר לֵוִי צוֹחֵק וְאוֹמֵר: ..הָאָרֶץ' עַל —— ——.

[98]

II. אֵיפֹה?

5. הָעִתּוֹן "הָאָרֶץ"?	1. רְחוֹב אַלֶנְבִּי?
6. מַבִּיט אָדוֹן לֵוִי?	2. נוֹסְעוֹת הַמְּכוֹנִיּוֹת?
7. נוֹפֵל הָעִתּוֹן?	3. מְדַבְּרִים וְצוֹחֲקִים הָאֲנָשִׁים?
8. קוֹפֵץ אָדוֹן לֵוִי?	4. נוֹסְעִים הָאוֹטוֹבּוּסִים?

III. כְּתֹב אֶת הַמִּלָּה הַנְּכוֹנָה: Write the Hebrew equivalents of the English words:

to them	1. הוּא אוֹמֵר —— שָׁלוֹם.
to me	2. דָּוִד כּוֹתֵב —— בְּעִבְרִית.
(to) her	3. הַתַּלְמִיד עוֹנֶה —— בְּאַנְגְּלִית.
(to) you (m. s.)	4. דָּן נוֹתֵן —— עִפָּרוֹן יָפֶה.
to us	5. הַמּוֹרָה אוֹמֵר —— "יָפֶה, תַּלְמִידִים!"
(to) him	6. שָׂרָה כּוֹתֶבֶת —— בְּכָל יוֹם.
(to) you (m. pl.)	7. הַמּוֹרָה קוֹרֵא ——.
(to) you (f. s.)	8. מִי נָתַן —— אֶת הַסֵּפֶר?
(to) him	9. הוּא עוֹנֶה —— בְּאַנְגְּלִית.
(to) you (f. pl.)	10. הַאִם דָּוִד כּוֹתֵב ——?

IV. כְּתֹב אֶת הַמִּסְפָּר (number) הַנָּכוֹן:

6. (10) —— תַּלְמִידוֹת	1. (3) —— חֲבֵרִים
7. (7) —— תְּמוּנוֹת	2. (2) —— סוּסִים
8. (9) —— מַחְבָּרוֹת	3. (5) —— אוֹטוֹבּוּסִים
9. (1) בַּת ——	4. (4) —— חֲבוּרִים
10. (8) —— מִשְׁפָּחוֹת	5. (1) —— שִׁיר

V. Substitute הַתַּלְמִידָה for הַתַּלְמִיד and change each verb from masculine to feminine:

1. הַתַּלְמִיד אוֹכֵל אֶת אֲרוּחַת הַבֹּקֶר.

2. הַתַּלְמִיד עוֹשֶׂה אֶת הָעֲבוֹדָה.

3. הַתַּלְמִיד כּוֹתֵב עַל הַלּוּחַ.

4. הַתַּלְמִיד אוֹמֵר שָׁלוֹם.

5. הַתַּלְמִיד יוֹדֵעַ אֶת הַשִּׁעוּר.

6. הַתַּלְמִיד רוֹאֶה אֶת הַמּוֹרָה.

7. הַאִם הַתַּלְמִיד רוֹצֶה לִלְמֹד?

8. הַתַּלְמִיד מְדַבֵּר עִבְרִית.

9. הַתַּלְמִיד עוֹנֶה: "הַכֹּל בְּסֵדֶר."

10. הַתַּלְמִיד יוֹשֵׁב בְּשֶׁקֶט (quietly).

VI. כַּמָּה:

1. שְׁתַּיִם וְשָׁלֹשׁ?

2. אַרְבַּע וְחָמֵשׁ?

3. אַחַת וְאַחַת?

4. שֵׁשׁ וּשְׁתַּיִם?

5. שָׁלֹשׁ וְשָׁלֹשׁ?

6. שֶׁבַע וּשְׁתַּיִם?

VII. **עִבְרִית מְדֻבֶּרֶת:**

One student carries out the following series of activities and another describes each activity in the third person, using הוּא in place of אֲנִי.

5. אֲנִי שָׁב אֶל הַחֶדֶר.		1. אֲנִי קָם.
6. אֲנִי סוֹגֵר אֶת הַדֶּלֶת.		2. אֲנִי הוֹלֵךְ אֶל הַדֶּלֶת.
7. אֲנִי שָׁב אֶל הַכִּסֵּא.		3. אֲנִי פּוֹתֵחַ אֶת הַדֶּלֶת.
8. אֲנִי יוֹשֵׁב.		4. אֲנִי יוֹצֵא מִן הַחֶדֶר.

VIII. **הַכְּתָבָה** (Dictation):

אַבְרָהָם הוּא תַּלְמִיד.

אַבְרָהָם הוֹלֵךְ אֶל בֵּית הַסֵּפֶר הַתִּיכוֹן בְּתֵל אָבִיב.

הוּא מְדַבֵּר עִבְרִית וְקוֹרֵא עִתּוֹן עִבְרִי.

לְאַבְרָהָם יֵשׁ חָבֵר בְּשֵׁם יְהוּדָה.

גַּם יְהוּדָה הוֹלֵךְ אֶל בֵּית הַסֵּפֶר הַתִּיכוֹן.

וְגַם הוּא מְדַבֵּר עִבְרִית וְקוֹרֵא עִתּוֹן עִבְרִי.

מִלּוֹן

draws	מְצַיֵּר	grandfather	סָב
head	רֹאשׁ	old	זָקֵן
eyes	עֵינַיִם נ.	he has	יֵשׁ לוֹ
nose	אַף	beard	זָקָן
mouth	פֶּה	Bezalel (proper name)	בְּצַלְאֵל
hands	יָדַיִם נ.	to draw	לְצַיֵּר
	feet	רַגְלַיִם נ.	

הַסָּב

A young artist finds a good portrait subject.

אַבְרָהָם יוֹשֵׁב בַּבַּיִת. גַּם הַסָּב שֶׁל אַבְרָהָם בַּבַּיִת.

הַסָּב הוּא אִישׁ זָקֵן וְיָפֶה. יֵשׁ לוֹ זָקָן יָפֶה.

בְּצַלְאֵל, הֶחָבֵר שֶׁל אַבְרָהָם, בָּא אֶל הַבַּיִת. הוּא רוֹאֶה

אֶת הַסָּב. בְּצַלְאֵל לוֹקֵחַ עִפָּרוֹן וּנְיָר. הוּא אוֹהֵב לְצַיֵּר.

"מָה אַתָּה עוֹשֶׂה?" שׁוֹאֵל אַבְרָהָם.

"אֲנִי רוֹצֶה לְצַיֵּר תְּמוּנָה שֶׁל הַסָּב," עוֹנֶה בְּצַלְאֵל.

בְּצַלְאֵל מְצַיֵּר אֶת הָרֹאשׁ וְאֶת הָעֵינַיִם שֶׁל הַסָּב.

הוּא מְצַיֵּר אֶת הָאַף, אֶת הַפֶּה וְאֶת הַזָּקָן שֶׁל הַסָּב.

אַחֲרֵי כֵן הוּא מְצַיֵּר אֶת הַיָּדַיִם וְאֶת הָרַגְלַיִם,

וְגוֹמֵר אֶת הַתְּמוּנָה.

אַבְרָהָם מַבִּיט עַל הַתְּמוּנָה. הוּא מַבִּיט עַל הָעֵינַיִם
הַיָּפוֹת וְעַל הַזָּקָן שֶׁל הַסָּב.

„הַתְּמוּנָה שֶׁל הַסָּב יָפָה מְאֹד,‟ אוֹמֵר אַבְרָהָם.

„תּוֹדָה,‟ עוֹנֶה בְּצַלְאֵל, „אֲנִי אוֹהֵב לְצַיֵּר אֶת הַתְּמוּנָה
שֶׁל הַסָּב, כִּי הוּא אִישׁ טוֹב וְיָפֶה וְחָכָם.‟

דִּקְדּוּק

A. Possession

I. Affirmative

1. I have a book (literally, "There is to me a book").	יֵשׁ לִי סֵפֶר.
2. He has a beautiful beard.	יֵשׁ לוֹ זָקָן יָפֶה.
3. They have a good teacher.	יֵשׁ לָהֶם מוֹרֶה טוֹב.
4. You have a pretty sister.	לְךָ אָחוֹת יָפָה.
5. We have a small brother.	לָנוּ אָח קָטָן.

The indirect object pronouns such as לִי, לְךָ, לוֹ etc., may also
be used to indicate possession.

Note that the word יֵשׁ, which means "there is," may be omitted
as in sentences 4 and 5, above, without changing the meaning of the
sentence.

II. Negative

1. I do not have a notebook.	אֵין לִי מַחְבֶּרֶת.
2. She does not have a brother.	אֵין לָהּ אָח.
3. They have no books.	אֵין לָהֶם סְפָרִים.

Negative possession may be indicated by the indirect object pronouns with the word אֵין (is not, are not) placed before them as in sentences 1, 2, 3, above.

III. Use of שֶׁל

1. David's father	הָאָב שֶׁל דָּוִד
2. Sarah's teacher	הַמּוֹרָה שֶׁל שָׂרָה
3. The man's house	הַבַּיִת שֶׁל הָאִישׁ

Expressions employing 's in English are usually translated in modern Hebrew by the use of the preposition שֶׁל (of) as in the three sentences above.

B. PAIRED MEMBERS OF THE BODY

	רִבּוּי		יְחִידָה
small ears	אָזְנַיִם קְטַנּוֹת	a small ear	אֹזֶן קְטַנָּה
pretty eyes	עֵינַיִם יָפוֹת	a pretty eye	עַיִן יָפָה
white teeth	שִׁנַּיִם לְבָנוֹת	a white tooth	שֵׁן לְבָנָה
strong hands	יָדַיִם חֲזָקוֹת	a strong hand	יָד חֲזָקָה
big feet	רַגְלַיִם גְּדוֹלוֹת	a big foot	רֶגֶל גְּדוֹלָה

Paired members of the body are usually regarded as of the feminine gender and require a feminine adjective.

פֶּה and רֹאשׁ are masculine (see vocabulary of lesson 18) since they are not paired organs. Note that the dual number in Hebrew is indicated by ־יִם (compare the word שְׁנַיִם).

תַּרְגִּילִים

I. עֲנֵה בְעִבְרִית:

1. בַּמֶּה (with what) אַתָּה אוֹכֵל?
2. בַּמָּה אַתָּה רוֹאֶה?
3. בַּמָּה אַתָּה הוֹלֵךְ?
4. בַּמָּה אַתָּה שׁוֹמֵעַ?
5. בַּמָּה אַתָּה כּוֹתֵב?

II. כְּתֹב בְּרִבּוּי (Write in the plural):

5. סוּס	4. עַיִן	3. אֹזֶן	2. דּוֹד	1. עִתּוֹן
10. דּוֹדָה	9. יָד	8. סִפּוּר	7. רֶגֶל	6. תְּמוּנָה

III. תַּרְגֵּם:

1. He has a newspaper. 2. She has a small brother. 3. David's grandfather is old. 4. I am writing to him. 5. Sarah's room is nice. 6. They have a big house. 7. You (*m. s.*) don't have a book. 8. Students, you have a good teacher. 9. David has a pretty sister. 10. They have three sons (בָּנִים).

IV. כְּתֹב אֶת הַמִּלָּה הַנְּכוֹנָה:

1. לְשָׂרָה יֵשׁ עֵינַיִם ———. (יָפִים, יָפוֹת)
2. יֵשׁ לוֹ אָזְנַיִם ———. (קְטַנִּים, קְטַנּוֹת)
3. לְדָן יָדַיִם ———. (גְּדוֹלִים, גְּדוֹלוֹת)
4. הַפֶּה שֶׁלִּי ———. (קָטָן, קְטַנָּה)
5. הָרֹאשׁ שֶׁל דָּוִד ———. (יָפֶה, יָפָה)
6. אֵין לִי רַגְלַיִם ———. (גְּדוֹלִים, גְּדוֹלוֹת)

V. עִבְרִית מְדֻבֶּרֶת:

Using the following titles as an outline, give a Hebrew summary of
the story:

‏3. הַתְּמוּנָה. 2. בְּצַלְאֵל. 1. אַבְרָהָם וְהַסָּב.

‏5. בְּצַלְאֵל עוֹנֶה. 4. אַבְרָהָם מַבִּיט עַל הַתְּמוּנָה.

עֵמֶק, עֵמֶק

The colonists in the Emek dance the Horah as they sing of work
on the soil.

‏עֵמֶק, עֵמֶק, עֲבוֹדָה;

‏עֵמֶק, עֵמֶק, אֲדָמָה.

‏עֵמֶק, עֵמֶק, יְצִירָה;

‏עֵמֶק, עֵמֶק, הוֹרָה.

‏עֵמֶק, עֵמֶק, הוֹרָה;

‏הוֹרָה, הוֹרָה, עֵמֶק.

Lively

E - mek e - mek a - vaw-dah, e - mek e - mek a - da-mah.

e - mek e - mek y' - tsee - rah, e - mek e - mek haw - rah.

e - mek e - mek y' - tsee - rah, e - mek e - mek haw - rah.

e - mek e - mek haw - rah, haw - rah haw - rah e - mek.

שִׁעוּר תִּשְׁעָה עָשָׂר

LESSON 19

מִלּוֹן

him	אוֹתוֹ	Hillel (name of a great Talmudic scholar)	הִלֵּל
but	אֲבָל	stranger	נָכְרִי ¹
what is hateful to you	מַה שֶּׁשָּׂנוּא עָלֶיךָ	Shammai (colleague of Hillel)	שַׁמַּאי
do not do unto your neighbor	אַל תַּעֲשֶׂה לַחֲבֵרְךָ	while, when	כַּאֲשֶׁר
foundation	יְסוֹד	stand (v.)	עוֹמֵד
rest, remainder	שְׁאָר	gets angry	כּוֹעֵס
commentary, explanation	פֵּרוּשׁ	chases away	מְגָרֵשׁ
		if	אִם

הִלֵּל וְהַנָּכְרִי

Hillel teaches a stranger the Golden Rule.

נָכְרִי בָּא אֶל הַבַּיִת שֶׁל שַׁמַּאי.

שׁוֹאֵל שַׁמַּאי: „מָה אַתָּה רוֹצֶה?"

אוֹמֵר הַנָּכְרִי: „אֲנִי רוֹצֶה לִלְמֹד אֶת כָּל הַתּוֹרָה

כַּאֲשֶׁר אֲנִי עוֹמֵד עַל רֶגֶל אַחַת."

שַׁמַּאי רוֹאֶה כִּי הָאִישׁ רוֹצֶה לִצְחֹק בּוֹ.

כּוֹעֵס שַׁמַּאי וּמְגָרֵשׁ אוֹתוֹ.

הוֹלֵךְ הַנָּכְרִי אֶל הַבַּיִת שֶׁל הִלֵּל.

„שָׁלוֹם," אוֹמֵר הִלֵּל.

„שָׁלוֹם," עוֹנֶה הַנָּכְרִי.

¹The first vowel is pronounced like the "o" in "more" in both Sefardic and Ashkenazic.

שׁוֹאֵל הַלֵּל: „מָה אַתָּה רוֹצֶה, אֲדוֹנִיז"

עוֹנֶה הַנָּכְרִי: „אֲנִי רוֹצֶה לִלְמֹד אֶת כָּל הַתּוֹרָה

בַּאֲשֶׁר אֲנִי עוֹמֵד עַל רֶגֶל אַחַת."

הַלֵּל רוֹאֶה כִּי הָאִישׁ רוֹצֶה לִצְחֹק בּוֹ, אֲבָל אֵין הַלֵּל כּוֹעֵס.

אוֹמֵר הַלֵּל לַנָּכְרִי: „מַה שֶּׁשָּׂנוּא עָלֶיךָ אַל תַּעֲשֶׂה לַחֲבֵרְךָ.

„וְזֹאת כָּל הַתּוֹרָהז" שׁוֹאֵל הַנָּכְרִי.

„כֵּן," עוֹנֶה הַלֵּל. „זֶה הַיְסוֹד, וְכָל הַשְּׁאָר הוּא פֵּרוּשׁ."

אוֹמֵר הַנָּכְרִי: „תּוֹדָה, הַלֵּל. אִם זֶה הַיְסוֹד,

רוֹצֶה אֲנִי לִלְמֹד אֶת כָּל הַתּוֹרָה."

דִּקְדּוּק

THE INFINITIVE (הַמָּקוֹר)

I wish to study the Torah.	1. אֲנִי רוֹצֶה לִלְמֹד אֶת הַתּוֹרָה.
Sarah wishes to hear a story.	2. שָׂרָה רוֹצָה לִשְׁמֹעַׂסִפּוּר.
I know (how) to speak Hebrew.	3. אֲנִי יוֹדֵעַ לְדַבֵּר עִבְרִית.
She knows (how) to tell stories.	4. הִיא יוֹדַעַת לְסַפֵּר סִפּוּרִים.

A. To form the infinitive, לְ is placed before the three root-letters; thus, לִסְגֹּר (to close); לִגְמֹר (to finish); לִכְתֹּב (to write); לִלְמֹד (to study).

Note that verbs ending in ע or ח take a פַּתָח (_): לִפְתֹּחַ, לִשְׁמֹעַ.

B. Some verbs take the vowels פַּתָח (_) and צֵירָה (..) and are preceded by לְ thus: לְסַפֵּר (to tell); לְדַבֵּר (to speak); לְקַבֵּל (to receive).

תַּרְגִּילִים

I. עֲנֵה בְּעִבְרִית:

1. מִי בָּא אֶל הַבַּיִת שֶׁל שַׁמַּאי?
2. אֵיךְ (how) רוֹצֶה הַנָּכְרִי לִלְמֹד אֶת הַתּוֹרָה?
3. מָה עוֹשֶׂה שַׁמַּאי?
4. אֵיךְ קִבֵּל (received) אוֹתוֹ הִלֵּל?
5. מָה אוֹמֵר לוֹ הִלֵּל?
6. אֵיךְ עוֹנֶה הַנָּכְרִי אֶת הִלֵּל?

II. סַדֵּר אֶת הַמִּלִּים: Rearrange the words in each sentence:

1. מְאֹד יָפֶה קוֹרֵא דָן סֵפֶר.
2. וְהוּא כּוֹעֵס מְגָרֵשׁ שַׁמַּאי הַנָּכְרִי אֶת.
3. לְצַיֵּר אוֹהֵב תְּמוּנוֹת בְּצַלְאֵל.
4. שָׁב אֲנִי כַּאֲשֶׁר בֵּית הַסֵּפֶר מִן אֶת שִׁעוּרֵי הַבַּיִת כּוֹתֵב אֲנִי.
5. נוֹתֵן אֵין מַדּוּעַ לְךָ הָעִתּוֹן הוּא אֶת?

III. כְּתֹב אֶת הַמָּקוֹר (infinitive):

1. אֲנִי רוֹצֶה (סגר) אֶת הַחַלּוֹן.
2. תָּמָר אוֹהֶבֶת (למד) עִבְרִית.
3. בְּבַקָּשָׁה, (גמר) אֶת הַסִּפּוּר!
4. אֲנַחְנוּ רוֹצִים (שמע) אֶת הַשִּׁיר.
5. אֵין הוּא רוֹצֶה (פתח) אֶת הַחַלּוֹן.
6. אֲנִי יוֹדֵעַ (דבר) עִבְרִית.
7. אֵין אֲנִי אוֹהֵב (כתב) חִבּוּרִים.
8. בְּבַקָּשָׁה, (קרא) בְּקוֹל!

[109]

IV. תַּרְגֵּם לְאַנְגְּלִית (Consult page 103 for rule):

6. הַבַּת שֶׁל רוּת גְּדוֹלָה. 1. יֵשׁ לְדָוִד סָב זָקֵן.

7. לוֹ עִתּוֹן. 2. הַסָּב שֶׁל דָּוִד זָקֵן.

8. אֲנִי נוֹתֵן לוֹ עִתּוֹן. 3. יֵשׁ לְשָׂרָה אֵם יָפָה.

9. לִי דוֹד. 4. הָאֵם שֶׁל שָׂרָה יָפָה.

10. "שָׁלוֹם," אוֹמֵר לִי הַדּוֹד. 5. לְרוּת בַּת גְּדוֹלָה.

V. Subject for discussion:

What is the difference between the Biblical Golden Rule וְאָהַבְתָּ לְרֵעֲךָ כָּמוֹךָ and Hillel's Golden Rule?

ISRAELI PLACE-NAMES

Meaning פֵּרוּשׁ	אַנְגְּלִית	עִבְרִית
Dwelling of Peace	Jerusalem	יְרוּשָׁלַיִם
Hill of Spring	Tel Aviv	תֵּל אָבִיב
Beautiful	Jaffa	יָפוֹ
The Descending (River)	The Jordan River	הַיַּרְדֵּן
Valley	Emek	עֵמֶק
Parched Land	Negev	נֶגֶב
First of Zion	Rishon Le-Zion	רִאשׁוֹן לְצִיּוֹן
Door of Hope	Petach Tikva	פֶּתַח תִּקְוָה
Fruitful Garden	Carmel	כַּרְמֶל

שָׁעוּר עֶשְׂרִים

LESSON 20

מִלוֹן

train	רַכֶּבֶת נ׳	Carmelit (Haifa's subway)	כַּרְמְלִית
goes up	עוֹלֶה (נ׳ עוֹלָה)	they finished	גָּמְרוּ
a station	תַּחֲנָה	they travelled	נָסְעוּ
Paris Square	כִּכַּר פָּרִיז	to travel	לִנְסֹעַ
here is, behold!	הִנֵּה	to see	לִרְאוֹת
many	רַבִּים	Haifa	חֵיפָה
above	לְמַעְלָה	to hike	לְטַיֵּל
below	לְמַטָּה	city	עִיר נ׳
end	סוֹף	mountain	הַר
houses	בָּתִּים (י׳ בַּיִת)	Mt. Carmel	הַר הַכַּרְמֶל
		sea	יָם

הַכַּרְמְלִית

Two American students, hiking to Haifa, discover an easy and speedy way of reaching the top of Mt. Carmel; and what a view from the top!

אַבְרָהָם וְדָוִד הֵם חֲבֵרִים טוֹבִים.

שְׁנֵי הַחֲבֵרִים הֵם אֲמֵרִיקָאִים.

הֵם גָּמְרוּ אֶת הַשְּׁעוּרִים בְּבֵית הַסֵּפֶר הַתִּיכוֹן,

וְנָסְעוּ לְאֶרֶץ יִשְׂרָאֵל לִרְאוֹת אֶת הָאָרֶץ.

לְדָוִד יֵשׁ דּוֹד בְּשֵׁם שְׁמוּאֵל.

לִשְׁמוּאֵל יֵשׁ בַּיִת גָּדוֹל עַל יַד חֵיפָה.

דָּוִד וְאַבְרָהָם יוֹשְׁבִים בַּבַּיִת שֶׁל הַדּוֹד שְׁמוּאֵל.

בֹּקֶר אֶחָד קָם דָּוִד וְאוֹמֵר לְאַבְרָהָם:

„אֲנִי רוֹצֶה לְטַיֵּל הַיּוֹם לְחֵיפָה. חֵיפָה עִיר

יָפָה. אֲנִי רוֹצֶה לִרְאוֹת אֶת הָעִיר."

„טוֹב," אוֹמֵר אַבְרָהָם, „אֲנִי הוֹלֵךְ."

שְׁנֵי הַחֲבֵרִים הוֹלְכִים בַּדֶּרֶךְ לְחֵיפָה. הֵם בָּאִים

לְחֵיפָה בַּבֹּקֶר.

אַבְרָהָם רוֹאֶה הַר גָּדוֹל וְהוּא שׁוֹאֵל:

„מָה הָהָר הַזֶּה?"

„זֶה הַר הַכַּרְמֶל," עוֹנֶה דָּוִד.

אַחֲרֵי כֵן אוֹמֵר אַבְרָהָם: „אֲנִי רוֹצֶה

לִנְסֹעַ לְרֹאשׁ (to the top of) הָהָר."

„גַּם אֲנִי רוֹצֶה," עוֹנֶה דָּוִד. „הַדּוֹד שְׁמוּאֵל

אוֹמֵר כִּי יֵשׁ רַכֶּבֶת בְּשֵׁם כַּרְמְלִית.

הָרַכֶּבֶת עוֹלָה מַהֵר לְרֹאשׁ הַכַּרְמֶל."

„אֵיפֹה הַתַּחֲנָה שֶׁל הַכַּרְמְלִית?" שׁוֹאֵל אַבְרָהָם.

„אֲנִי לֹא יוֹדֵעַ," עוֹנֶה דָּוִד.

הֵם רוֹאִים אִישׁ עוֹבֵר וְשׁוֹאֲלִים אֶת הָאִישׁ: „אֵיפֹה

הַתַּחֲנָה שֶׁל הַכַּרְמְלִית?"

הָאִישׁ עוֹנֶה: „עוֹד שְׁלֹשָׁה רְחוֹבוֹת, בְּכִכַּר פָּרִיז."

[112]

הַחֲבֵרִים בָּאִים אֶל כִּכָּר פָּרִיז.

„הִנֵּה הָרַכֶּבֶת עוֹמֶדֶת בַּתַּחֲנָה,‟ אוֹמֵר דָּוִד.

אַבְרָהָם וְדָוִד בָּאִים אֶל הָרַכֶּבֶת. אֲנָשִׁים

רַבִּים יוֹשְׁבִים וַאֲנָשִׁים רַבִּים עוֹמְדִים. אֲנָשִׁים

עוֹמְדִים לְמַעְלָה בָּרַכֶּבֶת, וַאֲנָשִׁים עוֹמְדִים לְמַטָּה.

אוֹמֵר אַבְרָהָם: „מַה זֶּה רֹאשׁ הָרַכֶּבֶת

לְמַעְלָה וְסוֹף הָרַכֶּבֶת לְמַטָּה?‟

„כֵּן,‟ עוֹנֶה דָוִד, „כִּי הָרַכֶּבֶת נוֹסַעַת עַל הָר.‟

הַפַּעֲמוֹן מְצַלְצֵל. הָרַכֶּבֶת נוֹסַעַת לְמַעְלָה וּלְמַעְלָה.

הָרַכֶּבֶת בָּאָה אֶל הַתַּחֲנָה „גַּן הָאֵם‟ (Mother's Park).

שְׁנֵי הַחֲבֵרִים עוֹלִים אֶל הָרְחוֹב. הֵם הוֹלְכִים

בָּרְחוֹבוֹת בְּרֹאשׁ הַכַּרְמֶל.

אוֹמֵר אַבְרָהָם: „הָרְחוֹבוֹת יָפִים עַל הַר הַכַּרְמֶל וְגַם

הַבָּתִּים יָפִים.‟

הַחֲבֵרִים הוֹלְכִים וְהוֹלְכִים וּפִתְאֹם הֵם בָּאִים

אֶל רְחוֹב פַּנוֹרָמָה (Panorama Street).

הֵם מַבִּיטִים לְמַטָּה וְהִנֵּה הַיָּם הַגָּדוֹל.

„חֵיפָה עִיר יָפָה מְאֹד,‟ אוֹמֵר אַבְרָהָם. „הָרְחוֹבוֹת

יָפִים וְהַבָּתִּים יָפִים.‟

אַחֲרֵי כֵן נוֹסְעִים שְׁנֵי הַחֲבֵרִים עוֹד פַּעַם בַּכַּרְמְלִית

אֶל כִּכָּר פָּרִיז. וְהֵם שָׁבִים מַהֵר בָּאוֹטוֹבּוּס אֶל

הַבַּיִת שֶׁל הַדּוֹד שְׁמוּאֵל.

דִּקְדּוּק

PAST TENSE OF גָּמַר

רַבּוּי		יָחִיד	
we finished	גָּמַרְנוּ	I finished	גָּמַרְתִּי
you (m. pl.) finished	גְּמַרְתֶּם	you (m. s.) finished	גָּמַרְתָּ
you (f. pl.) finished	גְּמַרְתֶּן	you (f. s.) finished	גָּמַרְתְּ
they (m.) finished	גָּמְרוּ	he finished	גָּמַר
they (f.) finished	גָּמְרוּ	she finished	גָּמְרָה

The past tense is formed by adding the proper suffixes to the three root-letters of the verb, as indicated above by the letters in bold type.

Like גָּמַר, conjugate כָּתַב (write), לָמַד (study), קָפַץ (jump), פָּגַשׁ (meet), סָגַר (close), נָסַע (travel), יָשַׁב (sit), נָפַל (fall).

תַּרְגִּילִים

I. עֲנֵה בְעִבְרִית:

‎1. מָתַי נָסְעוּ שְׁנֵי הַחֲבֵרִים לְאֶרֶץ יִשְׂרָאֵל?

‎2. מַדּוּעַ נָסְעוּ לְאֶרֶץ יִשְׂרָאֵל?

‎3. אֵיפֹה יוֹשֵׁב הַדּוֹד שֶׁל דָּוִד?

‎4. מָה עוֹשִׂים שְׁנֵי הַחֲבֵרִים בֹּקֶר אֶחָד?

‎5. אֵיפֹה הַתַּחֲנָה הָרִאשׁוֹנָה שֶׁל הַכַּרְמְלִית?

‎6. מַדּוּעַ הָרַכֶּבֶת לְמַעְלָה וּלְמַטָּה?

‎7. מָה רוֹאִים הַחֲבֵרִים מִן רְחוֹב פָּנוֹרָמָה?

[114]

II. הַשְׁלֵם בַּמִּלָּה הַנְּכוֹנָה (Fill in the correct word in parenthesis):

(הַיָּם, רַכֶּבֶת, אוֹטוֹבּוּס, הַר הַכַּרְמֶל, הַשְּׁעוּרִים,
לְמַטָּה, הַתַּחֲנָה, חֵיפָה)

1. הַחֲבֵרִים גָּמְרוּ אֶת ———— בְּבֵית הַסֵּפֶר הַתִּיכוֹן.

2. דָּוִד רוֹצֶה לִרְאוֹת אֶת הָעִיר ————.

3. עַל ———— בָּתִּים יָפִים.

4. מִן רְחוֹב פָּנוֹרָמָה הֵם רוֹאִים אֶת ————.

5. הֵם נוֹסְעִים בְּ———— אֶל רֹאשׁ הָהָר.

6. שׁוֹאֲלִים אִישׁ עוֹבֵר: "אֵיפֹה ———— שֶׁל הָרַכֶּבֶת?"

7. אֲנָשִׁים עוֹמְדִים לְמַעְלָה וַאֲנָשִׁים עוֹמְדִים ————.

8. הֵם נוֹסְעִים אֶל הַדּוֹד בְּ————.

III. כְּתֹב אֶת הַהֵפֶךְ (the opposite):

5. גָּדוֹל   4. לְמַעְלָה   3. אֵם   2. בֹּקֶר   1. בֵּן

10. סוֹגֵר   9. תַּלְמִיד   8. חַיָּה   7. לוֹקֵחַ   6. עוֹנֶה

IV. כְּתֹב אֶת הַמָּקוֹר (Write the infinitive form):

1. (גמר) הוּא רוֹצֶה ———— אֶת הַשִּׁעוּר.

2. (למד) הֵם הוֹלְכִים לְבֵית הַסֵּפֶר ————.

3. (דִּבֵּר) הָאִישׁ יוֹדֵעַ ———— אֶת הַלָּשׁוֹן.

4. (טִיֵּל) הֵם רוֹצִים ———— לְחֵיפָה.

5. (סגר) הוּא בָּא ———— אֶת הַחַלּוֹן.

6. (נסע) הַחֲבֵרִים רוֹצִים ———— בְּרַכֶּבֶת.

V. שַׁנֵּה לִזְמַן עָבָר (Change underlined words to past tense):

1. אֲנִי לוֹמֵד עִבְרִית.

2. מָתַי אַתָּה פּוֹגֵשׁ אֶת דָּוִד?

3. דָּן אוֹכֵל אֶת אֲרוּחַת הַבֹּקֶר.

4. שָׂרָה גוֹמֶרֶת אֶת הַשִּׁעוּר.

5. אַתְּ סוֹגֶרֶת אֶת הַחַלּוֹן.

6. אֲנַחְנוּ נוֹסְעִים לְאֶרֶץ יִשְׂרָאֵל.

7. אַתֶּם לוֹמְדִים מִלִּים רַבּוֹת.

8. הַתַּלְמִידִים כּוֹתְבִים בַּמַּחְבָּרוֹת.

9. הַתַּלְמִידוֹת אוֹמְרוֹת שָׁלוֹם לַמּוֹרָה.

10. אַתֶּן לוֹקְחוֹת אֶת הַסְּפָרִים.

VI. הַטֵּה בְּעָבָר (Conjugate in the past):

1. סָגַר   2. יָשַׁב   3. כָּתַב   4. לָמַד

VII. זַוֵּג:

ב	א
הָרַכֶּבֶת	אֶרֶץ
הַתִּיכוֹן	הַר
הַכַּרְמֶל	כְּפָר
יִשְׂרָאֵל	בֵּית הַסֵּפֶר
פָּרִיז	תַּחֲנַת

VIII. עִבְרִית מְדֻבֶּרֶת:

Consult the Conversation Guide below on "Traveling;" pretend that
you are in Haifa or Tel Aviv and wish to travel by train or bus and
form suitable questions and answers.

נְסִיעָה – Traveling

Where is the station?	אֵיפֹה הַתַּחֲנָה?
Where is the central station?	אֵיפֹה הַתַּחֲנָה הַמֶּרְכָּזִית?
Give me a ticket for Haifa.	תֵּן לִי כַּרְטִיס לְחֵיפָה.
I should like to travel by train to Tel Aviv.	אֲנִי רוֹצֶה לִנְסֹעַ בָּרַכֶּבֶת לְתֵל אָבִיב.
I am travelling by bus.	אֲנִי נוֹסֵעַ בָּאוֹטוֹבּוּס.
Here is my trunk.	הִנֵּה הַמִּזְוָדָה שֶׁלִּי.
Is the seat taken?	הַאִם הַמָּקוֹם תָּפוּשׂ?
How long does the bus stop here?	כַּמָּה זְמַן עוֹמֵד פֹּה הָאוֹטוֹבּוּס?
It's too warm here.	יוֹתֵר מִדַּי חַם פֹּה.

חֲזָרָה

I. Do you know how to say those words in Hebrew?

1.	tongue	19.	crosses (v.)	37.	foundation
2.	living	20.	suddenly	38.	remainder
3.	way, road	21.	jump	39.	if
4.	meet	22.	fall	40.	they finished
5.	three (f.)	23.	named	41.	they travelled
6.	notebook	24.	grandfather	42.	to see
7.	friend	25.	old	43.	to hike
8.	dead	26.	he has	44.	city
9.	newspaper	27.	head	45.	mountain
10.	happy	28.	eyes	46.	train
11.	land, ground	29.	nose	47.	goes up
12.	automobile	30.	mouth	48.	station
13.	travel	31.	hands	49.	here is, behold
14.	quickly	32.	feet	50.	above
15.	bus	33.	when	51.	below
16.	horse	34.	stands	52.	end
17.	Mr.	35.	him	53.	houses
18.	side	36.	but	54.	sea

II. Can you translate the following words?

13. פֵּרוּשׁ		7. בְּצַלְאֵל		1. בֵּית סֵפֶר תִּיכוֹן	
14. חֵיפָה		8. נָכְרִי		2. רַדְיוֹ	
15. הַר הַכַּרְמֶל		9. כּוֹעֵס		3. הַצַּד הַשֵּׁנִי	
16. כִּכַּר פָּרִיז		10. מִגְרָשׁ		4. תָּרוּ... תָּרוּ...	
17. יוֹצֵא		11. מַה שְּׂנוּא עָלֶיךָ		5. זָקָן	
18. רַבִּים		12. אַל תַּעֲשֶׂה לַחֲבֵרְךָ		6. לְצַיֵּר	

[118]

III. Do you know the following grammatical forms?

   A. Numbers 1-10, feminine, page 92.

   B. Indirect object pronouns, page 98.

   C. Possession, affirmative and negative, page 103; use of שֶׁל, page 104.

   D. Nouns: paired members of body, page 104.

   E. Verb: infinitive form, page 108; past tense, page 114.

IV. Oral Hebrew:

   A. Can you compose a few connected sentences on each of the following topics?

2. אֲנִי קוֹרֵא עִתּוֹן עִבְרִי   1. הַלָּשׁוֹן הָעִבְרִית

4. אֲנִי רוֹאֶה אֶת חֵיפָה   3. הַסָּב שֶׁלִּי

   B. Can you compose a few questions in Hebrew which would be useful in travelling in Israel?

V. Culture:

Write at least one Hebrew song and one Hebrew proverb you have learned in Lessons 16-20.

מִבְחָן

I. מִי אוֹמֵר אֶל מִי?

(10)

1. "עִבְרִית הִיא הַלָּשׁוֹן שֶׁל הַתַּנַ"ךְ וְשֶׁל עַם יִשְׂרָאֵל."

2. "הָאָרֶץ' עַל הָאָרֶץ."

3. "אֲנִי אוֹהֵב לְצַיֵּר אֶת הַתְּמוּנָה שֶׁל הַסַּב."

4. "מַה שֶּׁשָּׂנוּא עָלֶיךָ אַל תַּעֲשֶׂה לַחֲבֵרְךָ."

5. "רֹאשׁ הָרַכֶּבֶת לְמַעְלָה וְסוֹף הָרַכֶּבֶת לְמַטָּה."

II. עֲנֵה בְּעִבְרִית:

(20)

1. אֵיךְ (how) יוֹדְעִים כִּי הַלָּשׁוֹן הָעִבְרִית הִיא לָשׁוֹן חַיָּה?

2. מַה שֵּׁם עִתּוֹן עִבְרִי בְּאֶרֶץ יִשְׂרָאֵל?

3. מַה מְצַיֵּר בְּצַלְאֵל בַּתְּמוּנָה שֶׁל הַסַּב?

4. מַדּוּעַ כּוֹעֵס שַׁמַּאי עַל הַנָּכְרִי וּמְגָרֵשׁ אוֹתוֹ?

5. מָה רוֹאִים מִן רֹאשׁ הַכַּרְמֶל כַּאֲשֶׁר מַבִּיטִים לְמַטָּה?

III. כְּתֹב אֶת הַמִּסְפָּרִים (numbers) הַנְּכוֹנִים:

(10)

6. תַּלְמִידוֹת (8) —— כִּתּוֹת		1. (3) —— תַּלְמִידוֹת
7. (6) —— חֲבֵרוֹת		2. (2) —— תְּמוּנוֹת
8. (5) —— תַּחֲנוֹת		3. (10) —— מִשְׁפָּחוֹת
9. (9) —— חֲבֵרוֹת		4. (1) —— שִׂיחָה
10. (7) —— מְכוֹנִיּוֹת		5. (4) —— אֲרוּחוֹת

IV. תַּרְגֵּם לְעִבְרִית: (20)

1. Every morning the teacher says to us, "Good morning."
2. David gave me a Hebrew book to read.
3. The pupil (*m.*) answers (to) him in English.
4. She has beautiful eyes.
5. They (*f.*) do not have notebooks.

V. כְּתֹב בִּזְמַן עָבָר (past): (20)

1. אֲנִי (גמר) ———— אֶת הַשִּׁעוּר.
2. דָּוִד (נסע) ———— לְחֵיפָה בָּאוֹטוֹבּוּס.
3. שָׂרָה (סגר) ———— אֶת הַחַלּוֹן.
4. אַתָּה (אכל) ———— אֶת הָאֲרוּחָה.
5. אַתֶּם (לקח) ———— אֶת הַסְּפָרִים.
6. אֲנַחְנוּ (פגש) ———— אֶת הַחֲבֵרִים.
7. אַתְּ (אמר) ———— שָׁלוֹם לַמּוֹרָה.
8. הַתַּלְמִידִים (כתב) ———— תַּרְגִּילִים עַל הַלּוּחַ.
9. אַתֶּן (קפץ) ———— אֶל הַצַּד הַשֵּׁנִי שֶׁל הָרְחוֹב.
10. הֵן (ישב) ———— בִּמְנוּחָה.

VI. כְּתֹב בַּמָּקוֹר (in the infinitive): (5)

1. בְּבַקָּשָׁה (גמר) ———— אֶת הַשִּׁעוּר.
2. אֲנִי רוֹצֶה (קרא) ———— אֶת הַסִּפּוּר.
3. הַתַּלְמִידָה אוֹהֶבֶת (דִּבֶּר) ———— עִבְרִית.
4. מִי רוֹצֶה (פתח) ———— אֶת הַדֶּלֶת?
5. אֲנַחְנוּ רוֹצִים (שמע) ———— אֶת הַמּוֹרָה.

VII. Write in at least 10 sentences an account of a visit either to Tel Aviv or to Haifa. (15)

שִׁעוּר עֶשְׂרִים וְאֶחָד

LESSON 21

מִלּוֹן

to eat	לֶאֱכֹל	restaurant	מִסְעָדָה
your uncle	הַדּוֹד שֶׁלְּךָ	Jerusalem	יְרוּשָׁלַיִם
(on) Jaffa Road	(בְּ)רְחוֹב יָפוֹ	(they) saw	רָאוּ
young man	בָּחוּר (ר׳ בַּחוּרִים)	Mt. Zion	הַר צִיּוֹן
waiter	מֶלְצַר	Knesset (Parliament)	כְּנֶסֶת
menu	תַּפְרִיט		הָאוּנִיבֶרְסִיטָה הָעִבְרִית
dictionary	מִלּוֹן	the Hebrew University	
today	הַיּוֹם	hungry	רָעֵב

בַּמִּסְעָדָה

Two American boys in Jerusalem discover a popular American dish
on a Hebrew menu.

אַבְרָהָם וְדָוִד נָסְעוּ לִירוּשָׁלַיִם לִרְאוֹת אֶת הָעִיר. הֵם רָאוּ
אֶת הַר צִיּוֹן, אֶת הַכְּנֶסֶת וְאֶת הָאוּנִיבֶרְסִיטָה הָעִבְרִית.
פִּתְאֹם אוֹמֵר דָּוִד לְאַבְרָהָם:

„אַתָּה יוֹדֵעַ, אַבְרָהָם, אֲנִי רָעֵב! אֲנִי רוֹצֶה לֶאֱכֹל!
אֵיפֹה מִסְעָדָה?"

„הַדּוֹד שֶׁלְּךָ אוֹמֵר כִּי יֵשׁ מִסְעָדוֹת יָפוֹת בִּרְחוֹב יָפוֹ," עוֹנֶה אַבְרָהָם.
שְׁנֵי הַבַּחוּרִים הוֹלְכִים לִרְחוֹב יָפוֹ.

‟הִנֵּה מִסְעָדָה!״ קוֹרֵא דָוִד.

אַבְרָהָם מַבִּיט וְרוֹאֶה מִסְעָדָה בְּשֵׁם ‟צִיוֹן״ בַּצַּד הַשֵּׁנִי שֶׁל הָרְחוֹב.

הַבַּחוּרִים בָּאִים אֶל הַמִּסְעָדָה וְיוֹשְׁבִים עַל יַד הַשֻּׁלְחָן.

הַמֶּלְצַר בָּא וְנוֹתֵן לָהֶם תַּפְרִיט. דָוִד קוֹרֵא בַּתַּפְרִיט.

פִּתְאֹם רוֹאֶה דָוִד אֶת הַמִּלָּה ‟נַקְנִיקִיָּה״ בַּתַּפְרִיט.

‟מַה זֹּאת נַקְנִיקִיָּה?״ שׁוֹאֵל דָוִד. ‟אוּלַי טוֹב הוּא לֶאֱכֹל?״

‟אֲנִי לֹא יוֹדֵעַ,״ עוֹנֶה אַבְרָהָם. ‟אֲבָל מַהֵר! אֲנִי רָעֵב מְאֹד.״

דָוִד לוֹקֵחַ אֶת הַמֶּלְצַר, וְהוּא מַבִּיט בַּמֶּלְצַר.

‟הִנֵּה הַמִּלָּה נַקְנִיקִיָּה,״ הוּא קוֹרֵא בְּקוֹל. ‟נַקְנִיקִיָּה

הִיא frankfurter. אֲנַחְנוּ אוֹכְלִים נַקְנִיקִיּוֹת הַיּוֹם?״

הַמֶּלְצַר שׁוֹמֵעַ וְצוֹחֵק.

‟טוֹב,״ הוּא אוֹמֵר. ‟נַקְנִיקִיּוֹת לִשְׁנֵי הַבַּחוּרִים.״

דִּקְדּוּק

Inflection of שֶׁל

Your uncle says that Jeru-salem is a pretty city.	הַדּוֹד שֶׁלְּךָ אוֹמֵר כִּי יְרוּשָׁלַיִם עִיר יָפָה.
Our teacher is a wise person.	הַמּוֹרֶה שֶׁלָּנוּ הוּא אִישׁ חָכָם.
Where is your (f. pl.) house?	אֵיפֹה הַבַּיִת שֶׁלָּכֶן?

רַבִּי			יָחִיד
our house	הַבַּיִת שֶׁלָּנוּ	my house	הַבַּיִת שֶׁלִּי
your (*m. pl.*) house	הַבַּיִת שֶׁלָּכֶם	your (*m. s.*) house	הַבַּיִת שֶׁלְּךָ
your (*f. pl.*) house	הַבַּיִת שֶׁלָּכֶן	your (*f. s.*) house	הַבַּיִת שֶׁלָּךְ
their (*m.*) house	הַבַּיִת שֶׁלָּהֶם	his house	הַבַּיִת שֶׁלּוֹ
their (*f.*) house	הַבַּיִת שֶׁלָּהֶן	her house	הַבַּיִת שֶׁלָּהּ

שֶׁל takes the same endings as לְ. Note that שֶׁלְּךָ, שֶׁלִּי etc. always follow the noun.

תַּרְגִּילִים

I. עֲנֵה בְעִבְרִית:

1. מִי נָסַע לִירוּשָׁלַיִם?

2. מַדּוּעַ?

3. מָה רָאוּ הַבַּחוּרִים בִּירוּשָׁלַיִם?

4. מַדּוּעַ הוֹלְכִים דָּוִד וְאַבְרָהָם לִרְחוֹב יָפוֹ?

5. מִי נוֹתֵן לָהֶם תַּפְרִיט?

6. מַדּוּעַ מַבִּיט דָּוִד בַּמָּלוֹן?

7. מָה אוֹכְלִים הַבַּחוּרִים?

II. חַבֵּר מִשְׁפָּטִים בַּמִּלִים הָאֵלֶּה:

1. מִסְעָדָה 2. יְרוּשָׁלַיִם 3. כְּנֶסֶת 4. רָעֵב 5. רְחוֹב

6. תַּפְרִיט 7. מֶלְצַר 8. בָּחוּר 9. מָלוֹן 10. הַיּוֹם

III. הַשְׁלֵם בַּמִּלָּה הַנְּכוֹנָה:

(בַּחוּרִים, יְרוּשָׁלַיִם, הַכְּנֶסֶת, מִלּוֹן, מִסְעָדָה, תַּפְרִיט)

1. דָּוִד וְאַבְרָהָם נָסְעוּ אֶל הָעִיר ———.

2. דָּוִד וְאַבְרָהָם רָאוּ אֶת הָאוּנִיבֶרְסִיטָה וְאֶת ———.

3. דָּוִד אוֹמֵר, ,,אֲנִי רָעֵב. אֵיפֹה ———?"

4. הַמֶּלְצַר נוֹתֵן לָהֶם ———.

5. דָּוִד אוֹמֵר, ,,הִנֵּה הַמִּלָּה נַקְנִיקִיָּה בַּ———."

6. הַמֶּלְצַר אוֹמֵר, ,,נַקְנִיקִיּוֹת לִשְׁנֵי הַ———."

IV. כְּתֹב בְּרִבּוּי (Write the underlined word in the plural):

1. הָעִיר שֶׁלִּי יָפָה.

2. הַבַּיִת שֶׁלְּךָ גָּדוֹל.

3. אֵיפֹה הָרְחוֹב שֶׁלָּךְ?

4. הַסָּב שֶׁלּוֹ זָקֵן מְאֹד.

5. הֶחָבֵר שֶׁלָּהּ חָכָם.

V. תַּרְגֵּם לְעִבְרִית:

1. מִי רָאָה אֶת הָעִפָּרוֹן ———? (my)

2. שָׂרָה, הִנֵּה הָעִתּוֹן ———. (your, f. s.)

3. הַאִם זֹאת הַמַּחְבֶּרֶת ———? (his)

4. חֲבֵרִים, אֵיפֹה הָרַדְיוֹ ———? (your, m. pl.)

5. אֲנַחְנוּ רוֹצִים לִרְאוֹת אֶת הַגַּן ———. (their, m.)

VI. הַטֵּה בֶעָבָר (Conjugate in the past):

1. גָּמַר 2. פָּגַשׁ 3. סָגַר 4. קָפַץ

VII. עִבְרִית מְדֻבֶּרֶת:

Consult the menu below; then pretend you are in a restaurant in Jerusalem and order a full dinner in Hebrew.

תַּפְרִיט

MEATS בָּשָׂר		**SALADS** סָלָטִים	
Boiled Beef	בָּשָׂר מְבֻשָּׁל	Vegetable Salad	סָלָט יְרָקוֹת
Chopped Meat	קְצִיצוֹת	Tomato Salad	סָלָט עַגְבָנִיּוֹת
Chicken	תַּרְנְגֹלֶת	Fruit Salad	סָלָט פֵּרוֹת

DESSERT מָנָה אַחֲרוֹנָה		**SOUPS** מְרָקִים	
Pudding	פּוּדִינְג	Vegetable Soup	מְרַק יְרָקוֹת
Cake	עוּגָה	Pea Soup	מְרַק אֲפוּנִים
Ice Cream	גְּלִידָה	Fruit Soup	מְרַק פֵּרוֹת
Watermelon	אֲבַטִּיחַ	Borsht	חֲמִיצָה

DAIRY DISHES מַאַכְלֵי חָלָב		**Entree** מָנָה רִאשׁוֹנָה	
Eggs	בֵּיצִים	Fish	דָּגִים
Cream	שַׁמֶּנֶת	Liver	כָּבֵד
Milk	חָלָב	Herring	דָּג מָלוּחַ
Cheese	גְּבִינָה	Orange Juice	מִיץ תַּפּוּז
Leben (yogurt)	לֶבֶּן	Eggplant	חֲצִילִים
Coffee	קָפֶה	Meat Balls	כַּפְתָּאוֹת
Bread and Butter	לֶחֶם וְחֶמְאָה	Pancakes	לְבִיבוֹת

שִׁעוּר עֶשְׂרִים וּשְׁנַיִם

LESSON 22

מִלּוֹן

said to himself (said in his heart)	אָמַר בְּלִבּוֹ	the contented one (he who is happy with his portion in life)	הַשָּׂמֵחַ בְּחֶלְקוֹ
seek, looking for	מְבַקֵּשׁ		
always	תָּמִיד	once	פַּעַם
if so	אִם כֵּן	Caspi (proper name)	כַּסְפִּי
did not answer	לֹא עָנָה	before, in front of	לִפְנֵי
what isn't yours	מַה שֶּׁאֵינוֹ שֶׁלְּךָ	gate	שַׁעַר
understood	הֵבִין	will give	יִתֵּן (ע׳ נָתַן)
went on his way	הָלַךְ לְדַרְכּוֹ	passed	עָבַר

הַשָּׂמֵחַ בְּחֶלְקוֹ

Are we satisfied with our lot in life?

פַּעַם הָיָה בִּירוּשָׁלַיִם אִישׁ חָכָם בְּשֵׁם כַּסְפִּי.

לְכַסְפִּי הָיָה בַּיִת גָּדוֹל, וְעַל יַד הַבַּיִת

גַּן יָפֶה. לִפְנֵי הַגַּן עָמַד שַׁעַר גָּדוֹל.

יוֹם אֶחָד הָלַךְ כַּסְפִּי אֶל הַשַּׁעַר וְכָתַב:

‫„מַר כַּסְפִּי יִתֵּן אֶת הַגַּן הַזֶּה לָאִישׁ הַשָּׂמֵחַ בְּחֶלְקוֹ.‬"

אִישׁ זָקֵן עָבַר לִפְנֵי הַשַּׁעַר, וְרָאָה אֶת הַמִּלִּים עַל הַשַּׁעַר.

אָמַר הַזָּקֵן בְּלִבּוֹ: ‫„אוּלַי יִתֵּן לִי מַר כַּסְפִּי אֶת הַגַּן.‬"

רָאָה מַר כַּסְפִּי אֶת הַזָּקֵן, וְאָמַר: ‫„שָׁלוֹם, אֲדוֹנִי.‬"

„הַאִם אַתָּה מַר כַּסְפִּי?" שָׁאַל הַזָּקֵן.

„בֵּן, אֲנִי מַר כַּסְפִּי. מָה אַתָּה מְבַקֵּשׁ?"

„תֵּן לִי אֶת הַגַּן," אָמַר הַזָּקֵן. „אֲנִי הָאִישׁ הַשָּׂמֵחַ בְּחֶלְקוֹ."

„אַתָּה שָׂמֵחַ תָּמִיד?" שָׁאַל מַר כַּסְפִּי.

„בֵּן, תָּמִיד."

„אִם כֵּן, מַדּוּעַ אַתָּה רוֹצֶה אֶת הַגַּן שֶׁלִּי?"

הַזָּקֵן לֹא עָנָה.

„לֹא, אֲדוֹנִי," אָמַר מַר כַּסְפִּי. „אֵין אַתָּה הָאִישׁ

הַשָּׂמֵחַ בְּחֶלְקוֹ, כִּי אַתָּה רוֹצֶה מַה שֶּׁאֵינוֹ שֶׁלָּךְ."

הֵבִין הַזָּקֵן וְהָלַךְ לְדַרְכּוֹ.

פִּתְגָּם עִבְרִי

Who is truly rich? He who is content with his portion in life. (Ethics of the Fathers, IV)	אֵיזֶהוּ עָשִׁיר? הַשָּׂמֵחַ בְּחֶלְקוֹ. (פִּרְקֵי אָבוֹת, ד)

דִּקְדּוּק

THE NEGATIVE

הַזָּקֵן לֹא עָנָה.	אֵין הַזָּקֵן עוֹנֶה.
The old man did not answer.	The old man doesn't answer.
דָּן לֹא אָכַל.	אֵין דָּן אוֹכֵל.
Dan did not eat.	Dan isn't eating.
הֵם לֹא לָמְדוּ.	אֵין הֵם לוֹמְדִים.
They did not study.	They are not studying.

In the present tense the negative is expressed by אֵין; in the past tense by לֹא.

Note: אֵין precedes the subject; לֹא precedes the verb.

In Israel, לֹא is often used in the present tense in daily speech. (אֲנִי לֹא יוֹדֵעַ„ is usually used when a person wants to say, "I do not know.")

תַּרְגִּילִים

I. עֲנֵה בְעִבְרִית:

1. אֵיפֹה יָשַׁב מַר כַּסְפִּי?
2. מַה כָּתַב עַל הַשַּׁעַר?
3. מִי עָבַר לִפְנֵי הַשַּׁעַר?
4. מָה אָמַר הַזָּקֵן?
5. מֶה עָנָה מַר כַּסְפִּי?

II. תַּקֵּן אֶת הַשְּׁגִיאָה בְּכָל מִשְׁפָּט (Rewrite each sentence correctly):

1. כַּסְפִּי יָשַׁב בְּחֵיפָה.
2. לְכַסְפִּי הָיָה בַּיִת קָטָן.
3. בָּחוּר עָבַר לִפְנֵי הַשַּׁעַר.
4. הַזָּקֵן אָמַר: אֲנִי רוֹצֶה אֶת הַגַּן כִּי אֲנִי זָקֵן.„
5. מַר כַּסְפִּי נָתַן אֶת הַגַּן לַזָּקֵן.

III. חַבֵּר מִשְׁפָּטִים בַּמִּלִים הָאֵלֶּה:

5. עָבַר	4. יִתֵּן	3. לִפְנֵי	2. אִם כֵּן	1. פַּעַם
10. שַׁעַר	9. הֵבִין	8. תָּמִיד	7. מְבַקֵּשׁ	6. הָיָה

[129]

IV. כְּתֹב ‚אֵין׳ אוֹ ‚לֹא׳:

1. —— אֲנִי רוֹאֶה אֶת הַלּוּחַ.
2. הַזָּקֵן —— עָנָה.
3. —— אָכַלְתִּי אֶת אֲרוּחַת הַבֹּקֶר.
4. —— הַתַּלְמִידִים הוֹלְכִים לְבֵית הַסֵּפֶר בַּשַּׁבָּת.
5. —— הַזָּקֵן שָׂמֵחַ בְּחֶלְקוֹ.
6. מַדּוּעַ —— אָמַרְתָּ שָׁלוֹם?

V. Make each sentence negative.

1. אַבְנֵר הָיָה יֶלֶד חָכָם.
2. דָּוִד כָּתַב אֶת הַתַּרְגִּיל עַל הַלּוּחַ.
3. מַדּוּעַ אַתָּה קוֹרֵא?
4. רָחֵל הָלְכָה לְבֵית הַסֵּפֶר.
5. דָּן מְשַׂחֵק בְּכַדּוּר.

VI. עִבְרִית מְדֻבֶּרֶת:

Carry out the following series of activities describing what you do in Hebrew.

1. אֲנִי קָם.
2. אֲנִי הוֹלֵךְ אֶל הַלּוּחַ.
3. אֲנִי לוֹקֵחַ גִּיר.
4. אֲנִי כּוֹתֵב עַל הַלּוּחַ.
5. אֲנִי קוֹרֵא אֶת הַמִּלִּים עַל הַלּוּחַ בְּקוֹל.
6. אֲנִי לוֹקֵחַ סֵפֶר.
7. אֲנִי קוֹרֵא בַּסֵּפֶר.
8. אֲנִי נוֹתֵן אֶת הַסֵּפֶר לַמּוֹרָה.
9. אֲנִי אוֹמֵר שָׁלוֹם.

שִׁעוּר עֶשְׂרִים וּשְׁלֹשָׁה

LESSON 23

מִלּוֹן

girl	נַעֲרָה	fathers, ancestors	אָבוֹת (י· אָב)
she will be, will become	תִּהְיֶה	shepherd	רוֹעֶה (ג· רוֹעָה)
a well	בְּאֵר	the land of Canaan (the ancient name of Israel)	אֶרֶץ כְּנַעַן
water	מַיִם ר·	believed	הֶאֱמִין (י· הֶאֱמִינוּ)
camel	גָּמָל (ר· גְּמַלִים)	servant, slave	עֶבֶד
heart	לֵב	Haran (a city in Syria in which Abraham's family lived)	חָרָן
and so it was	וְכֵן הָיָה	to find	לִמְצֹא
Jacob	יַעֲקֹב	will send	יִשְׁלַח (ע· שָׁלַח)

הָאָבוֹת

Abraham, Isaac and Jacob, who lived in Canaan about 4000 years ago, were the ancestors of the Hebrew people.

אַבְרָהָם הָיָה הָעִבְרִי הָרִאשׁוֹן. הוּא

הָיָה רוֹעֶה, וְהוּא יָשַׁב בְּאֶרֶץ כְּנַעַן.

שָׂרָה הָיְתָה הָאִשָּׁה שֶׁל אַבְרָהָם. אַבְרָהָם

וְשָׂרָה הֶאֱמִינוּ בֵּאלֹהִים.

לְאַבְרָהָם הָיָה בֵּן בְּשֵׁם יִצְחָק.

אָמַר אַבְרָהָם לָעֶבֶד שֶׁלּוֹ: ,,לֵךְ לְחָרָן לִמְצֹא אִשָּׁה לְיִצְחָק.''

אָמַר הָעֶבֶד בְּלִבּוֹ: ,,אוּלַי יִשְׁלַח אֱלֹהִים נַעֲרָה יָפָה, טוֹבָה

וַחֲכָמָה. הִיא תִּהְיֶה אִשָּׁה לְיִצְחָק.''

[131]

נָסַע הָעֶבֶד בַּדֶּרֶךְ. בָּא לְחָרָן, וְעָמַד עַל יַד הַבְּאֵר.

וְהִנֵּה יָצְאָה לַבְּאֵר רוֹעָה יָפָה בְּשֵׁם רִבְקָה.

אָמַר הָעֶבֶד לְרִבְקָה: „בְּבַקָּשָׁה, תְּנִי לִי מַיִם.‟

אָמְרָה רִבְקָה: „הִנֵּה מַיִם לְךָ וְגַם לַגְּמַלִּים.‟

אָמַר הָעֶבֶד בְּלִבּוֹ: „אוּלַי תִּהְיֶה הַנַּעֲרָה הַזֹּאת אִשָּׁה

טוֹבָה לְיִצְחָק. הִיא יָפָה וְיֵשׁ לָהּ לֵב טוֹב.

אוּלַי שָׁלַח אֱלֹהִים אֶת הַנַּעֲרָה הַזֹּאת לְאִשָּׁה לְיִצְחָק.‟

וְכֵן הָיָה. רִבְקָה שָׁבָה לְאֶרֶץ כְּנַעַן,

וְיִצְחָק לָקַח אֶת רִבְקָה לְאִשָּׁה.

לְיִצְחָק וּלְרִבְקָה הָיָה בֵּן בְּשֵׁם יַעֲקֹב.

אַבְרָהָם, יִצְחָק וְיַעֲקֹב הֵם שְׁלֹשָׁה אָבוֹת.

הֵם הָאָבוֹת שֶׁל הָעָם הָעִבְרִי.

דִּקְדּוּק

IRREGULAR PLURALS OF NOUNS

Abraham, Isaac and Jacob were wise ancestors.	אַבְרָהָם, יִצְחָק וְיַעֲקֹב הָיוּ אָבוֹת חֲכָמִים.
There are two small tables in the room.	בַּחֶדֶר שְׁנֵי שֻׁלְחָנוֹת קְטַנִּים.
They have nice names.	יֵשׁ לָהֶם שֵׁמוֹת יָפִים.

Some masculine nouns take an irregular ending in the plural. Since these nouns are masculine the modifying adjectives retain the ־ים ending (שֵׁמוֹת יָפִים).

Other masculine nouns with irregular plural endings are listed below:

רְבּוּי	יָחִיד		רְבּוּי	יָחִיד	
נְיָרוֹת	נְיָר	(paper)	חַלּוֹנוֹת	חַלּוֹן	(window)
קוֹלוֹת	קוֹל	(voice)	יְסוֹדוֹת	יְסוֹד	(foundation)
קִירוֹת	קִיר	(wall)	כִּסְאוֹת	כִּסֵּא	(chair)
רְחוֹבוֹת	רְחוֹב	(street)	לוּחוֹת	לוּחַ	(blackboard)

תַּרְגִּילִים

I. עֲנֵה בְּעִבְרִית:

1. מִי הָיָה הָעִבְרִי הָרִאשׁוֹן?

2. אֵיפֹה יָשַׁב אַבְרָהָם?

3. מִי הָיְתָה שָׂרָה?

4. מַדּוּעַ נָסַע הָעֶבֶד לְחָרָן?

5. מָה אָמַר הָעֶבֶד בְּלִבּוֹ?

6. מַה נָּתְנָה רִבְקָה לָעֶבֶד?

7. מִי הָיָה יַעֲקֹב?

II. כֵּן אוֹ לֹא?

1. אַבְרָהָם הָיָה הָעִבְרִי הָרִאשׁוֹן.

2. שָׂרָה הָיְתָה הָאֵם שֶׁל יַעֲקֹב.

3. יִצְחָק הָיָה הַבֵּן שֶׁל אַבְרָהָם.

4. הָעֶבֶד נָסַע לְחָרָן לִמְצֹא אִשָּׁה לְיִצְחָק.

5. רִבְקָה הָיְתָה רוֹעָה.

6. רִבְקָה הָיְתָה הָאִשָּׁה שֶׁל יִצְחָק.

7. אַבְרָהָם, יִצְחָק וְדָוִד הֵם הָאָבוֹת שֶׁל הָעָם הָעִבְרִי.

[133]

III. כְּתֹב בְּרַבּוּי:

5. קִיר   4. רְחוֹב   3. שִׁיר   2. שֵׁם   1. תַּלְמִיד

10. לוּחַ   9. מָלוֹן   8. כִּסֵּא   7. אָב   6. שֻׁלְחָן

IV. הַשְׁלֵם:

1. הַשֻּׁלְחָן —— מְאֹד.	(קָטָן, קְטַנָּה)
2. הַשֻּׁלְחָנוֹת —— מְאֹד.	(קְטַנִּים, קְטַנּוֹת)
3. הַכִּסֵּא ——.	(גָּדוֹל, גְּדוֹלָה)
4. הַכִּסְאוֹת ——.	(גְּדוֹלִים, גְּדוֹלוֹת)
5. אֲנַחְנוּ יוֹשְׁבִים בִּרְחוֹב ——.	(יָפֶה, יָפָה)
6. אֲנַחְנוּ יוֹשְׁבִים בִּרְחוֹבוֹת ——.	(יָפִים, יָפוֹת)
7. לְדָוִד קוֹל ——.	(טוֹב, טוֹבָה)
8. לָהֶם קוֹלוֹת ——.	(טוֹבִים, טוֹבוֹת)
9. רִבְקָה הָיְתָה רוֹעָה ——.	(חָכָם, חֲכָמָה)
10. אַבְרָהָם, יִצְחָק וְיַעֲקֹב הָיוּ אָבוֹת ——	(חֲכָמִים, חֲכָמוֹת)

V. כְּתֹב בֶּעָבָר (past):

1. אַבְרָהָם יוֹשֵׁב בְּאֶרֶץ כְּנַעַן.

2. רִבְקָה אוֹמֶרֶת: "הִנֵּה מַיִם לְךָ וְלַגְּמַלִּים."

3. הַבַּחוּרִים נוֹסְעִים לִירוּשָׁלַיִם.

4. בַּבֹּקֶר אֲנִי אוֹכֵל אֶת אֲרוּחַת הַבֹּקֶר.

5. הַמֶּלְצַר נוֹתֵן תַּפְרִיט לַבַּחוּרִים.

6. מָתַי אַתָּה כּוֹתֵב אֶת הַחִבּוּר?

7. הַתַּלְמִידִים קוֹרְאִים סֵפֶר מֵאֵת שָׁלוֹם עֲלֵיכֶם.

8. אֲנַחְנוּ גּוֹמְרִים אֶת הַשִּׁעוּר.

9. חַנָּה סוֹגֶרֶת אֶת הַדֶּלֶת.

10. מַדּוּעַ אַתְּ קוֹפֶצֶת?

VI. עִבְרִית מְדֻבֶּרֶת:

סַפֵּר אֶת הַסִּפּוּר „הָאָבוֹת" בְּעִבְרִית.

VII. Supplementary Reading: Read the beautiful story of the courtship of Rebecca in Genesis, Chapter 24.

ENGLISH WORDS DERIVED FROM HEBREW

HEBREW	ENGLISH	EXPLANATION
1. הַלְלוּיָהּ	Hallelujah	Many of the psalms sung in the Temple began with the word "hallelujah," meaning "Praise the Lord."
2. גָּמָל	Camel	
3. סַפִּיר	Sapphire	
4. יוֹבֵל	Jubilee	The יוֹבֵל was the trumpet which was blown to usher in a festive occasion. In English it has come to mean "rejoicing" or "celebration." The word "jubilant" is derived from the same source.
5. קִנָּמוֹן	Cinnamon	

שִׁעוּר עֶשְׂרִים וְאַרְבָּעָה

LESSON 24

מִלּוֹן

with	עִם	peasant, farmer	אִכָּר
counted	סָפַר	foolish	טִפֵּשׁ
alas, woe is me	אוֹי לִי	(he) bought	קָנָה
stole	גָּנַב	I bought	קָנִיתִי
on which he was riding	אֲשֶׁר עָלָיו רָכַב	garments, clothing (יְ בֶּגֶד) בְּגָדִים	
just the opposite, on the contrary	לְהֶפֶךְ	donkey	חֲמוֹר
eighth	שְׁמִינִי	rode	רָכַב

הָאִכָּר הַטִּפֵּשׁ

A peasant loses one of his donkeys, but his wife finds two.

פַּעַם הָיָה אִכָּר בְּשֵׁם אַבְנֵר. הָאִכָּר

נָסַע מִן הַבַּיִת שֶׁלּוֹ אֶל הָעִיר.

בָּעִיר קָנָה אַבְנֵר בְּגָדִים לַיְלָדִים שֶׁלּוֹ,

וְגַם קָנָה שִׁבְעָה חֲמוֹרִים.

אַבְנֵר רָכַב עַל חֲמוֹר אֶחָד וְשָׁב לְדַרְכּוֹ עִם הַחֲמוֹרִים.

בַּדֶּרֶךְ סָפַר אַבְנֵר אֶת הַחֲמוֹרִים. הוּא סָפַר

וְסָפַר, וְתָמִיד סָפַר רַק שִׁשָּׁה חֲמוֹרִים.

„אוֹי לִי," אָמַר אַבְנֵר בְּלִבּוֹ, „יֵשׁ לִי רַק שִׁשָּׁה

חֲמוֹרִים. גָּנְבוּ חֲמוֹר אֶחָד!'

הוּא סָפַר רַק שִׁשָּׁה חֲמוֹרִים כִּי לֹא סָפַר אֶת הַחֲמוֹר

אֲשֶׁר עָלָיו רָכַב.

אַבְנֵר בָּא אֶל הַבַּיִת, וְהָאִשָּׁה שֶׁלּוֹ יָצְאָה.

„שָׁלוֹם," אָמְרָה הָאִשָּׁה.

„אֵין שָׁלוֹם," אָמַר אַבְנֵר. „גָּנְבוּ חֲמוֹר

אֶחָד. קָנִיתִי שִׁבְעָה חֲמוֹרִים,

אֲבָל עַכְשָׁו יֵשׁ לִי רַק שִׁשָּׁה. אוֹי לִי!"

סָפְרָה הָאִשָּׁה שִׁבְעָה חֲמוֹרִים.

צָחֲקָה וְאָמְרָה: „לְהֶפֶךְ, אֲנִי רוֹאָה

שְׁמֹנָה חֲמוֹרִים–וְאַתָּה הַשְּׁמִינִי!"

דִּקְדּוּק

A. Plural of Nouns Like בֶּגֶד

רִבּוּי	יָחִיד		רִבּוּי	יָחִיד	
הֲפָכִים	הֶפֶךְ	(opposite)	בְּגָדִים	בֶּגֶד	(garment)
חֲדָרִים	חֶדֶר	(room)	דְּרָכִים	דֶּרֶךְ	(road, way)
חֲלָקִים	חֵלֶק	(portion)	כְּלָבִים	כֶּלֶב	(dog)
עֲבָדִים	עֶבֶד	(servant)	מְלָכִים	מֶלֶךְ	(king)
עֲרָבִים	עֶרֶב	(evening)	סְפָרִים	סֵפֶר	(book)
שְׁעָרִים	שַׁעַר	(gate)	סְדָרִים	סֵדֶר	(arrange-ment, order)
פְּעָמִים	פַּעַם	(time)	אֲבָנִים	אֶבֶן	(stone)

[137]

In forming the plurals of nouns like בֶּגֶד or סֵפֶר or שַׁעַר, chang-
the first vowel to a שְׁוָא (ְ) and the second vowel to a קָמֵץ (ָ).

Note that ֲ is used in place of a שְׁוָא under א, ה, ח, ע.

B. IRREGULAR PLURALS

נְקֵבָה				זָכָר		
בָּנוֹת	בַּת	(daughter)		בָּנִים	בֵּן	(son)
נָשִׁים	אִשָּׁה	(wife, woman)		אֲנָשִׁים	אִישׁ	(man)
אֲחָיוֹת	אָחוֹת	(sister)		אַחִים	אָח	(brother)
יְלָדוֹת	יַלְדָּה	(girl, child)		יְלָדִים	יֶלֶד	(boy, child)
נְעָרוֹת	נַעֲרָה	(girl)		נְעָרִים	נַעַר	(boy)
חֲבֵרוֹת	חֲבֵרָה	(friend)		חֲבֵרִים	חָבֵר	(friend)
חֲלוּצוֹת	חֲלוּצָה	(pioneer)		חֲלוּצִים	חָלוּץ	(pioneer)
בַּחוּרוֹת	בַּחוּרָה	(youth)		בַּחוּרִים	בָּחוּר	(youth)

תַּרְגִּילִים

I. עֲנֵה בְּעִבְרִית:

1. מַה קָנָה הָאִכָּר בָּעִיר?

2. כַּמָּה חֲמוֹרִים קָנָה אַבְנֵר?

3. מֶה עָשָׂה הָאִכָּר בַּדֶּרֶךְ?

4. מַדּוּעַ סָפַר רַק שִׁשָּׁה חֲמוֹרִים?

5. מָה אָמַר הָאִכָּר בְּלִבּוֹ?

6. מִי הָיָה הַחֲמוֹר הַשְּׁמִינִי?

II. כְּתֹב אֶת הַמִּלָּה הַנְּכוֹנָה:

(אָמַר, נָסַע, סָפַר, צָחֲקָה, קָנָה, רָכַב, שָׁב)

1. הָאִכָּר ————— אֶל הָעִיר.

2. אַבְנֵר ————— שִׁבְעָה חֲמוֹרִים.

3. הָאִכָּר ————— לְדַרְכּוֹ.

4. אַבְנֵר ————— רַק שִׁשָּׁה חֲמוֹרִים.

5. הָאִכָּר ————— בְּלִבּוֹ: „גֻּנְבוּ חֲמוֹר אֶחָד.“

6. הוּא לֹא סָפַר אֶת הַחֲמוֹר אֲשֶׁר ————— עָלָיו.

7. הָאִשָּׁה ————— : „לְהֶפֶךְ, אֲנִי רוֹאָה שְׁמֹנָה חֲמוֹרִים.“

III. הַשְׁלֵם:

1. הָאִכָּר נָסַע ————— הָעִיר. (אֶל, עַל)

2. אַבְנֵר שָׁב ————— שִׁבְעָה חֲמוֹרִים. (מִן, עִם)

3. הוּא רָכַב ————— חֲמוֹר. (אֶל, עַל)

4. הָאִשָּׁה יָצְאָה ————— בַּיִת. (בְּ, מִן הַ)

5. אִישׁ טִפֵּשׁ הוּא ————— חֲמוֹר. (כְּמוֹ, לְ)

IV. כְּתֹב אֶת הָרַבּוּי:

1. בֶּגֶד   2. דֶּרֶךְ   3. כֶּלֶב   4. מֶלֶךְ   5. סֵפֶר

6. שַׁעַר   7. פַּעַם   8. חֶדֶר   9. עֶבֶד   10. אֶבֶן

V. כְּתֹב אֶת הַיָּחִיד:

1. בָּנִים   2. אֲנָשִׁים   3. אַחִים   4. יְלָדִים   5. חֲבֵרִים

6. בָּנוֹת   7. נָשִׁים   8. יְלָדוֹת   9. נְעָרוֹת   10. חֲלוּצוֹת

VI. עִבְרִית מְדֻבֶּרֶת:

Carry on a brief conversation concerning the weather, using the expressions listed below.

מֶזֶג הָאַוִיר

How's the weather?	מַהוּ מֶזֶג הָאַוִיר?
It's a fine day.	הַיוֹם הוּא נָעִים.
It's snowing.	שֶׁלֶג יוֹרֵד.
It will rain.	גֶּשֶׁם יֵרֵד.
There's no sun.	אֵין שֶׁמֶשׁ.
I am warm.	חַם לִי.
I am cold.	קַר לִי.
I have an umbrella.	יֵשׁ לִי מִטְרִיָּה.
The rain stopped.	הַגֶּשֶׁם חָדַל.

שִׁעוּר עֶשְׂרִים וַחֲמִשָּׁה

LESSON 25

מִלּוֹן

sand	חוֹל	excursion, trip, hike	טִיּוּל
bathing suit	בֶּגֶד יָם (ר׳ בִּגְדֵי יָם)	the Dead Sea (literally, "the Salt Sea")	יָם הַמֶּלַח
swim	שׂוֹחֶה (ר׳ שׂוֹחִים)	summer	קַיִץ
salty	מָלוּחַ (ר׳ מְלוּחִים)	to arrange a hike	לַעֲרֹךְ טִיּוּל
(it is) impossible	אִי אֶפְשָׁר	where to?	לְאָן
to drown	לִטְבֹּעַ	Beersheba	בְּאֵר שֶׁבַע
shower	מִקְלַחַת	tomorrow	מָחָר
they returned	שָׁבוּ	descend, go down	יוֹרֵד (ר׳ יוֹרְדִים)

טִיּוּל לְיָם הַמֶּלַח

Two students at the Hebrew University go on an excursion to the Dead Sea.

דָּוִד הוּא בָּחוּר אֲמֶרִיקָאִי. הוּא לוֹמֵד
בָּאוּנִיבֶרְסִיטָה הָעִבְרִית בִּירוּשָׁלַיִם.
לְדָוִד יֵשׁ חָבֵר טוֹב מִתֵּל אָבִיב בְּשֵׁם יְהוֹנָתָן. גַּם הוּא
תַּלְמִיד בָּאוּנִיבֶרְסִיטָה הָעִבְרִית.
יוֹם קַיִץ. אֵין שִׁעוּרִים בָּאוּנִיבֶרְסִיטָה. בַּבֹּקֶר
קוֹרֵא יְהוֹנָתָן לְדָוִד בַּטֶּלֶפוֹן.
,,שָׁלוֹם, דָּוִד. אוּלַי אַתָּה רוֹצֶה לַעֲרֹךְ טִיּוּל?׳׳
,,טוֹב מְאֹד. לְאָן?׳׳

[141]

„לִבְאֵר שֶׁבַע וּלְיָם הַמֶּלַח?"

„מָתַי?"

„מָחָר."

„בְּסֵדֶר. לְהִתְרָאוֹת מָחָר."

בַּבֹּקֶר יוֹצְאִים שְׁנֵי הַבַּחוּרִים מִן יְרוּשָׁלַיִם
בִּמְכוֹנִית. הַמְּכוֹנִית נוֹסַעַת אֶל בְּאֵר שֶׁבַע.

„הִנֵּה בְּאֵר שֶׁבַע," אוֹמֵר יְהוֹנָתָן,

„הָעִיר שֶׁל אַבְרָהָם, הָאָב שֶׁל הָעָם הָעִבְרִי."
שְׁנֵי הַבַּחוּרִים יוֹרְדִים מִן הַמְּכוֹנִית.

בַּבֹּקֶר הֵם יוֹצְאִים מִן בְּאֵר שֶׁבַע.

הַמְּכוֹנִית יוֹרֶדֶת וְיוֹרֶדֶת. בַּדֶּרֶךְ רוֹאִים
הַבַּחוּרִים רַק חוֹל. אֵין בָּתִּים וְאֵין אֲנָשִׁים.

„הִנֵּה יָם הַמֶּלַח?" קוֹרֵא יְהוֹנָתָן.
דָּוִד וִיהוֹנָתָן מִתְלַבְּשִׁים מַהֵר בְּבִגְדֵי יָם.
הֵם קוֹפְצִים אֶל הַיָּם, וְהֵם שׂוֹחִים בַּיָּם.

„אוּ?" קוֹרֵא דָּוִד. „הַמַּיִם מְלוּחִים, מְלוּחִים מְאֹד."

„כֵּן," עוֹנֶה יְהוֹנָתָן. „הַמַּיִם מְלוּחִים. אֲבָל אִי
אֶפְשָׁר לִטְבֹּעַ בְּיָם הַמֶּלַח."

שְׁנֵי הַבַּחוּרִים שׂוֹחִים בַּיָּם. אַחֲרֵי כֵן הֵם
מִתְרַחֲצִים בַּמִּקְלַחַת, וְהֵם מִתְלַבְּשִׁים.
בַּלַּיְלָה שָׁבוּ מִן יָם הַמֶּלַח אֶל בְּאֵר שֶׁבַע.

„טִיּוּל יָפֶה," אוֹמֵר דָּוִד. „זֶה הָיָה טִיּוּל יָפֶה מְאֹד."

[142]

דִּקְדּוּק

A. Present Tense of שׁוּב (return)

יָחִיד

נְקֵבָה		זָכָר	
	אֲנִי		אֲנִי
שָׁבָה	אַתְּ	שָׁב	אַתָּה
	הִיא		הוּא

רַבּוּי

	אֲנַחְנוּ		אֲנַחְנוּ
שָׁבוֹת	אַתֶּן	שָׁבִים	אַתֶּם
	הֵן		הֵם

B. Past Tense of שׁוּב

רַבּוּי		יָחִיד	
we returned	שַׁבְנוּ	I returned	שַׁבְתִּי
you (m.) returned	שַׁבְתֶּם	you (m.) returned	שַׁבְתָּ
you (f.) returned	שַׁבְתֶּן	you (f.) returned	שַׁבְתְּ
they returned	שָׁבוּ	he returned	שָׁב
they returned	שָׁבוּ	she returned	שָׁבָה

In the present and past tenses of שׁוּב only two root letters remain. The middle letter of the verb root (vav) has fallen out.

Note that in the third person past, the stress is on the first syllable: שָׁבָה and שָׁבוּ. (In the present tense the stress is on the second syllable: שָׁבָה and שָׁבִים).

[143]

עברית חיה

Other verbs conjugated like שׁוּב:

גּוּר (live, reside), נוּחַ (rest), קוּם (arise), רוּץ (run), שִׂים (put),
שִׁיר (sing).

תַּרְגִּילִים

I. עֲנֵה בְּעִבְרִית:

1. אֵיפֹה לוֹמֵד דָּוִד?

2. מִי הֶחָבֵר שֶׁל דָּוִד?

3. לְאָן הֵם נוֹסְעִים?

4. מָה רוֹאִים הַבַּחוּרִים בַּדֶּרֶךְ לְיָם הַמֶּלַח?

5. מַדּוּעַ אִי אֶפְשָׁר לִטְבֹּעַ בְּיָם הַמֶּלַח?

II. הַשְׁלֵם:

1. דָּוִד לוֹמֵד בָּאוּנִיבֶרְסִיטָה הָעִבְרִית בָּעִיר ———— ————.

2. יְהוֹנָתָן בָּא מִן ———— ————.

3. אֵין שִׁעוּרִים בָּאוּנִיבֶרְסִיטָה בַּ ———— ————.

4. הֵם יוֹצְאִים מִירוּשָׁלַיִם בְּ ———— ————.

5. הֵם נוֹסְעִים אֶל בְּאֵר ———— ————.

6. בַּדֶּרֶךְ הֵם רוֹאִים רַק ———— ————.

7. הֵם מִתְלַבְּשִׁים בְּ ———— יָם.

8. הֵם ———— בַּיָּם.

9. הַמַּיִם בְּיָם הַמֶּלַח ———— מְאֹד.

10. אִי אֶפְשָׁר לְ ———— בְּיָם הַמֶּלַח.

[144]

III. חַבֵּר מִשְׁפָּטִים בַּמִּלִּים הָאֵלֶּה:

5. אִי אֶפְשָׁר   4. מָחָר   3. שׂוֹחֶה   2. קַיִץ   1. טִיּוּל

10. מְקַלַּחַת   9. יוֹרֵד   8. מָלוּחַ   7. בֶּגֶד יָם   6. חוֹל

IV. כְּתֹב בִּזְמַן הֹוֶה (present):

1. אַתָּה (קוּם) —————— בַּבֹּקֶר.

2. שָׂרָה (שׁוּב) —————— מִן הָעֲבוֹדָה בָּעֶרֶב.

3. הַתַּלְמִידִים (שִׁיר) —————— שִׁיר עִבְרִי.

4. הַחֲלוּצוֹת (נוּחַ) —————— אַחַר הָעֲבוֹדָה.

5. מָתַי אַתֶּם (בּוֹא) ——————?

V. כְּתֹב בִּזְמַן עָבָר (past):

1. הַתַּלְמִידוֹת (שׁוּב) —————— בָּעֶרֶב.

2. אֲנִי (נוּחַ) —————— כָּל הַיּוֹם.

3. רָחֵל (שִׁיר) —————— שִׁיר יָפֶה.

4. דָּוִד (קוּם) —————— בַּבֹּקֶר.

5. אֲנַחְנוּ (בּוֹא) —————— בַּבֹּקֶר.

VI. עִבְרִית מְדֻבֶּרֶת:

Summarize the story "טִיּוּל לְיָם הַמֶּלַח". Use the following outline as a guide:

1. דָּוִד וִיהוֹנָתָן   2. בַּדֶּרֶךְ   3. בְּיָם הַמֶּלַח

[145]

עברית חיה

חִידוֹת

I. Which Hebrew number can be doubled by simply eliminating one of its letters?

II. Fill in the Hebrew equivalents of the following words. The initial letters should then spell out the name of a Hebrew patriarch.

1. one ——————
2. house ——————
3. head ——————
4. he ——————
5. water ——————

III. Fill in the Hebrew equivalents of the English words. They should read the same across and down.

1. laughed

2. friend

3. read

חֲזָרָה

I. Do you know the Hebrew equivalents of each of the following words?

1.	Jerusalem	14.	always	27.	Jacob
2.	they saw	15.	if so	28.	farmer, peasant
3.	to eat	16.	did not answer	29.	bought
4.	your uncle	17.	understood	30.	clothing
5.	young man	18.	fathers, ancestor	31.	donkey
6.	dictionary	19.	shepherd	32.	rode
7.	today	20.	servant	33.	with
8.	once	21.	to find	34.	hike, excursion
9.	before	22.	heart	35.	summer
10.	gate	23.	send	36.	where to?
11.	passed	24.	girl	37.	tomorrow
12.	said to himself	25.	a well	38.	descend, go down
13.	seek, looking for	26.	water	39.	impossible

II. Can you translate the following words?

1. מִסְעָדָה		13. הָלַךְ לְדַרְכּוֹ		25. שְׁמִינִי	
2. הַר צִיוֹן		14. אֶרֶץ כְּנַעַן		26. יָם הַמֶּלַח	
3. כְּנֶסֶת		15. הֶאֱמִין		27. לַעֲרֹךְ טִיּוּל	
4. אוּנִיבֶּרְסִיטָה		16. חָרָן		28. בְּאֵר שֶׁבַע	
5. רָעֵב		17. תִּהְיֶה		29. חוֹל	
6. רְחוֹב יָפוֹ		18. גָּמָל		30. בֶּגֶד יָם	
7. מֶלְצַר		19. וְכֵן הָיָה		31. שׂוֹחֶה	
8. תַּפְרִיט		20. טִפֵּשׁ		32. מָלוּחַ	
9. שָׂמֵחַ בְּחֶלְקוֹ		21. סָפַר		33. לִטְבֹּעַ	
10. כַּסְפִּי		22. אוֹי לִי		34. מִקְלַחַת	
11. יִתֵּן		23. גְּנֹב		35. גּוּר	
12. מַה שֶׁאֵינוֹ שֶׁלְּךָ		24. לַהֲפֹךְ		36. שִׂים	

[147]

עברית חיה

III. Do you know the following grammatical forms?

    A. Verb: Conjugation of שׁוּב, page 143.

    B. Pronoun: Inflection of שֶׁל, page 124.

    C. Noun: Irregular plurals, page 133, page 137.

    D. Negative: אֵין and לֹא, page 128.

IV. Oral Hebrew:

    A. Can you summarize each of the following stories in Hebrew?

3. ״הָאָבוֹת״   2. ״הַשָּׂמֵחַ בְּחֶלְקוֹ״   1. ״בַּמִּסְעָדָה״

4. ״הָאִכָּר הַטִּפֵּשׁ״   5. ״טִיּוּל לְיָם הַמֶּלַח״

    B. Can you order a meal in Hebrew? Can you describe 10 classroom activities in Hebrew? Can you converse about the weather?

מִבְחָן

I. עֲנֵה בְּעִבְרִית: (20)

1. מָה אָכְלוּ הַבַּחוּרִים בַּמִּסְעָדָה?

2. מַה כָּתַב כַּסְפִּי עַל הַשַּׁעַר?

3. מִי הֵם הָאָבוֹת שֶׁל הָעָם הָעִבְרִי?

4. כַּמָּה חֲמוֹרִים קָנָה הָאִכָּר?

5. מַדּוּעַ אִי אֶפְשָׁר לִטְבֹּעַ בְּיָם הַמֶּלַח?

II. כְּתֹב אֶת הַמִּלָּה הַנְּכוֹנָה: (20)

(אָמַר, בְּאֵר, חֲמוֹר, יְרוּשָׁלַיִם, לְאָן, מָחָר, מָלוֹן, קַיִץ, רוֹעֶה, תָּמִיד)

1. הַכְּנֶסֶת הִיא בָּעִיר ——————.

2. יֵשׁ מִלִּים רַבּוֹת בַּ——————.

3. —————— הַזָּקֵן בְּלִבּוֹ: «אוּלַי יִתֵּן לִי מַר כַּסְפִּי אֶת הַגַּן.»

4. הוּא שָׂמֵחַ —————— בְּחֶלְקוֹ.

5. אַבְרָהָם הָיָה ——————.

6. רִבְקָה יָצְאָה לַ——————.

7. הָאִכָּר רָכַב עַל ——————.

8. אֵין שִׁעוּרִים בָּאוּנִיבֶרְסִיטָה בַּ——————.

9. —————— אַתָּה רוֹצֶה לִנְסֹעַ?

10. אֲנִי רוֹצֶה לַעֲרֹךְ טִיּוּל ——————.

[149]

III. כְּתֹב בְּעָבָר (past): **(10)**

1. אֲנִי (קוּם) —————— בַּבֹּקֶר.

2. הֵם (בּוֹא) ——————.

3. הִיא (נוּחַ) —————— בָּעֶרֶב.

4. אֲנַחְנוּ (שׁוּב) —————— מִן בֵּית הַסֵּפֶר.

5. אַתָּה (שִׁיר) —————— יָפֶה.

IV. כְּתֹב בְּרַבּוּי: **(10)**

1. הִנֵּה הַבַּיִת שֶׁלִּי.

2. הָאָב שֶׁלְּךָ חָכָם.

3. אֵיפֹה הֶחָבֵר שֶׁלָּךְ?

4. הַמּוֹרֶה שֶׁלּוֹ טוֹב.

5. הָאֵם שֶׁלָּהּ יָפָה.

V. כְּתֹב בְּרַבּוּי: **(10)**

1. שֵׁם 2. שֻׁלְחָן 3. בֶּגֶד 4. סֵפֶר 5. אִישׁ

VI. כְּתֹב „אֵין" אוֹ „לֹא": **(10)**

1. אֲנַחְנוּ אוֹכְלִים נַקְנִיקִיּוֹת הַיּוֹם.

2. הַזָּקֵן הָיָה שָׂמֵחַ בְּחֶלְקוֹ.

3. הָעֶבֶד נָסַע לִירוּשָׁלַיִם.

4. הָאִכָּר חָכָם.

5. הַבַּחוּרִים רָאוּ בָּתִּים בַּדֶּרֶךְ לְיָם הַמֶּלַח.

VII. Answer a or b. **(20)**

    a) Summarize "הָאִכָּר הַטִּפֵּשׁ" in Hebrew.

    b) Order a meal in Hebrew.

שִׁעוּר עֶשְׂרִים וְשִׁשָּׁה

LESSON 26

מִלּוֹן

hard	קָשֶׁה	Moses	מֹשֶׁה
let us kill	נַהֲרֹג (ע׳ הָרַג)	famine	רָעָב
to do	לַעֲשׂוֹת	sons of, children of	בְּנֵי (ר׳ בָּנִים)
let us go forth	נֵצֵא	land of Egypt	אֶרֶץ מִצְרַיִם
the holiday of Passover	חַג הַפֶּסַח	there	שָׁם
week	שָׁבוּעַ (ר׳ שָׁבוּעוֹת)	bread	לֶחֶם
Feast of Weeks	שָׁבוּעוֹת	year	שָׁנָה (ר׳ שָׁנִים)
Mt. Sinai	הַר סִינַי	bad, evil	רַע
righteous	צַדִּיק	they built	בָּנוּ (ע׳ בָּנָה)

מֹשֶׁה

This is a brief account of Moses, the great lawgiver, who molded the Hebrew tribes into a nation.

הָיָה רָעָב בְּאֶרֶץ כְּנַעַן.

בְּנֵי יַעֲקֹב יָרְדוּ לְאֶרֶץ מִצְרַיִם, כִּי שָׁם הָיָה לֶחֶם לֶאֱכֹל.

בְּנֵי יִשְׂרָאֵל יָשְׁבוּ בְּאֶרֶץ מִצְרַיִם שָׁנִים רַבּוֹת.

וְהִנֵּה קָם מֶלֶךְ רַע עַל אֶרֶץ מִצְרַיִם,

וְהוּא לָקַח אֶת בְּנֵי יִשְׂרָאֵל לַעֲבָדִים.

בְּנֵי יִשְׂרָאֵל עָבְדוּ קָשֶׁה, בָּנוּ בָתִּים לַמֶּלֶךְ וְעָבְדוּ קָשֶׁה מְאֹד.

יוֹם אֶחָד קָם הַמֶּלֶךְ הָרַע וְאָמַר:

„נַהֲרֹג אֶת כָּל הַבָּנִים הָעִבְרִים.‟

[151]

בְּנֵי יִשְׂרָאֵל לֹא יָדְעוּ מַה לַּעֲשׂוֹת.

וְהִנֵּה קָם אִישׁ עִבְרִי גָּדוֹל בְּאֶרֶץ מִצְרַיִם בְּשֵׁם מֹשֶׁה.

הוּא אָהַב אֶת הָעָם שֶׁלּוֹ, הָעָם הָעִבְרִי.

וְהוּא אָמַר אֶל בְּנֵי יִשְׂרָאֵל:

‏נֵצֵא מֵאֶרֶץ מִצְרַיִם, אֲנָשִׁים, זְקֵנִים וִילָדִים.‏

וְכֵן הָיָה. מֹשֶׁה וּבְנֵי יִשְׂרָאֵל יָצְאוּ מֵאֶרֶץ מִצְרַיִם.

כַּאֲשֶׁר יָצְאוּ הָיָה לָהֶם חַג גָּדוֹל, חַג הַפֶּסַח.

עָבְרוּ שִׁבְעָה שָׁבוּעוֹת. בָּאוּ בְּנֵי יִשְׂרָאֵל לְהַר סִינַי. שָׁם נָתַן לָהֶם

מֹשֶׁה אֶת הַתּוֹרָה. גַּם זֶה הָיָה לָהֶם חַג גָּדוֹל, חַג הַשָּׁבוּעוֹת.

מֹשֶׁה הָיָה אִישׁ צַדִּיק וָטוֹב. מֹשֶׁה וּבְנֵי יִשְׂרָאֵל

יָצְאוּ מֵאֶרֶץ מִצְרַיִם. מֹשֶׁה נָתַן לָהֶם

תּוֹרָה. מֹשֶׁה כָּתַב בַּתּוֹרָה:

‏וְאָהַבְתָּ לְרֵעֲךָ כָּמוֹךָ.‏

דִּקְדּוּק

CONSTRUCT STATE (MASCULINE) סְמִיכוּת

יָחִיד

SHORT FORM		LONG FORM
דּוֹד הַיֶּלֶד	the uncle of the boy	הַדּוֹד שֶׁל הַיֶּלֶד
סִפּוּר הָאָב	the story of the father	הַסִּפּוּר שֶׁל הָאָב
תַּלְמִיד הַמּוֹרֶה	the pupil of the teacher	הַתַּלְמִיד שֶׁל הַמּוֹרֶה
חַג הָעִבְרִים	the holiday of the Hebrews	הַחַג שֶׁל הָעִבְרִים

[152]

The long form of the possessive may be shortened in Hebrew by dropping the first, definite article and the word שֶׁל (of). The shortened form is called סְמִיכוּת or construct state, which is the form widely used in the classical Hebrew of the Bible.

רִבּוּי

SHORT FORM		LONG FORM
דּוֹדֵי הַיֶּלֶד	the uncles of the boy	הַדּוֹדִים שֶׁל הַיֶּלֶד
סִפּוּרֵי הָאָב	the stories of the father	הַסִּפּוּרִים שֶׁל הָאָב
תַּלְמִידֵי הַמּוֹרֶה	the pupils of the teacher	הַתַּלְמִידִים שֶׁל הַמּוֹרֶה
חַגֵּי הָעִבְרִים	the holidays of the Hebrews	הַחַגִּים שֶׁל הָעִבְרִים

Plural masculine nouns may be changed to the construct state by making the changes noted above for the noun in the singular, and by changing the plural ending ־ִים to ־ֵי.

תַּרְגִּילִים

I. שְׁאֵלוֹת:

1. מִי יָרַד לְאֶרֶץ מִצְרַיִם?

2. מַדּוּעַ?

3. מַדּוּעַ עָבְדוּ בְּנֵי יִשְׂרָאֵל קָשֶׁה בְּאֶרֶץ מִצְרַיִם?

4. מָה אָמַר מֶלֶךְ מִצְרַיִם לַעֲשׂוֹת לַבָּנִים הָעִבְרִים?

5. מַדּוּעַ הָיָה לִבְנֵי יִשְׂרָאֵל חַג הַפֶּסַח?

6. מִי יָצָא עִם מֹשֶׁה מֵאֶרֶץ מִצְרַיִם?

7. מַדּוּעַ הָיָה לִבְנֵי יִשְׂרָאֵל חַג הַשָּׁבוּעוֹת?

8. מַה נָּתַן מֹשֶׁה לִבְנֵי יִשְׂרָאֵל?

9. אֵיפֹה נָתַן זֹאת מֹשֶׁה?

[153]

II. ‏זַוֵּג‏ (match):

ב	א
רַע	יָצְאוּ מִן מִצְרַיִם
הַר סִינַי	לֶחֶם
בָּתִּים	מֶלֶךְ
בַּפֶּסַח	בְּנֵי
קָשֶׁה	מֹשֶׁה
לֶאֱכֹל	שָׁבוּעוֹת
יִשְׂרָאֵל	בָּנוּ
אִישׁ צַדִּיק	עָבְדוּ

III. Write a Hebrew summary of the story (about 75 words) using the titles below as a guide:

1. ‏רָעָב בְּאֶרֶץ כְּנַעַן‏
2. ‏בְּנֵי יִשְׂרָאֵל עֲבָדִים בְּמִצְרַיִם‏
3. ‏הַבָּנִים הָעִבְרִים‏
4. ‏מֹשֶׁה‏
5. ‏חַג הַפֶּסַח וְחַג הַשָּׁבוּעוֹת‏

IV. ‏חַבֵּר מִשְׁפָּטִים בַּמִּלִּים הָאֵלֶּה:‏

1. ‏לֶחֶם‏   2. ‏שָׁם‏   3. ‏לַעֲשׂוֹת‏   4. ‏רַע‏   5. ‏צַדִּיק‏
6. ‏שָׁבוּעַ‏   7. ‏קָשֶׁה‏   8. ‏רָעָב‏   9. ‏חַג‏   10. ‏שָׁנָה‏

V. ‏כְּתֹב בִּסְמִיכוּת:‏   Write the underlined phrase in the construct state:

1. ‏הַסִּפּוּר שֶׁל הַמּוֹרֶה יָפֶה מְאֹד.‏
2. ‏הַסִּפּוּרִים שֶׁל הַמּוֹרֶה יָפִים מְאֹד.‏

[154]

3. הַשִּׁיר שֶׁל הַתַּלְמִיד טוֹב.

4. הַשִּׁירִים שֶׁל הַתַּלְמִיד טוֹבִים.

5. הַדּוֹד שֶׁל הַבָּחוּר יוֹשֵׁב בִּירוּשָׁלַיִם.

6. הַדּוֹדִים שֶׁל הַבָּחוּר יוֹשְׁבִים בִּירוּשָׁלַיִם.

7. הַגַּן שֶׁל תֵּל אָבִיב גָּדוֹל.

8. הַגַּנִּים שֶׁל תֵּל אָבִיב גְּדוֹלִים.

9. הָעִתּוֹן שֶׁל הַבֹּקֶר עַל הַשֻּׁלְחָן.

10. הָעִתּוֹנִים שֶׁל הַבֹּקֶר עַל הַשֻּׁלְחָן.

INSCRIPTION ON THE LIBERTY BELL

Proclaim liberty throughout all the
land unto all the inhabitants
thereof.　(Leviticus XXV, 10)

וּקְרָאתֶם דְּרוֹר בָּאָרֶץ לְכָל
יוֹשְׁבֶיהָ. (וַיִּקְרָא כה, י)

[155]

מִלּוֹן

flock, sheep	צֹאן	Goliath	גָּלְיַת
able, can	יָכוֹל לְ	Philistine (ר· פְּלִשְׁתִּים)	פְּלִשְׁתִּי
the answer of	תְּשׁוּבַת	to fight against	לְהִלָּחֵם עִם
with a stick	בְּמַקֵּל	was afraid (ר· פָּחֲדוּ)	פָּחַד
ran	רָץ	giant	עֲנָק
stone	אֶבֶן ﹨	send! (imp. pl.)	שִׁלְחוּ
put	שָׂם	with me, against me	עִמִּי
in his sling	בְּקַלְעוֹ	youth	נַעַר
fled	בָּרַח (ר· בָּרְחוּ)	lion	אֲרִי

דָּוִד וְגָלְיַת

A shepherd wages battle against Goliath, the giant.

שָׁאוּל הָיָה הַמֶּלֶךְ הָרִאשׁוֹן עַל עַם יִשְׂרָאֵל.

וְהִנֵּה הַפְּלִשְׁתִּים בָּאוּ לְהִלָּחֵם עִם יִשְׂרָאֵל.

בְּנֵי יִשְׂרָאֵל עָמְדוּ עַל הַר אֶחָד וְהַפְּלִשְׁתִּים עָמְדוּ

עַל הָהָר הַשֵּׁנִי.

יָצָא גָּלְיַת הַפְּלִשְׁתִּי לְהִלָּחֵם עִם יִשְׂרָאֵל, וְכָל בְּנֵי

יִשְׂרָאֵל פָּחֲדוּ, כִּי גָלְיַת הָיָה עֲנָק.

בָּא גָּלְיָת וְקָרָא בְּקוֹל:

„אֲנִי גָּלְיָת הַפְּלִשְׁתִּי: שִׁלְחוּ אִישׁ לְהִלָּחֵם עִמִּי.‟

שָׁאוּל לֹא יָדַע אֶת מִי לִשְׁלֹחַ.

וְהִנֵּה נַעַר עִבְרִי בָּא אֶל שָׁאוּל.

„מִי אַתָּה?‟ שָׁאַל הַמֶּלֶךְ.

„אֲנִי דָוִד הָרוֹעֶה,‟ עָנָה הַנַּעַר, „וַאֲנִי רוֹצֶה לְהִלָּחֵם
עִם גָּלְיָת.‟

„הִנֵּה רַק נַעַר אַתָּה, וְהוּא עֲנָק,‟ אָמַר שָׁאוּל.

עָנָה דָוִד: „פַּעַם בָּא אֲרִי עַל הַצֹּאן שֶׁלִּי וְהָרַגְתִּי אֶת הָאֲרִי.

וַאֲנִי יָכוֹל לַהֲרֹג גַּם אֶת הַפְּלִשְׁתִּי הַזֶּה.‟

שָׁמַע הַמֶּלֶךְ אֶת תְּשׁוּבַת הַנַּעַר וְאָמַר:

„טוֹב, לֵךְ לְהִלָּחֵם.‟

יָצָא דָוִד לְהִלָּחֵם עִם גָּלְיָת.

כַּאֲשֶׁר רָאָה גָּלְיָת אֶת הַנַּעַר, הוּא קָרָא:

„מִי אַתָּה? הַאִם אֲנִי כֶּלֶב כִּי הֵם שׁוֹלְחִים
נַעַר לְהִלָּחֵם עִמִּי בְּמַקֵּל?‟

אַחֲרֵי כֵן רָץ גָּלְיָת לַהֲרֹג אֶת דָוִד.

לָקַח דָוִד אֶבֶן קְטַנָּה וְשָׂם אֶת הָאֶבֶן בְּקַלְעוֹ, וְהָרַג
אֶת הַפְּלִשְׁתִּי בָּאֶבֶן.

כָּל הַפְּלִשְׁתִּים פָּחֲדוּ וּבָרְחוּ.

דִּקְדּוּק

A. Construct State (Feminine) סְמִיכוּת

Short Form		Long Form
	יְחִידָה	
מוֹרַת הַתַּלְמִיד	the teacher (f.) of the pupil	הַמּוֹרָה שֶׁל הַתַּלְמִיד
שְׁאֵלַת הַבֵּן	the question of the son	הַשְּׁאֵלָה שֶׁל הַבֵּן
תְּשׁוּבַת הָאָב	the answer of the father	הַתְּשׁוּבָה שֶׁל הָאָב

	רִבּוּי	
מוֹרוֹת הַתַּלְמִיד	the teachers (f.) of the pupil	הַמּוֹרוֹת שֶׁל הַתַּלְמִיד
שְׁאֵלוֹת הַבֵּן	the questions of the son	הַשְּׁאֵלוֹת שֶׁל הַבֵּן
תְּשׁוּבוֹת הָאָב	the answers of the father	הַתְּשׁוּבוֹת שֶׁל הָאָב

In the feminine singular, the ־ָה is replaced by ־ַת in the construct state.

In the feminine plural, the סְמִיכוּת may be formed by merely dropping the definite article of the first word and the word שֶׁל.

B. Other Feminine Nouns

Short Form		Long Form
אֵם הַנַּעַר	the mother of the boy	הָאֵם שֶׁל הַנַּעַר
בַּת שָׂרָה	the daughter of Sarah	הַבַּת שֶׁל שָׂרָה

Feminine nouns not ending in ־ָה do not change in the סְמִיכוּת, for example אֵם and בַּת above.

[158]

תַּרְגִּילִים

I. שְׁאֵלוֹת:

1. מִי בָּא לְהִלָּחֵם עִם בְּנֵי יִשְׂרָאֵל?
2. מַדּוּעַ פָּחֲדוּ בְּנֵי יִשְׂרָאֵל?
3. מַדּוּעַ לֹא רָצָה שָׁאוּל לִשְׁלֹחַ אֶת דָּוִד?
4. מָה אָמַר גָּלְיָת אֶל דָּוִד?
5. אֵיךְ הָרַג דָּוִד אֶת גָּלְיָת?

II. כְּתֹב אֶת הַמִּלָּה הַנְּכוֹנָה:

(פָּחַד, שָׁלְחָה, הָרַג, יָכוֹל, שָׁם, עִם, אֲרִי, אֶבֶן, רָץ, נָתַן)

1. דָּן ―――― אֶת הַסֵּפֶר אֶל אַבְנֵר.
2. אַבְרָהָם ―――― אֶת הָעֵט עַל הַשֻּׁלְחָן.
3. הַמֶּלֶךְ הָרַע ―――― אֶת הָעֶבֶד.
4. הַנַּעַר שָׂם ―――― בְּקַלְעוֹ.
5. דָּוִד לֹא ―――― כַּאֲשֶׁר רָאָה אֶת גָּלְיָת.
6. הַפְּלִשְׁתִּים בָּאוּ לְהִלָּחֵם ―――― בְּנֵי יִשְׂרָאֵל.
7. דָּוִד הָרַג ―――― .
8. הַכֶּלֶב ―――― אֶל הַבַּיִת.
9. הָאֵם ―――― אֶת חַנָּה אֶל בֵּית הַסֵּפֶר.
10. אֲנִי ―――― לְטַיֵּל כָּל הַיּוֹם.

III. כְּתֹב בִּסְמִיכוּת (in construct state):

1. אֵיפֹה הַמּוֹרָה שֶׁל הַתַּלְמִידִים?
2. הַדּוֹדָה שֶׁל הַנַּעַר יוֹשֶׁבֶת בְּתֵל אָבִיב.

‎3. הַדּוֹדוֹת שֶׁל שָׂרָה מְדַבְּרוֹת עִבְרִית.

‎4. הַאִם שָׁמַעְתָּ אֶת הַשְּׁאֵלָה שֶׁל הַתַּלְמִיד?

‎5. דָּוִד אָכַל אֶת הָאֲרוּחָה שֶׁל הַבֹּקֶר.

‎6. מָה הִיא הָעֲבוֹדָה שֶׁל הָאָב?

‎7. הַתַּלְמִידוֹת שֶׁל בֵּית הַסֵּפֶר לוֹמְדוֹת עִבְרִית וְגַם אַנְגְּלִית.

‎8. מָה הִיא הַתְּשׁוּבָה שֶׁל הַמּוֹרֶה?

‎9. מִי רָאָה אֶת הָאֵם שֶׁל דָּוִד?

‎10. הַמּוֹרוֹת שֶׁל שָׂרָה יָפוֹת.

IV. Change from the סְמִיכוּת to the long form:

‎1. אֲרוּחַת הָעֶרֶב

‎2. תַּלְמִידַת הַמּוֹרֶה

‎3. אֵם הַנַּעַר

‎4. שִׁיר הֶחָלוּץ

‎5. גַּן הָעִיר

‎6. תַּלְמִידֵי הַמּוֹרֶה

‎7. דּוֹדוֹת הַנַּעַר

‎8. שֵׁם הַסִּפּוּר

‎9. מוֹרַת הַתַּלְמִידִים

‎10. כֶּלֶב הָאִישׁ

V. כְּתֹב בֶּעָבָר (in past tense):

1. (סגר) שָׂרָה ———— אֶת הַדֶּלֶת.

2. (אכל) אֲנִי ———— אֶת אֲרוּחַת הַצָּהֳרָיִם.

3. (ירד) בְּנֵי יִשְׂרָאֵל ———— לְמִצְרַיִם.

4. (למד) מָה (אַתֶּם) ———— הַיּוֹם בְּבֵית הַסֵּפֶר?

5. (רכב) אֲנַחְנוּ ———— עַל חֲמוֹרִים מִן תֵּל אָבִיב עַד
יְרוּשָׁלַיִם.

6. (שמע) הַאִם (אַתָּה) ———— אֶת הַסִּפּוּר הַזֶּה?

7. (פתח) חַנָּה ———— אֶת הַחַלּוֹן.

8. (צחק) אֲנַחְנוּ ———— בְּקוֹל.

9. (קוּם) אֲנִי ———— מַהֵר.

10. (אמר) מַדּוּעַ לֹא (אַתְּ) ———— שָׁלוֹם?

VI. עִבְרִית מְדֻבֶּרֶת:

הָבֵא תְּמוּנָה לַכִּתָּה וְסַפֵּר בְּעִבְרִית מַה שֶׁאַתָּה רוֹאֶה בַּתְּמוּנָה.

(Bring a picture to class and be ready to tell in Hebrew what you see
in the picture.)

[161]

בְּנֵי חֶלֶם (Chelm)

This is an anecdote about the town of Chelm, whose inhabitants were notorious for their lack of wisdom.

הָאֲנָשִׁים בְּחֶלֶם לֹא הָיוּ חֲכָמִים.

פַּעַם אָמְרוּ הָאֲנָשִׁים בְּעִיר חֶלֶם:

‏„אֲנַחְנוּ רוֹצִים בֵּית כְּנֶסֶת (synagogue) חָדָשׁ.

נִבְנֶה (let us build) בֵּית כְּנֶסֶת חָדָשׁ.‟

יָצְאוּ כָּל הָאֲנָשִׁים אֶל הָהָר לִמְצֹא (to find) אֲבָנִים.

כַּאֲשֶׁר בָּאוּ אֶל רֹאשׁ הָהָר, לָקַח כָּל אֶחָד אֶבֶן גְּדוֹלָה

וְנָשָׂא (carried) אֶת הָאֶבֶן הַגְּדוֹלָה מִן רֹאשׁ הָהָר

לְרַגְלֵי (to the foot of) הָהָר.

עָבַר אִישׁ אֶחָד וְרָאָה כִּי הָאֲנָשִׁים נוֹשְׂאִים אֲבָנִים גְּדוֹלוֹת.

צָחַק הָאִישׁ וְאָמַר:

‏„טִפְּשִׁים, מַדּוּעַ אַתֶּם נוֹשְׂאִים אֶת הָאֲבָנִים? מַדּוּעַ

אֵין אַתֶּם גּוֹלְלִים (roll) אֶת הָאֲבָנִים מִן רֹאשׁ הָהָר

לְמַטָּה (down below)?‟

‏„עֵצָה (advice) טוֹבָה, עֵצָה טוֹבָה מְאֹד,‟ קָרָא כָּל אֶחָד.

מֶה עָשׂוּ (did) בְּנֵי חֶלֶם? לָקְחוּ אֶת הָאֲבָנִים מֵרַגְלֵי הָהָר,

וְנָשְׂאוּ אוֹתָן (them) לְרֹאשׁ הָהָר, וְאַחֲרֵי כֵן גָּלְלוּ אֶת

הָאֲבָנִים לְמַטָּה.

שִׁעוּר עֶשְׂרִים וּשְׁמֹנָה

LESSON 28

מִלּוֹן

How much does it cost?	בְּכַמָּה זֶה עוֹלֶה?	Yemenite (a Jew from Yemen, Arabia)	תֵּימָנִי
Yechya (proper name)	יַחְיָא	Ramla (city on road from Tel Aviv to Jerusalem)	רַמְלָה
"native Israeli"	צַבְּרָא	a minute	דַּקָּה
twelve	שְׁנֵים עָשָׂר	Arctic (frozen icestick)	אַרְטִיק
tribes	שְׁבָטִים (יְ שֵׁבֶט)	Tempo (a brand of bottled soda)	טֶמְפּוֹ
how?	אֵיךְ	ice cream	גְּלִידָה
herring	דָּג מָלוּחַ	soda	סוֹדָה
necktie	עֲנִיבָה	selling	מוֹכֵר
		Agora (Israeli coin worth ⅓ cent)	אֲגוֹרָה

הַתֵּימָנִי

Two American students, setting out by bus from Tel Aviv to Jerusalem, meet an interesting Yemenite in Ramlah.

בְּבֹקֶר אֶחָד אָמַר דָּוִד לְאַבְרָהָם:

„אֲנִי רוֹצֶה לִנְסֹעַ לִירוּשָׁלַיִם. יְרוּשָׁלַיִם הִיא עִיר יָפָה.‟

„טוֹב,‟ אוֹמֵר אַבְרָהָם, „גַּם אֲנִי רוֹצֶה לִרְאוֹת אֶת יְרוּשָׁלַיִם.‟

שְׁנֵי הַבַּחוּרִים הָלְכוּ אֶל תַּחֲנַת הָאוֹטוֹבּוּסִים בְּתֵל אָבִיב.

הֵם יָשְׁבוּ בָּאוֹטוֹבּוּס. הָאוֹטוֹבּוּס יָצָא מִתֵּל אָבִיב וְנָסַע בַּדֶּרֶךְ

לִירוּשָׁלַיִם. פִּתְאֹם בָּאוּ אֶל עִיר וְהָאוֹטוֹבּוּס עָמַד בַּתַּחֲנָה.

שָׁאַל אַבְרָהָם: „מַדּוּעַ אֲנַחְנוּ עוֹמְדִים פֹּה?‟

אָמַר דָּוִד: „זֹאת רַמְלָה. הָאוֹטוֹבּוּס עוֹמֵד פֹּה עֶשֶׂר דַּקּוֹת.‟

[163]

פִּתְאֹם שׁוֹמְעִים קוֹל קוֹרֵא: "אַרְטִיק, טֶמְפּוֹ, אַרְטִיק, גְּלִידָה!"

אַבְרָהָם רָאָה יֶלֶד עִבְרִי מוֹכֵר גְּלִידָה וְסוֹדָה.

"תֵּן לִי אַרְטִיק," אָמַר אַבְרָהָם. "בְּכַמָּה זֶה עוֹלֶה?"

"עֶשֶׂר אֲגוֹרוֹת," אָמַר הַיֶּלֶד.

"תֵּן לִי טֶמְפּוֹ," אָמַר דָּוִד. "בְּכַמָּה זֶה עוֹלֶה?"

"עֶשֶׂר אֲגוֹרוֹת," עָנָה הַיֶּלֶד.

"מַה שִּׁמְךָ?" שָׁאַל דָּוִד אֶת הַיֶּלֶד.

"יִחְיָא," עָנָה הַיֶּלֶד. "אֲנִי תֵּימָנִי אֲבָל אֲנִי צַבְּרָא."[1]

"הַאִם יֵשׁ לְךָ אַחִים אוֹ אֲחָיוֹת?" שָׁאַל אַבְרָהָם אֶת הַיֶּלֶד.

"כֵּן," עָנָה הַתֵּימָנִי, "יֵשׁ בַּמִּשְׁפָּחָה שֶׁלָּנוּ שְׁנֵים עָשָׂר
יְלָדִים – כְּמוֹ שְׁנֵים עָשָׂר הַשְּׁבָטִים."

אַחֲרֵי כֵן שָׁאַל יִחְיָא אֶת הַבַּחוּרִים:
"הַאִם אַתֶּם אֲמֶרִיקָאִים?"

"כֵּן, אֲנַחְנוּ אֲמֶרִיקָאִים," עָנָה אַבְרָהָם. "אֵיךְ יָדַעְתָּ?"

"יָדַעְתִּי זֹאת כִּי יֵשׁ לָכֶם דָּג מָלוּחַ."

"דָּג מָלוּחַ? אֵין לָנוּ דָּג מָלוּחַ."

"כֵּן," אָמַר יִחְיָא, וְהוּא שָׂם אֶת הַיָּד שֶׁלּוֹ עַל עֲנִיבַת דָּוִד וְעַל
עֲנִיבַת אַבְרָהָם. "בְּאֶרֶץ יִשְׂרָאֵל קוֹרְאִים לַעֲנִיבָה דָּג מָלוּחַ."[2]

שְׁנֵי הַבַּחוּרִים צָחֲקוּ. פִּתְאֹם שָׁמְעוּ קוֹל תְּרוּ... תְּרוּ...

שְׁנֵי הַבַּחוּרִים אוֹמְרִים שָׁלוֹם אֶל הַיֶּלֶד וְעוֹלִים מַהֵר עַל
הָאוֹטוֹבּוּס. הָאוֹטוֹבּוּס נוֹסֵעַ לִירוּשָׁלַיִם.

---

[1] Slang for "native Israeli." The צַבְּרָא is the cactus plant which has thorns but
also bears sweet fruit.

[2] Slang for "necktie."

דִּקְדּוּק

A. Review of Possessive

Short Form	Long Form
סֵפֶר הַיֶּלֶד	1. הַסֵּפֶר שֶׁל הַיֶּלֶד

the boy's book (literally, "the book of the boy")

Short Form	Long Form
עֲנִיבַת אַבְרָהָם	2. הָעֲנִיבָה שֶׁל אַבְרָהָם

Abraham's necktie (literally, "the necktie of Abraham")

Short Form	Long Form
שִׁירֵי הַצִּפּוֹר	3. הַשִּׁירִים שֶׁל הַצִּפּוֹר

the bird's songs (literally, "the songs of the bird")

Where possession is indicated in English by 's, it may be expressed in Hebrew by שֶׁל or by the construct state (סְמִיכוּת).

B. Review of סְמִיכוּת

Short Form (סְמִיכוּת)		Long Form	
דּוֹד הַיֶּלֶד	the boy's uncle	הַדּוֹד שֶׁל הַיֶּלֶד m. s.	זָכָר
דּוֹדַת הַיֶּלֶד	the boy's aunt	הַדּוֹדָה שֶׁל הַיֶּלֶד f. s.	נְקֵבָה
דּוֹדֵי הַיֶּלֶד	the boy's uncles	הַדּוֹדִים שֶׁל הַיֶּלֶד m. pl.	רִבּוּי ז.
דּוֹדוֹת הַיֶּלֶד	the boy's aunts	הַדּוֹדוֹת שֶׁל הַיֶּלֶד f. pl.	רִבּוּי נ.

תַּרְגִּילִים

I. שְׁאֵלוֹת:

1. מַדּוּעַ רוֹצֶה דָּוִד לִנְסֹעַ לִירוּשָׁלַיִם?

2. אֵיךְ נָסְעוּ לִירוּשָׁלַיִם?

[165]

3. כַּמָּה דַּקּוֹת עָמַד הָאוֹטוֹבּוּס בְּרַמְלָה?

4. מִי קוֹרֵא: "אַרְטִיק, טֶמְפּוֹ"?

5. מַה קָּנָה אַבְרָהָם וּמַה קָּנָה דָּוִד?

6. כַּמָּה יְלָדִים בַּמִּשְׁפָּחָה שֶׁל יִחְיָא?

7. אֵיךְ יָדַע יִחְיָא כִּי הַבַּחוּרִים אֲמֶרִיקָאִים?

8. מַדּוּעַ עוֹלִים הַבַּחוּרִים מַהֵר עַל הָאוֹטוֹבּוּס?

II. תַּקֵּן כָּל מִשְׁפָּט (Correct the error in each sentence):

1. דָּוִד וְאַבְרָהָם יוֹצְאִים מִן חֵיפָה.

2. הֵם עוֹלִים עַל רַכֶּבֶת לִנְסֹעַ לִירוּשָׁלַיִם.

3. הָאוֹטוֹבּוּס עָמַד חָמֵשׁ דַּקּוֹת בְּרַמְלָה.

4. הַיֶּלֶד הַתֵּימָנִי מוֹכֵר עִתּוֹנִים.

5. הָאַרְטִיק עוֹלֶה בְּחָמֵשׁ אֲגוֹרוֹת.

6. שֵׁם הַיֶּלֶד הַתֵּימָנִי הוּא שְׁמוּאֵל.

7. הַמִּשְׁפָּחָה שֶׁל הַתֵּימָנִי קְטַנָּה.

8. אַבְרָהָם הוּא צַבְּרָא.

9. לְיִחְיָא יֵשׁ דָּג מָלוּחַ.

10. שׁוֹמְעִים קוֹל תְּרוּ... תְּרוּ... מִן הָרַכֶּבֶת.

III. כְּתֹב בִּסְמִיכוּת (Write in the construct state):

6. הַדּוֹדִים שֶׁל רוּת	1. הָאֵם שֶׁל הַיֶּלֶד	
7. הַתּוֹרָה שֶׁל הָעִבְרִים	2. הַמֶּלֶךְ שֶׁל יִשְׂרָאֵל	
8. הָאֲרוּחוֹת שֶׁל הַיּוֹם	3. הַסֵּפֶר שֶׁל הַתַּלְמִיד	
9. הַתְּמוּנוֹת שֶׁל הַבַּיִת	4. הָעֲנִיבָה שֶׁל דָּוִד	
10. הַבָּתִּים שֶׁל הָעִיר	5. הַשִּׁירִים שֶׁל הַחֲלוּצִים	

IV. Review the rule for possessives on page 104; then translate the following phrases into Hebrew, using the *long* form:

1.	The boy's necktie	6.	Ruth's teachers (*f.*)
2.	The girl's notebook	7.	The student's book
3.	Dan's mother	8.	The man's newspaper
4.	Samuel's chair	9.	Sarah's aunt
5.	David's uncle	10.	The pioneer's work

V. Rewrite exercise IV, using the סְמִיכוּת.

VI. עִבְרִית מְדֻבֶּרֶת:

Pretend you are shopping in a department store in Tel Aviv and carry on a conversation in Hebrew, making use of the following phrases:

In A Department Store – בַּחֲנוּת כָּל בּוֹ

I want to buy...	אֲנִי רוֹצֶה לִקְנוֹת...
Please show me...	בְּבַקָּשָׁה לְהַרְאוֹת לִי...
I want something better.	אֲנִי רוֹצֶה דָּבָר טוֹב יוֹתֵר.
I want something cheaper.	אֲנִי רוֹצֶה דָּבָר יוֹתֵר בְּזוֹל.
This is very expensive.	זֶה יָקָר מְאֹד.
I like this (literally, "this finds favor in my eyes").	זֶה מוֹצֵא חֵן בְּעֵינַי.
Please wrap it well.	בְּבַקָּשָׁה לֶאֱרֹז אוֹתוֹ יָפֶה.
How much does it cost?	בְּכַמָּה זֶה עוֹלֶה?
Please change this lira for me.	בְּבַקָּשָׁה לִפְרֹט לִי אֶת הַלִּירָה.
Here is the change.	הִנֵּה הָעֹדֶף.

אַרְצָה עָלִינוּ

"We have ploughed and sown in our new land," sings the new settler, "and now we await the harvest."

אַרְצָה עָלִינוּ,

כְּבָר חָרַשְׁנוּ וְגַם זָרַעְנוּ,

אֲבָל עוֹד לֹא קָצָרְנוּ.

Ar - tsa   a - lee - noo   ar - tsa   a - lee - noo

ar-tsa   a - lee - noo   k'-var cha-rash-noo v'-gam za - ra-noo

a - val awd law ka - tsar - noo   a - val awd law ka - tsar - noo.

שִׁעוּר עֶשְׂרִים וְתִשְׁעָה

LESSON 29

מִלּוֹן

between them	בֵּינֵיהֶם	Joel	יוֹאֵל
I shall give	אֶתֵּן	Mt. Moriah	הַר הַמּוֹרִיָּה
I shall become	אֶהְיֶה לְ (ע׳ הָיָה)	that, which	אֲשֶׁר
helped	עָזַר	they were	הָיוּ
will help	יַעֲזֹר (ר׳ יַעַזְרוּ)	married	בַּעַל אִשָּׁה
each other	זֶה אֶת זֶה	field	שָׂדֶה
they loved	אָהֲבוּ	divided	חִלֵּק (ר׳ חִלְּקוּ)
place	מָקוֹם	wheat	חִטָּה
Temple	בֵּית מִקְדָּשׁ	between	בֵּין

שְׁנֵי אַחִים

This legend tells why Mt. Moriah was selected as the site
for the Temple.

שְׁנֵי אַחִים, יְהוּדָה וְיוֹאֵל, יָשְׁבוּ בְּהַר הַמּוֹרִיָּה, אֲשֶׁר עַל יַד
יְרוּשָׁלַיִם.
לִיהוּדָה הָיוּ אִשָּׁה וּשְׁלֹשָׁה בָנִים, וְיוֹאֵל לֹא הָיָה בַּעַל אִשָּׁה.
שְׁנֵי הָאַחִים עָבְדוּ בַשָּׂדֶה, וְחִלְּקוּ אֶת הַחִטָּה בֵּינֵיהֶם.
בַּלַּיְלָה אָמַר יוֹאֵל בְּלִבּוֹ: לִיהוּדָה יֵשׁ אִשָּׁה וּשְׁלֹשָׁה בָנִים,
וְלִי אֵין מִשְׁפָּחָה. אֶתֵּן לִיהוּדָה מִן הַחִטָּה שֶׁלִּי.

[169]

יוֹאֵל לָקַח מִן הַחִטָּה וְהָלַךְ אֶל הַבַּיִת שֶׁל יְהוּדָה.

גַּם יְהוּדָה אָמַר בְּלִבּוֹ: "אֲנִי בַּעַל אִשָּׁה וְאָב לִשְׁלֹשָׁה בָּנִים.

כַּאֲשֶׁר אֶהְיֶה לְזָקֵן, הַבָּנִים יַעַזְרוּ לִי. אֲבָל מִי יַעֲזֹר לְיוֹאֵל?"

יְהוּדָה לָקַח מִן הַחִטָּה שֶׁלּוֹ וְהָלַךְ אֶל הַבַּיִת שֶׁל יוֹאֵל.

בַּדֶּרֶךְ פָּגְשׁוּ זֶה אֶת זֶה.

אֱלֹהִים רָאָה מִן הַשָּׁמַיִם כַּמָּה אָהֲבוּ הָאַחִים זֶה אֶת זֶה,

וְאָמַר: "הַמָּקוֹם הַזֶּה הוּא מָקוֹם יָפֶה לְבֵית מִקְדָּשׁ."

וּבָהָר הַזֶּה, בְּהַר הַמּוֹרִיָּה, בָּנָה שְׁלֹמֹה הַמֶּלֶךְ אֶת בֵּית הַמִּקְדָּשׁ.

דִּקְדּוּק

A. CONJUGATION OF צָחַק (LAUGH)

1. כַּאֲשֶׁר אוֹמֵר אַבְנֵר "לֹא אֲנִי," כָּל הַיְלָדִים צוֹחֲקִים.

When Abner says "Not I," all the boys laugh.

2. שְׁנֵי הַבַּחוּרִים צָחֲקוּ כַּאֲשֶׁר שָׁמְעוּ אֶת הַמִּלָּה "דָּג מָלוּחַ."

The young men laughed when they heard the word "herring."

3. הָאַחִים אָהֲבוּ זֶה אֶת זֶה.

The brothers loved each other.

[170]

PRESENT OF צָחַק

נְקֵבָה		זָכָר	
	אֲנִי		אֲנִי
צוֹחֶקֶת	אַתְּ	צוֹחֵק	אַתָּה
	הִיא		הוּא
	אֲנַחְנוּ		אֲנַחְנוּ
צוֹחֲקוֹת	אַתֶּן	צוֹחֲקִים	אַתֶּם
	הֵן		הֵם

עָבָר PAST

רַבּוּי		יָחִיד	
אֲנַחְנוּ צָחַקְנוּ		אֲנִי צָחַקְתִּי	
אַתֶּם צְחַקְתֶּם		אַתָּה צָחַקְתָּ	
אַתֶּן צְחַקְתֶּן		אַתְּ צָחַקְתְּ	
הֵם צָחֲקוּ		הוּא צָחַק	
הֵן צָחֲקוּ		הִיא צָחֲקָה	

Note that verbs which have as their second root-letter ע, ח, ה, א
do not take a שְׁוָא under these letters but instead take a חֲטַף פַּתָּח (-ֲ)
as in sentences 1, 2 and 3, above.

Other verbs conjugated like צָחַק are: כָּעַס (get angry); אָהַב
(love); שָׁאַל (ask); בָּחַר (choose); צָעַק (cry out).

[171]

B. Conjugation of Verbs Like עָמַד in the Past

נְקֵבָה		זָכָר
עֲמַדְתֶּן	you stood	עֲמַדְתֶּם
עֲבַדְתֶּן	you worked	עֲבַדְתֶּם
אֲמַרְתֶּן	you said	אֲמַרְתֶּם
הֲלַכְתֶּן	you went	הֲלַכְתֶּם
חֲשַׁבְתֶּן	you thought	חֲשַׁבְתֶּם
אֲהַבְתֶּן	you loved	אֲהַבְתֶּם

Verbs beginning with א, ה, ח, ע will take a חֲטַף פַּתָּח in the past tense, second person plural, masculine and feminine.

In all other persons, the conjugation is similar to that of גָּמַר. See page 114.

תַּרְגִּילִים

I. שְׁאֵלוֹת:

‎1. אֵיפֹה יָשְׁבוּ הָאַחִים?

‎2. לְמִי הָיוּ אִשָּׁה וּבָנִים?

‎3. מֶה הָיְתָה הָעֲבוֹדָה שֶׁל הָאַחִים?

‎4. מַדּוּעַ הֵבִיא (brought) יוֹאֵל מִן הַחִטָּה שֶׁלּוֹ לִיהוּדָה?

‎5. מָה אָמַר יְהוּדָה בְּלִבּוֹ?

‎6. אֵיפֹה פָּגְשׁוּ זֶה אֶת זֶה?

‎7. מָה אָמַר אֱלֹהִים?

‎8. מַה בָּנָה שְׁלֹמֹה הַמֶּלֶךְ בַּמָּקוֹם הַזֶּה?

‏II. חַבֵּר מִשְׁפָּטִים בַּמִּלִּים הָאֵלֶּה:

‏1. מָקוֹם   2. בֵּין   3. עָזַר   4. בָּנָה

‏5. אָמַר בְּלִבּוֹ   6. מוֹכֵר   7. גְּלִידָה   8. דַּקָּה

‏9. זֶה אֶת זֶה   10. בְּכַמָּה זֶה עוֹלֶה?

‏III. הַטֵּה בַּהוֶֹה וּבֶעָבָר:

‏1. אָהַב   2. שָׁאַל   3. עָמַד   4. צָעַק

‏IV. כְּתֹב בֶּעָבָר (Change into the past tense):

‏1. הַתַּלְמִידִים צוֹחֲקִים בְּקוֹל.

‏2. אֲנַחְנוּ שָׁבִים מִן בֵּית הַסֵּפֶר.

‏3. הַתֵּימָנִי מוֹכֵר סוֹדָה.

‏4. הָאַחִים אוֹהֲבִים זֶה אֶת זֶה.

‏5. אַתֶּם עוֹמְדִים עַל יַד הַלּוּחַ.

‏6. הַאִם אַתָּה פּוֹגֵשׁ אֶת דָּוִד?

‏7. דָּוִד הוֹרֵג אֶת גָּלְיָת.

‏8. מָתַי אַתֶּן אוֹכְלוֹת?

‏9. הַתַּלְמִידָה שׁוֹאֶלֶת שְׁאֵלוֹת רַבּוֹת.

‏10. אַתֶּן סוֹגְרוֹת אֶת הַדֶּלֶת.

‏V. עִבְרִית מְדֻבֶּרֶת:

The story on page 169 can be told collectively in Hebrew, by having the students tell one sentence each.

קְרִיאָה נוֹסֶפֶת
שֶׁלֶג (snow) בְּחֵלֶם

The men of Chelm decide not to mar the beauty of the snow.

יוֹם אֶחָד יָרַד שֶׁלֶג בְּעִיר חֵלֶם. הַשֶּׁלֶג הָיָה יָפֶה מְאֹד,

אֲבָל מַהֵר נִתְלַכְלֵךְ (became soiled) כִּי כָּל אִישׁ הָלַךְ

בְּרֶגֶל עַל הַשֶּׁלֶג.

אָמְרוּ כָּל הָאֲנָשִׁים בְּחֵלֶם:

„נִתְלַכְלֵךְ הַשֶּׁלֶג כִּי אֲנַחְנוּ הוֹלְכִים בְּרֶגֶל עַל הַשֶּׁלֶג.

כַּאֲשֶׁר יִהְיֶה עוֹד שֶׁלֶג, נֵשֵׁב (we shall stay) בַּבַּיִת,

וְהַשֶּׁלֶג יִהְיֶה יָפֶה."

אָמַר הַשַּׁמָּשׁ (sexton):

„אֲבָל אֲנִי צָרִיךְ לָלֶכֶת (must go) לְכָל בַּיִת לִקְרֹא אֶת

הָאֲנָשִׁים לְבֵית הַכְּנֶסֶת!"

מַה לַעֲשׂוֹת (what was to be done)? כָּל אִישׁ קָם וְנָתַן עֵצָה.

בַּסּוֹף (finally) קָם רֹאשׁ הָעִיר וְאָמַר:

„יֵשׁ לִי עֵצָה טוֹבָה. מִי אוֹמֵר כִּי הַשַּׁמָּשׁ צָרִיךְ לָלֶכֶת עַל הַשֶּׁלֶג?

אַרְבָּעָה אֲנָשִׁים יִשְׂאוּ (will carry) אֶת הַשַּׁמָּשׁ, וְאָז (and then)

לֹא יְלַכְלֵךְ (will not soil) הַשַּׁמָּשׁ אֶת הַשֶּׁלֶג."

„עֵצָה טוֹבָה!" קָרְאוּ כָּל בְּנֵי חֵלֶם.

כַּאֲשֶׁר יָרַד שֶׁלֶג בָּעִיר בָּאוּ אַרְבָּעָה אֲנָשִׁים לָשֵׂאת (to carry) אֶת

הַשַּׁמָּשׁ מִן בַּיִת אֶל בַּיִת.

[174]

שעור עשרים ותשעה

הִנֵּה מַה טּוֹב

How good and how pleasant it is for brothers to dwell together
in unity!

הִנֵּה מַה טּוֹב

וּמַה נָּעִים

שֶׁבֶת אַחִים גַּם יָחַד.

Hin-neh mah tawv oo-mah na-eem she-vet a-cheem gam ya-chad,

Hin-neh mah tawv oo-mah na-eem

she-vet a-cheem she-vet a-cheem gam ya-chad.

מִלּוֹן

highway (paved)	כְּבִישׁ	must, need to (צְרִיכִים ·ר) לְ צָרִיךְ
desert, wilderness	מִדְבָּר	Givat Ram (suburb of Jerusalem)	גִּבְעַת רָם
war	מִלְחָמָה	that this is	שֶׁזֶּה
culture	תַּרְבּוּת ·ג	number	מִסְפָּר
symbol	סֵמֶל	University City	קִרְיַת הָאוּנִיבֶרְסִיטָה
grave	קֶבֶר	recognizes, knows	מַכִּיר
Herzl (founder of modern Zionism)	הֶרְצֵל	here	פֹּה
dreamed	חָלַם	to show	לְהַרְאוֹת
state	מְדִינָה	far away, distant	רָחוֹק
a watch, clock	שָׁעוֹן		

הָאוּנִיבֶרְסִיטָה הָעִבְרִית

Our two American students, visiting in Jerusalem, take a bus to the Hebrew University, where they unexpectedly meet an Israeli friend who volunteers to serve as their guide.

אַבְרָהָם וְדָוִד יָשְׁבוּ בִּירוּשָׁלַיִם שְׁנֵי יָמִים.

בַּבֹּקֶר אוֹמֵר דָּוִד לְאַבְרָהָם:

„הַיּוֹם אֲנַחְנוּ צְרִיכִים לִרְאוֹת אֶת הָאוּנִיבֶרְסִיטָה. אַתָּה יוֹדֵעַ,

הָאוּנִיבֶרְסִיטָה בְּמָקוֹם חָדָשׁ בִּירוּשָׁלַיִם, עַל גִּבְעַת רָם.“

„כֵּן,“ עוֹנֶה אַבְרָהָם. „אוֹמְרִים שֶׁזֶּה מָקוֹם יָפֶה מְאֹד.“

[176]

הַבַּחוּרִים לוֹקְחִים אוֹטוֹבּוּס. וּבְמִסְפָּר דַּקּוֹת הֵם

בָּאִים אֶל קִרְיַת הָאוּנִיבֶרְסִיטָה. דָּוִד רוֹאֶה בָּחוּר

אֶחָד הוֹלֵךְ בָּרְחוֹב.

דָּוִד מַכִּיר אֶת הַבָּחוּר מֵחֵיפָה, וְהוּא אוֹמֵר:

„שָׁלוֹם דָּן, מָה אַתָּה עוֹשֶׂה פֹּה בָּאוּנִיבֶרְסִיטָה?"

„אֲנִי לוֹמֵד פֹּה," עוֹנֶה דָּן. „וּמָה אַתֶּם עוֹשִׂים פֹּה?" שׁוֹאֵל דָּן

אֶת הַבַּחוּרִים.

„אֲנַחְנוּ רוֹצִים לִרְאוֹת אֶת הָאוּנִיבֶרְסִיטָה הָעִבְרִית,"

עוֹנִים הַבַּחוּרִים, „אוֹמְרִים שֶׁזֶּה מָקוֹם יָפֶה."

„אֲנִי יָכוֹל לְהַרְאוֹת לָכֶם אֶת הַמָּקוֹם."

„תּוֹדָה," עוֹנִים הַבַּחוּרִים. „אֲנַחְנוּ רוֹצִים מְאֹד."

דָּן אוֹמֵר: „אַתֶּם רוֹאִים, הָאוּנִיבֶרְסִיטָה עוֹמֶדֶת עַל הַר גָּדוֹל

לֹא רָחוֹק מֵהַכְּבִישׁ לְתֵל אָבִיב. מִצַּד אֶחָד רוֹאִים אֶת הָעִיר

יְרוּשָׁלַיִם וּמִן הַצַּד הַשֵּׁנִי רוֹאִים אֶת הַמִּדְבָּר.

הָאוּנִיבֶרְסִיטָה עוֹמֶדֶת בֵּין הָעִיר וּבֵין הַמִּדְבָּר. בָּאָרֶץ הַזֹּאת

הָיְתָה תָּמִיד מִלְחָמָה בֵּין הַתַּרְבּוּת וּבֵין הַמִּדְבָּר.

הָאוּנִיבֶרְסִיטָה הִיא סֵמֶל הַתַּרְבּוּת."

„מָה הִיא הָאֶבֶן הַגְּדוֹלָה שָׁם מִן הַצַּד

הַשֵּׁנִי שֶׁל הַכְּבִישׁ?" שׁוֹאֵל דָּוִד.

„זֶהוּ קֶבֶר הֶרְצֵל וְהַמִּשְׁפָּחָה שֶׁלּוֹ. הֶרְצֵל הָיָה אִישׁ גָּדוֹל. הֶרְצֵל

כָּתַב וְחָלַם עַל מְדִינָה עִבְרִית, וְהַיּוֹם יֵשׁ לָנוּ מְדִינָה עִבְרִית."

ּוּמָה אַתָּה לוֹמֵד בָּאוּנִיבֶרְסִיטָה? שׁוֹאֵל אַבְרָהָם אֶת דָּן.

ּאֲנִי לוֹמֵד מַתֶּמָטִיקָה, בִּיוֹלוֹגִיָה, הִיסְטוֹרִיָה וְעִבְרִית," עוֹנֶה דָּן.

ּוְאַתָּה לוֹמֵד מַתֶּמָטִיקָה וּבִיוֹלוֹגִיָה בְּעִבְרִית?

ּכֵּן," עוֹנֶה דָּן, „בָּאוּנִיבֶרְסִיטָה מְדַבְּרִים עִבְרִית וְלוֹמְדִים
אֶת הַכֹּל בְּעִבְרִית."

ּהַאִם הַמּוֹרִים טוֹבִים בָּאוּנִיבֶרְסִיטָה? שׁוֹאֵל אַבְרָהָם.

ּכֵּן," עוֹנֶה דָּן. „יֵשׁ לָנוּ מוֹרִים טוֹבִים מְאֹד."

ּיָפֶה מְאֹד," אוֹמְרִים שְׁנֵי הַבַּחוּרִים.

פִּתְאֹם מַבִּיט דָּן עַל הַשָּׁעוֹן שֶׁלּוֹ, וְאוֹמֵר:

ּיֵשׁ לִי שִׁעוּר עַכְשָׁו. שָׁלוֹם וּלְהִתְרָאוֹת."

ּתּוֹדָה," אוֹמְרִים הַבַּחוּרִים. „שָׁלוֹם וּלְהִתְרָאוֹת."

דִּקְדּוּק

A. CONTRACTIONS

.1   אוֹמְרִים שֶׁזֶּה מָקוֹם יָפֶה מְאֹד.

They say that it is a very nice place.

.2   דָּוִד מַכִּיר אֶת הַבָּחוּר מֵחֵיפָה.

David recognizes the young man from Haifa.

.3   אֲנִי נוֹסֵעַ בְּאוֹטוֹבּוּס לְתֵל אָבִיב.

I am travelling on a bus to Tel Aviv.

.4   כָּתַבְתִּי מִכְתָּב לַיֶּלֶד.

I wrote a letter to the boy.

Some prepositions and pronouns can be contracted in Hebrew:

CONTRACTION	MEANING	WHOLE WORD	
שֶׁ	that, which, who	אֲשֶׁר	.1
מִ, מֵ [1]	from	מִן	.2
לְ	to	אֶל	.3
לַ	to the; for the	אֶל הַ	.4

B. PAST OF VERBS LIKE פָּתַח (OPEN)

you (*f. s.*) opened   אַתְּ פָּתַחַתְּ

you (*f. s.*) heard   אַתְּ שָׁמַעַתְּ

We have already seen how verbs ending in ח or ע are conjugated in the present (page 64). In the past tense, these verbs are regular except for the second person, singular feminine, which takes a פַּתָח (-) under the ח or ע.

Conjugate similarly in the past: יָדַע (know), לָקַח (take), שָׂמַח (rejoice), בָּרַח (run away).

תַּרְגִּילִים

1. אֵיפֹה?

1. הַמָּקוֹם הֶחָדָשׁ שֶׁל הָאוּנִיבֶרְסִיטָה הָעִבְרִית?
2. רוֹאֶה דָּוִד בָּחוּר מֵחֵיפָה?
3. הָיְתָה תָּמִיד מִלְחָמָה בֵּין הַמִּדְבָּר וְהַתַּרְבּוּת?
4. הַקֶּבֶר שֶׁל הֶרְצֵל?
5. הַמּוֹרִים טוֹבִים?

---

[1] Note that מִן is contracted to מֵ before a word beginning with א, ה, ח, ע, ר.

II. שְׁאֵלוֹת:

1. בַּמֶּה נוֹסְעִים הַבַּחוּרִים אֶל הָאוּנִיבֶרְסִיטָה הָעִבְרִית?

2. אֶת מִי פּוֹגְשִׁים הַבַּחוּרִים עַל יַד הָאוּנִיבֶרְסִיטָה?

3. מָה עוֹשֶׂה הַבַּחוּר מֵחֵיפָה בָּאוּנִיבֶרְסִיטָה?

4. מָה עוֹשִׂים אַבְרָהָם וְדָוִד בָּאוּנִיבֶרְסִיטָה?

5. מַה יְכוֹלִים לִרְאוֹת מִקִּרְיַת הָאוּנִיבֶרְסִיטָה?

6. עַל מֶה חָלַם הֶרְצֶל?

7. מַדּוּעַ אוֹמֵר דָּן פִּתְאֹם שָׁלוֹם לַבַּחוּרִים?

III. מִי אֲנִי? (Identify each of the following:)

1. אֲנִי הָעִבְרִי הָרִאשׁוֹן.

2. אֲנִי הָאִשָּׁה שֶׁל הָעִבְרִי הָרִאשׁוֹן.

3. אֲנִי הַבֵּן שֶׁל הָעִבְרִי הָרִאשׁוֹן.

4. אֲנִי כָּתַבְתִּי: «וְאָהַבְתָּ לְרֵעֲךָ כָּמוֹךָ.»

5. אֲנִי הַמֶּלֶךְ הָרִאשׁוֹן שֶׁל עַם יִשְׂרָאֵל.

6. אֲנִי הָרַגְתִּי אֶת גָּלְיַת.

7. אֲנִי מֶלֶךְ חָכָם.

8. אֲנִי אָמַרְתִּי: «מַה שֶּׁשָּׂנוּא עָלֶיךָ אַל תַּעֲשֶׂה לַחֲבֵרְךָ.»

9. אֲנִי יָשַׁבְתִּי בְּתֵל אָבִיב וְכָתַבְתִּי שִׁירִים בְּעִבְרִית.

10. אֲנִי חָלַמְתִּי עַל מְדִינָה עִבְרִית.

[180]

IV.   Contract the underlined words:

1. שַׁבְתִּי מִן בֵּית הַסֵּפֶר.

2. הָלַכְתִּי אֶל תֵּל אָבִיב.

3. הַסֵּפֶר אֲשֶׁר אַתָּה קוֹרֵא יָפֶה הוּא.

4. אָמַרְתִּי „שָׁלוֹם" אֶל דָּן.

5. הַבָּחוּר בָּא מִן אֶרֶץ יִשְׂרָאֵל.

6. שָׁאוּל הוּא הָאִישׁ אֲשֶׁר הָיָה הַמֶּלֶךְ הָרִאשׁוֹן עַל עַם
   יִשְׂרָאֵל.

7. אֲנִי מְדַבֵּר עִבְרִית אֶל הַמּוֹרָה שֶׁלִּי.

8. מִי הוּא הַתַּלְמִיד אֲשֶׁר גָּמַר אֶת הַמִּבְחָן?

9. שַׁבְתִּי מִן הָעֲבוֹדָה בָּעֶרֶב.

10. נָסַעְנוּ אֶל הַדּוֹד יִצְחָק.

V.   כְּתֹב אֶת הַפֹּעַל (the verb) בֶּעָבָר:

1. אַתְּ (פתח) ———— אֶת הַחַלּוֹן.

2. אַתְּ (שמע) ———— אֶת קוֹל הַמּוֹרָה.

3. אַתֶּם (עמד) ———— לִפְנֵי הַבַּיִת.

4. הַבָּחוּרִים (אהב) ———— אֶת אֶרֶץ יִשְׂרָאֵל.

5. אַתְּ (לקח) ———— אֶת הַסֵּפֶר שֶׁלִּי.

VI.   עִבְרִית מְדֻבֶּרֶת:

Give an oral summary of the story „הָאוּנִיבֶרְסִיטָה הָעִבְרִית".

חֲזָרָה

I. תַּרְגֵּם לְעִבְרִית:

1. famine	14. heard	27. they loved
2. there	15. ran	28. a place
3. bread	16. stone	29. must, need to
4. year	17. put	30. a number
5. bad	18. minute	31. here
6. they built	19. selling	32. to show
7. holiday of Pass-over	20. how much does it cost?	33. far
8. hard	21. how?	34. highway
9. week	22. that, which	35. wilderness
10. youth	23. field	36. war
11. flock	24. between	37. a state
12. killed	25. helped	38. a watch
13. able, can	26. each other	39. dreamed

II. תַּרְגֵּם לְאַנְגְּלִית:

25. חֵלֶק	13. מַקֵּל	1. אֶרֶץ מִצְרַיִם
26. חִטָּה	14. עַמִּי	2. נֶהֱרַג
27. בֵּינֵיהֶם	15. בְּקַלְעוֹ	3. לַעֲשׂוֹת
28. אֶתֵּן	16. בָּרַח	4. נֵצֵא
29. אֶהְיֶה לְ...	17. תֵּימָנִי	5. שָׁבוּעוֹת
30. עָזַר	18. גְּלִידָה	6. הַר סִינַי
31. בֵּית מִקְדָּשׁ	19. צַבְּרָא	7. צַדִּיק
32. שֶׁזֶּה	20. שְׁנֵים עָשָׂר	8. גָּלְיַת
33. מַכִּיר	21. שְׁבָטִים	9. פְּלִשְׁתִּי
34. תַּרְבּוּת	22. דָּג מָלוּחַ	10. לְהִלָּחֵם עִם
35. סֵמֶל	23. עֲנִיבָה	11. פַּחַד
36. קֶבֶר	24. הָיוּ	12. עֲנָק

III. Do you know the following grammatical forms?

    A. Verb: Present and past of צָחַק, page 171; past of עָמַד, page 172; past of פָּתַח, page 179.

    B. Noun: Construct state (סְמִיכוּת) masculine singular and plural, page 152; feminine singular and plural, page 158; review of possessive and סְמִיכוּת, page 165.

    C. Contractions of אֶל הַ ,אֶל ,מִן ,אֲשֶׁר, page 179.

IV. Oral Hebrew:

    A. Can you summarize each of the following stories?

    1. מֹשֶׁה   2. דָּוִד וְגָלְיָת   3. הַתֵּימָנִי   4. שְׁנֵי אַחִים

    5. הָאוּנִיבֶּרְסִיטָה הָעִבְרִית

    B. Can you converse on the following topics?

    1. מָה אַתָּה רוֹאֶה בַּתְּמוּנָה?   2. בַּחֲנוּת כָּל בּוֹ

V. Culture:

    A. Give the Hebrew original of the inscription on the Liberty Bell.

    B. Recite the words of the song "אַרְצָה עָלִינוּ".

מִבְחָן

I. מִי עָשָׂה (did) זֹאת?

1. בָּנוּ בָתִּים לְמֶלֶךְ מִצְרַיִם.

2. נָתַן תּוֹרָה לְעַם יִשְׂרָאֵל.

3. הָרַג אֶת הָעֲנָק גָּלְיָת.

4. מָכַר אַרְטִיק וְטֶמְפּוֹ בְּרַמְלָה.

5. בָּנָה בֵּית הַמִּקְדָּשׁ עַל הַר הַמּוֹרִיָּה.

6. חִלְּקוּ אֶת הַחִטָּה בֵּינֵיהֶם.

7. הָרַג אֲרִי שֶׁבָּא עַל הַצֹּאן שֶׁלּוֹ.

8. חָלַם עַל מְדִינָה עִבְרִית.

9. יָרְדוּ לְמִצְרַיִם כִּי הָיָה רָעָב בְּאֶרֶץ כְּנַעַן.

10. כָּתַב בַּתּוֹרָה: „וְאָהַבְתָּ לְרֵעֲךָ כָּמוֹךָ.‟

II. מַדּוּעַ?

1. הָיָה לִבְנֵי יִשְׂרָאֵל חַג הַפֶּסַח?

2. שָׁלַח שָׁאוּל אֶת דָּוִד לְהִלָּחֵם עִם גָּלְיָת?

3. אָמַר הַתֵּימָנִי כִּי הַמִּשְׁפָּחָה שֶׁלּוֹ כְּמוֹ שְׁנֵים עָשָׂר הַשְּׁבָטִים?

4. נָתַן יוֹאֵל לִיהוּדָה מִן הַחִטָּה שֶׁלּוֹ?

5. הָאוּנִיבֶרְסִיטָה הִיא סֵמֶל הַתַּרְבּוּת?

[184]

III. כְּתֹב בִּסְמִיכוּת: Write the underlined phrase in the construct state: (20)

1. הַכֶּלֶב שֶׁל הָאִישׁ גָּדוֹל.

2. הָאֵם שֶׁל הַנַּעַר יָפָה.

3. הָאֲרוּחָה שֶׁל הַבֹּקֶר טוֹבָה.

4. הַמּוֹרָה שֶׁל הַתַּלְמִידִים חֲכָמָה.

5. אֲנַחְנוּ שָׁרִים אֶת הַשִּׁירִים שֶׁל הַחֲלוּצִים.

6. הַגַּנִּים שֶׁל הָעִיר יָפִים.

7. הַמּוֹרֶה שָׁמַע אֶת הַתְּשׁוּבוֹת שֶׁל הַתַּלְמִידִים.

8. אֲנִי כּוֹתֵב אֶת הַשִּׁעוּר שֶׁל הַבַּיִת.

9. הִיא הוֹלֶכֶת אֶל הַתַּחֲנָה שֶׁל הָאוֹטוֹבּוּסִים.

10. הַשֵּׁם שֶׁל הַסִּפּוּר הוּא ״שְׁנֵי הָאַחִים.״

IV. כְּתֹב בִּזְמַן עָבָר: (20)

1. אַתְּ (פתח) ———— אֶת הַדֶּלֶת.

2. אַתֶּם (עמד) ———— עַל יַד הָאוּנִיבֶרְסִיטָה.

3. מַדּוּעַ (כעס) ———— שָׂרָה?

4. אֲנַחְנוּ לֹא (אכל) ————.

5. הָאַחִים (אהב) ———— זֶה אֶת זֶה.

6. לְאָן אַתֶּם (הלך) ————?

7. עַל מָה אַתְּ (עבד) ———— קָשֶׁה?

8. מַה (שאל) ———— הַתַּלְמִידִים אֶת הַמּוֹרֶה?

9. מָתַי אַתֶּן (אמר) ———— ״בֹּקֶר טוֹב״?

10. מַדּוּעַ אַתֶּן (עבר) ———— אֶת הָרְחוֹב מַהֵר?

[185]

עברית חיה

V. כְּתֹב בְּצוּרָה קְצָרָה: Write in the short (10)
form (contraction):

1. הַסֵּפֶר אֲשֶׁר קָרָאתִי הָיָה יָפֶה.

2. הָאִישׁ בָּא מִן אֶרֶץ יִשְׂרָאֵל.

3. נָסַעְנוּ אֶל הַתַּחֲנָה.

4. מָתַי אַתָּה שָׁב מִן הָעֲבוֹדָה?

5. אָמַרְתִּי "לַיְלָה טוֹב" אֶל שָׂרָה.

VI. עֲנֵה בְעִבְרִית: (20)

1. Name five objects you can see in a painting or picture, and
use an adjective to describe each object.

2. Compose five conversational phrases for use in making pur-
chases in a department store.

[186]

שִׁעוּר שְׁלֹשִׁים וְאֶחָד
LESSON 31

מִלּוֹן

plan; advice	עֵצָה	Ḥusham (proper name)	חוּשָׁם
quiet	שֶׁקֶט	lazy	עָצֵל
laziness	(הָ)עַצְלוּת	every day	יוֹם יוֹם
prize	פְּרָס	a thing; a word	דָּבָר
who will write	שֶׁיִּכְתֹּב	he didn't do any-thing	לֹא עָשָׂה דָבָר
idea	רַעְיוֹן	never	אַף פַּעַם לֹא
your composition	חִבּוּרְךָ	I have no time	אֵין לִי פְּנַאי
blank; smooth	חָלָק	thought	חָשַׁב

חוּשָׁם הֶעָצֵל

Lazy Ḥusham has a clever idea for a Hebrew composition.

חוּשָׁם הָלַךְ יוֹם יוֹם אֶל בֵּית הַסֵּפֶר. חוּשָׁם הָיָה תַּלְמִיד עָצֵל

מְאֹד. הוּא יָשַׁב בַּכִּתָּה הָעִבְרִית, שָׁמַע לַמּוֹרָה וְלֹא עָשָׂה דָבָר.

אַף פַּעַם לֹא כָּתַב אֶת שִׁעוּרֵי הַבַּיִת.

„אֵין לִי פְּנַאי לִכְתֹּב שִׁעוּרֵי הַבַּיִת," אָמַר בְּלִבּוֹ.

„אֲנִי יָכֹל לִלְמֹד אֶת הַכֹּל בְּבֵית הַסֵּפֶר."

יוֹם יוֹם שָׁאַל הַמּוֹרָה אֶת חוּשָׁם: „הַאִם כָּתַבְתָּ אֶת שִׁעוּרֵי הַבַּיִת?"

„לֹא," עָנָה חוּשָׁם תָּמִיד.

„מַדּוּעַ לֹא?"

„אֵין לִי פְּנַאי."

[187]

חָשַׁב הַמּוֹרֶה וְחָשַׁב: .חוּשָׁם עָצֵל מְאֹד. מַה לַּעֲשׂוֹתִי

חָשַׁב הַמּוֹרֶה וְחָשַׁב, וּמָצָא עֵצָה.

יוֹם אֶחָד בָּא הַמּוֹרֶה אֶל הַחֶדֶר.

"שֶׁקֶט, תַּלְמִידִים," אָמַר הַמּוֹרֶה.

הַתַּלְמִידִים יָשְׁבוּ בְּשֶׁקֶט.

"לְמָחָר," אָמַר הַמּוֹרֶה, "כִּתְבוּ חִבּוּר עַל הָעַצְלוּת.

אֶתֵּן פְּרָס לַתַּלְמִיד שֶׁיִּכְתֹּב חִבּוּר יָפֶה מְאֹד."

"חִבּוּר?" אָמַר חוּשָׁם. "אוֹי לִי!"

הָלַךְ חוּשָׁם אֶל הַבַּיִת וְאָמַר בְּלִבּוֹ:

"יֵשׁ לִי רַעְיוֹן טוֹב עַל הָעַצְלוּת."

לְמָחָר בָּא חוּשָׁם לְבֵית הַסֵּפֶר.

כָּל הַתַּלְמִידִים נָתְנוּ לַמּוֹרֶה חִבּוּרִים.

"אֵיפֹה חִבּוּרְךָ?" שָׁאַל הַמּוֹרֶה אֶת חוּשָׁם.

"הִנֵּה," עָנָה חוּשָׁם, וְנָתַן לַמּוֹרֶה נְיָר חָלָק.

דִּקְדּוּק

POSSESSIVE PRONOUNS — כִּנּוּיִים

Where is your composition?	אֵיפֹה חִבּוּרְךָ?	1.
Here is my composition.	הִנֵּה חִבּוּרִי.	2.
His pupil is lazy.	תַּלְמִידוֹ עָצֵל.	3.

We have learned in Lesson 21, page 124 that the possessive **may** be formed in Hebrew by placing the pronouns שֶׁלִּי and שֶׁלְּךָ, etc. after the noun.

The noun and the possessive may also be written in short form as a single word, as in the preceding sentences.

	SHORT FORM	LONG FORM
	יָחִיד	
my pupil	תַּלְמִידִי	הַתַּלְמִיד שֶׁלִּי
your (m.) pupil	תַּלְמִידְךָ	״ שֶׁלְּךָ
your (f.) pupil	תַּלְמִידֵךְ	״ שֶׁלָּךְ
his pupil	תַּלְמִידוֹ	״ שֶׁלּוֹ
her pupil	תַּלְמִידָה	״ שֶׁלָּהּ
	רִבּוּי	
our pupil	תַּלְמִידֵנוּ	הַתַּלְמִיד שֶׁלָּנוּ
your (m.) pupil	תַּלְמִידְכֶם	״ שֶׁלָּכֶם
your (f.) pupil	תַּלְמִידְכֶן	״ שֶׁלָּכֶן
their (m.) pupil	תַּלְמִידָם	״ שֶׁלָּהֶם
their (f.) pupil	תַּלְמִידָן	״ שֶׁלָּהֶן

Like תַּלְמִיד, decline שִׁיר (song); סִפּוּר (story); עִיר (city); רְחוֹב (street); גַּן (garden); קוֹל (voice); יוֹם (day); סוּס (horse); תַּפְרִיט (menu); צֹאן (sheep); חֲמוֹר (donkey); חַג (holiday); גִּבּוֹר (hero); שִׁעוּר (lesson); עִתּוֹן (newspaper); דּוֹד (uncle); קִיר (wall).

[189]

תַּרְגִּילִים

I. עֲנֵה בְּעִבְרִית:

1. מִי הָיָה עָצֵל?

2. מַה שָׁאַל הַמּוֹרֶה אֶת חוּשָׁם?

3. מֶה עָנָה חוּשָׁם?

4. מָה אָמַר הַמּוֹרֶה לַתַּלְמִידִים?

5. מֶה עָשָׂה חוּשָׁם?

II. כְּתֹב „כֵּן" אוֹ „לֹא" וְתַקֵּן כָּל מִשְׁפָּט בִּלְתִּי נָכוֹן.

Write "yes" or "no" after each statement, and correct each incorrect sentence.

1. חוּשָׁם הָיָה תַּלְמִיד טוֹב וְחָכָם.

2. חוּשָׁם כָּתַב אֶת שְׁעוּרֵי הַבַּיִת בְּכָל יוֹם.

3. הַמּוֹרֶה שָׁאַל: „הַאִם כָּתַבְתָּ אֶת שְׁעוּרֵי הַבַּיִת?"

4. חוּשָׁם אָמַר: „אֵין לִי פְּנַאי."

5. הַמּוֹרֶה אָמַר: „כִּתְבוּ חִבּוּר עַל הָעַצְלוּת."

6. הַתַּלְמִידִים לֹא כָּתְבוּ חִבּוּרִים.

7. לְחוּשָׁם הָיָה רַעְיוֹן טוֹב.

8. חוּשָׁם כָּתַב חִבּוּר יָפֶה.

III. חַבֵּר מִשְׁפָּטִים בַּמִּלִּים הָאֵלֶּה:

5. חָשַׁב	4. פְּנַאי	3. חִבּוּר	2. יוֹם יוֹם	1. עָצֵל
10. חָלָק	9. רַעְיוֹן	8. פְּרָס	7. שֶׁקֶט	6. עֵצָה

[190]

IV. כְּתֹב בְּמִלָּה אַחַת (Change to the short form):

1. הַמּוֹרֶה אוֹמֵר שָׁלוֹם אֶל הַתַּלְמִיד שֶׁלּוֹ.

2. שָׂרָה, הַחִבּוּר שֶׁלָּךְ יָפֶה.

3. אֵיפֹה הָעִתּוֹן שֶׁלְּךָ?

4. מָה הַשֵּׁם שֶׁל הַדּוֹד שֶׁלָּהֶם?

5. רָכַבְתִּי עַל הַסּוּס שֶׁלִּי.

6. הַגַּן שֶׁלָּכֶם גָּדוֹל.

7. הָרַעְיוֹן שֶׁלָּהּ יָפֶה.

8. יְהוּדָה, לֹא שָׁמַעְתִּי אֶת הַקּוֹל שֶׁלְּךָ.

9. הַשִּׁעוּר שֶׁלָּנוּ קָשֶׁה.

10. הָעִיר שֶׁלָּהֶן יָפָה.

V. כְּתֹב בַּכִּנּוּיִים: Inflect in all persons with the possessive pronouns:

1. שִׁעוּר   2. דּוֹד   3. חִבּוּר   4. עִתּוֹן

VI. הַכְּתָבָה (Dictation):

דָּוִד הוּא תַּלְמִיד חָכָם וְטוֹב.

הוּא יוֹשֵׁב בְּכִתָּה וְשׁוֹמֵעַ לַמּוֹרָה.

הוּא שׁוֹמֵעַ לְכָל מִלָּה וּמִלָּה.

אֵין דָּוִד עָצֵל.

הוּא כּוֹתֵב חִבּוּר יָפֶה בְּעִבְרִית.

הַמּוֹרָה נָתַן לְדָוִד פְּרָס.

VII.   Dramatize the following dialogue:

חוּשָׁם וְהַמּוֹרֶה

הַמּוֹרֶה: חוּשָׁם, הַאִם כָּתַבְתָּ אֶת שִׁעוּרֵי הַבַּיִת?

חוּשָׁם: לֹא.

הַמּוֹרֶה: מַדּוּעַ לֹא?

חוּשָׁם: לֹא הָיָה לִי פְּנַאי.

הַמּוֹרֶה: כְּתֹב אֶת הַשִּׁעוּר עַכְשָׁו.

חוּשָׁם: טוֹב.

(חוּשָׁם יוֹשֵׁב אֲבָל אֵין הוּא עוֹבֵד.)

הַמּוֹרֶה: חוּשָׁם, אֵיפֹה הַסֵּפֶר שֶׁלְּךָ?

חוּשָׁם: בַּבַּיִת.

הַמּוֹרֶה: הִנֵּה הַסֵּפֶר שֶׁלִּי.

(חוּשָׁם לוֹקֵחַ אֶת הַסֵּפֶר, אֲבָל אֵין הוּא עוֹשֶׂה דָבָר.)

הַמּוֹרֶה: חוּשָׁם, אַתָּה עָצֵל.

חוּשָׁם: אֵין לִי עֵט.

הַמּוֹרֶה: הִנֵּה עֵט.

(חוּשָׁם לוֹקֵחַ אֶת הָעֵט וְיוֹשֵׁב.)

הַמּוֹרֶה: מַדּוּעַ אֵין אַתָּה עוֹבֵד?

חוּשָׁם: אֵין לִי מַחְבֶּרֶת.

הַמּוֹרֶה: הִנֵּה נְיָר.

(חוּשָׁם לוֹקֵחַ אֶת הַנְּיָר.)

הַמּוֹרֶה: מַה יֵּשׁ (what's the matter) עַכְשָׁו?

חוּשָׁם: אֵין אֲנִי מֵבִין (understand) אֶת הַשִּׁעוּר.

[192]

מִלּוֹן

in a loud voice	בְּקוֹלֵי קוֹלוֹת	philosopher	פִּילוֹסוֹף
he went out	יָצָא	his wife	אִשְׁתּוֹ (אִשָּׁה)
pitcher	כַּד	Socrates	סוֹקְרַט
poured, spilled	שָׁפַךְ (נ· שְׁפִיכָה)	who got angry	שֶׁכָּעֲסָה
at that moment	בָּרֶגַע הַהוּא	quarrelled	רָבָה נ· (שׁ· רִיב)[1]
such is life	כָּךְ הֵם הַחַיִּים	until	עַד
thunder	רַעַם	shouted, cried out	צָעַק (נ· צְעָקָה)
comes the rain	יָבוֹא הַגֶּשֶׁם		

פִּילוֹסוֹף וְאִשְׁתּוֹ

Philosophers have the reputation of taking a philosophical attitude toward life. Here is a shining example.

סוֹקְרַט הָיָה פִּילוֹסוֹף גָּדוֹל.

לְסוֹקְרַט הָיְתָה אִשָּׁה שֶׁכָּעֲסָה תָּמִיד. הִיא רָבָה

עִם סוֹקְרַט יוֹם יוֹם מִן הַבֹּקֶר עַד הָעֶרֶב.

לֹא הָיָה שָׁלוֹם בַּבַּיִת.

פַּעַם אַחַת כָּעֲסָה הָאִשָּׁה וְצָעֲקָה בְּקוֹלֵי קוֹלוֹת.

[1] The שׁ. stands for שֹׁרֶשׁ or root.

[193]

לֹא רָצָה סוֹקְרַט לִשְׁמֹעַ אֶת הַקּוֹלוֹת. קָם וַיֵּצֵא

מִן הַבַּיִת, וַיֵּשֶׁב לִפְנֵי דֶּלֶת הַבַּיִת.

כָּעֲסָה אִשְׁתּוֹ מְאֹד מְאֹד. לָקְחָה כַּד מַיִם וַיֵּצְאָה מִן

הַבַּיִת וְשָׁפְכָה אֶת הַמַּיִם עַל רֹאשׁ סוֹקְרַט.

סוֹקְרַט לֹא כָּעַס. לְהֵפֶךְ, הוּא צָחַק.

בָּרֶגַע הַהוּא עָבַר חָבֵר שֶׁל סוֹקְרַט.

„חֲבָל, חֲבָל,״ אָמַר הֶחָבֵר. „אֵין שָׁלוֹם בַּבַּיִת.״

„מָה אַתָּה רוֹצֶה, חֲבֵרִי?״ אָמַר סוֹקְרַט. „כָּךְ הֵם הַחַיִּים.

אַחַר הָרַעַם יָבוֹא הַגֶּשֶׁם.״

פִּתְגָּם עִבְרִי

He whom it is hard to anger and easy to pacify is a saintly man. (Ethics of the Fathers, V)	קָשֶׁה לִכְעֹס וְנוֹחַ לִרְצוֹת, חָסִיד. (פִּרְקֵי אָבוֹת, ה)

דִּקְדּוּק

Past Tense of יָצָא (went out)

Socrates went out of the house.	1. סוֹקְרַט יָצָא מִן הַבַּיִת.
I read the book.	2. קָרָאתִי בַּסֵּפֶר.
We found water.	3. מָצָאנוּ מַיִם.

In the past tense of יָצָא the vowel pattern is —— under the first
two root-letters. (See page 41 for present tense.)

[194]

רַבִּים		יָחִיד	
we went out	יָצֵאנוּ	I went out	יָצֵאתִי
you (m.) went out	יְצֵאתֶם	you (m.) went out	יָצֵאתָ
you (f.) went out	יְצֵאתֶן	you (f.) went out	יָצֵאת
they (m.) went out	יָצְאוּ	he went out	יָצָא
they (f.) went out	יָצְאוּ	she went out	יָצְאָה

Note that there is no דָּגֵשׁ (dot) in the suffix following the א
(יָצֵאתִי, etc.).

Other verbs ending in א that are conjugated in the past like
יָצָא are: בָּרָא (created); מָצָא (found); נָשָׂא (carried); קָרָא (read).

תַּרְגִּילִים

I. עֲנֵה בְּעִבְרִית:

‏1. מִי הָיָה סוֹקְרַט?

‏2. מַדּוּעַ יָצָא מִן הַבַּיִת?

‏3. מַדּוּעַ לָקְחָה אִשְׁתּוֹ כַּד מַיִם?

‏4. מִי עָבַר בָּרֶגַע הַהוּא?

‏5. מָה אָמַר סוֹקְרַט אֶל הֶחָבֵר?

II. בְּחַר בַּמִּלָּה הַנְּכוֹנָה:

‏1. סוֹקְרַט הָיָה ———.   (חָכָם, טִפֵּשׁ)

‏2. הָאִשָּׁה ——— עִם סוֹקְרַט.   (צָחֲקָה, רָבָה)

‏3. סוֹקְרַט יָצָא מִן ———.   (הַבַּיִת, הַגַּן)

‏4. עָבַר ——— בָּרֶגַע הַהוּא.   (חָבֵר, עֶבֶד)

‏5. אַחַר הָרַעַם יָבוֹא ———.   (הַגֶּשֶׁם, הַשָּׁלוֹם)

[195]

III. זַוֵּג (Match):

ב	א
מַיִם	סוֹקְרָט
יָבוֹא הַגֶּשֶׁם	כַּד
קוֹלוֹת	מִן הַבֹּקֶר
אֵין שָׁלוֹם	בְּקוֹלִי
בְּכָל יוֹם	אַחַר הָרַעַם
פִּילוֹסוֹף	יוֹם יוֹם
עַד הָעֶרֶב	יָצָא
מִן הַבַּיִת	מִלְחָמָה

IV. הַטֵּה בְּעָבָר (Conjugate in the past tense):

1. קָרָא   2. מָצָא   3. בָּרָא   4. נָשָׂא

V. שַׁנֵּה לְעָבָר (Change from present to past):

1. הַיֶּלֶד יוֹצֵא אֶל הַגַּן.

2. אַתָּה קוֹרֵא יָפֶה.

3. אֲנִי יוֹצֵא מִן הַבַּיִת בַּבֹּקֶר.

4. אֲנַחְנוּ בּוֹרְאִים מְדִינָה חֲדָשָׁה.

5. הֵם מוֹצְאִים מַיִם בַּמִּדְבָּר.

6. אֱלֹהִים בּוֹרֵא אֶת הַשָּׁמַיִם וְאֶת הָאָרֶץ.

7. הַבַּחוּרָה קוֹרֵאת בַּסֵּפֶר.

8. אַתֶּם יוֹצְאִים מִבֵּית הַסֵּפֶר אַחֲרֵי הַצָּהֳרַיִם.

9. הַתַּלְמִידוֹת נוֹשְׂאוֹת סְפָרִים רַבִּים.

VI. כְּתֹב בַּכִּנּוּיִים (Inflect with possessive pronouns):

1. קוֹל   2. תַּלְמִיד   3. שִׁיר

VII. סַפֵּר אֶת הַסִּפּוּר „פִּילוֹסוֹף וְאִשְׁתּוֹ" Tell the story using these titles as guides:
לְפִי רָאשֵׁי הַפְּרָקִים הָאֵלֶּה:

1. סוֹקְרַט וְאִשְׁתּוֹ   2. כַּד מַיִם   3. סוֹקְרַט וַחֲבֵרוֹ

קְרִיאָה נוֹסֶפֶת

הַגָּמָל וְהַמּוֹרֶה

Can a camel be taught human speech?

בִּמְדִינָה אַחַת יָשַׁב מוֹרֶה חָכָם בְּשֵׁם שְׁלֹמֹה.

לַמֶּלֶךְ שֶׁל הַמְדִינָה הָיָה גָּמָל. וְהַמֶּלֶךְ אָהַב

אֶת הַגָּמָל שֶׁלּוֹ, וְרָצָה לְלַמֵּד (to teach) אֶת

הַגָּמָל לְדַבֵּר כְּמוֹ אִישׁ.

קָרָא הַמֶּלֶךְ לַעֲבָדָיו (his servants), וְאָמַר:

„מִי יָכוֹל לְלַמֵּד אֶת גְּמַלִּי לְדַבֵּר כְּמוֹ אִישׁ?"

פָּחֲדוּ הָעֲבָדִים וְלֹא עָנוּ.

„לָאִישׁ אֲשֶׁר יָכוֹל לְלַמֵּד אֶת הַגָּמָל לְדַבֵּר,

אֶתֵּן כֶּסֶף וְזָהָב (silver and gold)," אָמַר הַמֶּלֶךְ.

שָׁמַע הַמּוֹרֶה אֶת דִּבְרֵי (the words of) הַמֶּלֶךְ.

הָלַךְ שְׁלֹמֹה אֶל הַמֶּלֶךְ וְאָמַר:

„אֲדוֹנִי הַמֶּלֶךְ, אֲנִי יָכוֹל לְלַמֵּד אֶת הַגָּמָל לְדַבֵּר כְּמוֹ אִישׁ."

[197]

‏„טוב מְאֹד," אָמַר הַמֶּלֶךְ. „אֶתֵּן לְךָ כֶּסֶף וְזָהָב."

‏„אֲבָל הַגָּמָל צָרִיךְ לִלְמֹד עֶשֶׂר שָׁנִים," אָמַר הַמּוֹרֶה.

‏„הַגָּמָל יִהְיֶה (will be) תַּלְמִידְךָ עֶשֶׂר שָׁנִים," עָנָה הַמֶּלֶךְ.

‏„אֲבָל אִם אֵין הַגָּמָל מְדַבֵּר אַחֲרֵי עֶשֶׂר שָׁנִים

‏אֶהֱרֹג אוֹתְךָ (I will kill you)."

‏הַמֶּלֶךְ נָתַן כֶּסֶף וְזָהָב לַמּוֹרֶה, וּשְׁלֹמֹה שָׁב לְבֵיתוֹ עִם הַגָּמָל.

‏כָּעֲסָה אִשְׁתּוֹ שֶׁל הַמּוֹרֶה.

‏„שְׁלֹמֹה," אָמְרָה הָאִשָּׁה, „מָה אַתָּה עוֹשֶׂה? אַתָּה יוֹדֵעַ שֶׁאִי

‏אֶפְשָׁר לְגָמָל לְדַבֵּר כְּמוֹ אִישׁ!"

‏„אֵין דָּבָר (it doesn't matter)," צָחַק שְׁלֹמֹה.

‏„בְּעוֹד (in another) עֶשֶׂר שָׁנִים, אוֹ (either) שֶׁהַמֶּלֶךְ

‏יָמוּת (will die) אוֹ שֶׁהַגָּמָל יָמוּת?"

נְסִיעָה בַּיָּם

Israeli Children on an Excursion

אַשְׁלָג מִיָּם הַמֶּלַח

Hauling Potash from the Dead Sea

בּוֹנִים מִגְדָּל

Setting up a Watchtower
in a New Settlement

עַרְבִי וִיהוּדִי עוֹבְדִים יַחַד

Arab and Jew Working Together

יְהוּדִי מִזְרָחִי

Oriental Settler in Israel

קְבוּצַת כִּנֶּרֶת

A Colony on the Sea of Galilee

חברי המשלחת מגאנה

Members of Mission from Ghana Receive Instruction at a Kibbutz

עֵין הַשּׁוֹפֵט

Ein Hashofet—Colony Named after Judge Brandeis

תַּהֲלוּכָה

Purim Procession in Tel Aviv

יוֹם הָעַצְמָאוּת

Independence Day Parade

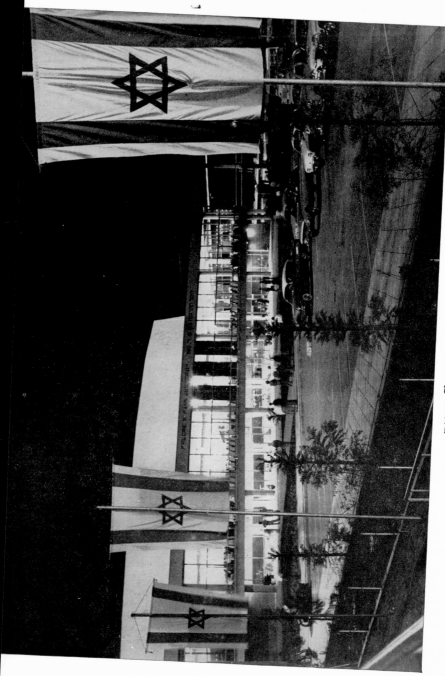

היכל התרבות ע"ש פרדריק ר. מאן בתל אביב

The Mann Auditorium in Tel Aviv

הָאוּנִיבֶרְסִיטָה הָעִבְרִית בִּירוּשָׁלַיִם

The Hebrew University in Jerusalem

נהלל

Nahalal in the Emek

תַּחֲנַת קַלְפִּי

Arab Citizens of Israel Go to the Polls

On Guard at a Kibbutz Near the Gaza Strip   הַשּׁוֹמֵר

Marching to Work   חֲלוּצוֹת יוֹצְאוֹת לַשָּׂדֶה

In Old Jerusalem   בִּירוּשָׁלַיִם הָעַתִּיקָה

Kibbutz Ein Gedi Near the Dead Sea   קִבּוּץ עֵין גֶּדִי

Beersheba   בְּאֵר שֶׁבַע

Eilath—Solomon's Ancient Port Revived   אֵילַת

רִקּוּד

Israeli Dance Group

הַכֹּתֶל הַמַּעֲרָבִי

The Wailing Wall in Jerusalem

מִלּוֹן

goat	עֵז	poor	עָנִי
crazy	מְשֻׁגָּע	Rabbi	רַב
according to the command of	כְּמִצְוַת	rooster	תַּרְנְגֹל
terrible	נוֹרָא	bring! (*imp.*)	הָבֵא
a third time	פַּעַם שְׁלִישִׁית	he brought	הֵבִיא
take out! (*imp.*)	הוֹצֵא	then	אָז
he took out	הוֹצִיא	to seek	לְבַקֵּשׁ
wonderful	נִפְלָא		

בַּיִת קָטָן

This is the story of a man who discovered that things could
always be worse.

יַעֲקֹב הָיָה אִישׁ עָנִי. לְיַעֲקֹב הָיוּ אִשָּׁה וְשִׁבְעָה

בָּנִים. הֵם יָשְׁבוּ בְּחֶדֶר אֶחָד בְּבַיִת קָטָן.

הָלַךְ יַעֲקֹב אֶל הָרַב, וְאָמַר: „רַבִּי, בְּבַקָּשָׁה, תֶּן לִי עֵצָה.

אֲנִי יוֹשֵׁב בְּחֶדֶר אֶחָד עִם הָאִשָּׁה שֶׁלִּי, וְעִם שִׁבְעָה בָּנִים.

אֵין מָקוֹם. מַה לַעֲשׂוֹת?"

שָׁאַל הָרַב: „יַעֲקֹב, הַאִם יֵשׁ לְךָ תַּרְנְגֹל?"

„כֵּן," עָנָה יַעֲקֹב.

אָמַר הָרַב: „הָבֵא אֶת הַתַּרְנְגֹל אֶל הַבַּיִת."

יַעֲקֹב הֵבִיא אֶת הַתַּרְנְגֹל לַבַּיִת. אָז הָיָה רַע מְאֹד.

אָמְרָה הָאִשָּׁה: ‏„יַעֲקֹב, רַע מְאֹד בַּבַּיִת. לֵךְ אֶל
הָרַב לְבַקֵּשׁ עֵצָה.‟

הָלַךְ יַעֲקֹב אֶל הָרַב עוֹד פַּעַם, וְאָמַר: ‏„רַבִּי, בְּבַקָּשָׁה,
תֵּן לִי עֵצָה. רַע מְאֹד בַּבַּיִת עַכְשָׁו.‟

שָׁאַל הָרַב: ‏„יֵשׁ לְךָ עֵז?‟

‏„כֵּן,‟ עָנָה יַעֲקֹב.

‏„הָבֵא אֶת הָעֵז לַבַּיִת.‟

כַּאֲשֶׁר שָׁב יַעֲקֹב אֶל הַבַּיִת שֶׁלּוֹ, שָׁאֲלָה הָאִשָּׁה:
‏„מָה הִיא הָעֵצָה שֶׁל הָרַב?‟

עָנָה יַעֲקֹב: ‏„הָרַב אָמַר–הָבֵא עֵז לַבַּיִת.‟

‏„מַה? הַאִם אַתָּה מְשֻׁגָּע?‟ כָּעֲסָה הָאִשָּׁה.

אֲבָל יַעֲקֹב עָשָׂה כְּמִצְוַת הָרַב.

אָז הָיָה נוֹרָא בַּבַּיִת. יַעֲקֹב, וְאִשְׁתּוֹ, וְשִׁבְעָה בָּנִים, וְתַרְנְגֹל
וְעֵז–הַכֹּל בְּחֶדֶר אֶחָד.

רָץ יַעֲקֹב פַּעַם שְׁלִישִׁית לָרַב.

אָמַר הָרַב: ‏„יַעֲקֹב, הוֹצֵא אֶת הַתַּרְנְגֹל וְאֶת הָעֵז.‟

יַעֲקֹב הוֹצִיא אֶת הַתַּרְנְגֹל וְאֶת הָעֵז מִן הַבַּיִת.

הוּא שָׁב לְמָחָר אֶל הָרַב וְאָמַר:

‏„תּוֹדָה, רַבִּי. עַכְשָׁו טוֹב מְאֹד. עַכְשָׁו נִפְלָא. עַכְשָׁו יֵשׁ מָקוֹם
לָנוּ, כִּי רַק אֲנִי וְאִשְׁתִּי וְשִׁבְעָה בָּנִים יוֹשְׁבִים בַּבַּיִת. תּוֹדָה,
רַבִּי, תּוֹדָה.‟

דִּקְדּוּק

A. The Dictionary and the Alphabet

Can you find these words in the story "בַּיִת קָטָן, in the dictionary?

עֵצָה, מָקוֹם, רַע, פַּעַם, עַכְשָׁו, תּוֹדָה

Words appear in Hebrew dictionaries in alphabetical order. The Hebrew alphabet has 22 letters. Study the names and the order of the letters of the alphabet on page 369.

You will have no difficulty in locating nouns and most other parts of speech.

B. Finding Verbs in the Dictionary

Suppose you want to find the meaning of the verb כָּעֲסָה. Discard the suffix ה and you have left the three root-letters, כעס. Look up the word under כ and you find it means "got angry." If you wanted to look up יָבוֹא, in the previous lesson, you would discard the prefix י and look up the three root-letters, בוֹא.

Verbs are arranged in the dictionary according to their three root-letters without prefixes and suffixes.

תַּרְגִּילִים

I. עֲנֵה בְעִבְרִית:

1. כַּמָּה בָּנִים הָיוּ לְיַעֲקֹב?

2. מַדּוּעַ הָלַךְ יַעֲקֹב אֶל הָרַב?

3. מֶה הָיְתָה הָעֵצָה הָרִאשׁוֹנָה שֶׁל הָרַב?

4. מַדּוּעַ כָּעֲסָה הָאִשָּׁה?

5. מֶה הָיְתָה הָעֵצָה שֶׁל הָרַב בַּסּוֹף?

‏II. חַבֵּר מִשְׁפָּטִים בַּמִּלִּים הָאֵלֶּה:

‏1. הוֹצִיא 2. נוֹרָא 3. תַּרְנְגֹל 4. הֵבִיא 5. עָנִי

‏6. לְבַקֵּשׁ 7. רַב 8. מְשֻׁגָּע 9. נִפְלָא 10. אָז

‏III. הַשְׁלֵם כָּל מִשְׁפָּט:

‏(בָּנִים, הַבַּיִת, הוֹצֵא, כְּמִצְוֹת, מְשֻׁגָּע, עֵצָה, קָטָן, תַּרְנְגֹל)

‏1. לְיַעֲקֹב הָיוּ אִשָּׁה וְשִׁבְעָה ——————.

‏2. הֵם יָשְׁבוּ בְּחֶדֶר אֶחָד בְּבַיִת ——————.

‏3. יַעֲקֹב אָמַר אֶל הָרַב: "תֵּן לִי ——————."

‏4. שָׁאַל הָרַב: "הַאִם יֵשׁ לְךָ ——————?"

‏5. יַעֲקֹב הֵבִיא אֶת הַתַּרְנְגֹל אֶל ——————.

‏6. "הַאִם אַתָּה ——————?" כָּעֲסָה הָאִשָּׁה.

‏7. יַעֲקֹב עָשָׂה —————— הָרַב.

‏8. אָמַר הָרַב: "—————— אֶת הַתַּרְנְגֹל וְאֶת הָעֵז."

‏IV. סַדֵּר לְפִי סֵדֶר הָאָלֶף־בֵּית (Arrange in alphabetical order):

‏עַל, שֶׁל, יוֹם, כִּי, אֵין, אִישׁ, נוֹרָא, פַּעַם, לוֹ, גַּם, רָאָה,
‏שָׁם, יָדַע, תְּשׁוּבָה, מַה

‏V. בַּקֵּשׁ בַּמִּלּוֹן:
Look up these words in the dictionary at the
end of the volume. (Remember to look up
verbs under the three root-letters.)

‏1. אַרְמוֹן 2. קֵיסָר 3. מְכַסֶּה 4. בְּקַשְׁתֶּם 5. רַךְ

‏6. דְּרָשָׁה 7. יְכַבֵּד 8. שׁוֹפֵט 9. פִּשְׁתָּן 10. יַיִן

VI. כְּתֹב בְּעָבָר:

1. אֲנִי <u>מוֹצֵא</u> אֶת חֲבֵרִי בַּגַּן.

2. מִי <u>קוֹרֵא</u> בְּקוֹלִי?

3. מָתַי אַתֶּם <u>יוֹצְאִים</u>?

4. שָׂרָה <u>קוֹרֵאת</u> בָּעִתּוֹן.

5. אֲנַחְנוּ <u>נוֹשְׂאִים</u> אֶת הַסְּפָרִים.

VII. עִבְרִית מְדֻבֶּרֶת:

Carry on a brief conversation pretending you are in a restaurant. Use the expressions listed below.

Please give me the menu.	בְּבַקָּשָׁה לָתֵת לִי אֶת הַתַּפְרִיט.
Hearty appetite!	לְתֵאָבוֹן.
I want a spoon, knife and fork.	אֲנִי רוֹצֶה כַּפִּית, סַכִּין וּמַזְלֵג.
Please give me salt and pepper.	תֵּן לִי, בְּבַקָּשָׁה, מֶלַח וּפִלְפֵּל.
I have no napkin.	אֵין לִי מַפִּית.
Do you want a glass of wine?	אַתָּה רוֹצֶה כּוֹס יַיִן?
No, I'd like some beer.	לֹא, תֵּן לִי בִּירָה.
Is the fish fresh?	הַאִם הַדָּגִים טְרִיִּים?
Please bring me filter cigarettes.	בְּבַקָּשָׁה לְהָבִיא לִי סִיגָרִיּוֹת פִילְטָר.
Give me the bill.	תֵּן לִי אֶת הַחֶשְׁבּוֹן.
Service charge.	שֵׁרוּת.

שִׁעוּר שְׁלֹשִׁים וְאַרְבָּעָה

LESSON 34

מִלּוֹן

let us buy	נִקְנֶה	Simeon ben Shataḥ	שִׁמְעוֹן בֶּן שָׁטַח
they bought	קָנוּ	he did not receive	לֹא קִבֵּל
Arab	עֲרָבִי	payment; wages	שָׂכָר
precious stone, jewel	אֶבֶן יְקָרָה	he carried	נָשָׂא
hanging, suspended (נ׳ תְּלוּיָה)	תָּלוּי	flax	פִּשְׁתָּן
rich	עָשִׁיר	market	שׁוּק
restore! (imp. pl.)	הָשִׁיבוּ	tired	עָיֵף
you (m. pl.) bought	קְנִיתֶם		

שִׁמְעוֹן בֶּן שָׁטַח

This story about Simeon ben Shataḥ illustrates the high ethical standards of the ancient scholars.

אִישׁ חָכָם הָיָה בִּירוּשָׁלַיִם בְּשֵׁם שִׁמְעוֹן בֶּן שָׁטַח.

אֲנָשִׁים רַבִּים בָּאוּ לְשִׁמְעוֹן לִלְמֹד תּוֹרָה.

שִׁמְעוֹן הָיָה עָנִי מְאֹד כִּי לֹא קִבֵּל שָׂכָר מִן הַתַּלְמִידִים.

בְּכָל יוֹם נָשָׂא שִׁמְעוֹן פִּשְׁתָּן אֶל הָעִיר. מָכַר אֶת הַפִּשְׁתָּן

בַּשּׁוּק, וְשָׁב עָיֵף לְבֵיתוֹ.

אָמְרוּ הַתַּלְמִידִים: ״שִׁמְעוֹן בֶּן שָׁטַח עוֹבֵד קָשֶׁה. נִקְנֶה

חֲמוֹר לַעֲזֹר לוֹ.״

[204]

הָלְכוּ הַתַּלְמִידִים וְקָנוּ חֲמוֹר מֵעַרְבִי אֶחָד· בַּדֶּרֶךְ מָצְאוּ
אֶבֶן יְקָרָה תְּלוּיָה בַּחֲמוֹר·

„עַכְשָׁו אַתָּה אִישׁ עָשִׁיר,“ אָמְרוּ לְשִׁמְעוֹן בֶּן שָׁטַח·
„מַדּוּעַ?“ שָׁאַל·

„מָצָאנוּ אֶבֶן יְקָרָה תְּלוּיָה בַּחֲמוֹר·“

„הַאִם יָדַע הָעַרְבִי כִּי אֶבֶן יְקָרָה תְּלוּיָה בַּחֲמוֹר?“

„לֹא,“ עָנוּ הַתַּלְמִידִים·

„אִם כֵּן, לְכוּ וְהָשִׁיבוּ אֶת הָאֶבֶן,“ אָמַר שִׁמְעוֹן· „חֲמוֹר
קְנִיתֶם, אֶבֶן לֹא קְנִיתֶם·“

פִּתְגָּם עִבְרִי

Thou shalt surely restore the lost article to its owner.	הָשֵׁב תְּשִׁיבֶנּוּ לוֹ·
(Exodus XXIII, 4)	(שְׁמוֹת כג, ד)

דִּקְדּוּק

Past Tense of קָנָה (bought)

I bought a book.	קָנִיתִי סֵפֶר·
You (m. pl.) bought a donkey.	קְנִיתֶם חֲמוֹר·
They did not buy a jewel.	לֹא קָנוּ אֶבֶן יְקָרָה·

Verbs ending in ה drop or change the third root-letter in most persons of the past tense. (See page 63 for present tense.)

רִבּוּי		יָחִיד	
we bought	קָנִינוּ	I bought	קָנִיתִי
you (*m.*) bought	קְנִיתֶם	you (*m.*) bought	קָנִיתָ
you (*f.*) bought	קְנִיתֶן	you (*f.*) bought	קָנִית
they (*m.*) bought	קָנוּ	he bought	קָנָה
they (*f.*) bought	קָנוּ	she bought	קָנְתָה

1. Note that in the first and second persons singular and plural the letter הֹ of the root קנה becomes a י (yod). This is explained by the fact that most of the verbs with הֹ as the third root-letter originally had a yod as the third root-letter.

2. In the third person singular feminine the הֹ changes to a תֹ (קָנְתָה).

3. In the third person plural, the הֹ falls out: קָנוּ.

Like קָנָה conjugate: בָּכָה (wept), בָּנָה (built), פָּנָה (turned), קָרָה (happened), רָצָה (wanted), שָׂחָה (swam), שָׁתָה (drank), תָּלָה (hung).

The verb רָאָה is conjugated similarly except for the third person, feminine singular (רָאֲתָה).

The verb עָשָׂה is conjugated similarly except for the second person plural (עֲשִׂיתֶם, עֲשִׂיתֶן). The verb עָנָה is conjugated like עָשָׂה.

תַּרְגִּילִים

‏.I עֲנֵה בְעִבְרִית:

‏1. מַדּוּעַ בָּאוּ אֲנָשִׁים רַבִּים לְשִׁמְעוֹן בֶּן שָׁטַח?

‏2. מֶה עָשָׂה שִׁמְעוֹן בְּכָל יוֹם?

‏3. מַה קָּנוּ הַתַּלְמִידִים?

‏4. מַה מָּצְאוּ הַתַּלְמִידִים?

‏5. מַדּוּעַ אָמַר שִׁמְעוֹן: ‏«הָשִׁיבוּ אֶת הָאֶבֶן‏»?

‏.II תַּקֵּן אֶת הַשְּׁגִיאָה בְּכָל מִשְׁפָּט (Correct each sentence):

‏1. לְשִׁמְעוֹן בֶּן שָׁטַח לֹא הָיוּ תַּלְמִידִים רַבִּים.

‏2. שִׁמְעוֹן קִבֵּל שָׂכָר מִן הַתַּלְמִידִים שֶׁלּוֹ.

‏3. שִׁמְעוֹן הָיָה עָשִׁיר.

‏4. הַסּוּס נָשָׂא אֶת הַפִּשְׁתָּן שֶׁל שִׁמְעוֹן.

‏5. הַתַּלְמִידִים קָנוּ אֶבֶן יְקָרָה.

‏6. שִׁמְעוֹן לָקַח אֶת הָאֶבֶן הַיְקָרָה.

‏.III הַטֵּה בֶעָבָר:

‏1. רָצָה   2. שָׂחָה   3. בָּנָה   4. פָּנָה (turned)

‏.IV כְּתֹב בֶּעָבָר:

‏1. מָתַי אַתָּה עוֹשֶׂה אֶת הָעֲבוֹדָה? _____

‏2. אֲנַחְנוּ רוֹאִים _____ תְּמוּנָה יָפָה.

[207]

3. הַתַּלְמִידָה רוֹצָה לִלְמֹד עִבְרִית.

4. דָוִד קוֹנֶה עִתּוֹן בַּבֹּקֶר.

5. אֲנִי שׂוֹחֶה בַּיָּם.

V. שַׁנֵּה מִיָּחִיד לְרַבּוּי (Change from singular to plural):

1. קָנִיתִי סוּס. 2. מָתַי שָׂחִיתָ בְּיָם הַמֶּלַח?

3. לְאָן רָצִיתָ לְטַיֵּל? 4. רָאָה תְּמוּנָה יָפָה.

5. בָּנְתָה בַּיִת גָּדוֹל.

VI. סַדֵּר לְפִי הָאָלֶף־בֵּית:

שִׁמְעוֹן, קִבֵּל, שָׂכָר, נָשָׂא, פִּשְׁתָּן, שׁוּק, עָיֵף, קָנָה, עַרְבִי,
אֶבֶן, תָּלָה, עָשִׁיר, בָּכָה, קָרָה, שָׁתָה

VII. עִבְרִית מְדֻבֶּרֶת:

Pretend you are the teacher. Ask each pupil: ‏?מַה קָנִיתָ בַּחֲנוּת‎

קְרִיאָה נוֹסֶפֶת

זוּג נַעֲלַיִם (a pair of shoes)

אִישׁ אֶחָד בְּתֵל אָבִיב הָלַךְ אֶל הַחֲנוּת לִקְנוֹת (to buy)
זוּג נַעֲלַיִם.

„אֲנִי רוֹצֶה זוּג נַעֲלַיִם,‟ אָמַר הָאִישׁ אֶל הַחֶנְוָנִי (the merchant).

„הִנֵּה זוּג יָפֶה,‟ אָמַר הַחֶנְוָנִי.

„בְּכַמָּה זֶה עוֹלֶה?‟ שָׁאַל הָאִישׁ.

„עֶשְׂרִים לִירוֹת‟ (20 liras).

„אֲבָל יֵשׁ לִי רַק עֶשֶׂר לִירוֹת,‟ אָמַר הָאִישׁ.

„אֵין דָּבָר‟ (it doesn't matter), עָנָה הַחֶנְוָנִי. „מָחָר תֵּן
לִי אֶת הַשְּׁאָר.‟

„בְּסֵדֶר,‟ אָמַר הָאִישׁ. „הִנֵּה עֶשֶׂר לִירוֹת. מָחָר אֶתֵּן
לְךָ עוֹד עֶשֶׂר לִירוֹת.‟

לָקַח הָאִישׁ אֶת הַנַּעֲלַיִם, וְהָלַךְ.

„מֶה עָשִׂיתָ?‟ שָׁאֲלָה אֵשֶׁת הַחֶנְוָנִי. „אוּלַי לֹא
יָשׁוּב‟ (he will not return).

„בְּוַדַּאי יָשׁוּב‟ (he will surely return), עָנָה הַחֶנְוָנִי.

„מָכַרְתִּי לוֹ שְׁתֵּי נַעֲלַיִם שְׂמָאלִיּוֹת‟ (left)[1].

---

[1] The ָ in שְׂמָאלִיּוֹת is pronounced like the "o" in "more" in both Sefardic and Ashkenazic.

שִׁעוּר שְׁלֹשִׁים וַחֲמִשָּׁה

LESSON 35

מִלּוֹן

club	אֲגֻדָּה	letter (correspondence)	מִכְתָּב
dance (v.)	רוֹקֵד (ר׳ רוֹקְדִים)	my dear	יַקִּירִי
Hora (Israeli dance)	הוֹרָה	address	כְּתֹבֶת
celebrate	חוֹגֵג (ר׳ חוֹגְגִים)	live, reside	גָּר (שׁ׳ גּוּר)
Purim	פּוּרִים	hope	מְקַוֶּה
Independence Day	יוֹם הָעַצְמָאוּת	to visit	לְבַקֵּר
photograph	צִלּוּם	member of	חָבֵר בְּ
good-bye and good luck! (literally, "peace and blessing")	שָׁלוֹם וּבְרָכָה		

מִכְתָּב לְאֶרֶץ יִשְׂרָאֵל

Dan writes a letter to his pen-pal Jonathan in Tel Aviv.

יְהוֹנָתָן יַקִּירִי,

שָׁלוֹם. אֲנִי כּוֹתֵב לְךָ אֶת הַמִּכְתָּב הַזֶּה מִנְּיוּ יוֹרְק. הַמּוֹרֶה
הָעִבְרִי שֶׁלִּי נָתַן לִי אֶת שִׁמְךָ וְאֶת הַכְּתֹבֶת שֶׁלְךָ. אֲנִי שָׂמֵחַ
מְאֹד לִכְתֹּב לְחָבֵר בְּתֵל אָבִיב.

שְׁמִי דָן. יֵשׁ לִי מִשְׁפָּחָה קְטַנָּה—אָב, אֵם, וְאָחוֹת. גַּם כֶּלֶב יֵשׁ
לִי. אֲנִי גָּר בְּבַיִת יָפֶה.

אֲנִי לוֹמֵד עִבְרִית בְּבֵית סֵפֶר תִּיכוֹן. אֲנִי אוֹהֵב אֶת הַלָּשׁוֹן
הָעִבְרִית. אֲנִי מְקַוֶּה לְבַקֵּר אֶת יִשְׂרָאֵל בַּקַּיִץ.

אֲנִי חָבֵר בָּאֲגֻדָּה הָעִבְרִית. בָּאֲגֻדָּה אֲנַחְנוּ שָׁרִים שִׁירִים

[210]

עִבְרִיִּים וְרוֹקְדִים אֶת הַהוֹרָה. אֲנִי אוֹהֵב טִיּוּלִים.

כְּתֹב לִי עַל הַחַיִּים בְּאֶרֶץ יִשְׂרָאֵל. אֵיךְ חוֹגְגִים אֶת הַחַגִּים–

פּוּרִים, פֶּסַח וְיוֹם הָעַצְמָאוּת כְּתֹב לִי אֶת הַכֹּל, וְגַם שְׁלַח

לִי אֶת צִלּוּמְךָ.

שָׁלוֹם וּבְרָכָה:

חֲבֵרְךָ,

דָּן

דִּקְדּוּק

REVIEW OF VERBS IN PRESENT AND PAST

OTHER EXAMPLES	PRESENT הֹוֶה	PAST עָבָר	ROOT שֹׁרֶשׁ
סָגַר, שָׁמַר	כּוֹתֵב–כּוֹתֶבֶת	כָּתַבְתִּי	1. כָּתַב
אָהַב, הָלַךְ	עוֹמֵד–עוֹמֶדֶת	עָמַדְתִּי (אַתֶּם עֲמַדְתֶּם)	2. עָמַד
כָּעַס, שָׁאַל	צוֹחֵק–צוֹחֶקֶת (הֵם צוֹחֲקִים)	צָחַקְתִּי (הִיא צָחֲקָה)	3. צָחַק
קוּם, שִׂים	שָׁב–שָׁבָה	שַׁבְתִּי	4. שׁוּב
שָׁמַע, לָקַח	פּוֹתֵחַ–פּוֹתַחַת	פָּתַחְתִּי (אַתְּ פָּתַחַתְּ)	5. פָּתַח
קָרָא, מָצָא	יוֹצֵא–יוֹצֵאת	יָצָאתִי	6. יָצָא
רָצָה, שָׁתָה	קוֹנֶה–קוֹנָה	קָנִיתִי	7. קָנָה

תַּרְגִּילִים

I. עֲנֵה בְּעִבְרִית:

1. אֵיפֹה יוֹשֵׁב יְהוֹנָתָן?

2. כַּמָּה אֲנָשִׁים בַּמִּשְׁפָּחָה שֶׁל דָּן?

3. אֵיפֹה לוֹמֵד דָּן עִבְרִית?

4. מָה עוֹשֶׂה דָּן בָּאֲגֻדָּה הָעִבְרִית?

5. מַה שׁוֹאֵל דָּן אֶת יְהוֹנָתָן?

II. זַוֵּג:

ב	א
וּבְרָכָה	אֶרֶץ
חַג	לָשׁוֹן
הוֹרָה	חָבֵר
עִבְרִית	רוֹקְדִים
יִשְׂרָאֵל	פּוּרִים
הָעַצְמָאוּת	צִלּוּם
תְּמוּנָה	יוֹם
בָּאֲגֻדָּה	שָׁלוֹם

III. בְּחַר בַּמִּלָּה הַנְּכוֹנָה:

1. דָּן גָּר בָּעִיר ——. (נְיוּ יוֹרְק, תֵּל אָבִיב)

2. דָּן קִבֵּל אֶת הַכְּתֹבֶת שֶׁל יְהוֹנָתָן מִן ——. (הָאָב, הַמּוֹרֶה)

3. לְדָן יֵשׁ מִשְׁפָּחָה ——. (גְּדוֹלָה, קְטַנָּה)

4. דָּן —— לְבַקֵּר אֶת אֶרֶץ יִשְׂרָאֵל. (רָצָה, לֹא רָצָה)

5. —— שָׁאַל: "אֵיךְ חוֹגְגִים אֶת יוֹם הָעַצְמָאוּת?" (דָּן, יְהוֹנָתָן)

[212]

IV. כְּתֹב בַּהֹוֶה (present):

1. (שׁוּב) אֲנִי ———— מִן הָעֲבוֹדָה בָּעֶרֶב.

2. (צחק) הַחֲבֵרִים שֶׁלִּי ———— תָּמִיד.

3. (יצא) הָאֵם ———— מִן הַבַּיִת אֶל הַגַּן.

4. (ראה) "שָׂרָה, הַאִם אַתְּ ———— אֶת הַלּוּחַ?"

5. (שׁלח) חַנָּה ———— מִכְתָּב לְרוּת.

V. שַׁנֵּה לֶעָבָר (Change from present to past):

1. הַחֲלוּצִים <u>רוֹקְדִים</u> אֶת הַהוֹרָה.

2. חַנָּה, הַאִם אַתְּ <u>קוֹנָה</u> בֶּגֶד חָדָשׁ?

3. אֲנַחְנוּ <u>קָמִים</u> בַּבֹּקֶר.

4. נָעֳמִי, מַדּוּעַ אַתְּ <u>פּוֹתַחַת</u> אֶת הַמִּכְתָּבִים שֶׁלִּי?

5. יְלָדִים, מַדּוּעַ אַתֶּם <u>עוֹמְדִים</u> בַּגֶּשֶׁם?

VI. In each case list 3 other verbs conjugated in similar manner.

1. כָּתַב 2. עָמַד 3. שׁוּב 4. צָחַק 5. קָנָה

6. קָרָא 7. פָּתַח

VII. עִבְרִית מְדֻבֶּרֶת:

One student asks: "אֵיפֹה אַתָּה גָּר?"

Each pupil indicates the street he lives on by saying:

"אֲנִי גָּר (נ׳ גָּרָה) בִּרְחוֹב ————."

Hebrew Festivals חַגִּים עִבְרִיִּים

1. **רֹאשׁ הַשָּׁנָה**—Beginning of the New Year.

2. **יוֹם כִּפּוּר**—Day of Atonement.

3. **סֻכּוֹת**—Feast of Tabernacles. Commemorates the wandering of the Israelites in the desert; also, a period of thanksgiving for the grape and fruit harvests.

4. **חֲנֻכָּה**—Ḥanukah commemorates the freeing of Judea from the Syrian Greeks by the Maccabees and the rededication of the Temple.

5. **חֲמִשָּׁה עָשָׂר בִּשְׁבָט**—The 15th day in the month of Shevat is the Hebrew Arbor Day.

6. **פּוּרִים**—Purim commemorates the victory over the wicked Haman of Persia.

7. **פֶּסַח**—Passover is the Hebrew Independence festival, commemorating the emancipation of the Hebrew slaves from bondage in Egypt; also, the barley harvest.

8. **שָׁבוּעוֹת**—Pentecost or the Feast of Weeks commemorates the granting of the ten commandments; also, the wheat harvest and the holiday of **בִּכּוּרִים** (first fruits).

9. **תִּשְׁעָה בְּאָב**—The Ninth of Av, a day of mourning, commemorates the destruction of the two Temples in 586 B.C.E. and 70 C.E.

חֲזָרָה

J. תַּרְגֵּם לְעִבְרִית:

1. lazy	13. poor	25. tired
2. thought (*v.*)	14. Rabbi	26. rich
3. plan, advice	15. brought	27. letter
4. quiet	16. then	28. my dear
5. his wife	17. to seek	29. address
6. until	18. terrible	30. reside, **live**
7. cried out	19. third time	31. hope
8. went out	20. took out	32. to visit
9. pitcher	21. wonderful	33. club
10. at that moment	22. received	34. dance
11. life	23. payment; wages	35. Hora
12. rain	24. carried	36. Purim

ח. תַּרְגֵּם לְאַנְגְּלִית:

23. עַרְבִי	12. בְּקוֹלֵי קוֹלוֹת	1. יוֹם יוֹם
24. יְקָנֶה	13. שָׁפַךְ	2. לֹא עָשָׂה דָבָר
25. אֶבֶן יְקָרָה	14. רַעַם	3. אַף פַּעַם לֹא
26. תָּלוּי	15. תַּרְנְגֹל	4. אֵין לִי פְּנַאי
27. הָשִׁיבוּ	16. הָבָא	5. עַצְלוּת
28. חָבֵר בְּ...	17. עַז	6. פְּרָס
29. חוֹגֵג	18. מְשֻׁגָּע	7. רַעֲיוֹן
30. יוֹם הָעַצְמָאוּת	19. כְּמִצְוַת	8. חֵלֶק
31. צִלּוּם	20. הוֹצֵא	9. פִּילוֹסוֹף
32. שָׁלוֹם וּבְרָכָה	21. פִּשְׁתָּן	10. סוֹקְרַט
33. שָׁבוּעוֹת	22. שׁוּק	11. רָבָּה

III. Do you know the following grammatical forms?

    A. Verb: Past of יָצָא, page 195; קָנָה, page 206; review of verbs, page 211.

    B. Noun: Inflection of תַּלְמִיד, page 189.

    C. Miscellaneous: Use of dictionary; alphabet, page 201.

IV. Oral Hebrew:

    A. Can you summarize in Hebrew each of the following stories?

"חוּשָׁם הֶעָצֵל"; "פִּילוֹסוֹף וְאִשְׁתּוֹ"; "בַּיִת קָטָן";

"שִׁמְעוֹן בֶּן שָׁטַח"; "מִכְתָּב לְאֶרֶץ יִשְׂרָאֵל".

    B. Can you converse on each of the following topics?

1. בַּמִּסְעָדָה

2. "מַה קָנִיתָ בַּחֲנוּת?"

3. "אֵיפֹה אַתָּה גָר?"

V. Culture:

    A. Recite two Hebrew proverbs or quotations.

    B. Name and explain the significance of each of the Hebrew holidays.

מִבְחָן

I. עֲנֵה בְּעִבְרִית:

1. מֶה עָשָׂה חוּשָׁם כַּאֲשֶׁר אָמַר הַמּוֹרֶה: "כִּתְבוּ חִבּוּר עַל הָעַצְלוּת"?

2. מָתַי אָמַר סוֹקְרַט: "אַחַר הָרַעַם יָבוֹא הַגֶּשֶׁם"?

3. אֵיזוֹ (which) עֵצָה נָתַן הָרַב אֶל יַעֲקֹב בַּסּוֹף?

4. מַדּוּעַ אָמַר שִׁמְעוֹן בֶּן שָׁטַח: "הָשִׁיבוּ אֶת הָאֶבֶן הַיְקָרָה"?

5. אֶל מִי כָּתַב דָּן מִכְתָּב עִבְרִי?

II. בְּחַר בַּמִּלָּה הַנְּכוֹנָה:

(אַגָּדָה, גֵּר, הַתּוֹרָה, הַחַיִּים, כַּד, עָנִי, עֵצָה, עָצֵל, קִבֵּל, שֶׁקֶט)

1. "———, תַּלְמִידִים," אָמַר הַמּוֹרֶה.

2. חוּשָׁם הָיָה תַּלְמִיד ———.

3. אִשְׁתּוֹ שֶׁל סוֹקְרַט שָׁפְכָה ——— מַיִם עַל רֹאשׁוֹ.

4. "כָּךְ הֵם ———," אָמַר הַפִּילוֹסוֹף.

5. יַעֲקֹב, אִשְׁתּוֹ וְשִׁבְעָה בָנִים יָשְׁבוּ בְּחֶדֶר קָטָן. יַעֲקֹב הָיָה ———.

6. יַעֲקֹב הָלַךְ אֶל הָרַב לְבַקֵּשׁ ———.

7. שִׁמְעוֹן בֶּן שָׁטַח לֹא ——— שָׂכָר מִן הַתַּלְמִידִים שֶׁלּוֹ.

8. דָּן כָּתַב: "אֲנִי חָבֵר בְּ——— עִבְרִית."

9. דָּן ——— בְּנִיוּ יוֹרְק.

10. הַחֲלוּצִים רָקְדוּ אֶת הַ———.

[217]

III. כְּתֹב בְּעָבָר:　(10)

1. אֲנַחְנוּ רוֹאִים אֶת יְרוּשָׁלַיִם וְאֶת תֵּל אָבִיב.

2. אֲנִי קוֹנֶה בֶּגֶד יָם.

3. הַאִם אַתֶּם קוֹרְאִים אֶת שִׁירֵי בְּיַאלִיק?

4. מָתַי אַתָּה קָם?

5. אֲנִי יוֹצֵא לַעֲבוֹדָה בַּבֹּקֶר.

IV. כְּתֹב בְּמִלָּה אַחַת:　(10)

1. הָאִכָּר רָכַב עַל הַחֲמוֹר שֶׁלּוֹ.

2. אֲנַחְנוּ חוֹגְגִים אֶת הַחַג שֶׁלָּנוּ.

3. הַקּוֹל שֶׁלָּהּ יָפֶה מְאֹד.

4. רָצִיתִי לִרְאוֹת אֶת הַגַּן שֶׁלָּהֶם.

5. אֵיפֹה הָעִתּוֹן שֶׁלְּךָ?

V. סַדֵּר לְפִי הָאָלֶף־בֵּית:　(10)

פָּנַאי, חָלָק, רַעְיוֹן, תַּרְנְגֹל, עֵז, עֶבֶד, שׁוּק, דְּרָשָׁה,
כֶּסֶף, אֶבֶן.

VI. Explain the significance of each of the following holidays: (10)

1. פֶּסַח　2. שָׁבוּעוֹת　3. סֻכּוֹת　4. חֲנֻכָּה　5. פּוּרִים

VII. Summarize in Hebrew either the story 'בַּיִת קָטָן' or
'שִׁמְעוֹן בֶּן שָׁטַח'.　(20)

[218]

שָׁעוּר שְׁלֹשִׁים וְשִׁשָּׁה

LESSON 36

מִלּוֹן

Maccabee (name of a sport club)	מַכַּבִּי	Mediterranean Sea	יָם־הַתִּיכוֹן
sport, athletics	סְפּוֹרְט	won	זָכָה בְּ... (ר׳ זָכוּ)
popular with	חָבִיב עַל	competition; athletic event	תַּחֲרוּת
baseball	כַּדּוּר־בָּסִיס	Maccabiad (Israeli Olympics)	מַכַּבִּיָּה
football, soccer	כַּדּוּר־רֶגֶל	believe	מַאֲמִין (ר׳ מַאֲמִינִים)
tennis	טֶנִּיס	proverb, maxim	פִּתְגָּם
these	הָאֵלֶּה	soul, mind	נֶפֶשׁ נ׳
game	מִשְׂחָק (ר׳ מִשְׂחָקִים)	healthy	בָּרִיא (נ׳ בְּרִיאָה)
that (demonstrative pronoun)	הַהִיא נ׳	body	גּוּף

הַמַּכַּבִּי

Israelis, like Americans, have a variety of sports and athletic activities.

כָּל אֶחָד יוֹדֵעַ כִּי אֲמֶרִיקָה הִיא אֶרֶץ הַסְּפּוֹרְט. בָּאָרֶץ הַזֹּאת
חָבִיב הַסְּפּוֹרְט עַל אֲנָשִׁים רַבִּים. פֹּה מְשַׂחֲקִים אֲנָשִׁים
בְּכַדּוּר־בָּסִיס, בְּכַדּוּר־רֶגֶל, בְּכַדּוּר־סַל וּבְטֶנִּיס.
בָּאָרֶץ הַזֹּאת יֵשׁ אֲגֻדּוֹת־סְפּוֹרְט גְּדוֹלוֹת. כַּאֲשֶׁר הָאֲגֻדּוֹת
הָאֵלֶּה מְשַׂחֲקוֹת, בָּאִים אֲנָשִׁים רַבִּים לִרְאוֹת אֶת הַמִּשְׂחָקִים
שֶׁלָּהֶם.

[219]

אֲנָשִׁים רַבִּים מְאֹד בָּאִים לִרְאוֹת אֶת הַמִּשְׂחָקִים שֶׁל כַּדּוּר־
בָּסִיס וְכַדּוּר־רֶגֶל.

גַּם בִּמְדִינַת יִשְׂרָאֵל חָבִיב הַסְּפּוֹרְט עַל הָאֲנָשִׁים. גַּם בָּאָרֶץ
הַהִיא מְשַׂחֲקִים מִשְׂחָקִים רַבִּים כְּמוֹ:

כַּדּוּר־רֶגֶל, כַּדּוּר־סַל וְטֶנִיס.

שָׁם אוֹהֲבִים הָאֲנָשִׁים לִשְׂחוֹת בְּיָם הַתִּיכוֹן וּבְיָם הַמֶּלַח,
וְעוֹרְכִים טִיּוּלִים לְכָל חֶלְקֵי הָאָרֶץ.

בִּמְדִינַת יִשְׂרָאֵל יֵשׁ אֲגֻדַּת־סְפּוֹרְט לְכַדּוּר־רֶגֶל בְּשֵׁם
הַמַּכַּבִּי. חַבְרֵי הַמַּכַּבִּי בָּאוּ לַאֲמֶרִיקָה וְזָכוּ בִּפְרָסִים.
אֲנָשִׁים רַבִּים בָּאוּ לִרְאוֹת אֶת הַמִּשְׂחָקִים שֶׁל הַמַּכַּבִּי
בַּאֲמֶרִיקָה.

פַּעַם בְּאַרְבַּע שָׁנִים יֵשׁ תַּחֲרוּת־סְפּוֹרְט גְּדוֹלָה בְּתֵל אָבִיב
בְּשֵׁם מַכַּבְּיָה. לַתַּחֲרוּת הַזֹּאת בָּאִים עִבְרִים מִכָּל הָאֲרָצוֹת.
בְּאֶרֶץ יִשְׂרָאֵל מַאֲמִינִים בְּפִתְגָּם:

„נֶפֶשׁ בְּרִיאָה בְּגוּף בָּרִיא.‟

דִּקְדּוּק

A. Demonstratives

This young man is clever.	הַנַּעַר הַזֶּה חָכָם.	.1
That pupil is good.	הַתַּלְמִידָה הַהִיא טוֹבָה.	.2
These are nice games.	אֵלֶּה מִשְׂחָקִים יָפִים.	.3

The words underlined above are demonstratives and may be used either as adjectives, modifying nouns, as in sentences 1 and 2, or as pronouns, as in sentence 3.

	נְקֵבָה		זָכָר
		יָחִיד	
this	הַזֹּאת	this	הַזֶּה
that	הַהִיא	that	הַהוּא
		רַבּוּי	
these	הָאֵלֶּה	these	הָאֵלֶּה
those	הָהֵן	those	הָהֵם

Note that several demonstratives are merely a combination of the personal pronoun and the definite article. For example: הַהוּא is composed of הוּא (he) plus the definite article הַ (the).

B. AGREEMENT OF DEMONSTRATIVES

Demonstratives, whether they are used as pronouns or as adjectives, must agree with the nouns they modify in number and gender.

this student	הַתַּלְמִיד הַזֶּה
these students	הַתַּלְמִידִים הָאֵלֶּה
that teacher (f.)	הַמּוֹרָה הַהִיא
those teachers (f.)	הַמּוֹרוֹת הָהֵן
This is the work.	זֹאת הָעֲבוֹדָה.

תַּרְגִּילִים

I. עֲנֵה בְּעִבְרִית:

1. מַה הֵם מִשְׂחֲקֵי כַּדּוּר שֶׁמְשַׂחֲקִים בַּאֲמֶרִיקָה?

2. לְאֵלּוּ (to which) מִשְׂחָקִים בָּאִים אֲנָשִׁים רַבִּים מְאֹד?

3. אֵיפֹה שׂוֹחִים בְּאֶרֶץ יִשְׂרָאֵל?

4. אֵיפֹה עוֹרְכִים טִיּוּלִים בְּאֶרֶץ יִשְׂרָאֵל?

5. מָה עוֹשִׂים בַּמַּכַּבִּיָה?

6. מָתַי עוֹרְכִים אֶת תַּחֲרוּת הַסְפּוֹרְט שֶׁל הַמַּכַּבִּיָה?

7. בְּאֵיזֶה פִּתְגָם מַאֲמִינִים בְּאֶרֶץ יִשְׂרָאֵל?

II. כְּתֹב מִשְׁפָּט בְּעִבְרִית בְּכָל מִלָּה:

1. מִשְׂחָקִים 2. חָבִיב עַל 3. זָכָה 4. תַּחֲרוּת

5. הַהִיא 6. יָם־הַתִּיכוֹן 7. פִּתְגָם 8. מַאֲמִין

III. הַשְׁלֵם בַּמִּלָּה הַנְכוֹנָה:

6. ——— הַמִּשְׂחָקִים	those		1. הַשְּׁאֵלָה ———	this
7. ——— הַסִפּוּרִים	these		2. הַמּוֹרָה ———	that
8. ——— הָעִפָּרוֹן	this		3. הַתַּלְמִיד ———	this
9. ——— הָאֲרוּחוֹת	these		4. הַפִּתְגָם ———	that
10. ——— הַתְּשׁוּבוֹת	those		5. הַיַּלְדָה ———	that

‫‪IV.‬ כְּתֹב בְּמִלָּה אַחַת (Use the inflected form):‬

‫‪.1‬ הַגַּן שֶׁלִּי ‏——— ‏ ‪.6‬ הַחֲמוֹר שֶׁלָּהֶם ‏———‬

‫‪.2‬ הַשֻּׁלְחָן שֶׁלּוֹ ‏——— ‏ ‪.7‬ הַצֹּאן שֶׁלְּךָ ‏———‬

‫‪.3‬ הַכַּדּוּר שֶׁלָּהּ ‏——— ‏ ‪.8‬ הֶחָג שֶׁלָּכֶם ‏———‬

‫‪.4‬ הַקּוֹל שֶׁלָּךְ ‏——— ‏ ‪.9‬ הַמִּכְתָּב שֶׁלָּהֶן ‏———‬

‫‪.5‬ הַסִּפּוּר שֶׁלָּנוּ ‏——— ‏ ‪.10‬ הָעִתּוֹן שֶׁלָּכֶן ‏———‬

‫‪V.‬ כְּתֹב בִּזְמַן עָבָר:‬

‫‪.1‬ (שׁוּב) הַנַּעֲרָה ‏——— ‏ מִן הָעֲבוֹדָה בָּעֶרֶב.‬

‫‪.2‬ (קנה) הַתַּלְמִידִים ‏——— ‏ מַחְבָּרוֹת יָפוֹת.‬

‫‪.3‬ (יצא) דָּוִד ‏——— ‏ מִן הַבַּיִת בַּבֹּקֶר.‬

‫‪.4‬ (שמע) אַתְּ ‏——— ‏ אֶת הַשִּׁיר הַזֶּה.‬

‫‪.5‬ (צחק) שָׂרָה ‏——— ‏ בְּקוֹל.‬

מִי יְמַלֵּל

This song celebrates the heroism of the Maccabees of old.

מִי יְמַלֵּל גְּבוּרוֹת יִשְׂרָאֵל,

אוֹתָן מִי יִמְנֶה?

הֵן בְּכָל דּוֹר יָקוּם הַגִּבּוֹר,

גּוֹאֵל הָעָם,

שְׁמַע! בַּיָּמִים הָהֵם בַּזְּמָן הַזֶּה

מַכַּבִּי מוֹשִׁיעַ וּפוֹדֶה,

וּבְיָמֵינוּ כָּל עַם יִשְׂרָאֵל

יִתְאַחֵד, יָקוּם וְיִגָּאֵל.

Mee y'-mal-lel g'voo-rawt yis-ra-el aw-tan mee yim-neh.

Hen b'-chawl dawr ya-koom hag-gib-bawr gaw-el ha - am.

Sh'ma ba-ya-meem ha-hem baz-z'man haz - zeh
mak-kab-bee maw-shee-a oo-faw - deh

oo-v'ya-me-noo kawl am yis-ra - el yit-a-ched ya-koom v'-yig-ga-el.

שִׁעוּר שְׁלֹשִׁים וְשִׁבְעָה

LESSON 37

מִלּוֹן

ten	עֶשֶׂר נ·	hour, time	שָׁעָה (ר· שָׁעוֹת)
minute	דַּקָּה (ר· דַּקּוֹת)	what time is it?	מָה הַשָּׁעָה
which?	אֵיזֶה (נ· אֵיזוֹ)	eight	שְׁמֹנֶה נ·
soap	סַבּוֹן	quarter after eight	שְׁמֹנֶה וָרֶבַע
begin	מַתְחִיל	half past seven	שֶׁבַע וָחֵצִי
lunch	אֲרוּחַת הַצָּהֳרַיִם	quarter to eight	רֶבַע לִשְׁמֹנֶה
to sleep	לִישׁוֹן	twelve	שְׁתֵּים עֶשְׂרֵה נ·

מָה הַשָּׁעָה

הַשָּׁעָה שְׁמֹנֶה

הַשָּׁעָה שְׁמֹנֶה וָרֶבַע

הַשָּׁעָה שֶׁבַע וָחֵצִי

הַשָּׁעָה רֶבַע לִשְׁמֹנֶה

הַשָּׁעָה שְׁתֵּים עֶשְׂרֵה

הַשָּׁעָה אַחַת וְעֶשֶׂר דַּקּוֹת

שְׁאֵלוֹת וּתְשׁוּבוֹת

ש.[1] בְּאֵיזוֹ שָׁעָה אַתָּה קָם בַּבֹּקֶר?

ת.[2] אֲנִי קָם בְּשֶׁבַע.

ש. בַּמֶּה אַתָּה מִתְרַחֵץ?

ת. אֲנִי מִתְרַחֵץ בְּמַיִם וּבְסַבּוֹן.

ש. מָתַי אַתָּה אוֹכֵל?

ת. אֲנִי אוֹכֵל בְּרֶבַע לִשְׁמֹנֶה.

ש. מָתַי אַתָּה הוֹלֵךְ לְבֵית הַסֵּפֶר?

ת. אֲנִי הוֹלֵךְ לְבֵית הַסֵּפֶר בִּשְׁמֹנֶה וָרֶבַע.

[1] שְׁאֵלָה   [2] תְּשׁוּבָה

ש. בְּאֵיזוֹ שָׁעָה מַתְחִיל הַשִּׁעוּר?

ת. הַשִּׁעוּר מַתְחִיל בִּשְׁמֹנֶה וָחֵצִי.

ש. כַּמָּה שָׁעוֹת אַתָּה לוֹמֵד בַּבֹּקֶר?

ת. אֲנִי לוֹמֵד שָׁלֹשׁ שָׁעוֹת בַּבֹּקֶר.

ש. כַּמָּה שָׁעוֹת אַתָּה לוֹמֵד אַחַר הַצָּהֳרַיִם?

ת. אֲנִי לוֹמֵד שְׁתֵּי שָׁעוֹת.

ש. מָה אַתָּה עוֹשֶׂה מִן הַשָּׁעָה שְׁתֵּים עֶשְׂרֵה עַד אַחַת?

ת. אֲנִי אוֹכֵל אֶת אֲרוּחַת הַצָּהֳרַיִם.

ש. מָה אַתָּה עוֹשֶׂה אַחַר שָׁלֹשׁ?

ת. אֲנִי שָׁב לַבַּיִת וַאֲנִי מְשַׂחֵק.

ש. מָה אַתָּה עוֹשֶׂה בָּעֶרֶב?

ת. אֲנִי אוֹכֵל וַאֲנִי כּוֹתֵב אֶת שִׁעוּרֵי הַבַּיִת.

ש. בְּאֵיזוֹ שָׁעָה אַתָּה הוֹלֵךְ לִישׁוֹן?

ת. אֲנִי הוֹלֵךְ לִישׁוֹן בְּשָׁעָה עֶשֶׂר.

דִּקְדּוּק

A. Feminine Numbers One to Twelve

There are twelve girls in the class.	יֵשׁ שְׁתֵּים עֶשְׂרֵה בַּחוּרוֹת בַּכִּתָּה. 1.
Six pupils (*f.*) are writing on the board.	שֵׁשׁ תַּלְמִידוֹת כּוֹתְבוֹת עַל הַלּוּחַ. 2.

I have been studying for one hour.	3. אֲנִי לוֹמֵד שָׁעָה אַחַת.
I lived in Israel for two years.	4. יָשַׁבְתִּי בְּאֶרֶץ יִשְׂרָאֵל שְׁתֵּי שָׁנִים.
How many notebooks have you?	5. כַּמָּה מַחְבָּרוֹת יֵשׁ לְךָּ?
Two.	שְׁתַּיִם.

seven	שֶׁבַע	one	אַחַת
eight	שְׁמֹנֶה	two	שְׁתַּיִם (שְׁתֵּי)
nine	תֵּשַׁע	three	שָׁלֹשׁ
ten	עֶשֶׂר	four	אַרְבַּע
eleven	אַחַת עֶשְׂרֵה	five	חָמֵשׁ
twelve	שְׁתֵּים עֶשְׂרֵה	six	שֵׁשׁ

1. The numbers usually precede the noun, except for אַחַת (one) which follows the noun. See sentence 3, above.

2. Two is written שְׁתֵּי when it precedes a noun, but שְׁתַּיִם when it occurs alone. See sentences 4 and 5, above.

B. Telling Time

The feminine numbers are used to indicate the hour of the day.

What time is it?	מָה הַשָּׁעָה?
It is eight o'clock.	הַשָּׁעָה שְׁמֹנֶה.
It is half past seven.	הַשָּׁעָה שֶׁבַע וָחֵצִי.
It is ten after one.	הַשָּׁעָה אַחַת וָעֶשֶׂר.

[228]

תַּרְגִּילִים

I. מָתַי?

1. אַתָּה קָם בַּבֹּקֶר?
2. אַתָּה אוֹכֵל אֲרוּחַת הַבֹּקֶר?
3. אַתָּה אוֹכֵל אֲרוּחַת הַצָּהֳרַיִם?
4. אַתָּה שָׁב מִבֵּית הַסֵּפֶר?
5. אַתָּה מְשַׂחֵק?
6. אַתָּה אוֹכֵל אֲרוּחַת הָעֶרֶב?
7. אַתָּה כּוֹתֵב שִׁעוּרֵי הַבַּיִת?
8. אַתָּה הוֹלֵךְ לִישׁוֹן?

II. כְּתֹב בְּעִבְרִית:

1. One o'clock	6. Six o'clock
2. A quarter to eight	7. A quarter past three
3. Five past two	8. Ten past twelve
4. Half past seven	9. Three minutes after eleven
5. Five to ten	10. Eight minutes to three

III. הַשְׁלֵם בַּמִּסְפָּר הַנָּכוֹן (Fill in the correct number):

7. —— מַחְבָּרוֹת six	1. —— תַּלְמִידוֹת ten
8. —— עִתּוֹנִים four	2. —— שְׁאֵלוֹת three
9. שִׁיר —— one	3. —— שָׁעוֹת five
10. —— שָׁעוֹת eight	4. יַלְדָּה —— one
11. —— אֲנָשִׁים seven	5. —— מוֹרִים two
12. —— דַּקּוֹת eleven	6. —— מִשְׁפָּחוֹת nine

IV. כְּתֹב בִּזְמַן עָבָר:

1. (שׁוּב) אֲנִי ———— אֶל הַבַּיִת בְּשָׁעָה שֵׁשׁ.

2. (קוּם) רוּת ———— מִן הַמָּקוֹם וְהָלְכָה אֶל הַלּוּחַ.

3. (שִׂים) דָּוִד ———— אֶת הָעִפָּרוֹן עַל הַשֻּׁלְחָן.

4. (קרא) אֲנַחְנוּ ———— שְׁנֵי סְפָרִים בְּעִבְרִית.

5. (מצא) הִיא ———— אֶת עֵטָהּ.

6. (ראה) הֵם ———— תְּמוּנָה יָפָה.

7. (עשׂה) שָׂרָה ———— אֶת הָעֲבוֹדָה.

8. (עמד) אַתֶּם ———— עַל יַד הַגַּן.

9. (פתח) אַתְּ ———— אֶת הַחַלּוֹן.

10. (גמר) אַתָּה ———— אֶת הַשִּׁעוּר.

V. עִבְרִית מְדֻבֶּרֶת:

One student moves the hands on a cardboard dial and asks other students to tell the time in Hebrew.

קְרִיאָה נוֹסֶפֶת

טוֹב וָרַע בְּיַד (in the power of) הַלָּשׁוֹן

A servant is sent to the market to buy two kinds of meat. He re-
turns with some clever observations.

רַבָּן גַּמְלִיאֵל הָיָה רֹאשׁ הַסַּנְהֶדְרִין (the Sanhedrin).

לְרַבָּן גַּמְלִיאֵל הָיָה עֶבֶד חָכָם בְּשֵׁם טָבִי (Tavi).

פַּעַם אַחַת אָמַר גַּמְלִיאֵל לְעַבְדּוֹ:

„בְּבַקָּשָׁה, צֵא אֶל הַשּׁוּק וּקְנֵה (!and buy) לִי בָּשָׂר (meat)."

„אֵיזֶה מִין (which kind) בָּשָׂר?" שָׁאַל הָעֶבֶד.

„הָבֵא לִי אֶת הַחֵלֶק הַיּוֹתֵר טוֹב (the best) אֲשֶׁר בַּבָּשָׂר,"
אָמַר גַּמְלִיאֵל.

יָצָא טָבִי אֶל הַשּׁוּק וְקָנָה לָשׁוֹן (tongue).

לְמָחָר, אָמַר גַּמְלִיאֵל אֶל הָעֶבֶד:

„הַיּוֹם צֵא וּקְנֵה אֶת הַחֵלֶק הַיּוֹתֵר רַע (the worst) אֲשֶׁר בַּבָּשָׂר."

יָצָא הָעֶבֶד אֶל הַשּׁוּק וְקָנָה עוֹד פַּעַם לָשׁוֹן.

הִתְפַּלֵּא (was surprised) רַבָּן גַּמְלִיאֵל.

„שְׁמַע נָא, טָבִי, מֶה עָשִׂיתָ?" שָׁאַל גַּמְלִיאֵל. „אֶתְמוֹל אָמַרְתִּי לְךָ
לִקְנוֹת אֶת הַחֵלֶק הַטּוֹב אֲשֶׁר בַּבָּשָׂר וְקָנִיתָ לָשׁוֹן. הַיּוֹם אָמַרְתִּי
לְךָ לִקְנוֹת אֶת הַחֵלֶק הָרַע אֲשֶׁר בַּבָּשָׂר וְקָנִיתָ עוֹד פַּעַם לָשׁוֹן?"
עָנָה טָבִי: „הַטּוֹב וְהָרַע – שְׁנֵיהֶם (both of them) מִן הַלָּשׁוֹן. אֵין
דָּבָר טוֹב יוֹתֵר (better) מִלָּשׁוֹן טוֹבָה, וְאֵין דָּבָר רַע יוֹתֵר (worse)
מִלָּשׁוֹן רָעָה."

שִׁעוּר שְׁלֹשִׁים וּשְׁמֹנָה

LESSON 38

מִלּוֹן

was surprised	הִתְפַּלֵּא (ר׳ הִתְפַּלְּאוּ)	Alexander of Macedonia	אֲלֶכְּסַנְדֶּר מוֹקְדוֹן
a dream	חֲלוֹם	Babylonia	בָּבֶל
I shall succeed	אַצְלִיחַ	second	שֵׁנִי
should erect	יָקִימוּ	conquered	כָּבַשׁ
to erect	לְהָקִים	priest	כֹּהֵן (ר׳ כֹּהֲנִים)
statue	פֶּסֶל	to welcome	לְקַבֵּל פְּנֵי
forbidden	אָסוּר	chariot	מֶרְכָּבָה
we shall call	נִקְרָא	bowed down	הִשְׁתַּחֲוָה
will be born	יִוָּלֵד		

אֲלֶכְּסַנְדֶּר מוֹקְדוֹן

This is a story about Alexander the Great and his coming to Jerusalem.

כַּאֲשֶׁר שָׁבוּ בְּנֵי יִשְׂרָאֵל מֵאֶרֶץ בָּבֶל בָּנוּ אֶת בֵּית הַמִּקְדָּשׁ הַשֵּׁנִי.

שָׁנִים רַבּוֹת יָשְׁבוּ הָעִבְרִים בְּשָׁלוֹם בְּאֶרֶץ יִשְׂרָאֵל.

עָבְרוּ שָׁנִים וְהִנֵּה קָם מֶלֶךְ גָּדוֹל וּשְׁמוֹ אֲלֶכְּסַנְדֶּר מוֹקְדוֹן.

הוּא כָּבַשׁ אֲרָצוֹת רַבּוֹת וְגַם אֶת בָּבֶל וְאֶת אֶרֶץ יִשְׂרָאֵל.

כַּאֲשֶׁר בָּא אֲלֶכְּסַנְדֶּר לִירוּשָׁלַיִם, יָצְאוּ הַכֹּהֲנִים וְהָעָם לְקַבֵּל

אֶת פְּנֵי הַמֶּלֶךְ. רִאשׁוֹן הָלַךְ הַכֹּהֵן הַגָּדוֹל.

כַּאֲשֶׁר רָאָה הַמֶּלֶךְ אֶת הַכֹּהֵן הַגָּדוֹל, יָרַד מֵעַל הַמֶּרְכָּבָה
וְהִשְׁתַּחֲוָה לַכֹּהֵן הַגָּדוֹל.

הִתְפַּלְּאוּ אַנְשֵׁי הַמֶּלֶךְ וְשָׁאֲלוּ זֶה אֶת זֶה:

„מַדּוּעַ הִשְׁתַּחֲוָה הַמֶּלֶךְ לְאִישׁ עִבְרִי?‟

שָׁמַע זֹאת הַמֶּלֶךְ וְעָנָה:

„חָלַמְתִּי חֲלוֹם וְרָאִיתִי בַּחֲלוֹמִי אֶת הָאִישׁ הַזֶּה,
וְהוּא אָמַר לִי כִּי אַצְלִיחַ בְּכָל הַמִּלְחָמוֹת שֶׁלִּי.‟

בָּא אֲלֶכְּסַנְדֶּר אֶל בֵּית הַמִּקְדָּשׁ, וְרָצָה שֶׁבְּנֵי יִשְׂרָאֵל
יָקִימוּ פֶּסֶל לִשְׁמוֹ.

אָמְרוּ לוֹ הַכֹּהֲנִים: „אָסוּר לָנוּ לְהָקִים פֶּסֶל; אֲבָל נִקְרָא לְכָל
יֶלֶד עִבְרִי אֲשֶׁר יִוָּלֵד בַּשָּׁנָה הַזֹּאת בְּשֵׁם אֲלֶכְּסַנְדֶּר.‟

כַּאֲשֶׁר שָׁמַע זֹאת הַמֶּלֶךְ, שָׂמַח מְאֹד וְנָתַן לִבְנֵי יִשְׂרָאֵל
לָשֶׁבֶת (to dwell) בְּשָׁלוֹם בְּאֶרֶץ יִשְׂרָאֵל.

דִּקְדּוּק

A. Ordinal Numbers   מִסְפָּרִים סְדּוּרִיִּים

1. בְּנֵי יִשְׂרָאֵל בָּנוּ אֶת בֵּית הַמִּקְדָּשׁ הַשֵּׁנִי.

The children of Israel built the Second Temple.

2. הָרִאשׁוֹן הָיָה הַכֹּהֵן הַגָּדוֹל.

The first was the high priest.

3. זֹאת הַשָּׁנָה הָרְבִיעִית שֶׁאֲנִי בְּבֵית הַסֵּפֶר.

This is the fourth year that I am at school.

	נְקֵבָה	זָכָר
first	רִאשׁוֹנָה	רִאשׁוֹן
second	שֵׁנִית (שְׁנִיָּה)	שֵׁנִי
third	שְׁלִישִׁית	שְׁלִישִׁי
fourth	רְבִיעִית	רְבִיעִי
fifth	חֲמִישִׁית	חֲמִישִׁי
sixth	שִׁשִּׁית	שִׁשִּׁי
seventh	שְׁבִיעִית	שְׁבִיעִי
eighth	שְׁמִינִית	שְׁמִינִי
ninth	תְּשִׁיעִית	תְּשִׁיעִי
tenth	עֲשִׂירִית	עֲשִׂירִי

B. Derivation and Agreement of Ordinal Numbers

a. The ordinal numbers, except for רִאשׁוֹן, are derived from the cardinal numbers. Thus שֵׁנִי (second) is derived from שְׁנֵי (two) etc. The number רִאשׁוֹן (first) is derived from רֹאשׁ (head).

b. The feminine ordinal numbers are formed by adding ת to the masculine. In the case of רִאשׁוֹן a ה is added to make the number feminine.

c. The ordinal numbers one to ten must agree with the noun they modify in number and gender. See sentences 1, 2, 3, above.

d. If the noun is definite, the ordinal number must be definite. See sentences 1, 2, 3, above.

[234]

C. THE DAYS OF THE WEEK   יְמֵי הַשָּׁבוּעַ

The ordinal numbers are used to name the days of the week.

Wednesday	יוֹם רְבִיעִי	Sunday	יוֹם רִאשׁוֹן
Thursday	יוֹם חֲמִישִׁי	Monday	יוֹם שֵׁנִי
Friday	יוֹם שִׁשִּׁי	Tuesday	יוֹם שְׁלִישִׁי

Saturday (Sabbath)   שַׁבָּת

תַּרְגִּילִים

I. שְׁאֵלוֹת:

1. מָתַי בָּנוּ אֶת בֵּית הַמִּקְדָּשׁ הַשֵּׁנִי?
2. מֵאֵיזוֹ אֶרֶץ בָּא אָלֶכְּסַנְדֵּר?
3. מַדּוּעַ הִשְׁתַּחֲוָה אָלֶכְּסַנְדֵּר לַכֹּהֵן הַגָּדוֹל?
4. מָה רָצָה אָלֶכְּסַנְדֵּר שֶׁיָּקִימוּ הָעִבְרִים?
5. מֶה עָנוּ לוֹ הָעִבְרִים?
6. מַדּוּעַ שָׂמַח הַמֶּלֶךְ בַּסּוֹף?

II. זַוֵּג:

ב	א
פְּנֵי	בֵּית מִקְדָּשׁ
מוֹקְדוֹן	כֶּבֶשׁ
שֵׁנִי	חָלַם
פֶּסֶל	אָלֶכְּסַנְדֵּר
מֵעַל הַמֶּרְכָּבָה	לְקַבֵּל
אֲרָצוֹת	יָרַד
חֲלוֹם	לְהָקִים

[235]

עברית חיה

III. כְּתֹב הַהֲפָכִים (opposites):

1. אִישׁ   2. קָם   3. גָּדוֹל   4. בָּא   5. אַחֲרוֹן

6. נָתַן   7. שָׁאַל   8. מֶלֶךְ   9. חָכָם   10. לִפְנֵי

IV. כְּתֹב אֶת הַמִּסְפָּר הַסִּדּוּרִי (Write the ordinal number):

seventh	——— פְּרָס	6.	first	——— הַתַּלְמִיד	1.
second	——— יוֹם	7.	third	——— הַשִּׁעוּר	2.
tenth	——— שֵׁבֶט	8.	fifth	——— הַנַּעַר	3.
eighth	——— הַשָּׁנָה	9.	sixth	——— הַשְּׁאֵלָה	4.
ninth	——— הַיּוֹם	10.	fourth	——— הַתְּמוּנָה	5.

V. עִבְרִית מְדֻבֶּרֶת:

Pretend that you are in Israel looking for accommodations at a good hotel. Form suitable questions taken from the conversational guide below.

AT THE HOTEL   בַּמָּלוֹן

Have you a room to rent?   הַאִם יֵשׁ לָכֶם חֶדֶר לְהַשְׂכִּיר?

We have a room with all conveniences.   יֵשׁ לָנוּ חֶדֶר בְּכָל הַנּוֹחִיּוּת.

The room is on the second floor.   הַחֶדֶר בַּקּוֹמָה הַשְּׁנִיָּה.

How much does it cost by the day?   בְּכַמָּה זֶה עוֹלֶה לְיוֹם?

Twelve pounds including meals.   שְׁתֵּים עֶשְׂרֵה לִירוֹת יַחַד עִם הָאֲכִילָה.

I should like some soap.   אֲנִי רוֹצֶה סַבּוֹן.

Where is the dining room?   אֵיפֹה חֲדַר הָאֹכֶל?

Please give me the bill.   בְּבַקָּשָׁה לָתֵת לִי אֶת הַחֶשְׁבּוֹן.

I am leaving in half an hour.   אֲנִי יוֹצֵא בְּעוֹד חֲצִי שָׁעָה.

[236]

שִׁעוּר שְׁלֹשִׁים וְתִשְׁעָה

LESSON 39

מִלּוֹן

roof	גַּג	Shemaiah (proper name)	שְׁמַעְיָה
Friday	עֶרֶב שַׁבָּת	Avtalion (proper name)	אַבְטַלְיוֹן
light	אוֹר	academy, house of study	בֵּית מִדְרָשׁ
darkness	חֹשֶׁךְ	would stand	יַעֲמֹד
fire	אֵשׁ נ׳	will watch, would watch	יִשְׁמֹר
how great!	מַה גָּדוֹל	would not permit	לֹא יִתֵּן
love	אַהֲבָה	without paying	בְּלִי לְשַׁלֵּם

הִלֵּל הַתַּלְמִיד

Hillel's devotion to learning wins him the admiration of his teachers.

הִלֵּל הָיָה אִישׁ טוֹב וְחָכָם, וְאָהַב לִלְמֹד תּוֹרָה. הוּא יָשַׁב אָז
בְּאֶרֶץ בָּבֶל. שָׁם שָׁמַע עַל הַמּוֹרִים הַגְּדוֹלִים שְׁמַעְיָה וְאַבְטַלְיוֹן.
לָקַח הִלֵּל אֶת הַמִּשְׁפָּחָה שֶׁלּוֹ וְהָלַךְ לִירוּשָׁלַיִם לִלְמֹד תּוֹרָה.
בְּכָל בֹּקֶר הָלַךְ הִלֵּל לַעֲבוֹדָה, וְקִבֵּל שָׂכָר. אַחֲרֵי הַצָּהֳרַיִם
הָלַךְ לְבֵית הַמִּדְרָשׁ לִלְמֹד. עַל יַד הַדֶּלֶת יַעֲמֹד אִישׁ אֲשֶׁר
יִשְׁמֹר עַל הַתַּלְמִידִים הַבָּאִים לְבֵית הַמִּדְרָשׁ.
הָאִישׁ לֹא יִתֵּן לַתַּלְמִידִים לָבוֹא לְבֵית הַמִּדְרָשׁ בְּלִי לְשַׁלֵּם.
פַּעַם אַחַת לֹא מָצָא הִלֵּל עֲבוֹדָה. לֹא הָיָה לוֹ כֶּסֶף לְשַׁלֵּם.

מֶה עָשָׂה? הָלַךְ לְבֵית הַמִּדְרָשׁ,

עָלָה עַל הַגַּג וְשָׁמַע עַל יַד הַחַלּוֹן.

בַּיּוֹם הַהוּא הָיָה קַר מְאֹד וְשֶׁלֶג יָרַד עַל הַגַּג.

אֲבָל הִלֵּל יָשַׁב וְשָׁמַע לַשִּׁעוּר. וְהַיּוֹם הָיָה עֶרֶב שַׁבָּת.

לְמָחָר, בְּיוֹם הַשַּׁבָּת, בָּאוּ הַמּוֹרִים שְׁמַעְיָה וְאַבְטַלְיוֹן לְבֵית הַמִּדְרָשׁ.

אָמַר אַבְטַלְיוֹן „שְׁמַעְיָה, בְּכָל יוֹם אוֹר בַּבַּיִת, וְהַיּוֹם חֹשֶׁךְ."

עָנָה שְׁמַעְיָה: „הִנֵּה אֲנִי רוֹאֶה גּוּף אִישׁ עַל יַד הַחַלּוֹן."

עָלוּ עַל הַגַּג וּמָצְאוּ אֶת הִלֵּל תַּחַת הַשֶּׁלֶג. הֵבִיאוּ אֶת הִלֵּל אֶל הַבַּיִת וְשָׂמוּ אוֹתוֹ לִפְנֵי הָאֵשׁ.

אָמְרוּ הַמּוֹרִים: „מַה גְּדוֹלָה אַהֲבָתוֹ לַתּוֹרָה!"

מֵאָז בָּא הִלֵּל לְבֵית הַמִּדְרָשׁ בְּלִי לְשַׁלֵּם.

פִּתְגָּם עִבְרִי

הִלֵּל הָיָה אוֹמֵר: אִם לֹא עַכְשָׁו, Hillel used to say: "If not now, when then?"

אֵימָתַי? (פִּרְקֵי אָבוֹת, א) (Ethics of the Fathers, I)

דִּקְדּוּק

זְמַן עָתִיד – FUTURE TENSE

1. אֲנִי אֶפְגֹּשׁ אֶת חֲבֵרִי בְּבֵית הַסֵּפֶר.
I shall meet my friend in school.

2. הוּא יִשְׁמֹר עַל הַתַּלְמִידִים הַבָּאִים.
He will watch the pupils who enter.

3. הַתֵּימָנִי יִמְכֹּר עִתּוֹנִים.
The Yemenite will sell newspapers.

4. נִכְתֹּב חִבּוּרִים הַיּוֹם.
We shall write compositions today.

	רַבִּים			יָחִיד
we shall finish	נִגְמֹר		I shall finish	אֶגְמֹר
you (m.) will finish	תִּגְמְרוּ		you (m.) will finish	תִּגְמֹר
you (f.) will finish	תִּגְמֹרְנָה		you (f.) will finish	תִּגְמְרִי
they (m.) will finish	יִגְמְרוּ		he will finish	יִגְמֹר
they (f.) will finish	תִּגְמֹרְנָה		she will finish	תִּגְמֹר

1. The future tense is formed by adding a prefix to the three letters of the root. In some cases a suffix is also added.

2. Note that with verbs having as their second root-letter ב, ג, ד, כ, פ, ת, in the future there is a dagesh (dot) in the second root-letter (נִכְתֹּב). See the verbs in sentences 1, 3 and 4, above.

3. Other verbs conjugated like גָּמַר are שָׁמַר (watch, guard), סָגַר (close), מָשַׁל (rule), שָׂרַף (burn), רָקַד (dance), גָּנַב (steal).

4. Other verbs whose second root-letter takes a דָּגֵשׁ (dot) in the future are שָׁפַךְ (pour), סָבַל (suffer), כָּבַשׁ (conquer), סָפַר (count), קָפַץ (jump), שָׁפַט (judge).

תַּרְגִּילִים

I. מַדּוּעַ?

1. הָלַךְ הִלֵּל לִירוּשָׁלַיִם?

2. נָתְנוּ הַתַּלְמִידִים כֶּסֶף לְאִישׁ שֶׁעַל יַד הַדֶּלֶת?

3. לֹא הָיָה כֶּסֶף לְהִלֵּל?

4. עָלָה הִלֵּל עַל הַגַּג?

[283]

5. הָיָה חֹשֶׁךְ בְּבֵית הַמִּדְרָשׁ בַּשַּׁבָּת?

6. עָלוּ שְׁמַעְיָה וְאַבְטַלְיוֹן עַל הַגַּג?

7. לֹא הָיָה צָרִיךְ הִלֵּל לְשַׁלֵּם מֵהַיּוֹם הַהוּא?

II. חַבֵּר מִשְׁפָּט בְּכָל מִלָּה:

1. חֹשֶׁךְ   2. מַתְחִיל   3. בֵּית מִדְרָשׁ   4. אַהֲבָה   5. אֵשׁ

6. אוֹר   7. לְשַׁלֵּם   8. עֶרֶב שַׁבָּת   9. לִישֹׁן   10. גַּג

III. כִּתְבוּ בִּזְמַן עָתִיד:

1. (שמר) דָּוִד ———— עַל הַבַּיִת שֶׁלּוֹ.

2. (סגר) רָחֵל ———— אֶת הַחַלּוֹן.

3. (שפך) אֲנִי ———— אֶת הַמַּיִם.

4. (פגש) אַתָּה ———— אֶת הַחֲבֵרִים שֶׁלְּךָ.

5. (כתב) אֲנַחְנוּ ———— לְךָ מִכְתָּבִים.

6. (גמר) אַתֶּן ———— אֶת הָעֲבוֹדָה מָחָר.

7. (למד) אַתְּ ———— אֶת הַשִּׁעוּר.

8. (לבש) הַתַּלְמִידִים ———— בְּגָדִים יָפִים בַּחַג.

9. (פתח) אַתֶּם ———— אֶת הַסְּפָרִים.

10. (רקד) אַתֶּן ———— אֶת הַהוֹרָה.

IV. שַׁנֵּה לְעָתִיד:

1. הַבַּחוּרִים רָקְדוּ יָפֶה.

2. אַבְרָהָם סָגַר אֶת הַדֶּלֶת.

3. קָפַצְתִּי אֶל הַצַּד הַשֵּׁנִי שֶׁל הָרְחוֹב.

4. גְּמַרְתֶּם לִקְרֹא אֶת הַסֵּפֶר.

5. פָּגַשְׁתְּ אוֹתוֹ בְּבֵית הַסֵּפֶר.

6. הָאִשָּׁה שָׁפְכָה מַיִם עַל הָרִצְפָּה.

7. הוּא כָּבַשׁ אֶת הָאָרֶץ.

8. כָּתַבְנוּ אֶת שִׁעוּרֵי הַבַּיִת.

9. הַתַּלְמִידִים פָּתְחוּ אֶת הַמַּחְבָּרוֹת.

10. אַתֶּן סְפַרְתֶּן אֶת הָעֵטִים.

V. הַשְׁלֵם בַּמִּלָּה הַנְּכוֹנָה (Fill in the Hebrew equivalent):

1. הַנַּעֲרָה ———— בַּבֹּקֶר וְהָלְכָה לְבֵית הַסֵּפֶר.	arose
2. אֲנִי ———— אֶת הַסֵּפֶר עַל הַשֻּׁלְחָן.	put
3. הוּא יֶלֶד חָכָם. ————	his pupil
4. אֲנַחְנוּ ———— בְּגָדִים יָפִים.	bought
5. אַתֶּם ———— אֶת הַתְּמוּנָה.	saw
6. הַיָּמִים ———— הָיוּ טוֹבִים.	those
7. הַתַּלְמִידוֹת ———— מְדַבְּרוֹת עִבְרִית.	these
8. הַחֲלוּצִים ———— שִׁירֵי אֶרֶץ יִשְׂרָאֵל.	sang
9. שָׂרָה ———— חִבּוּר עִבְרִי.	will write
10. הַנַּעֲרָה ———— הִיא חֲכָמָה.	third
11. הַיּוֹם ———— הוּא יוֹם חַג.	Sunday
12. דָּוִד ———— אֶת בִּנְיָמִין בַּתַּחֲנָה.	will meet

VI. עִבְרִית מְדֻבֶּרֶת:

סַפֵּר עַל מַה שֶּׁאַתָּה עוֹשֶׂה בְּכָל יְמֵי הַשָּׁבוּעַ.

[241]

קְרִיאָה נוֹסֶפֶת

הֶרְשִׁיל רָעֵב

Many humorous anecdotes are told about Herschel of Ostropolia.
In this story Herschel finds himself at an inn without a penny in his
pocket.

הֶרְשִׁיל אָהַב צְחוֹק (jest).

אֲפִילוּ בִּזְמַן צָרָה (trouble) הָיָה הֶרְשִׁיל שָׂמֵחַ.

פַּעַם אַחַת הָלַךְ הֶרְשִׁיל בַּדֶּרֶךְ. בָּא אֶל מָלוֹן אֶחָד

וְרָצָה לֶאֱכֹל שָׁם. אֲבָל לֹא הָיָה לוֹ כֶּסֶף.

פָּנָה (turned) הֶרְשִׁיל אֶל בַּעֲלַת (owner of) הַבַּיִת,

וּבִקֵּשׁ אֶת אֲרוּחַת הָעֶרֶב.

בַּעֲלַת הַבַּיִת רָאֲתָה כִּי הַבְּגָדִים שֶׁלּוֹ קְרוּעִים (torn),

וְהֵבִינָה כִּי אֵין לוֹ כֶּסֶף.

„אֵין לָנוּ אֹכֶל (food) בַּבַּיִת,‟ אָמְרָה בַּעֲלַת הַבַּיִת.

אָמַר הֶרְשִׁיל: „אוּלַי יֵשׁ לָךְ מְעַט חָלָב?‟

„לֹא,‟ עָנְתָה הָאִשָּׁה.

„אוּלַי יֵשׁ דָּגִים אוֹ בָּשָׂר?‟

„לֹא, אַיִן.‟

„אֲפִילוּ לֶחֶם אֵין בַּבַּיִת?‟

„אֲפִילוּ לֶחֶם אַיִן.‟

הִתְחִיל הֶרְשִׁיל רָץ הֵנָּה וְהֵנָּה (to and fro) וְקוֹרֵא בְּכַעַס גָּדוֹל:

„אִם כֵּן, אֶעֱשֶׂה מַה שֶּׁעָשָׂה אָבִי!‟

[242]

עָמְדָה הָאִשָּׁה וְהִבִּיטָה (looked) עָלָיו בְּפַחַד (frightened)—

מִי יוֹדֵעַ אֵיזֶה מַעֲשֶׂה נוֹרָא (what terrible deed) יַעֲשֶׂה הָאִישׁ הַזֶּה!

הֶרְשִׁיל הִכָּה בַּשֻּׁלְחָן וְעוֹד פַּעַם קָרָא בְּקוֹל:

„כֵּן, אֲנִי אֶעֱשֶׂה מַה שֶּׁעָשָׂה אָבִי!׳

קָרְאָה הָאִשָּׁה: „בְּבַקָּשָׁה, שֵׁב בְּשֶׁקֶט וְאֵלֵךְ לְבַקֵּשׁ אֹכֶל,

אוּלַי אֶמְצָא (I will find) מְעַט לֶאֱכֹל.״

יָצְאָה הָאִשָּׁה בְּפַחַד גָּדוֹל. שָׁבָה אַחֲרֵי רְגָעִים אֲחָדִים,

וּבְיָדָהּ לֶחֶם וּבָשָׂר.

אַחֲרֵי שֶׁגָּמַר הֶרְשִׁיל לֶאֱכֹל, אָמְרָה לוֹ הָאִשָּׁה:

„בְּבַקָּשָׁה, אֱמָר לִי מֶה עָשָׂה אָבִיךָ שֶׁגַּם אַתָּה אָמַרְתָּ לַעֲשׂוֹת!׳

צָחַק הֶרְשִׁיל וְעָנָה:

„אָבִי, כַּאֲשֶׁר הָיָה רָעֵב וְלֹא מָצָא אֹכֶל, הָלַךְ לִישׁוֹן בְּלִי לֶאֱכֹל.״

מִלּוֹן

sapling	שָׁתִיל (ר׳ שְׁתִילִים)	15th of Shevat (Hebrew month)	חֲמִשָּׁה עָשָׂר בִּשְׁבָט
dig	חוֹפֵר (ר׳ חוֹפְרִים)	sixteen	שִׁשָּׁה עָשָׂר
a hole	חוֹר (ר׳ חוֹרִים)	fourteenth	אַרְבָּעָה עָשָׂר
soil, ground	אֲדָמָה	you will come	תָּבוֹאוּ (ש׳ בּוֹא)
shows	מַרְאֶה	noise	רַעַשׁ
to plant	לִנְטֹעַ	the Valley (Valley of Jezreel in Galilee)	הָעֵמֶק
threw	זָרַק	tree	עֵץ (ר׳ עֵצִים)
to throw	לִזְרֹק	forest	יַעַר
		fifteen	חֲמֵשׁ עֶשְׂרֵה

חֲמִשָּׁה עָשָׂר בִּשְׁבָט

An Israeli student writes to his friend in New York about an old yet new holiday in Israel. The students are happy. There are no classes and they enjoy an interesting experience.

חֵיפָה, שִׁשָּׁה עָשָׂר בִּשְׁבָט

שָׁלוֹם יְהוּדָה,

אֶכְתֹּב לְךָ עַל חַג יָפֶה שֶׁהָיָה לָנוּ.

בְּיוֹם אַרְבָּעָה עָשָׂר בִּשְׁבָט, אָמַר לָנוּ הַמּוֹרֶה:

"תָּבוֹאוּ מָחָר לְבֵית הַסֵּפֶר בִּשְׁמוֹנֶה וָחֵצִי בְּלִי סְפָרִים, וְכָל אֶחָד

יָבִיא אֶת אֲרוּחַת הַצָּהֳרַיִם שֶׁלּוֹ כִּי אֲנַחְנוּ נוֹסְעִים מָחָר לָעֵמֶק."

בָּאתִי לְבֵית הַסֵּפֶר בִּשְׁמוֹנֶה וָחֵצִי בַּבֹּקֶר.

[244]

תַּלְמִידִים רַבִּים עוֹמְדִים לִפְנֵי בֵּית הַסֵּפֶר וְגַם הַמּוֹרָה.

הַתַּלְמִידִים שְׂמֵחִים כִּי אֵין לָהֶם שִׁעוּרִים הַיּוֹם.

פִּתְאֹם שׁוֹמְעִים רַעַשׁ מִן הַכְּבִישׁ.

‚הִנֵּה הָאוֹטוֹבּוּס בָּא!׳ קוֹרְאִים הַבַּחוּרִים.

אֲנַחְנוּ עוֹלִים עַל הָאוֹטוֹבּוּס וְיוֹצְאִים מֵחֵיפָה בְּשָׁעָה תֵּשַׁע
וְנוֹסְעִים בַּכְּבִישׁ אֶל הָעֵמֶק.

עָבְרָה חֲצִי שָׁעָה וּפִתְאֹם רוֹאִים אֲנַחְנוּ שָׂדוֹת, שָׂדוֹת רַבִּים
וְגַם עֵצִים.

‚זֶה הָעֵמֶק,׳ אוֹמֵר הַמּוֹרָה.

‚הָעֵמֶק, הָעֵמֶק!׳ קוֹרְאִים הַתַּלְמִידִים, וְהַבַּחוּרִים מַתְחִילִים
לָשִׁיר אֶת שִׁיר הָעֵמֶק.

הָאוֹטוֹבּוּס נוֹסֵעַ עוֹד שָׁעָה וָחֵצִי וּבָא אֶל יַעַר גָּדוֹל.

פֹּה יוֹרְדִים אֲנַחְנוּ וְהוֹלְכִים אֶל הַיַּעַר.

הַמּוֹרָה לוֹקֵחַ שָׁתִיל וְחוֹפֵר חוֹר בָּאֲדָמָה.

הוּא מַרְאֶה לָנוּ אֵיךְ לִנְטֹעַ אֶת הַשָּׁתִיל.

אַחֲרֵי כֵן הוּא נוֹתֵן שָׁתִיל אֶחָד לְכָל תַּלְמִיד.

נַעַר אֶחָד בְּשֵׁם שְׁמוּאֵל לֹא יָכֹל לִנְטֹעַ אֶת הַשָּׁתִיל וְזָרַק אֹתוֹ
עַל הָאֲדָמָה.

הַמּוֹרָה רָאָה אֶת הַשָּׁתִיל עַל הָאֲדָמָה וְאָמַר:

‚בַּחוּרִים, אָסוּר לִזְרֹק אֶת הַשְּׁתִילִים.

אֶרֶץ יִשְׂרָאֵל צְרִיכָה בְּעֵצִים רַבִּים. הָעֵצִים טוֹבִים לָאָרֶץ.׳

אַחֲרֵי כֵן הוֹלֵךְ הַמּוֹרָה וְעוֹזֵר לִשְׁמוּאֵל לִנְטֹעַ אֶת הַשָּׁתִיל.

[245]

בְּשָׁעָה שְׁתֵּים עֶשְׂרֵה אֲנַחְנוּ יוֹשְׁבִים וְאוֹכְלִים אֶת אֲרוּחַת הַצָּהֳרַיִם.

אַחֲרֵי הָאֲרוּחָה יֵשׁ לָנוּ שָׁעָה אַחַת שֶׁל מְנוּחָה וְאָז מְשַׂחֲקִים אֲנַחְנוּ

בְּכַדּוּר־רֶגֶל וּבְכַדּוּר־בָּסִיס וּבְעוֹד מִשְׂחֲקֵי סְפּוֹרְטּ.

בַּסּוֹף אָנוּ שָׁרִים וְרוֹקְדִים.

בְּשָׁעָה שָׁלֹשׁ אֲנַחְנוּ עוֹלִים עַל הָאוֹטוֹבּוּס, עֲיֵפִים וּשְׂמֵחִים.

יוֹם יָפֶה הָיָה לָנוּ וְחַג יָפֶה לָעֵצִים.

כַּאֲשֶׁר יָרַדְתִּי מֵעַל הָאוֹטוֹבּוּס אָמַרְתִּי בְּלִבִּי:

„אוּלַי בְּעוֹד עֶשֶׂר אוֹ חֲמֵשׁ עֶשְׂרֵה שָׁנִים יִהְיֶה הַשָּׁתִיל שֶׁלִּי

לְעֵץ גָּדוֹל, וְאָבוֹא לִרְאוֹת וְלִשְׂמֹחַ בְּעֵצִי.״

כָּתַב לִי יְהוּדָה אֵיךְ אַתֶּם חוֹגְגִים חֲמִשָּׁה עָשָׂר בִּשְׁבָט בְּנִיוּ יוֹרְק.

הֶחָבֵר שֶׁלָּךְ,

דָּוִד

דִּקְדּוּק

הַמִּסְפָּרִים: אַחַד עָשָׂר עַד עֶשְׂרִים

1. חַג הָעֵצִים בַּחֲמִשָּׁה עָשָׂר בִּשְׁבָט.

The holiday of trees is on the 15th of Shevat.

2. בְּעוֹד חֲמֵשׁ עֶשְׂרֵה שָׁנִים יִהְיֶה הַשָּׁתִיל לְעֵץ.

In another fifteen years the sapling will become a tree.

3. יֵשׁ שְׁנֵים עָשָׂר בַּחוּרִים וְאַרְבַּע עֶשְׂרֵה בַּחוּרוֹת בַּכִּתָּה.

There are twelve young men and fourteen girls in the class.

	נְקֵבָה	זָכָר
eleven	אַחַת עֶשְׂרֵה	אַחַד עָשָׂר
twelve	שְׁתֵּים עֶשְׂרֵה	שְׁנֵים עָשָׂר
thirteen	שְׁלֹשׁ עֶשְׂרֵה	שְׁלֹשָׁה עָשָׂר
fourteen	אַרְבַּע עֶשְׂרֵה	אַרְבָּעָה עָשָׂר
fifteen	חֲמֵשׁ עֶשְׂרֵה	חֲמִשָּׁה עָשָׂר
sixteen	שֵׁשׁ עֶשְׂרֵה	שִׁשָּׁה עָשָׂר
seventeen	שְׁבַע עֶשְׂרֵה	שִׁבְעָה עָשָׂר
eighteen	שְׁמֹנֶה עֶשְׂרֵה	שְׁמֹנָה עָשָׂר
nineteen	תְּשַׁע עֶשְׂרֵה	תִּשְׁעָה עָשָׂר
twenty	עֶשְׂרִים	עֶשְׂרִים

1. To form the masculine numbers 11-19, add עָשָׂר to the numbers אֶחָד and שְׁנַיִם etc.; for the feminine, add עֶשְׂרֵה. The number עֶשְׂרִים (20) is the same for both masculine and feminine.

2. The cardinal numbers from 11 upward may also be used as ordinal numbers. See sentence 1, above.

the fifteenth day	הַיּוֹם הַחֲמִשָּׁה עָשָׂר
the fourteenth year	הַשָּׁנָה הָאַרְבַּע עֶשְׂרֵה

תַּרְגִּילִים

I. הַשְׁלֵם בַּמִּלָּה הַנְּכוֹנָה:

1. דָּוִד כָּתַב אֶת מִכְתָּבוֹ בְּיוֹם —— בִּשְׁבָט.

2. הַמּוֹרֶה אָמַר לַתַּלְמִידִים לָבוֹא מָחָר —— סְפָרִים.

[247]

3. הַתַּלְמִידִים שְׂמֵחִים כִּי אֵין לָהֶם ——— בַּחֲמִשָּׁה עָשָׂר בִּשְׁבָט.

4. הָאוֹטוֹבּוּס יוֹצֵא מֵחֵיפָה וְנוֹסֵעַ אֶל ———.

5. הַמּוֹרֶה חוֹפֵר ——— בָּאֲדָמָה.

6. הוּא נוֹתֵן לְכָל תַּלְמִיד ——— אֶחָד.

7. תַּלְמִיד אֶחָד בְּשֵׁם שְׁמוּאֵל ——— אֶת הַשָּׁתִיל עַל הָאֲדָמָה.

8. הַמּוֹרֶה אוֹמֵר: „בַּחוּרִים, ——— לָנוּ לִזְרֹק אֶת הַשְּׁתִילִים.‟

9. הַתַּלְמִידִים שָׁבִים לְחֵיפָה בְּשָׁעָה ———.

10. אָמַרְתִּי בְּלִבִּי: „אוּלַי יִהְיֶה הַשָּׁתִיל שֶׁלִּי לְ——— גָּדוֹל בְּעוֹד חֲמֵשׁ עֶשְׂרֵה שָׁנָה.‟

II. עֲנֵה עַל הַשְּׁאֵלוֹת:

1. מָתַי חַג הָעֵצִים בְּאֶרֶץ יִשְׂרָאֵל?

2. בְּאֵיזוֹ שָׁעָה יָצְאוּ הַתַּלְמִידִים מֵחֵיפָה?

3. לְאָן נָסְעוּ הַתַּלְמִידִים?

4. לְאָן הָלְכוּ לִנְטֹעַ אֶת הַשְּׁתִילִים?

5. כַּמָּה שְׁתִילִים נָתַן הַמּוֹרֶה לְכָל אֶחָד?

6. אֵיךְ נָטְעוּ אֶת הַשְּׁתִילִים?

7. מָה אָמַר הַמּוֹרֶה עַל הַשָּׁתִיל שֶׁזָּרַק שְׁמוּאֵל?

8. מָה עָשׂוּ הַבַּחוּרִים אַחֲרֵי הָאֲרוּחָה?

9. בְּאֵיזוֹ שָׁעָה שָׁבוּ הַתַּלְמִידִים לְחֵיפָה?

10. מָה אָמַר דָּוִד בְּלִבּוֹ?

III. הַשְׁלֵם בַּמִּסְפָּרִים הַנְּכוֹנִים (Fill in the correct numbers):

sixteen	——— תַּלְמִידוֹת .6	twelve	——— סְפָרִים .1
eighteen	——— בַּחוּרִים .7	fifteen	——— עֵצִים .2
thirteen	——— מַחְבְּרוֹת .8	twenty	——— שְׁתִילִים .3
seventeen	——— יְלָדִים .9	fourteen	——— יָמִים .4
nineteen	——— בַּחוּרוֹת .10	eleven	——— שְׁאֵלוֹת .5

IV. שַׁנֵּה לִזְמַן עָתִיד:

1. הַבַּחוּרִים רוֹקְדִים אֶת הַהוֹרָה.

2. שָׂרָה גּוֹמֶרֶת אֶת הַשְּׁעוּרִים.

3. הַתַּלְמִידִים לוֹמְדִים תּוֹרָה.

4. אֲנַחְנוּ קוֹפְצִים אֶל הַמַּיִם.

5. מָתַי אַתֶּם גּוֹמְרִים אֶת הַתַּרְגִּילִים?

6. הַמּוֹרֶה סוֹגֵר אֶת הַחַלּוֹן.

7. אַתֶּן כּוֹתְבוֹת מִכְתָּבִים יָפִים.

8. אַתְּ פּוֹתַחַת אֶת הַדֶּלֶת.

9. אֲנִי פּוֹגֵשׁ אֶת חֲבֵרִי בַּחֲנוּת.

10. הָאִם שׁוֹמֶרֶת עַל הַיֶּלֶד.

V. עִבְרִית מְדֻבֶּרֶת:

Give an oral summary in Hebrew of the contents of the letter (Lesson 40).

חֲזָרָה

I. תַּרְגֵּם לְעִבְרִית:

1. popular with	8. hour; time	15. light
2. these	9. lunch	16. darkness
3. game	10. second	17. fire
4. that (f.)	11. was surprised	18. love
5. soul	12. a dream	19. Fifteenth of Shevat
6. healthy	13. without paying	20. fourteen
7. body	14. roof	21. sixteen

II. תַּרְגֵּם לְאַנְגְּלִית:

35. יוּלַד	18. בְּשָׁעָה שְׁמֹנֶה	1. מַכַּבִּי
36. שְׁמַעְיָה	19. בִּשְׁמֹנֶה וָחֵצִי	2. סְפּוֹרְט
37. אַבְטַלְיוֹן	20. מַתְחִיל	3. כַּדּוּר בָּסִיס
38. בֵּית מִדְרָשׁ	21. שְׁתֵּים עֶשְׂרֵה	4. כַּדּוּר רֶגֶל
39. יִשְׁמֹר	22. לִישׁוֹן	5. טֶנִיס
40. לֹא יִתֵּן	23. אָלֶכְּסַנְדֶּר מוֹקְדוֹן	6. יָם הַתִּיכוֹן
41. מַה גָּדוֹל	24. בָּבֶל	7. זָכָה
42. תָּבוֹאוּ	25. כָּבַשׁ	8. תַּחֲרוּת
43. רַעַשׁ	26. כֹּהֵן	9. מַכַּבִּיָּה
44. הָעֵמֶק	27. לְקַבֵּל פְּנֵי	10. מַאֲמִין
45. עֵץ	28. מֶרְכָּבָה	11. פִּתְגָּם
46. יַעַר	29. הִשְׁתַּחֲוָה	12. מָה הַשָּׁעָה?
47. שָׁתִיל	30. אַצְלִיחַ	13. דַּקָּה
48. חוֹפֵר	31. יָקִימוּ	14. שֶׁבַע
49. מַרְאֶה	32. פֶּסֶל	15. סַבּוֹן
50. לִנְטֹעַ	33. אָסוּר	16. חֲדַר־אֹכֶל
51. זָרַק	34. נִקְרָא	17. רֶבַע לִשְׁמֹנֶה

[250]

חזרה

III. Do you know the following grammatical forms?

    A. Verbs: Future of גָּמַר, page 239.

    B. Demonstrative pronouns and adjectives, page 221.

    C. Numbers: Cardinal (feminine) 1-12, page 228; cardinal 11-20 masculine and feminine, page 247; ordinal 1-10, page 234.

IV. Oral Hebrew:

    A. Can you compose a few sentences about each of the following stories?

1. „הַמַּכַּבִּי‏"   2. „אֲלֶכְּסַנְדֶּר מוֹקְדוֹן‏"   3. „הִלֵּל הַתַּלְמִיד‏"
4. „בַּחֲמִשָּׁה עָשָׂר בִּשְׁבָט.‏"

    B. Can you compose a few questions in Hebrew which will be useful in looking for hotel accommodations?

V. Culture:

    A. Give a timetable in Hebrew of your daily activities.

    B. Name the Hebrew days of the week.

    C. Give a famous maxim of Hillel in Hebrew.

מִבְחָן

I. עֲנֵה בְעִבְרִית: (20)

1. אֵיפֹה עוֹרְכִים אֶת תַּחֲרוּת הַסְּפּוֹרְט שֶׁל הַמַּכַּבִּיָה?
2. מִי לוֹקֵחַ חֵלֶק בַּתַּחֲרוּת הַזֹּאת?
3. מָה אַתָּה עוֹשֶׂה בָּעֶרֶב מִן הַשָּׁעָה שֵׁשׁ עַד הַשָּׁעָה עֶשֶׂר?
4. מָתַי אַתָּה קָם בַּבֹּקֶר?
5. מַדּוּעַ הִשְׁתַּחֲוָה אֲלֶכְּסַנְדֶּר לַכֹּהֵן הַגָּדוֹל?
6. מָה רָצָה אֲלֶכְּסַנְדֶּר שֶׁיָּקִימוּ הָעִבְרִים?
7. מַדּוּעַ עָלָה הִלֵּל עַל גַּג בֵּית הַמִּדְרָשׁ?
8. מַדּוּעַ נָתְנוּ שְׁמַעְיָה וְאַבְטַלְיוֹן לְהִלֵּל לִלְמֹד בְּלִי לְשַׁלֵּם?
9. בְּאֵיזֶה חַג נוֹטְעִים עֵצִים בְּאֶרֶץ יִשְׂרָאֵל?
10. אֵיךְ נוֹטְעִים הַתַּלְמִידִים אֶת הַשְּׁתִילִים?

II. אֵיפֹה? (10)

1. שׂוֹחִים הָאֲנָשִׁים בִּמְדִינַת יִשְׂרָאֵל?
2. אַתָּה אוֹכֵל אֶת אֲרוּחַת הַצָּהֳרַיִם?
3. פָּגַשׁ אֲלֶכְּסַנְדֶּר הַמֶּלֶךְ אֶת הַכֹּהֵן הַגָּדוֹל?
4. יָשַׁב הִלֵּל לִשְׁמֹעַ תּוֹרָה כַּאֲשֶׁר לֹא הָיָה לוֹ כֶּסֶף לְשַׁלֵּם?
5. נוֹטְעִים הַתַּלְמִידִים שְׁתִילִים בִּמְדִינַת יִשְׂרָאֵל?

III. כְּתֹב בַּמִּלָּה הַנְּכוֹנָה: (10)

these	——	6. הַסִּפּוּרִים	this ——	1. הַתְּמוּנָה
those	——	7. הַדּוֹדִים	this ——	2. הַגַּן
these	——	8. הַדָּגִים	that ——	3. הַשִּׂיחָה
this	——	9. הַכֶּלֶב	this ——	4. הָאֲרוּחָה
these	——	10. הַחֲבֵרִים	this ——	5. הַשִּׁעוּר

יז. כְּתֹב בְּעִבְרִית: (20)

1. Three o'clock
2. Ten o'clock
3. A quarter to five
4. Ten after twelve
5. Half past eight

6. The first lesson
7. The fifth boy
8. The second picture
9. The seventh year
10. The tenth day

V. כְּתֹב בִּזְמַן עָתִיד (future): (20)

1. (פגש) דָּוִד —— אֶת דָּן בְּבֵית הַסֵּפֶר.

2. (גמר) שָׂרָה —— אֶת הַשִּׁעוּר הָעֶרֶב.

3. (כתב) אֲנִי —— אֶת הַמִּכְתָּב מָחָר.

4. (רקד) אַתֶּן —— אֶת הַהוֹרָה.

5. (פתח) הַיְלָדִים —— אֶת הַסְּפָרִים.

6. (סגר) אַתְּ —— אֶת הַחַלּוֹן.

7. (ספר) אֲנִי —— אֶת הַחֲמוֹרִים.

8. (קפץ) הַיְלָדוֹת —— בָּרְחוֹב.

9. (שמר) אַתֶּם —— אֶת הַחַגִּים.

10. (משל) הַמֶּלֶךְ —— עַל כָּל הָאָרֶץ.

VI. עֲנֵה בְעִבְרִית: (20)

Compose five questions in Hebrew that will be useful in seeking hotel accommodations.

שִׁעוּר אַרְבָּעִים וְאֶחָד

LESSON 41

מִלּוֹן

vessels, dishes	כֵּלִים	wisdom	חָכְמָה[1]
earthenware	כְּלֵי חֶרֶס	beauty	יֹפִי
silver dishes	כְּלֵי כֶסֶף	Joshua ben Ha-nania	יְהוֹשֻׁעַ בֶּן חֲנַנְיָה
gold dishes	כְּלֵי זָהָב	handsome	יְפֵה תֹאַר
guest	אוֹרֵחַ (ר׳ אוֹרְחִים)	Caesar, emperor	קֵיסָר
soured	הֶחְמִיץ	Rome	רוֹמָא[3]
is kept, preserved	נִשְׁמָר	palace	אַרְמוֹן
plain	פָּשׁוּט (ר׳ פְּשׁוּטִים)	ugly	מְכֹעָר
and it's the same thing with wisdom	וְכֵן הַחָכְמָה	wine	יַיִן

חָכְמָה וָיֹפִי

Can an ugly man be wise?

יְהוֹשֻׁעַ בֶּן חֲנַנְיָה הָיָה אִישׁ חָכָם, אֲבָל לֹא הָיָה יְפֵה תֹאַר.
הַקֵּיסָר שֶׁל רוֹמָא אָהַב לְדַבֵּר אֶל יְהוֹשֻׁעַ עַל הַתּוֹרָה, כִּי
הָיָה יְהוֹשֻׁעַ חָכָם מְאֹד.

פַּעַם אַחַת פָּגַשׁ יְהוֹשֻׁעַ אֶת בַּת הַמֶּלֶךְ בָּאַרְמוֹן.

אָמְרָה בַּת הַמֶּלֶךְ אֶל יְהוֹשֻׁעַ: ״אָבִי אָמַר לִי כִּי אַתָּה אִישׁ
חָכָם מְאֹד. מַדּוּעַ שָׂם שָׁם אֱלֹהִים לֵב חָכָם בְּגוּף מְכֹעָר?״

עָנָה יְהוֹשֻׁעַ: ״אִמְרִי לִי, הַאִם יֵשׁ לַמֶּלֶךְ יַיִן?״
״כֵּן.״

---

[1] The first ז is pronounced like the o in "more" in both Sefardic and Ashkenazic.

„בַּמֶּה הוּא שָׂם אֶת הַיַּיִן?"

„בִּכְלֵי חֶרֶס," אָמְרָה בַּת הַמֶּלֶךְ.

צָחַק יְהוֹשֻׁעַ: „כְּלֵי חֶרֶס הֵם טוֹבִים לַאֲנָשִׁים עֲנִיִּים.

הַמֶּלֶךְ צָרִיךְ לָשִׂים אֶת הַיַּיִן בִּכְלֵי כֶּסֶף אוֹ בִּכְלֵי זָהָב."

הָלְכָה בַּת הַמֶּלֶךְ וְשָׂמָה אֶת הַיַּיִן בִּכְלֵי כֶּסֶף וּבִכְלֵי זָהָב.

פַּעַם אַחַת בָּאוּ אוֹרְחִים לְאַרְמוֹן הַמֶּלֶךְ. הַמֶּלֶךְ נָתַן לָהֶם

יַיִן, וְהַיַּיִן הֶחְמִיץ.

קָרָא הַמֶּלֶךְ: „מִי עָשָׂה זֹאת?"

אָמְרוּ: „בַּת הַמֶּלֶךְ שָׂמָה אֶת הַיַּיִן בִּכְלֵי זָהָב, וְהַיַּיִן הֶחְמִיץ."

כָּעַס הַמֶּלֶךְ מְאֹד מְאֹד.

כַּאֲשֶׁר רָאֲתָה בַּת הַמֶּלֶךְ אֶת יְהוֹשֻׁעַ, אָמְרָה לוֹ:

„מַדּוּעַ אָמַרְתָּ לִי לָשִׂים אֶת הַיַּיִן בִּכְלֵי זָהָב? הַיַּיִן הֶחְמִיץ

וְהַמֶּלֶךְ כָּעַס מְאֹד מְאֹד."

עָנָה יְהוֹשֻׁעַ: „שְׁאֵלָתֵךְ מַדּוּעַ בָּרָא אֱלֹהִים לֵב חָכָם בְּגוּף מְכֹעָר.

אַתְּ רוֹאָה כִּי הַיַּיִן נִשְׁמָר בְּכֵלִים פְּשׁוּטִים, וְכֵן הַחָכְמָה."

דִּקְדּוּק

מִין   A. Gender

Rome is a large city.	רוֹמָא הִיא עִיר גְּדוֹלָה.	1.
Eretz Yisrael is a beautiful country.	אֶרֶץ יִשְׂרָאֵל הִיא אֶרֶץ יָפָה.	2.
The door is small.	הַדֶּלֶת קְטַנָּה.	3.

4. הַחֲנוּת רְחוֹקָה.   The store is far away.

5. פַּעַם אַחַת פָּגַשׁ יְהוֹשֻׁעַ אֶת בַּת הַמֶּלֶךְ.   Joshua once met the king's daughter.

6. קָנִיתִי אֶבֶן יְקָרָה.   I bought a precious stone.

7. אֵשׁ אָכְלָה אֶת עֲצֵי הַיַּעַר.   Fire consumed the trees of the forest.

We have already noted that nouns ending in ה‑ָ and paired organs of the body are feminine. In addition, note the following rules:

1. עִיר, אֶרֶץ and names of cities and countries are feminine. (Sentences 1, 2).

2. Words ending in ת are feminine (חֲנוּת, דֶּלֶת).

3. Some words are feminine even though they do not end in ה‑ָ or ת (אֵשׁ, אֶבֶן, פַּעַם).

B. Exceptions

1. חָלַמְתִּי חֲלוֹם בַּלַּיְלָה הַהוּא.

I dreamed a dream that night.

2. אֲנַחְנוּ גָּרִים בְּבַיִת יָפֶה.

We live in a beautiful house.

Note that לַיְלָה and בַּיִת are masculine even though they end in ה‑ָ and ת respectively.

תַּרְגִּילִים

I. עֲנֵה בְעִבְרִית:

‎1. מַדּוּעַ אָהַב הַקֵּיסָר לְדַבֵּר אֶל יְהוֹשֻׁעַ?

‎2. עַל מַה דִּבֵּר הַקֵּיסָר אֶל יְהוֹשֻׁעַ?

‎3. מַה שָּׁאֲלָה בַּת הַמֶּלֶךְ אֶת יְהוֹשֻׁעַ?

‎4. מָה אָמַר לָהּ יְהוֹשֻׁעַ?

‎5. מַה נָּתַן הַמֶּלֶךְ לָאוֹרְחִים?

‎6. מַדּוּעַ כָּעַס הַמֶּלֶךְ?

‎7. מָה אָמְרָה בַּת הַמֶּלֶךְ כַּאֲשֶׁר פָּגְשָׁה אֶת יְהוֹשֻׁעַ עוֹד פַּעַם?

‎8. מֶה עָנָה לָהּ יְהוֹשֻׁעַ?

II. בְּחַר בַּתְּשׁוּבָה הַנְּכוֹנָה (Choose the correct answer):

‎1. יְהוֹשֻׁעַ בֶּן חֲנַנְיָה הָיָה (יְפֵה תֹאַר, בֶּן הַמֶּלֶךְ, אִישׁ רַע, חָכָם מְאֹד).

‎2. הַקֵּיסָר אָהַב לְדַבֵּר אֶל יְהוֹשֻׁעַ עַל (כֶּסֶף, תּוֹרָה, יַיִן, הַבַּת שֶׁלּוֹ).

‎3. הַיַּיִן טוֹב, כַּאֲשֶׁר שָׂמִים אוֹתוֹ (בִּכְלֵי זָהָב, בִּכְלֵי כֶסֶף, בִּכְלֵי חֶרֶס, בַּבַּיִת).

‎4. בַּת הַמֶּלֶךְ יָשְׁבָה (בִּירוּשָׁלַיִם, בְּבֵית עָנִי, בְּאַרְמוֹן בְּרוֹמָא, בְּחֵיפָה).

‎5. הַיַּיִן הֶחְמִיץ (בִּכְלֵי זָהָב, בִּכְלֵי חֶרֶס, בָּרְחוֹב, עַל הַגַּג).

‎6. לִיהוֹשֻׁעַ הָיָה לֵב חָכָם בְּגוּף (יָפֶה, בָּרִיא, חָזָק, מְכֹעָר).

III. חַבֵּר מִשְׁפָּטִים בַּמִּלִים הָאֵלֶה:

‎1. אוֹרֵחַ ‏ ‎2. בַּת הַמֶּלֶךְ ‏ ‎3. חָכְמָה ‏ ‎4. אַרְמוֹן ‏ ‎5. יֹפִי

‎6. יַיִן ‏ ‎7. יְפֵה תֹאַר ‏ ‎8. מְכֹעָר ‏ ‎9. הֶחָמִיץ ‏ ‎10. עָנִי

IV. כְּתֹב „זֶה' אוֹ „זֹאת' לִפְנֵי כָּל שֵׁם עֶצֶם (noun):

‎1. יַיִן ‏ ‎2. חֲנוּת ‏ ‎3. אַרְמוֹן ‏ ‎4. דֶּלֶת ‏ ‎5. חָכְמָה ‏ ‎6. אוֹרֵחַ ‏ ‎7. עִיר

‎8. מֶלֶךְ ‏ ‎9. חָבֵר ‏ ‎10. חֲבֵרָה ‏ ‎11. חַלּוֹן ‏ ‎12. מִסְעָדָה ‏ ‎13. אֵשׁ

‎14. שָׁנָה ‏ ‎15. חַג ‏ ‎16. אֶבֶן ‏ ‎17. עַם ‏ ‎18. מִכְתָּב ‏ ‎19. עֵצָה ‏ ‎20. אֶרֶץ

V. בְּחַר בַּמִּלָּה הַנְּכוֹנָה:

‎1. עָתּוֹן (טוֹב, טוֹבָה) ‏ ‎6. עֵצָה (טוֹב, טוֹבָה)

‎2. דֶּלֶת (קָטָן, קְטַנָּה) ‏ ‎7. אִשָּׁה (זָקֵן, זְקֵנָה)

‎3. מִסְעָדָה (יָפֶה, יָפָה) ‏ ‎8. שָׁנָה (רִאשׁוֹן, רִאשׁוֹנָה)

‎4. פְּעָמִים (רַבִּים, רַבּוֹת) ‏ ‎9. יָמִים (טוֹבִים, טוֹבוֹת)

‎5. בַּיִת (חָדָשׁ, חֲדָשָׁה) ‏ ‎10. עֵינַיִם (יָפִים, יָפוֹת)

VI. עִבְרִית מְדֻבֶּרֶת:

Relate the story „חָכְמָה וְיֹפִי" in Hebrew using these headings as a guide.

‎1. יְהוֹשֻׁעַ וְהַקֵּיסָר ‏ ‎2. שְׁאֵלַת בַּת הַמֶּלֶךְ

‎3. הַיַּיִן בִּכְלֵי זָהָב ‏ ‎4. תְּשׁוּבַת יְהוֹשֻׁעַ

קְרִיאָה נוֹסֶפֶת

הַדֶּרֶךְ הַקְּצָרָה (short)

Joshua discovers that haste often makes waste.

לִפְנֵי שָׁנִים רַבּוֹת יָשַׁב בְּאֶרֶץ יִשְׂרָאֵל אִישׁ חָכָם בְּשֵׁם יְהוֹשֻׁעַ.

פַּעַם אַחַת הָלַךְ יְהוֹשֻׁעַ בַּדֶּרֶךְ.

הוּא פָּגַשׁ יֶלֶד עִבְרִי קָטָן וְשָׁאַל אוֹתוֹ:

„אוּלַי אַתָּה יוֹדֵעַ אֵיפֹה הַדֶּרֶךְ אֶל הָעִיר?"

עָנָה הַיֶּלֶד: „יֵשׁ שְׁתֵּי דְּרָכִים. הַדֶּרֶךְ הָרִאשׁוֹנָה קְצָרָה (short).

אֲבָל אֲנִי אוֹמֵר שֶׁהִיא אֲרֻכָּה (long) מְאֹד. הַדֶּרֶךְ הַשֵּׁנִית אֲרֻכָּה,

אֲבָל אֲנִי אוֹמֵר שֶׁהִיא קְצָרָה מְאֹד."

הָלַךְ יְהוֹשֻׁעַ בַּדֶּרֶךְ הָרִאשׁוֹנָה. הוּא רָאָה אֶת הָעִיר וְאָמַר בְּלִבּוֹ:

„הַדֶּרֶךְ הַזֹּאת טוֹבָה מְאֹד."

אֲבָל פִּתְאֹם מָצָא יְהוֹשֻׁעַ עֵצִים בַּדֶּרֶךְ – עֵצִים גְּדוֹלִים מְאֹד,

וְהוּא לֹא יָכֹל לְהַמְשִׁיךְ (to continue) בַּדֶּרֶךְ הַזֹּאת.

הוּא שָׁב וּפָגַשׁ עוֹד פַּעַם אֶת הַיֶּלֶד הָעִבְרִי.

„מַדּוּעַ אָמַרְתָּ כִּי הַדֶּרֶךְ קְצָרָה?" שָׁאַל אֶת הַיֶּלֶד. „יֵשׁ עֵצִים

גְּדוֹלִים בַּדֶּרֶךְ."

עָנָה הַיֶּלֶד: „לָכֵן (therefore) אָמַרְתִּי שֶׁהִיא קְצָרָה וְגַם אֲרֻכָּה.

בַּדֶּרֶךְ הַשֵּׁנִיָּה אֵין מִכְשׁוֹל (obstacle), לָכֵן הִיא אֲרֻכָּה וְגַם קְצָרָה."

„יֶלֶד, יֶלֶד," קָרָא יְהוֹשֻׁעַ בְּבַת צְחוֹק (with a smile), „חָכָם אַתָּה.

הַיְלָדִים שֶׁל הָעִבְרִים חֲכָמִים הֵם."

וְהוּא הָלַךְ בַּדֶּרֶךְ הַשֵּׁנִיָּה אֶל הָעִיר.

שִׁעוּר אַרְבָּעִים וּשְׁנַיִם

LESSON 42

מִלּוֹן

their love	אַהֲבָתָם	Akiva	עֲקִיבָא
grew	גָּדַל (י׳ גָּדְלָה)	lived	חַי
you (object pronoun, *f. s.*)	אוֹתָךְ	Kalba Savua (proper name)	כַּלְבָּא שָׂבוּעַ
become my wife!	הֱיִי לִי לְאִשָּׁה	the most beautiful of ...	הַיָּפָה בְּ...
sad	עָצֵב	daughters	בָּנוֹת (י׳ בַּת)
I shall be able, can	אוּכַל	how beautiful!	מַה יָּפֶה
began	הִתְחִיל (י׳ הִתְחִילָה)	she fell in love with ...	הִתְאַהֲבָה בְּ...
wept, cried	בָּכָה	her (object pronoun)	אוֹתָהּ
to weep	לִבְכּוֹת		

עֲקִיבָא וְרָחֵל

Have you heard the romantic story of Akiva and Rachel?

PART I

עֲקִיבָא חַי בְּאֶרֶץ יִשְׂרָאֵל. הוּא הָיָה רוֹעֶה עָנִי.

בְּכָל יוֹם יָצָא עֲקִיבָא אֶל הַשָּׂדֶה עִם הַצֹּאן שֶׁל כַּלְבָּא שָׂבוּעַ.

כַּלְבָּא שָׂבוּעַ הָיָה אִישׁ עָשִׁיר מְאֹד אֲשֶׁר יָשַׁב בִּירוּשָׁלַיִם.

לְכַלְבָּא שָׂבוּעַ הָיְתָה בַּת יְפַת תֹּאַר בְּשֵׁם רָחֵל.

רָחֵל הָיְתָה הַיָּפָה בִּבְנוֹת יְרוּשָׁלַיִם.

פַּעַם אַחַת יָצְאָה רָחֵל אֶל הַשָּׂדֶה וְשָׁם רָאֲתָה אֶת עֲקִיבָא הָרוֹעֶה.

„מַה יָּפֶה הָרוֹעֶה הַזֶּה,‟ אָמְרָה בְּלִבָּהּ.

גַּם בַּיּוֹם הַשֵּׁנִי יָצְאָה רָחֵל אֶל הַשָּׂדֶה, וְגַם בַּיּוֹם הַשְּׁלִישִׁי.

רָחֵל הִתְאַהֲבָה בַּעֲקִיבָא, וְגַם עֲקִיבָא אָהַב אוֹתָהּ.

אַהֲבָתָם גָּדְלָה מִיּוֹם לְיוֹם.

פַּעַם אַחַת אָמַר עֲקִיבָא אֶל רָחֵל:

„רָחֵל, יוֹדֵעַ אֲנִי כִּי בַּת אִישׁ עָשִׁיר אַתְּ, וַאֲנִי רוֹעֶה עָנִי.

אֲבָל אֲנִי אוֹהֵב אוֹתָךְ. הֲיִי לִי לְאִשָּׁה.“

עָנְתָה רָחֵל: „עֲקִיבָא, גַּם אֲנִי אוֹהֶבֶת אוֹתְךָ.

אֲבָל אֶהְיֶה לְךָ לְאִשָּׁה רַק אִם תִּלְמַד תּוֹרָה.“

עֲקִיבָא לֹא עָנָה, וְהָיָה עָצֵב מְאֹד.

„עֲקִיבָא, מַדּוּעַ אַתָּה עָצֵב?“ שָׁאֲלָה רָחֵל.

„רָחֵל,“ עָנָה עֲקִיבָא, „אֵיךְ אוּכַל לִלְמֹד תּוֹרָה וַאֲנִי רַק רוֹעֶה,

וְאֵין אֲנִי יוֹדֵעַ לִקְרֹא וְלִכְתֹּב.“

רֶגַע לֹא עָנְתָה רָחֵל; אַחֲרֵי כֵן, הִתְחִילָה לִבְכּוֹת וּבָרְחָה.

דִּקְדּוּק

Inflection of דּוֹדָה

1. <u>אַהֲבָתָם</u> גָּדְלָה מִיּוֹם לְיוֹם. (הָאַהֲבָה שֶׁלָּהֶם)

Their love grew from day to day.

2. עוֹד לֹא אָבְדָה <u>תִּקְוָתֵנוּ</u>. (הַתִּקְוָה שֶׁלָּנוּ)

Our hope is not yet lost.

3. <u>דּוֹדָתִי</u> יָפָה. (הַדּוֹדָה שֶׁלִּי)

My aunt is pretty.

[261]

עברית חיה

Note that the –ָה changes to a ת when a possessive ending is added to a feminine noun (דּוֹדָתִי, תִּקְוָתֵנוּ, אֲהַבְתָּם).

The complete inflection of דּוֹדָה follows:

	SHORT FORM	LONG FORM
יָחִיד		
my aunt	דּוֹדָתִי	הַדּוֹדָה שֶׁלִּי
your (m.) aunt	דּוֹדָתְךָ	הַדּוֹדָה שֶׁלְּךָ
yout (f.) aunt	דּוֹדָתֵךְ	הַדּוֹדָה שֶׁלָּךְ
his aunt	דּוֹדָתוֹ	הַדּוֹדָה שֶׁלּוֹ
her aunt	דּוֹדָתָהּ	הַדּוֹדָה שֶׁלָּהּ
רבּוּי		
our aunt	דּוֹדָתֵנוּ	הַדּוֹדָה שֶׁלָּנוּ
your (m.) aunt	דּוֹדַתְכֶם	הַדּוֹדָה שֶׁלָּכֶם
your (f.) aunt	דּוֹדַתְכֶן	הַדּוֹדָה שֶׁלָּכֶן
their (m.) aunt	דּוֹדָתָם	הַדּוֹדָה שֶׁלָּהֶם
their (f.) aunt	דּוֹדָתָן	הַדּוֹדָה שֶׁלָּהֶן

Note that in the second person plural, the ־ cha.

‫(דּוֹדַתְכֶם, דּוֹדַתְכֶן.‬

2. Like דּוֹדָה inflect: אֲגֻדָה (club), אַהֲבָה (love), אֲסֵפָה
(meeting), גְּלִידָה (ice-cream), אֲרוּחָה (meal), חָכְמָה (wisdom),
יַלְדָה (child), מִדָּה (measure), מוֹרָה (teacher), מִטָּה (bed),
עֲבוֹדָה (work), שְׁאֵלָה (question), שִׂיחָה (conversation), שִׂמְחָה
תִּקְוָה (pupil), תַּלְמִידָה (law), תּוֹרָה (thanks), תּוֹדָה (celebration),
(hope), תְּשׁוּבָה (answer).

‫תַּרְגִּילִים‬

‫I. הַשְׁלֵם בַּמִּלָה הַנְּכוֹנָה:‬

‫(אִשָּׁה, בָּרְחָה, הִתְאַהֲבָה, שָׂדֶה, עָנִי,‬
‫יָפָה, יְרוּשָׁלַיִם, הַצֹּאן, תֹּאַר, תּוֹרָה)‬

‫1. עֲקִיבָא הָיָה רוֹעֶה אֶת ———— שֶׁל כַּלְבָּא שָׂבוּעַ.‬

‫2. רָחֵל הָיְתָה יְפַת ————.‬

‫3. רָחֵל וְכַלְבָּא שָׂבוּעַ יָשְׁבוּ בָּעִיר ————.‬

‫4. רָחֵל פָּגְשָׁה אֶת עֲקִיבָא בַּ————.‬

‫5. אָמְרָה רָחֵל בְּלִבָּה: "מַה ———— הָרוֹעֶה הַזֶּה!"‬

‫6. אַחֲרֵי יָמִים, ———— רָחֵל בַּעֲקִיבָא.‬

‫7. אָמַר עֲקִיבָא לְרָחֵל: "הֲיִי לִי לְ————".‬

‫8. עֲקִיבָא הָיָה עָצֵב, כִּי לֹא יָדַע ————.‬

‫9. כַּלְבָּא שָׂבוּעַ הָיָה עָשִׁיר וַעֲקִיבָא הָיָה רוֹעֶה ————.‬

‫10. רָחֵל בָּכְתָה וְהִיא ————.‬

[263]

II. כְּתֹב הַפָּכִים (opposites):

1. בָּכָה   2. מִכְעָר   3. שָׂמֵחַ   4. אִשָּׁה   5. טוֹב

6. חֹשֶׁךְ   7. רִאשׁוֹן   8. עָנִי   9. שָׁאַל   10. יוֹם

III. זַוֵּג:

ב	א
אַחַת	רָחֵל
בְּלִבָּהּ	כַּלְבָּא
תּוֹרָה	רוֹעֶה
בַּת אִישׁ עָשִׁיר	יָפַת
אִישׁ עָנִי	אָמְרָה
שָׁבוּעַ	לָמַד
תֹּאַר	פַּעַם
צֹאן	עֲקִיבָא

IV. כְּתֹב בְּמִלָּה אַחַת:

1. הַתּוֹרָה שֶׁלִּי ———   6. הַמִּטָּה שֶׁלָּךְ ———

2. הָעֲבוֹדָה שֶׁלּוֹ ———   7. הַדּוֹדָה שֶׁלָּהֶם ———

3. הָאֲרוּחָה שֶׁלָּכֶם ———   8. הָאַגָּדָה שֶׁלָּכֶן ———

4. הַשִּׂיחָה שֶׁלָּהּ ———   9. הָאֲסֵפָה שֶׁלָּךְ ———

5. הַחָכְמָה שֶׁלָּנוּ ———   10. הַתּוֹדָה שֶׁלָּהֶן ———

[264]

V. כְּתֹב בִּזְמַן עָתִיד:

1. אֲנִי (פגש) אֶת חֲבֵרִי בַּגַּן.
2. רָחֵל (גמר) אֶת מִכְתָּבָהּ.
3. הֵם (למד) לְדַבֵּר עִבְרִית.
4. הַתַּלְמִיד (סגר) אֶת הַחַלּוֹן.
5. אַתֶּם (פתח) אֶת הַסְּפָרִים.
6. הֵם (שׂמח) בְּחַגָּם.
7. הַאִם (שפך) מַיִם מִן הַכּוֹס.
8. הַמֶּלֶךְ (כבש) אֶת הָעִיר.
9. הַיְלָדוֹת (שמר) אֶת הַבַּיִת.
10. אַתְּ (כתב) שִׁיר יָפֶה.

ISRAELI WEIGHTS AND MEASURES מִשְׁקָלוֹת וּמִדּוֹת

2.2 lbs.	kilogram	קִילוֹ .1
a little more than a quart	liter	לִיטֶר .2
1.09 yards	meter	מֶטֶר .3
⅝ of a mile	kilometer	קִילוֹמֶטֶר .4
¼ of an acre	dunam	דּוּנָם .5

ISRAELI CURRENCY מַטְבְּעוֹת

about 33 cents	lira (or pound)	לִירָה אֶרֶץ יִשְׂרָאֵלִית
about ⅓ of a cent	agora	אֲגוֹרָה

(This coin comes in 4 denominations—
1, 5, 10 and 25. There are 100 אֲגוֹרוֹת
in a lira.)

שִׁעוּר אַרְבָּעִים וּשְׁלֹשָׁה

LESSON 43

מִלּוֹן

nevertheless	בְּכָל זֹאת	words of	דִּבְרֵי (י׳ דָּבָר)
slowly	לְאַט לְאַט	even	אֲפִילוּ
will enter	יִכָּנְסוּ	brook	נַחַל
into, inside of	לְתוֹךְ	cut, carved	חָקַק בְּ...
you (f. s.) are right	הַצֶּדֶק לָךְ	a drop	טִפָּה
Yeshivah, academy	יְשִׁיבָה	drop by drop	טִפּוֹת טִפּוֹת
scholar	תַּלְמִיד חָכָם	soft	רַךְ (ר׳ רַכִּים)
		happened	קָרָה

עֲקִיבָא וְרָחֵל

Here is the conclusion of the story about Rachel and Akiva.

Part II

יָצָא עֲקִיבָא אֶל הַשָּׂדֶה, יָשַׁב תַּחַת עֵץ גָּדוֹל וְחָשַׁב עַל
דִּבְרֵי רָחֵל.

״לֹא אוּכַל לִלְמֹד תּוֹרָה,״ אָמַר עֲקִיבָא, ״כִּי אֵין אֲנִי יוֹדֵעַ
אֲפִילוּ אֶת הָא״ב.״

עֲקִיבָא הָיָה יוֹשֵׁב אֵצֶל נַחַל מַיִם. בַּנַּחַל עָמְדָה אֶבֶן גְּדוֹלָה.
הִבִּיט עֲקִיבָא וְרָאָה כִּי בָּאֶבֶן הָיָה חוֹר.

״מִי חָקַק בָּאֶבֶן וְעָשָׂה חוֹר?״ שָׁאַל הָרוֹעֶה.

[266]

וְהִנֵּה רָאָה כִּי טִפּוֹת טִפּוֹת מַיִם נוֹפְלוֹת עַל הָאֶבֶן.

הַמַּיִם חָקְקוּ בָּאֶבֶן, וְעָשׂוּ חוֹר.

אָמַר עֲקִיבָא: „הַמַּיִם רַכִּים וְהָאֶבֶן קָשָׁה; וּבְכָל זֹאת נוֹפְלִים הַמַּיִם לְאַט לְאַט וְחוֹקְקִים בָּאֶבֶן.‟

אָמַר עֲקִיבָא בְּלִבּוֹ:

„דִּבְרֵי הַתּוֹרָה הֵם כְּמוֹ מַיִם. אוּלַי דִּבְרֵי הַתּוֹרָה יִכָּנְסוּ לְתוֹךְ לִבִּי (my heart) טִפּוֹת טִפּוֹת, וּלְאַט לְאַט אוּכַל לִלְמֹד תּוֹרָה.‟

כַּאֲשֶׁר רָאָה עֲקִיבָא אֶת רָחֵל, אָמַר לָהּ:

„רָחֵל, הַצֶּדֶק לָךְ. אֲנִי אֵלֵךְ לַיְשִׁיבָה. אוּלַי אוּכַל לִלְמֹד תּוֹרָה.‟

רָחֵל הָיְתָה שְׂמֵחָה מְאֹד כַּאֲשֶׁר שָׁמְעָה אֶת דִּבְרֵי עֲקִיבָא.

עֲקִיבָא הָרוֹעֶה לָקַח אֶת רָחֵל לְאִשָּׁה.

אַחֲרֵי כֵן הוּא הָלַךְ לַיְשִׁיבָה.

שָׁם לָמַד תּוֹרָה וְהָיָה לְתַלְמִיד חָכָם.

דִּקְדּוּק

הַמִּסְפָּרִים עֶשְׂרִים עַד מֵאָה (100 – 20)

We are studying Lesson 43.	אֲנַחְנוּ לוֹמְדִים שִׁעוּר אַרְבָּעִים וּשְׁלֹשָׁה.	1.
There are 24 hours in a day.	עֶשְׂרִים וְאַרְבַּע שָׁעוֹת בַּיּוֹם.	2.
There are 60 minutes in an hour.	שִׁשִּׁים דַּקּוֹת בְּשָׁעָה.	3.
There were 70 judges in the Sanhedrin.	בַּסַּנְהֶדְרִין הָיוּ שִׁבְעִים שׁוֹפְטִים.	4.

20 – 29

עֶשְׂרִים וַחֲמִשָּׁה	25		עֶשְׂרִים	20
עֶשְׂרִים וְשִׁשָּׁה	26		עֶשְׂרִים וְאֶחָד	21
עֶשְׂרִים וְשִׁבְעָה	27		עֶשְׂרִים וּשְׁנַיִם	22
עֶשְׂרִים וּשְׁמֹנָה	28		עֶשְׂרִים וּשְׁלֹשָׁה	23
עֶשְׂרִים וְתִשְׁעָה	29		עֶשְׂרִים וְאַרְבָּעָה	24

30 – 100

שִׁבְעִים	70		שְׁלֹשִׁים	30
שְׁמֹנִים	80		אַרְבָּעִים	40
תִּשְׁעִים	90		חֲמִשִּׁים	50
מֵאָה	100		שִׁשִּׁים	60

1. Note the relationship between שְׁלֹשָׁה and שְׁלֹשִׁים, between אַרְבָּעָה and אַרְבָּעִים etc. These numbers are used with both masculine and feminine nouns (שִׁשִּׁים דַּקּוֹת; also שִׁבְעִים שׁוֹפְטִים).

2. Unit members agree in gender with the noun (Note: עֶשְׂרִים וְאַרְבַּע שָׁעוֹת).

תַּרְגִּילִים

I. עֲנֵה בְעִבְרִית:

1. עַל מֶה חָשַׁב עֲקִיבָא כַּאֲשֶׁר יָשַׁב תַּחַת הָעֵץ?

2. מַדּוּעַ חָשַׁב עֲקִיבָא כִּי לֹא יוּכַל לִלְמֹד תּוֹרָה?

3. מָה רָאָה עֲקִיבָא בַּנַּחַל?

4. עַל מַה הִתְפַּלֵּא עֲקִיבָא?

5. מָה אָמַר עֲקִיבָא בְּלִבּוֹ?

6. מָה אָמַר עֲקִיבָא כַּאֲשֶׁר רָאָה אֶת רָחֵל?

7. מָתַי לָקַח עֲקִיבָא אֶת רָחֵל לְאִשָּׁה?

8. מַה קָּרָה אַחֲרֵי כֵן?

II. חַבֵּר מִשְׁפָּטִים בַּמִּלִּים הָאֵלֶּה:

1. בְּכָל זֹאת   2. חָקַק   3. חוֹר   4. נַחַל   5. טִפּוֹת

6. לְאַט לְאַט   7. אֲפִילוּ   8. עֵץ   9. רַךְ   10. אוּלַי

III. כְּתֹב אֶת תֹּכֶן הַסִּפּוּר לְפִי הַנּוֹשְׂאִים הָאֵלֶּה:

Write a summary of the story using these topics as guides:

1. רוֹעֶה עָנִי   2. רָחֵל וְהָרוֹעֶה   3. רָחֵל עֲצֵבָה

4. רָחֵל שְׂמֵחָה עוֹד פַּעַם   5. הָאֶבֶן בַּנַּחַל

IV. כְּתֹב אֶת הַמִּסְפָּר:

1. סְפָרִים —————— (24)	6. יְלָדִים —————— (55)	
2. תַּלְמִידוֹת —————— (35)	7. כַּדּוּרִים —————— (99)	
3. שְׁאֵלוֹת —————— (100)	8. תְּשׁוּבוֹת —————— (60)	
4. דַּקּוֹת —————— (33)	9. עֵצִים —————— (75)	
5. שָׁעוֹת —————— (48)	10. פְּרָסִים —————— (82)	

V. כְּתֹב בְּמִלָּה אַחַת:

1. הָאֲרוּחָה שֶׁלְּךָ   2. הַמְּנוּחָה שֶׁלָּהּ   3. הַשִּׂיחָה שֶׁלָּנוּ

4. הַתְּשׁוּבָה שֶׁלּוֹ   5. הַשְּׁאֵלָה שֶׁלִּי   6. הָעֲבוֹדָה שֶׁלָּכֶם

7. הַחָכְמָה שֶׁלָּהֶם   8. הַמִּטָּה שֶׁלָּךְ   9. הַכִּתָּה שֶׁלָּכֶן

10. הָאַגָּדָה שֶׁלָּהֶן

VI. עִבְרִית מְדֻבֶּרֶת:

Describe what you see on a wall map of Israel. Begin each sentence with "בַּמַּפָּה אֲנִי רוֹאֶה" ("On the map I see..."). Use some of these Hebrew geographical terms.

USEFUL GEOGRAPHICAL TERMS

settlement (private)	מוֹשָׁבָה	mountain	הַר
river	נָהָר	sea	יָם
city	עִיר	forest	יַעַר
valley	עֵמֶק	village	כְּפָר
cooperative settlement	קְבוּצָה	wilderness, desert	מִדְבָּר

קְרִיאָה נוֹסֶפֶת

הַסּוּס

A tale about a kind man, a thievish beggar and a clever judge.

פַּעַם אַחַת רָכַב אִישׁ בְּשֵׁם אָשֵׁר עַל סוּסוֹ.

בָּא אִישׁ עָנִי אֶל אָשֵׁר וְאָמַר:

„בְּבַקָּשָׁה, עֲזֹר לִי, אֵין לִי כֹּחַ (strength). תֵּן לִי לִרְכֹּב (to ride)

עַל סוּסְךָ עַד אֲשֶׁר נָבֹא (we come) לִירוּשָׁלַיִם.״

עָנָה אָשֵׁר:

„אֲנִי עוֹזֵר תָּמִיד לָעֲנִיִּים. בְּבַקָּשָׁה, עֲלֵה עַל הַסּוּס.״

הֵם רָכְבוּ יַחַד עַד אֲשֶׁר בָּאוּ אֶל יְרוּשָׁלַיִם.

אָמַר אָשֵׁר:

„הִנֵּה יְרוּשָׁלַיִם. רֵד (dismount) מֵעַל הַסּוּס, וַאֲנִי אֵלֵךְ

לְבֵיתִי בָּעִיר.״

„אֲבָל הַסּוּס הוּא שֶׁלִּי!״ קָרָא הֶעָנִי בְּכַעַס. „אַתָּה רוֹצֶה לִגְנֹב

אֶת סוּסִי.״

בָּאוּ לִפְנֵי הַשּׁוֹפֵט (the judge).

אָמַר הַשּׁוֹפֵט:

„שִׂימוּ אֶת הַסּוּס בָּאֻרְוָה (in the stable) בֵּין כָּל הַסּוּסִים.״

אַחֲרֵי כֵן, אָמַר הַשּׁוֹפֵט אֶל אָשֵׁר:

„בֹּא אִתִּי אֶל הָאֻרְוָה וֶאֱמֹר לִי אֵיזֶה סוּס הוּא שֶׁלְּךָ.״

[271]

עברית חיה

אֲשֶׁר הִכִּיר (recognized) אֶת סוּסוֹ מִיָּד (immediately).

אַחֲרֵי כֵן קָרָא הַשּׁוֹפֵט לָאִישׁ הֶעָנִי, וְגַם הוּא הִכִּיר אֶת הַסּוּס.

אָמַר הַשּׁוֹפֵט:

„הַסּוּס הוּא שֶׁל אָשֵׁר. תֵּן אוֹתוֹ אֵלָיו" (to him).

אָמְרוּ הָאֲנָשִׁים: „מַדּוּעַ אַתָּה נוֹתֵן אֶת הַסּוּס לְאָשֵׁר? גַּם הָאִישׁ הַשֵּׁנִי הִכִּיר אֶת הַסּוּס."

עָנָה הַשּׁוֹפֵט:

„כַּאֲשֶׁר בָּא אָשֵׁר אֶל הָאֻרְוָה, צָהַל (neighed) הַסּוּס בְּשִׂמְחָה; וְכַאֲשֶׁר בָּא הָאִישׁ הַשֵּׁנִי אֶל הָאֻרְוָה, שָׁתַק (remained silent) הַסּוּס. לֹא רָצִיתִי לִרְאוֹת אִם הִכִּירוּ הָאֲנָשִׁים אֶת הַסּוּס; רָצִיתִי לָדַעַת (to know) אִם הִכִּיר הַסּוּס אֶת הָאֲנָשִׁים."

[272]

שִׁעוּר אַרְבָּעִים וְאַרְבָּעָה

LESSON 44

מִלּוֹן

I cut off	כָּרַתִּי	prince	נָגִיד
concerning, about	עַל אֹדוֹת	Malaga (name of a city)	מַלַאקָה
sick	חוֹלֶה (ר׳ חוֹלִים)	Spain	סְפָרַד
gift	מַתָּנָה	poet	מְשׁוֹרֵר
several	אֲחָדִים	and appointed him	וּמִנָּה אוֹתוֹ
long live!	יְחִי	to be	לִהְיוֹת
his lips	שְׂפָתָיו (י׳ שָׂפָה)	cursed	קִלֵּל
in place of	בִּמְקוֹם	cut off!	כְּרֹת

שְׁמוּאֵל הַנָּגִיד

Samuel the Prince, poet and prime minister, discovers a remedy
for slander.

בָּעִיר מַלַאקָה, אֲשֶׁר בִּסְפָרַד, חַי מְשׁוֹרֵר עִבְרִי בְּשֵׁם שְׁמוּאֵל.

הַמֶּלֶךְ אָהַב אֶת שְׁמוּאֵל כִּי שְׁמוּאֵל הָיָה אִישׁ טוֹב וְחָכָם,

וּמִנָּה אוֹתוֹ לִהְיוֹת שֵׁנִי לַמֶּלֶךְ.

פַּעַם אַחַת עָבְרוּ הַמֶּלֶךְ וּשְׁמוּאֵל הַנָּגִיד בָּעִיר.

בָּא מְשׁוֹרֵר עַרְבִי וְקִלֵּל אֶת שְׁמוּאֵל.

כָּעַס הַמֶּלֶךְ וְאָמַר:

„כְּרֹת אֶת הַלָּשׁוֹן הָרָעָה שֶׁל הָאִישׁ הַזֶּה!׳

שְׁמוּאֵל הָיָה עָצֵב כַּאֲשֶׁר שָׁמַע אֶת דִּבְרֵי הַמֶּלֶךְ.

שָׁאַל שְׁמוּאֵל עַל אֹדוֹת הַמְשׁוֹרֵר הָעַרְבִי.

אָמְרוּ לוֹ כִּי הָעַרְבִי הוּא אִישׁ עָנִי מְאֹד. בְּנֵי בֵיתוֹ הֵם חוֹלִים כִּי

לֹא הָיָה לָהֶם לֶחֶם לֶאֱכֹל.

שְׁמוּאֵל אָמַר אֶל הָעֶבֶד שֶׁלּוֹ: שְׁלַח לַמְשׁוֹרֵר לֶחֶם וּבְגָדִים

וֶאֱמֹר לוֹ כִּי מַתָּנָה הִיא מִשְּׁמוּאֵל.

אַחֲרֵי יָמִים אֲחָדִים, עָבְרוּ הַמֶּלֶךְ וּשְׁמוּאֵל עוֹד פַּעַם בָּעִיר.

רָץ לִפְנֵיהֶם הַמְשׁוֹרֵר הָעַרְבִי וְקָרָא:

יְחִי הַמֶּלֶךְ! יְחִי שְׁמוּאֵל הַנָּגִיד!

כַּאֲשֶׁר רָאָה הַמֶּלֶךְ אֶת הָעַרְבִי, הוּא קָרָא:

שְׁמוּאֵל, מַדּוּעַ לֹא עָשִׂיתָ כִּדְבָרִי (carry out my command)?

אָמַרְתִּי לְךָ לִכְרֹת אֶת הַלָּשׁוֹן הָרָעָה שֶׁל הָאִישׁ הַזֶּה!

סִפֵּר שְׁמוּאֵל עַל אֹדוֹת הַמַּתָּנָה, וְאָמַר:

שְׁמַע אֶת הַבְּרָכָה אֲשֶׁר עַל שְׂפָתָיו. עָשִׂיתִי כִּדְבָרֶיךָ. כָּרַתִּי אֶת

לְשׁוֹנוֹ הָרָעָה. וְעַכְשָׁו בִּמְקוֹם לָשׁוֹן רָעָה יֶשׁ לוֹ לָשׁוֹן טוֹבָה!

פִּתְגָּם עִבְרִי

עַל שְׁלֹשָׁה דְבָרִים הָעוֹלָם קַיָּם:
עַל הָאֱמֶת וְעַל הַדִּין וְעַל
הַשָּׁלוֹם. (פִּרְקֵי אָבוֹת, א)

The world depends on three
things: on truth, on justice
and on peace.

(Ethics of the Fathers, I)

דִּקְדּוּק

INFLECTION OF אֶת

The king appointed the poet.	1. הַמֶּלֶךְ מִנָּה אֶת הַמְשׁוֹרֵר.
The king appointed him.	הַמֶּלֶךְ מִנָּה אוֹתוֹ.
Isaac loved Rebecca.	2. יִצְחָק אָהַב אֶת רִבְקָה.
Isaac loved her.	יִצְחָק אָהַב אוֹתָהּ.

In Hebrew, object pronouns are formed from the word אֶת. The entire inflection follows:

רַבּוּי		יָחִיד	
us	אוֹתָנוּ	me	אוֹתִי
you (m.)	אֶתְכֶם	you (m.)	אוֹתְךָ
you (f.)	אֶתְכֶן	you (f.)	אוֹתָךְ
them (m.)	אוֹתָם	him, it (m.)	אוֹתוֹ
them (f.)	אוֹתָן	her, it (f.)	אוֹתָהּ

תַּרְגִּילִים

א. הַשְׁלֵם בַּמִּלָּה הַנְּכוֹנָה:

(יְחִי, כָּרַת, לָשׁוֹן, מֶלֶךְ, מְשׁוֹרֵר,
מַתָּנָה, סְפָרַד, עָנִי, קִלֵּל, שְׂפָתָיו)

1. שְׁמוּאֵל הַנָּגִיד הָיָה —— עִבְרִי.
2. שְׁמוּאֵל חַי בָּעִיר מַלַּקָה, בְּאֶרֶץ ——.

3. שְׁמוּאֵל הָיָה שֵׁנִי לַ——————.

4. מְשׁוֹרֵר עַרְבִי —————— אֶת שְׁמוּאֵל.

5. הַמֶּלֶךְ אָמַר: —————— אֶת לְשׁוֹנוֹ הָרָעָה.

6. הַמְשׁוֹרֵר הָעַרְבִי הָיָה אִישׁ —————— ——————.

7. שְׁמוּאֵל שָׁלַח —————— אֶל הָעַרְבִי.

8. אַחֲרֵי יָמִים אֲחָדִים, פָּגַשׁ אוֹתָם הַמְשׁוֹרֵר וְקָרָא: ,,—————— —————— שְׁמוּאֵל הַנָּגִיד.''

9. אָמַר שְׁמוּאֵל לַמֶּלֶךְ: ,,שְׁמַע אֶת הַבְּרָכָה אֲשֶׁר עַל —————— ——————.''

10. כָּרַתִּי אֶת לְשׁוֹנוֹ הָרָעָה וְנָתַתִּי לוֹ —————— טוֹבָה.

II. זַוֵּג:

ב	א
לְשׁוֹנוֹ	מַלְאָקָה
עַל שְׂפָתָיו	סְפָרַד
עִיר	שְׁמוּאֵל
בֵּיתוֹ	כָּרַת
הַנָּגִיד	לֶחֶם
לֶאֱכֹל	בְּרָכָה
אֶרֶץ	בְּנֵי

III. בְּחַר בַּמִּלָּה הַנְּכוֹנָה:

1. הָעִיר מַלְאָקָה הִיא בְּאֶרֶץ (יִשְׂרָאֵל, סְפָרַד).

2. שְׁמוּאֵל הַנָּגִיד הָיָה מְשׁוֹרֵר (עִבְרִי, עַרְבִי).

3. הַמֶּלֶךְ אָהַב אֶת שְׁמוּאֵל כִּי שְׁמוּאֵל (חָכָם, עָשִׁיר).

4. הַמְשׁוֹרֵר הָעַרְבִי קִלֵּל אֶת (הַמֶּלֶךְ, שְׁמוּאֵל).

5. הַמֶּלֶךְ (כָּעַס, צָחַק) כַּאֲשֶׁר שָׁמַע אֶת דִּבְרֵי הָעַרְבִי.

6. הַמֶּלֶךְ אָמַר: „כְּרֹת אֶת (הַיָּד, הַלָּשׁוֹן) שֶׁל הָעַרְבִי.‟

7. שְׁמוּאֵל כָּרַת אֶת הַלָּשׁוֹן (הַטּוֹבָה, הָרָעָה) שֶׁל הַמְשׁוֹרֵר.

8. עַל שְׂפָתָיו שֶׁל הַמְשׁוֹרֵר הָיְתָה (בְּרָכָה, שְׁאֵלָה).

IV. הַשְׁלֵם:

me	⸺⸺⸺	1. אִמָּא אוֹהֶבֶת
you (f. s.)	בְּבֵית הַסֵּפֶר. ⸺⸺⸺	2. לֹא רָאִיתִי
you (m.)	בַּשַּׁבָּת. ⸺⸺⸺	3. לֹא פָּגַשְׁתִּי
him	⸺⸺⸺, אֲבָל שְׁמוּאֵל לֹא כָּעַס.	4. הָעַרְבִי קִלֵּל
them (m.)	לִהְיוֹת שׁוֹפְטִים. ⸺⸺⸺	5. הַמֶּלֶךְ מִנָּה

V. שַׁנֵּה לְרִבּוּי:

1. אִמָּא שָׁלְחָה אוֹתִי לַחֲנוּת.

2. רָאִיתִי אוֹתְךָ בְּיוֹם רִאשׁוֹן.

3. אֲנִי אוֹהֵב אוֹתָךְ.

4. לֹא מָצָאתִי אוֹתוֹ בַּבַּיִת.

5. שָׂרָה פָּגְשָׁה אוֹתָהּ בַּגַּן.

VI. עִבְרִית מְדֻבֶּרֶת:

הַמְחֵז (dramatize) אֶת הַסִּפּוּר „שְׁמוּאֵל הַנָּגִיד.‟ הַתַּפְקִידִים

(the parts to be assigned) הֵם: שְׁמוּאֵל, הַמֶּלֶךְ, הַמְשׁוֹרֵר

הָעַרְבִי, עֲבָדִים.

קוּמָה אֶחָא

The pioneers invite all to join the circle as they dance and sing
of the creative tasks that await them.

קוּמָה, אֶחָא, סֹבָה סֹב,

אַל תָּנוּחָה, שׁוּבָה שׁוּב,

אֵין כָּאן רֹאשׁ וְאֵין כָּאן סוֹף,

יָד אֶל יָד, אַל תַּעֲזֹב.

יוֹם שָׁקַע וְיוֹם יִזְרַח,

אָנוּ נֵפֶן אָח אֶל אָח,

מִן הַכְּפָר וּמִן הַכְּרַךְ,

בְּחֶרְמֵשׁ וּבָאֲנָךְ.

Koo - mah e-cha   saw-vah sawv   al ta - noo - cha shoo - vah shawv

en kan rawsh v' - en kan sawf   yad el yad   al ta - a - zawv.

yawm sha-ka v' - yawm yiz-rach   a - noo ne - fen ach   el ach

min hak-k'far oo - min hak-k'rach b'-cher-mesh oo - va - a - nach.

שִׁעוּר אַרְבָּעִים וַחֲמִשָּׁה

LESSON 45

מִלּוֹן

funeral	הַלְוָיָה	put on, wore	לָבַשׁ
white	לָבָן (ר׳ לְבָנִים)	may you wear	תִּלְבַּשׁ (ר׳ תִּלְבְּשׁוּ)
may he rest in peace	יָנוּחַ בְּשָׁלוֹם עַל מִשְׁכָּבוֹ	wearing	לָבוּשׁ (ר׳ לְבוּשִׁים)
thirty days old	בֶּן שְׁלשִׁים יוֹם	God willing	אִם יִרְצֶה הַשֵּׁם
party, banquet	מִשְׁתֶּה	wedding	חֲתוּנָה
joy, festivity	שִׂמְחָה	neighbor	שָׁכֵן
good luck	מַזָּל טוֹב	chased away	גֵּרֵשׁ
a fire	שְׂרֵפָה	wear it well!	תִּתְחַדֵּשׁ
smoke	עָשָׁן	why don't you	מַדּוּעַ אֵינְךָ
chimney	מַעֲשֵׁנָה		

יֶלֶד טִפֵּשׁ

Ḥusham has the habit of saying the right thing at the wrong time.

חוּשָׁם לֹא הָיָה יֶלֶד חָכָם. פַּעַם לָבַשׁ חוּשָׁם בֶּגֶד חָדָשׁ.

אָמְרָה לוֹ הָאֵם: ,,אִם יִרְצֶה הַשֵּׁם, תִּלְבַּשׁ בֶּגֶד חָדָשׁ בְּיוֹם חֲתוּנָתְךָ.‘‘

יָצָא חוּשָׁם וְרָאָה אֶת הַשָּׁכֵן וְאִשְׁתּוֹ עַל יַד הַבַּיִת.

רָאָה חוּשָׁם כִּי הֵם לְבוּשִׁים בְּגָדִים חֲדָשִׁים.

אָמַר לָהֶם: ,,אִם יִרְצֶה הַשֵּׁם, תִּלְבְּשׁוּ בְּגָדִים חֲדָשִׁים בְּיוֹם חֲתוּנַתְכֶם.‘‘

[279]

כָּעַס הַשָּׁכֵן וְגֵרֵשׁ אֶת חוּשָׁם.

בָּא חוּשָׁם וּבָכָה לִפְנֵי הָאֵם.

אָמְרָה לוֹ: „בְּנִי, אֶל הָאִישׁ הַלּוֹבֵשׁ בֶּגֶד חָדָשׁ, אוֹמְרִים ,תִּתְחַדֵּשׁ.' מַדּוּעַ אֵינְךָ אוֹמֵר ,תִּתְחַדֵּשׁ"?

יָצָא חוּשָׁם וְרָאָה הַלְוָיָה, וְרָאָה בְּגָדִים לְבָנִים עַל הַמֵּת.

בָּא חוּשָׁם וְאָמַר: „תִּתְחַדֵּשׁ! תִּתְחַדֵּשׁ!"

כָּעֲסוּ הָאֲנָשִׁים מְאֹד מְאֹד, וְגֵרְשׁוּ אֶת חוּשָׁם.

אָמַר הָאָב אֶל חוּשָׁם:

„בְּנִי, אֵינֶנּוּ אוֹמְרִים תִּתְחַדֵּשׁ עַל הַמֵּת. בְּהַלְוָיָה אוֹמְרִים ,יָנוּחַ בְּשָׁלוֹם עַל מִשְׁכָּבוֹ'."

יָצָא חוּשָׁם וְרָאָה אֲנָשִׁים רַבִּים הוֹלְכִים, וְנוֹשְׂאִים יֶלֶד בֶּן שְׁלֹשִׁים יוֹם לְמִשְׁתֶּה.

חָשַׁב חוּשָׁם, „הַלְוָיָה הִיא."

רָץ וְאָמַר: „יָנוּחַ בְּשָׁלוֹם עַל מִשְׁכָּבוֹ."

כָּעֲסוּ הָאֲנָשִׁים וְגֵרְשׁוּ אֶת חוּשָׁם.

אָמְרָה הָאֵם בְּכַעַס: „חוּשָׁם, בְּיוֹם שִׂמְחָה אוֹמְרִים ,מַזָּל טוֹב'!"

יָצָא חוּשָׁם וְרָאָה שְׂרֵפָה בָּרְחוֹב, וַאֲנָשִׁים רָצִים וְעוֹלִים עַל הַגַּג וְצוֹעֲקִים בְּקוֹלֵי קוֹלוֹת.

אָמַר חוּשָׁם: „שִׂמְחָה גְדוֹלָה שָׁם."

רָץ וְצָעַק: „מַזָּל טוֹב! מַזָּל טוֹב!"

שָׁפְכוּ עַל רֹאשׁוֹ כַּד מַיִם.

אָמַר לוֹ הָאָב: „חוּשָׁם, בִּשְׂרֵפָה אֵינֶנּוּ אוֹמְרִים מַזָּל טוֹב.

לוֹקְחִים כַּד מַיִם וְשׁוֹפְכִים עַל הָאֵשׁ.‟

יָצָא הַיֶּלֶד וְרָאָה עָשָׁן עוֹלֶה מִן הַמַּעֲשֵׁנָה.

אָמַר: „שְׂרֵפָה הִיא.‟

רָץ, וְלָקַח כַּד מַיִם, וְעָלָה עַל הַגַּג, וְשָׁפַךְ לְתוֹךְ הַמַּעֲשֵׁנָה.

יָצְאוּ אַנְשֵׁי הַבַּיִת, רָאוּ אֶת חוּשָׁם, וְגֵרְשׁוּ אוֹתוֹ.

וְהַיֶּלֶד בָּכָה וְרָץ אֶל בֵּיתוֹ.

דִּקְדּוּק

INFLECTION OF אֵין

Why don't you say, "Wear it well"?	1. מַדּוּעַ אֵינְךָ אוֹמֵר „תִּתְחַדֵּשׁ‟?
I don't know.	2. אֵינֶנִּי יוֹדֵעַ.
The burning bush is not consumed.	3. הַסְּנֶה אֵינֶנּוּ אֻכָּל.

אֵין may be inflected like a noun by adding the pronoun endings.

יָחִיד

I am not, do not	אֵינִי, אֵינֶנִּי
you (*m.*) are not, do not	אֵינְךָ
you (*f.*) are not, do not	אֵינֵךְ
he is not, does not	אֵינוֹ, אֵינֶנּוּ
she is not, does not	אֵינָהּ, אֵינֶנָּה

רבּוּי

we are not, do not	אֵינֶנּוּ
you (*m.*) are not, do not	אֵינְכֶם
you (*f.*) are not, do not	אֵינְכֶן
they (*m.*) are not, do not	אֵינָם
they (*f.*) are not, do not	אֵינָן

תַּרְגִּילִים

I. עֲנֵה בְּעִבְרִית:

1. מָה אָמְרָה הָאֵם כַּאֲשֶׁר לָבַשׁ חוֹשָׁם בֶּגֶד חָדָשׁ?
2. מַדּוּעַ כָּעַס הַשָּׁכֵן?
3. מָתַי אוֹמְרִים „תִּתְחַדֵּשׁ"?
4. מַדּוּעַ גֵּרְשׁוּ אֶת חוֹשָׁם מִן הַהַלְוָיָה?
5. מָתַי אוֹמְרִים „יָנוּחַ בְּשָׁלוֹם עַל מִשְׁכָּבוֹ"?
6. מָתַי אוֹמְרִים „מַזָּל טוֹב"?
7. מַה צָּעַק חוֹשָׁם כַּאֲשֶׁר רָאָה שְׂרֵפָה?
8. מֶה עָשׂוּ הָאֲנָשִׁים?

II. כְּתֹב „כֵּן" אוֹ „לֹא" וְתַקֵּן כָּל מִשְׁפָּט בִּלְתִּי נָכוֹן:

1. בְּיוֹם שִׂמְחָה אוֹמְרִים „תִּתְחַדֵּשׁ".
2. חוֹשָׁם אָמַר „יָנוּחַ בְּשָׁלוֹם עַל מִשְׁכָּבוֹ" לְיֶלֶד בֶּן שְׁלֹשִׁים יוֹם.
3. חוֹשָׁם שָׁפַךְ מַיִם כַּאֲשֶׁר רָאָה שְׂרֵפָה.

4. עַל הַמֵּת אוֹמְרִים: „יָנוּחַ בְּשָׁלוֹם עַל מִשְׁכָּבוֹ.﹔

5. כַּאֲשֶׁר שָׁפַךְ חוּשָׁם מַיִם לְתוֹךְ הַמַּעֲשֵׂנָה, אָמְרוּ הָאֲנָשִׁים:
„מַזָּל טוֹב.﹔

III. חַבֵּר מִשְׁפָּטִים בַּמִּלִּים הָאֵלֶּה:

1. שָׁכֵן   2. שְׂרֵפָה   3. גֶּרֶשׁ   4. מִשְׁתֶּה   5. הַלְוָיָה

6. עָשָׂה   7. שִׂמְחָה   8. לָבַשׁ   9. לָבָן   10. מַזָּל טוֹב

IV. הַשְׁלֵם: Complete the following Biblical phrases
using the inflected forms of אֵין.

1. (I am not) —— עֹבֵר אֶת הַיַּרְדֵּן.   (Deuteronomy 4, 22)

2. (We do not) —— שֹׁמְעִים אֵלֶיךָ.   (Jeremiah 44, 16)

3. (are not) וְאַתָּה —— חוֹלֶה.   (Nehemiah 2, 2)

4. (you do not) כִּי —— שָׂמִים עַל לֵב.   (Malachi 2, 2)

5. (He is not) —— גָּדוֹל בַּבַּיִת הַזֶּה מִמֶּנִּי.   (Genesis 39, 9)

6. (they do not) כַּאֲשֶׁר —— יֹדְעִים.   (II Kings 17, 26)

V. שַׁנֵּה לְרַבּוּי:

1. אֵינֶנִּי יוֹדֵעַ אֶת הַתְּשׁוּבָה.

2. אֵינְךָ זוֹכֵר אֶת שְׁמִי?

3. מַדּוּעַ אֵינֵךְ יוֹשֶׁבֶת בְּשֶׁקֶט?

4. אֵינֶנּוּ רוֹאֶה אֶת הַלּוּחַ.

5. אֵינֶנָּה בַּבַּיִת.

VI. עִבְרִית מְדֻבֶּרֶת:

Pretend you have entered a clothing store in Tel Aviv and wish to make a purchase. Carry on a conversation with the merchant using some of the words in the following vocabulary list.

CLOTHING	בְּגָדִים
I'd like a pair of shoes.	אֲנִי רוֹצֶה זוּג נַעֲלַיִם.
Were they made in Israel?	הַאִם מְתוֹצֶרֶת הָאָרֶץ הֵן?
She's wearing a nice hat.	הִיא חוֹבֶשֶׁת מִגְבַּעַת יָפָה.
blouse	חֻלְצָה
socks	גַּרְבַּיִם
gloves	כְּפָפוֹת
Is this a new suit?	הַאִם זֶה בֶּגֶד חָדָשׁ?
Wear it well!	תִּתְחַדֵּשׁ!
It's the latest style.	זֶה לְפִי הָאָפְנָה¹ הָאַחֲרוֹנָה.
Miss, this fits you nicely.	גְּבֶרֶת, זֶה הוֹלֵם אוֹתָךְ יָפֶה.
What color?	אֵיזֶה צֶבַע?
red	אָדֹם
black	שָׁחוֹר
white	לָבָן
blue	כָּחֹל
brown	חוּם
green	יָרֹק
yellow	צָהֹב
purple	אַרְגָּמָן

¹ The אָ is pronounced like the "o" in "more" in both Sefaric and Ashkenazic.

חֲזָרָה

‏I. תַּרְגֵּם לְעִבְרִית:

1. wine	10. word, words of	19. his lips
2. vessels, dishes	11. even	20. in place of
3. is kept	12. slowly	21. wore
4. lived	13. scholar	22. wedding
5. daughters	14. to be	23. neighbor
6. sad	15. about, concerning	24. you don't
7. I shall be able	16. sick	25. white
8. began	17. gift	26. rejoicing, joy
9. wept	18. several	27. happened

‏II. תַּרְגֵּם לְאַנְגְּלִית:

31. מִנָּה	16. אֲהַבְתָּם	1. חָכְמָה
32. הִלֵּל	17. גָּדַל	2. יֹפִי
33. כָּרַת	18. אוֹתְךָ	3. יְפֵה תֹאַר
34. יְחִי	19. הֱיֵי לִי לְאִשָּׁה	4. קֵיסָר
35. אִם יִרְצֶה הַשֵּׁם	20. נַחַל	5. רוֹמָא
36. גֵּרֵשׁ	21. חָקַק בְּ...	6. אַרְמוֹן
37. תִּתְחַדֵּשׁ	22. טִפָּה	7. מְכֹעָר
38. הַלְּוָיָה	23. רַךְ	8. כְּלֵי חֶרֶס
39. מִשְׁתֶּה	24. בְּכָל זֹאת	9. כְּלֵי כֶסֶף
40. מַזָּל טוֹב	25. יִכָּנְסוּ	10. כְּלֵי זָהָב
41. שְׂרֵפָה	26. לְתוֹךְ	11. אוֹרֵחַ
42. עָשָׁן	27. הַצֶּדֶק לָךְ	12. הֶחְמִיץ
43. מַעֲשֶׂנָה	28. נָגִיד	13. פָּשׁוּט
44. יָנוּחַ בְּשָׁלוֹם עַל מִשְׁכָּבוֹ	29. סְפָרַד	14. הַיָּפָה בְּ...
	30. מְשׁוֹרֵר	15. הִתְאַהֲבָה בְּ...

III. Do you know the following grammatical forms?

    A. Noun: Feminine nouns, page 256; inflection of דּוֹדָה, page 262.

    B. Pronoun: אוֹתִי, page 275.

    C. Negative: Inflection of אֵין, page 281.

    D. Numbers: 20-100, page 268.

IV. Oral Hebrew:

    A. Summarize in Hebrew the following stories:

1. „חָכְמָה וְיֹפִי"   2. „עֲקִיבָא וְרָחֵל"   3. „שְׁמוּאֵל הַנָּגִיד"

4. „יֶלֶד טִפֵּשׁ"

    B. Converse on the following topics:

1. בַּמַּפָּה אֲנִי רוֹאֶה...   2. בַּחֲנוּת בְּגָדִים

V. Culture:

    1. What is the value in American currency of a אֲגוֹרָה? לִירָה?

    2. What is the equivalent of a לִיטֶר? a קִילוֹ? a דּוּנָם?

    3. List 5 Hebrew geographic terms.

    4. Recite a Hebrew proverb.

מִבְחָן

(20)

I. עֲנֵה בְּעִבְרִית:

1. מַדּוּעַ הֶחְמִיץ הַיַּיִן שֶׁל הַמֶּלֶךְ?

2. מַדּוּעַ חָשַׁב עֲקִיבָא כִּי לֹא יוּכַל לִלְמֹד תּוֹרָה?

3. מָה רָאָה עֲקִיבָא בַּנַּחַל?

4. אֵיךְ כָּרַת שְׁמוּאֵל אֶת הַלָּשׁוֹן הָרָעָה שֶׁל הָעַרְבִי?

5. מַה צָּעַק חוּשָׁם כַּאֲשֶׁר רָאָה שְׂרֵפָה?

(10)

II. בְּחַר בַּמִּלָּה הַנְּכוֹנָה:

(בָּנוֹת, דִּבְרֵי, חוֹלֶה, חַי, יַיִן, מַתָּנָה,
לָבַשׁ, עֶצֶב, שִׂמְחָה, תַּלְמִיד חָכָם)

1. הַקֵּיסָר שָׂם אֶת הַ—— בִּכְלֵי זָהָב.

2. עֲקִיבָא —— בְּאֶרֶץ יִשְׂרָאֵל.

3. רָחֵל הָיְתָה הַיָּפָה הַ——.

4. עֲקִיבָא הָיָה —— כִּי לֹא לָמַד תּוֹרָה.

5. עֲקִיבָא לָמַד תּוֹרָה וְהָיָה לְ——.

6. הַמֶּלֶךְ כָּעַס כַּאֲשֶׁר שָׁמַע אֶת —— הָעַרְבִי.

7. שְׁמוּאֵל שָׁלַח —— אֶל הָעַרְבִי.

8. הַמְשׁוֹרֵר הָעַרְבִי הָיָה אִישׁ עָנִי וְ——.

9. חוּשָׁם —— בֶּגֶד חָדָשׁ.

10. בְּיוֹם שֶׁל —— אוֹמְרִים "מַזָּל טוֹב".

[287]

III. כְּתֹב „זֶה" אוֹ „זֹאת" לִפְנֵי כָּל שֵׁם עֶצֶם (noun): **(10)**

1. בֶּגֶד ———	6. ——— בַּיִת
2. אֶרֶץ ———	7. ——— דֶּלֶת
3. עֵץ ———	8. ——— עַיִן
4. אֶבֶן ———	9. ——— בְּרָכָה
5. עִיר ———	10. ——— נַחַל

IV. כְּתֹב בְּמִלָּה אַחַת: **(10)**

1. הַדּוֹדָה שֶׁלָּךְ ———	6. הַתּוֹרָה שֶׁלָּךְ ———
2. הַשִּׂמְחָה שֶׁלּוֹ ———	7. הָעֲבוֹדָה שֶׁלָּכֶם ———
3. הַחֲתוּנָה שֶׁלָּה ———	8. הָאֲרוּחָה שֶׁלָּכֶן ———
4. הַיְשִׁיבָה שֶׁלָּנוּ ———	9. הָאַגָּדָה שֶׁלָּהֶן ———
5. הַשִּׂיחָה שֶׁלָּהֶם ———	10. הַמִּטָּה שֶׁלִּי ———

V. כְּתֹב אֶת הַמִּסְפָּר הַנָּכוֹן: **(10)**

1. (26) ——— יְלָדִים	6. (99) ——— כֵּלִים
2. (45) ——— בַּחוּרוֹת	7. (67) ——— אֲנָשִׁים
3. (60) ——— יָמִים	8. (31) ——— יְלָדוֹת
4. (24) ——— שְׁאֵלוֹת	9. (92) ——— עֵצִים
5. (18) ——— סְפָרִים	10. (11) ——— חֲדָרִים

(10)

VI. שַׁנֵּה לְרַבּוּי:

1. הַסָּב אוֹהֵב אוֹתִי.

2. מַדּוּעַ לֹא רָאִיתִי אוֹתְךָ אֶתְמוֹל?

3. מָתַי פָּגַשׁ אוֹתָךְ ____?

4. הַמֶּלֶךְ לֹא זָכַר אוֹתוֹ.

5. הַאִם שָׁלְחָה אוֹתָהּ ____ אֶל בֵּית הַסֵּפֶר.

(10)

VII. תַּרְגֵּם:

1. ____ זוֹכֶרֶת אֶת הַתְּשׁוּבָה.	(I do not)
2. ____ בַּבַּיִת.	(They are not)
3. דָּוִד, מַדּוּעַ ____ עוֹנֶה?	(don't you)
4. שִׁמְעוֹן ____ עָשִׁיר.	(is not)
5. ____ שׁוֹמְעִים.	(We do not)

VIII. Summarize either of these stories in Hebrew: (20)

1. "עֲקִיבָא וְרָחֵל"   2. "שְׁמוּאֵל הַנָּגִיד"

שָׁעוּר אַרְבָּעִים וְשִׁשָּׁה

LESSON 46

מִלּוֹן

high	רָם	doctor	רוֹפֵא
in a loud voice	בְּקוֹל רָם	cured	רִפֵּא
angel of death	מַלְאַךְ הַמָּוֶת	Jew	יְהוּדִי
he remembered	שָׁמַר בְּלִבּוֹ	Berlin	בֶּרְלִין
(he) became ill	חָלָה	Lessing (German poet)	לֶסִינְג
(he) lay	שָׁכַב	(he) put	שָׂם (שׁ. שִׂים)
(he) met	פָּגַשׁ	initials	רָאשֵׁי תֵבוֹת ר. ת.
revives the dead	מְחַיֶּה הַמֵּתִים	physician (German)	מֶדִיצִינֶר

הָרוֹפֵא הַיְּהוּדִי

This is a witty anecdote about the poet Lessing and his friend,
Dr. Mordecai Hertz.

בְּעִיר בֶּרְלִין הָיָה רוֹפֵא יְהוּדִי וּשְׁמוֹ מָרְדְּכַי¹ הֶרְץ.
הָרוֹפֵא הָיָה חָבֵר טוֹב לַמְשׁוֹרֵר הַגָּדוֹל לֶסִינְג. הֶרְץ שָׂם אֶת
הָאוֹתִיּוֹת מה״ם עַל הַמֶּרְכָּבָה שֶׁלּוֹ. הָאוֹתִיּוֹת הָיוּ רָאשֵׁי
הַתֵּבוֹת לְשֵׁם:

מָרְדְּכַי הֶרְץ מֶדִיצִינֶר.
הַמְשׁוֹרֵר לֶסִינְג הֵבִין עִבְרִית. פַּעַם יָצָא לֶסִינְג לְטַיֵּל עִם
חָבֵר שֶׁלּוֹ.

¹ The ָ in מָרְדְּכַי is pronounced like the "o" in "more" in both Sefardic and
Ashkenazic.

וְהִנֵּה עָבְרָה לִפְנֵיהֶם הַמֶּרְכָּבָה שֶׁל הָרוֹפֵא מָרְדְּכַי הָרָץ.

רָאָה הֶחָבֵר אֶת הָאוֹתִיּוֹת מה"ם עַל הַמֶּרְכָּבָה וְשָׁאַל אֶת לֵסִינְג:

„מַה פֵּרוּשׁ רָאשֵׁי הַתֵּבוֹת מה"ם?"

עָנָה לֵסִינְג בְּקוֹל רָם: „מה"ם – מַלְאַךְ הַמָּוֶת."

שָׁמַע הָרוֹפֵא אֶת תְּשׁוּבַת לֵסִינְג וְשָׁמַר אֶת הַדָּבָר בְּלִבּוֹ.

אַחֲרֵי יָמִים אֲחָדִים, חָלָה הַמְשׁוֹרֵר לֵסִינְג וְשָׁכַב בְּמִטָּתוֹ

הוּא שָׁלַח לִקְרֹא לָרוֹפֵא הַיְּהוּדִי, מָרְדְּכַי הָרָץ.

בָּא הָרוֹפֵא וְרִפֵּא אֶת לֵסִינְג.

עָבְרוּ שְׁנֵי יָמִים וְהַמְשׁוֹרֵר קָם מִמִּטָּתוֹ, בָּרִיא בְּגוּפוֹ.

יָצָא לֵסִינְג לְטַיֵּל בָּרְחוֹב. פָּגַשׁ אוֹתוֹ הָרוֹפֵא וְשָׁאַל אֶת לֵסִינְג:

„מַה אַתָּה אוֹמֵר עַכְשָׁו עַל רָאשֵׁי הַתֵּבוֹת מה"ם?"

עָנָה לֵסִינְג: „מה"ם – מְחַיֶּה הַמֵּתִים."

דִּקְדּוּק

1. אֲנִי שָׂם אֶת הַסֵּפֶר עַל הַשֻּׁלְחָן.

I am putting the book on the table.

2. שָׂרָה שָׂמָה אֶת הַבֶּגֶד עַל הַכִּסֵּא.

Sarah puts her coat on the chair.

3. הַיְלָדִים שָׂמוּ אֶת הַמַּחְבָּרוֹת בַּיַּלְקוּטִים.

The children put the notebooks in their briefcases.

4. מַדּוּעַ שַׂמְתָּ אֶת הַכִּסֵּא שָׁם?

Why did you put the chair there?

[291]

עברית חיה

A. Present Tense of שִׂים (put)

יָחִיד

נְקֵבָה			זָכָר		
	אֲנִי			אֲנִי	
שָׂמָה	אַתְּ		שָׂם	אַתָּה	
	הִיא			הוּא	

רַבִּי

	אֲנַחְנוּ			אֲנַחְנוּ	
שָׂמוֹת	אַתֶּן		שָׂמִים	אַתֶּם	
	הֵן			הֵם	

B. Past Tense of שִׂים

רַבִּי		יָחִיד	
we put	שַׂמְנוּ	I put	שַׂמְתִּי
you (m.) put	שַׂמְתֶּם	you (m.) put	שַׂמְתָּ
you (f.) put	שַׂמְתֶּן	you (f.) put	שַׂמְתְּ
they (m.) put	שָׂמוּ	he put	שָׂם
they (f.) put	שָׂמוּ	she put	שָׂמָה

1. Note that the middle letter יוֹ״ד of the root falls out in all forms of the present and past tenses.

2. The vowel of the first root-letter in the present tense is ָ (קָמֶץ) in all forms.

3. In the past tense, the vowel of the first letter is ־ (פַּתָּח) in the first and second person singular and plural. In the third person singular and plural the vowel is ָ (קָמֶץ).

4. The stress in the past tense third person singular and plural is on the first syllable, thus: שָׂמָה (she put), שָׂמוּ (they put).

Like שִׂים conjugate שִׁיר (sing); רִיב (quarrel); דִּין (judge).

תַּרְגִּילִים

I. עֲנֵה בְעִבְרִית:

1. מִי הָיוּ חֲבֵרִים טוֹבִים?

2. מָה הַפֵּרוּשׁ שֶׁל הָאוֹתִיּוֹת מה״מ?

3. מַה קָּרָה לְלֶסִינְג כַּאֲשֶׁר הָלַךְ לְטַיֵּל עִם חֲבֵרוֹ?

4. מַדּוּעַ עָנָה לֶסִינְג בְּקוֹל רָם: ״מַלְאַךְ הַמָּוֶת״?

5. מֶה עָשָׂה הָרוֹפֵא כַּאֲשֶׁר שָׁמַע אֶת דִּבְרֵי לֶסִינְג?

6. מַה קָּרָה לְלֶסִינְג אַחֲרֵי יָמִים אֲחָדִים?

7. לְמִי קָרָא לֶסִינְג כַּאֲשֶׁר שָׁכַב בְּמִטָּתוֹ?

8. בְּכַמָּה יָמִים קָם לֶסִינְג מִמִּטָּתוֹ?

9. מַה שָּׁאַל הָרוֹפֵא הַיְּהוּדִי אֶת לֶסִינְג?

10. מַדּוּעַ עָנָה לֶסִינְג: ״מְחַיֵּה הַמֵּתִים״?

II. כְּתֹב הַהֲפָכִים (opposites):

1. מְכֹעָר   2. חוֹלֶה   3. עָצֵב   4. בָּכָה   5. לְאַט לְאַט

6. חַיִּים   7. עָנִי   8. קַח   9. חֹשֶׁךְ   10. הַרְבֵּה

III. זַוֵּג:

ב	א
בֶּרְלִין	רָאשֵׁי
הֶרְץ	מה"מ
רָם	רוֹפֵא
בְּמִטָּתוֹ	מְשׁוֹרֵר
לְסַיֵּג	שָׁכַב
תֵּבוֹת	עִיר
מְחַיֵּה הַמֵּתִים	קוֹל

IV. כְּתֹב בִּזְמַן הֹוֶה:

1. (שִׂים) רָחֵל ———— אֶת הַגִּיר עַל הַלּוּחַ.

2. (שִׁיר) הַתַּלְמִידִים ———— שִׁירִים עִבְרִים.

3. (רִיב) הָאִשָּׁה ———— עִם הַפִּילוֹסוֹף בְּכָל יוֹם.

4. (קוּם) דָּוִד ———— וְהוֹלֵךְ לְבֵית הַסֵּפֶר.

5. (רוּץ) הַיַּלְדוּת ———— אֶל הַגַּן.

V. כְּתֹב בִּזְמַן עָבָר:

1. (נוּחַ) אֲנִי ———— בְּיוֹם הַשַּׁבָּת.

2. (שׁוּב) אֲנַחְנוּ ———— מִן הָעֲבוֹדָה בְּשָׁעָה שֵׁשׁ.

3. (שִׂים) הָרוֹפֵא ———— אֶת הָאוֹתִיּוֹת עַל הַמֶּרְכָּבָה.

4. (רִיב) מַדּוּעַ אַתֶּם ———— עִם הַשָּׁכֵן.

5. (שִׁיר) אַבְרָהָם וְרוּת ———— יַחַד.

VI. עִבְרִית מְדֻבֶּרֶת:

סַכֵּם (summarize) בְּעִבְרִית אֶת הַסִּפּוּר ״הָרוֹפֵא הַיְּהוּדִי.״

[294]

קְרִיאָה נוֹסֶפֶת

הַדָּגִים הַחֲכָמִים

The sly fox is outwitted by the fish.

פַּעַם הָלַךְ שׁוּעָל (fox) עַל שְׂפַת הַיָּם (the seashore).

רָאָה הַשׁוּעָל דָּגִים רָצִים הֵנָּה וָהֵנָּה (to and fro).

עָמַד הַשׁוּעָל וְקָרָא בְּקוֹל:

„דָּגִים, דָּגִים, מַדּוּעַ אַתֶּם בּוֹרְחִים?"

עָמְדוּ הַדָּגִים בַּמַּיִם, הִבִּיטוּ עַל הַשׁוּעָל וְאָמְרוּ:

„אֲנַחְנוּ בּוֹרְחִים מִן הָרְשָׁתוֹת (the nets) שֶׁל הַדַּיָּגִים (fishermen)."

„צַר לִי מְאֹד" (I'm very sorry), אָמַר הַשׁוּעָל. „אוּלַי אַתֶּם רוֹצִים
לַעֲלוֹת (to ascend) עַל הָאָרֶץ, וְנִחְיֶה (and we shall live) יַחַד
בְּשָׁלוֹם כַּאֲשֶׁר (just as) יָשְׁבוּ הָאָבוֹת שֶׁלִּי וְהָאָבוֹת שֶׁלָּכֶם."

עָנוּ הַדָּגִים:

„הַאִם אַתָּה הַשׁוּעָל שֶׁקּוֹרְאִים לוֹ אֲנָשִׁים פִּקֵּחַ (shrewd)?
טִפֵּשׁ אַתָּה! אִם בַּמַּיִם אֲנַחְנוּ פּוֹחֲדִים תָּמִיד, הִנֵּה עַל הָאָרֶץ,
שֶׁהִיא מְקוֹם מָוֶת לָנוּ, לֹא כָּל שֶׁכֵּן." (how much more cause would
we have to be afraid)

שִׁעוּר אַרְבָּעִים וְשִׁבְעָה

LESSON 47

מִלּוֹן

it's all right	אֵין דָּבָר	Nahalal	נַהֲלָל
to dry	לְיַבֵּשׁ	full	מָלֵא
we shall build	נִבְנֶה	a swamp	בִּצָּה
our houses, homes	בָּתֵּינוּ	empty	רֵיק
their homes	בָּתֵּיהֶם	German	גֶּרְמָנִי
settlement	מוֹשָׁב	where?	אַיֵּה
suffered	סָבַל (ר· סָבְלוּ)	he went away	הָלַךְ לוֹ
charming	נֶהְדָּר	to live	לִחְיוֹת (ע· חָיָה)

נַהֲלָל

The Ḥalutzim visit Nahalal for the first time and determine to make it a fruitful and livable place.

חֲלוּצִים אֲחָדִים הָלְכוּ אֶל נַהֲלָל בָּעֵמֶק לִרְאוֹת אֶת הַמָּקוֹם.

כָּל הַמָּקוֹם הָיָה מָלֵא בִּצּוֹת.

הָיוּ שָׁם בָּתִּים אֲחָדִים, אֲבָל הַבָּתִּים הָיוּ רֵיקִים.

עָבַר זָקֵן אֶחָד· אָמְרוּ הַחֲלוּצִים אֶל הַזָּקֵן:

„מִי בָּנָה אֶת הַבָּתִּים הָאֵלֶּה?"

„גֶּרְמָנִים, לִפְנֵי שָׁנִים רַבּוֹת·"

„אַיֵּה הַגֶּרְמָנִים?"

„מֵתוּ·"

[296]

‫„מִי יָשַׁב פֹּה אַחֲרֵי הַגֶּרְמַנִּים?‬

‫„עַרְבִים.‬

‫„אַיֵּה הָעַרְבִים עַכְשָׁו?‬

‫„גַּם הֵם מֵתוּ.‬

‫„מַדּוּעַ?‬

‫„הַמַּיִם! הַמָּוֶת בָּא מִן הַמַּיִם וּמִן הַבִּצּוֹת.‬

הַזָּקֵן הָלַךְ לוֹ. בְּכָל מָקוֹם רַק מָוֶת וּבִצּוֹת.

קָרָא חָלוּץ אֶחָד:

‫„אֵינֶנּוּ רוֹצִים לָמוּת! אֲנַחְנוּ רוֹצִים לִחְיוֹת!‬

עָנָה הַשֵּׁנִי:

‫„אֵין דָּבָר. אֲנַחְנוּ יְכוֹלִים לְיַבֵּשׁ אֶת הַבִּצּוֹת. פֹּה נִבְנֶה אֶת

בָּתֵּינוּ, נִבְנֶה מוֹשָׁב יָפֶה. נִחְיֶה וְלֹא נָמוּת.‬

וְכֵן הָיָה.

בַּמָּקוֹם הַהוּא בָּנוּ הַחֲלוּצִים אֶת בָּתֵּיהֶם וְשָׁם בָּנוּ אֶת הַמּוֹשָׁב.

הֵם עָבְדוּ קָשֶׁה וְסָבְלוּ הַרְבֵּה; אֲבָל עַכְשָׁו נֶהֱלָל הוּא מוֹשָׁב

נֶהְדָּר, וַאֲנָשִׁים רַבִּים יוֹשְׁבִים שָׁם.

דִּקְדּוּק

	Here we shall build our homes.	‫פֹּה נִבְנֶה אֶת בָּתֵּינוּ.‬	.1
	The pioneers built their homes there.	‫בַּמָּקוֹם הַהוּא בָּנוּ הַחֲלוּצִים אֶת בָּתֵּיהֶם.‬	.2
	Our students work hard.	‫תַּלְמִידֵינוּ עוֹבְדִים קָשֶׁה.‬	.3

Inflection of תַּלְמִידִים (PUPIL

		SHORT FORM	LONG FORM
		יָחִיד	
יַ‍	my pupils	תַּלְמִידַי	הַתַּלְמִידִים שֶׁלִּי
יִךָ	your (m.) pupils	תַּלְמִידֶיךָ	הַתַּלְמִידִים שֶׁלְּךָ
יִךְ	your (f.) pupils	תַּלְמִידַיִךְ	הַתַּלְמִידִים שֶׁלָּךְ
יו	his pupils	תַּלְמִידָיו	הַתַּלְמִידִים שֶׁלּוֹ
יהָ	her pupils	תַּלְמִידֶיהָ	הַתַּלְמִידִים שֶׁלָּהּ
		רִבּוּי	
ינוּ	our pupils	תַּלְמִידֵינוּ	הַתַּלְמִידִים שֶׁלָּנוּ
יכֶם	your (m.) pupils	תַּלְמִידֵיכֶם	הַתַּלְמִידִים שֶׁלָּכֶם
יכֶן	your (f.) pupils	תַּלְמִידֵיכֶן	הַתַּלְמִידִים שֶׁלָּכֶן
יהֶם	their (m.) pupils	תַּלְמִידֵיהֶם	הַתַּלְמִידִים שֶׁלָּהֶם
יהֶן	their (f.) pupils	תַּלְמִידֵיהֶן	הַתַּלְמִידִים שֶׁלָּהֶן

Note that the possessive adjective endings for plural nouns are somewhat similar to those of singular nouns. The striking difference is the addition of the letter yod (י) in all forms of the plural inflections.

Like תַּלְמִידִים inflect שִׁירִים (songs); דּוֹדִים (uncles); סִפּוּרִים (stories); מוֹרִים (teachers); חִבּוּרִים (compositions); עִתּוֹנִים (newspapers); בָּתִּים (houses).

תַּרְגִּילִים

J. הַשְׁלֵם בַּמִּלָּה הַנְּכוֹנָה:

(הָעַרְבִים, הַגֶּרְמַנִּים, הַמָּוֶת, לִחְיוֹת,
מוֹשָׁב, יָבֵשׁ, חַיִּים, בָּנָה, עֵמֶק, עִיר)

1. נַהֲלָל הוּא שֵׁם מָקוֹם בְּ——— בְּאֶרֶץ יִשְׂרָאֵל.
2. שָׁאֲלוּ הַחֲלוּצִים אֶת הַזָּקֵן: „מִי ——— אֶת הַבָּתִּים הָאֵלֶּה?"
3. עָנָה הַזָּקֵן: „——— בָּנוּ אֶת הַבָּתִּים."
4. אַחֲרֵי הַגֶּרְמַנִּים בָּאוּ ———.
5. ——— בָּא מִן הַמַּיִם וּמִן הַבִּצּוֹת.
6. חָלוּץ אֶחָד אָמַר: „אֲנַחְנוּ רוֹצִים ——— פֹּה וְלֹא לָמוּת."
7. חָלוּץ שֵׁנִי אָמַר: „אֲנַחְנוּ יְכֹלִים לְ——— אֶת הַבִּצּוֹת."
8. הַחֲלוּצִים יָשְׁבוּ שָׁם וּבָנוּ ——— יָפֶה.

II. חַבֵּר מִשְׁפָּטִים בַּמִּלִּים הָאֵלֶּה:

5. הָלַךְ לוֹ	4. נֶהְדָּר	3. סָבַל	2. לִרְאוֹת	1. מָלֵא
10. רֵיק	9. בִּצָּה	8. דָּדָה בָּנָה	7. לִחְיוֹת	6. מוֹשָׁב

III. כְּתֹב „כֵּן" אוֹ „לֹא" וְתַקֵּן כָּל מִשְׁפָּט בִּלְתִּי נָכוֹן:

Write "yes" or "no" and correct each false statement:

1. מֵאָה חֲלוּצִים הָלְכוּ אֶל נַהֲלָל לִרְאוֹת אֶת הַמָּקוֹם.
2. לִפְנֵי שָׁנִים יָשְׁבוּ הַגֶּרְמַנִּים וְהָעַרְבִים בְּנַהֲלָל.
3. הַגֶּרְמַנִּים וְהָעַרְבִים מֵתוּ כִּי לֹא הָיָה לָהֶם לֶחֶם לֶאֱכֹל.
4. לִפְנֵי בּוֹא הַחֲלוּצִים, הָיָה הָעֵמֶק מָלֵא בִּצּוֹת.

וְ־ִ־דּ ــ אֲחָדִים לֹא רָצוּ לָמוּת בָּעֵמֶק.

6. כָּל הַחֲלוּצִים שָׁבוּ אֶל הָעִיר וְלֹא יָשְׁבוּ בְּנַהֲלָל.

7. הַחֲלוּצִים בָּנוּ אֶת בָּתֵּיהֶם בְּעִיר תֵּל אָבִיב.

8. בַּסּוֹף בָּנוּ מוֹשַׁב נֶהְדָּר בְּנַהֲלָל.

IV. כְּתֹב בַּכִּנּוּיִים (with possessive endings):

6. הַחֲבוּרִים שֶׁלָּנוּ ——		1. הַבָּתִּים שֶׁלּוֹ ——
7. הַסִּפּוּרִים שֶׁלְּךָ ——		2. הַשִּׁירִים שֶׁלָּהּ ——
8. הָעִתּוֹנִים שֶׁלָּהֶן ——		3. הַתַּלְמִידִים שֶׁלָּהֶם ——
9. הַחַגִּים שֶׁלָּכֶם ——		4. הַדּוֹדִים שֶׁלִּי ——
10. הַצִּלּוּמִים שֶׁלָּכֶן ——		5. הַשִּׁעוּרִים שֶׁלְּךָ ——

V. שַׁנֵּה אֶת הַכִּנּוּי לְרִבּוּי (Change possessive ending to plural):

1. שִׁעוּרֶיךָ —————

2. סוּסָיו —————

3. חֲמוֹרִי —————

4. חַגִּי —————

5. תַּלְמִידַיִךְ —————

VI. עִבְרִית מְדֻבֶּרֶת:

סַפֵּר אֶת הַסִּפּוּר „נַהֲלָל" לְפִי הַנּוֹשְׂאִים (topics) הָאֵלֶּה:

1. הַבָּצּוֹת בְּנַהֲלָל.   3. תְּשׁוּבוֹת הַזָּקֵן.

2. שְׁאֵלוֹת הַחֲלוּצִים.   4. נַהֲלָל הַיּוֹם.

5. הַחֲלוּצִים עוֹבְדִים קָשֶׁה.

שִׁיר הָעֵמֶק

In the evening, when the Ḥalutz rests from his day's toil, he
sings this peaceful song of the valley.

בָּאָה מְנוּחָה לַיָּגֵעַ וּמַרְגּוֹעַ לֶעָמֵל,

לַיְלָה חִוֵּר מִשְׁתָּרֵעַ עַל פְּנֵי עֵמֶק יִזְרְעֶאל;

טַל מִלְּמַטָּה וּלְבָנָה מֵעַל,

מִבֵּית אַלְפָא עַד נַהֲלָל.

מַה, מַה לַיְלָה מִלֵּיל,

דְּמָמָה בְּיִזְרְעֶאל.

נוּמָה, עֵמֶק, אֶרֶץ תִּפְאֶרֶת,

אָנוּ לְךָ מִשְׁמֶרֶת.

Ba - ah m'noo-cha la - ya - ge - a   oo - mar-gaw-a   le - a - mel.
La-y'lah chiv-ver mis - ta - re - a   al   p'nay e-mek yiz-r' - el.

Tal mil-l'ma-tah oo-l'va-nah me-al   mib - bet al - fa   ad na - ha-lal.

Mah mah   la-y'lah mil - lel   d'ma - mah   b' - yiz - r' - el

noo-mah e-mek   e-rets tif - e - ret   a-noo l'-cha mish - me - ret.

שִׁעוּר אַרְבָּעִים וּשְׁמֹנָה

LESSON 48

מִלּוֹן

killed, slain	הָרוּג	Degania	דְּגַנְיָה
Russia	רוּסִיָה	Kevutzah (cooperative settlement)	קְבוּצָה
month	חֹדֶשׁ (ר׳ חֳדָשִׁים)	tent	אֹהֶל (ר׳ אֹהָלִים)
misfortune, accident	אָסוֹן	wind	רוּחַ זו״נ
do not be discouraged	אַל יִפֹּל רוּחֲכֶם	strong	חָזָק (נ׳ חֲזָקָה)
remembrance	זֵכֶר	overturned	הָפַךְ (נ׳ הָפְכָה)
strength	כֹּחַ	at his home (literally, "near him")	אֶצְלוֹ
to build	לִבְנוֹת (ע׳ בָּנָה)	Barski (proper name)	בַּרְסְקִי
young	צָעִיר	robber, bandit	שׁוֹדֵד (ר׳ שׁוֹדְדִים)

דְּגַנְיָה

A story about the heroism of the first settlers in Degania.

דְּגַנְיָה הָיְתָה הַקְּבוּצָה הָרִאשׁוֹנָה בְּאֶרֶץ יִשְׂרָאֵל.

הַחֲלוּצִים בִּדְגַנְיָה עָבְדוּ קָשֶׁה וְאָהֲבוּ אֶת הָעֲבוֹדָה.

הֵם יָשְׁבוּ בְּבָתִּים קְטַנִּים וּבָאֹהָלִים.

לַיְלָה אֶחָד בָּאָה רוּחַ חֲזָקָה וְהָפְכָה אֶת הָאֹהֶל כַּאֲשֶׁר יָשְׁנוּ הַחֲלוּצִים.

הַבַּחוּרִים צָחֲקוּ וְאָמְרוּ:

אֵין דָּבָר! אֲנַחְנוּ יְכֹלִים לִישֹׁן בַּשָּׂדֶה.

פַּעַם חָלָה חָלוּץ. בָּאוּ הַחֲלוּצִים לְבַקֵּר אֶצְלוֹ.

רָאוּ כִּי הוּא חוֹלֶה מְאֹד. אָמַר מֹשֶׁה בַּרְסְקִי:

‏„אֲנִי אֵלֵךְ אֶל הַמּוֹשָׁבָה לִקְרֹא לָרוֹפֵא.‟

אָמְרוּ הַחֲלוּצִים אֶל מֹשֶׁה: „יֵשׁ שׁוֹדְדִים בַּדֶּרֶךְ.‟

‏„אֵין דָּבָר,‟ עָנָה מֹשֶׁה, „אֵינֶנִּי פּוֹחֵד.‟

מֹשֶׁה רָכַב עַל סוּס וְהָלַךְ אֶל הַמּוֹשָׁבָה. שָׁעוֹת אֲחָדוֹת
עָבְרוּ וּמֹשֶׁה לֹא שָׁב.

בָּעֶרֶב שָׁב הַסּוּס – בְּלִי מֹשֶׁה.

יָצְאוּ הַחֲבֵרִים לְבַקֵּשׁ אֶת מֹשֶׁה. מָצְאוּ אוֹתוֹ בַּיַּעַר – הָרוּג.

הַחֲבֵרִים כָּתְבוּ אֶל הָאָב שֶׁל מֹשֶׁה אֲשֶׁר יָשַׁב בְּרוּסְיָה.

אַחֲרֵי שְׁנֵי חֳדָשִׁים קִבְּלוּ מִכְתָּב מִן הָאָב. הָאָב כָּתַב:

‏„חֲבֵרִים יְקָרִים! אָסוֹן גָּדוֹל קָרָה לָנוּ.

בְּכָל זֹאת, אַל יִפֹּל רוּחֲכֶם! אֲנִי מְקַוֶּה כִּי זֵכֶר בְּנִי יִתֵּן
לָכֶם כֹּחַ תָּמִיד לַעֲבֹד וְלִבְנוֹת.‟

אַחֲרֵי חֳדָשִׁים אֲחָדִים בָּא הָאָח הַצָּעִיר שֶׁל מֹשֶׁה מֵרוּסְיָה
וְלָקַח מְקוֹמוֹ.

דִּקְדּוּק

1.	הוּא יָשַׁב אֶצְלָם שָׁבוּעַ.	He stayed with them a week.
2.	אֶצְלֵנוּ הַכֹּל טוֹב.	In our place, everything is fine.
3.	לָמָּה עָמַדְתָּ אֶצְלוֹ?	Why did you stand next to him?

INFLECTION OF אֵצֶל (NEAR, WITH, BY, IN THE HOME OF)

near us	אֶצְלֵנוּ	near me	אֶצְלִי
near you (*m. pl.*)	אֶצְלְכֶם	near you (*m. s.*)	אֶצְלְךָ
near you (*f. pl.*)	אֶצְלְכֶן	near you (*f. s.*)	אֶצְלֵךְ
near them (*m.*)	אֶצְלָם	near him	אֶצְלוֹ
near them (*f.*)	אֶצְלָן	near her	אֶצְלָה

Note the different meanings of the preposition אֵצֶל in sentences 1, 2, 3, above.

Note likewise that the preposition and its object pronouns, such as "near me," "near us," etc., are never written as two separate words in Hebrew. They are always written as one word. This is true of all prepositions in Hebrew.

תַּרְגִּילִים

I. שְׁאֵלוֹת:

1. מַה שֵּׁם הַקְּבוּצָה הָרִאשׁוֹנָה בְּאֶרֶץ יִשְׂרָאֵל?

2. אֵיפֹה יָשְׁבוּ הַחֲלוּצִים?

3. מַה קָּרָה לַחֲלוּצִים לַיְלָה אֶחָד?

4. מַדּוּעַ צָחֲקוּ הַבַּחוּרִים כַּאֲשֶׁר קָרָה הָאָסוֹן?

5. לָמָּה הָלְכוּ הַחֲלוּצִים לְבַקֵּר אֵצֶל חָלוּץ אֶחָד?

6. מָה אָמַר מֹשֶׁה בַּרְסְקִי?

7. לָמָּה לֹא שָׁב מֹשֶׁה בַּרְסְקִי?

8. אֶל מִי כָּתְבוּ הַחֲבֵרִים?

9. מַה בִּקֵּשׁ (sought) הָאָב שֶׁל מֹשֶׁה בַּמִּכְתָּב לַחֲבֵרִים?

10. מִי בָא בִּמְקוֹם מֹשֶׁה?

II. **זַוֵּג:**

ב	א
מְקוֹמוֹ	הַסּוּס שָׁב
רוּחֲכֶם	דָּגְנִיָּה
אֶת הָעֲבוֹדָה	הָרוּחַ הָפְכָה
מֵת	אַל יִפֹּל
בְּלִי משֶׁה	לָקַח
אֶת הָאֹהֶל	הָאָב
בְּרוּסְיָה	הֶחָלוּצִים אָהֲבוּ
קְבוּצָה	הָרוּג

III. **כְּתֹב אֶת הַתֹּאַר** (the adjective) **הַנָּכוֹן:**

6. בָּנוֹת (חֲכָמִים, חֲכָמוֹת)		1. חָלוּץ (שָׂמֵחַ, שְׂמֵחָה)	
7. שָׁנִים (טוֹבִים, טוֹבוֹת)		2. יַעַר (גָּדוֹל, גְּדוֹלָה)	
8. אֲרָצוֹת (רַבִּים, רַבּוֹת)		3. מוֹשָׁבָה (יָפֶה, יָפָה)	
9. רַגְלַיִם (חֲזָקִים, חֲזָקוֹת)		4. אָחוֹת (צָעִיר, צְעִירָה)	
10. שָׁבוּעוֹת (אֲחָדִים, אֲחָדוֹת)		5. אִישׁ (זָקֵן, זְקֵנָה)	

IV. **כְּתֹב בְּרִבּוּי** (Write the underlined word in the plural):

6. דָּן נָתַן לוֹ מַתָּנָה.	1. דָּוִד עוֹמֵד אֶצְלוֹ.
7. אֶצְלִי הַכֹּל בְּסֵדֶר.	2. הֶחָבֵר כָּתַב לִי.
8. הַאִם הַבַּיִת הַזֶּה הוּא שֶׁלְּךָ?	3. הַסְּפָרִים הֵם שֶׁלָּךְ.
9. מִי קָרָא לָהּ?	4. מִי יוֹשֵׁב אֶצְלָהּ?
10. מַה זֶּה אֶצְלֵךְ?	5. מָה אָמַר לָךְ?

V. ‏כְּתֹב בְּמִלָּה אַחַת:

6. הַשְּׁאֵלָה שֶׁלְּךָ ——		1. אֵין אֲנַחְנוּ ——		
7. הָעִתּוֹנִים שֶׁלָּהֶם ——		2. אֵין אַתֶּם ——		
8. אֵין הִיא ——		3. הַחָכְמָה שֶׁלִּי ——		
9. אֵין הוּא ——		4. הַבָּתִּים שֶׁלָּכֶם ——		
10. הַמּוֹשָׁב שֶׁלָּנוּ ——		5. הַשִּׁעוּרִים שֶׁלְּךָ ——		

VI. ‏עִבְרִית מְדֻבֶּרֶת:

‏סַכֵּם אֶת הַסִּפּוּר ״דְּגַנְיָה״ בְּעִבְרִית.

אָנוּ נִהְיֶה הָרִאשׁוֹנִים

"We shall rebuild the desolate land," sing the pioneers in this marching song.

I

אָנוּ נִהְיֶה הָרִאשׁוֹנִים,

כָּךְ אָמַרְנוּ אָח אֶל אָח,

אָנוּ נִהְיֶה בֵּין הַבּוֹנִים,

נֵט הַמֵּיתָר, נֵט אָנַךְ.

II

אָנוּ הוֹלְכִים, אָנוּ בָּאִים,

יֵשׁ עֲבוֹדָה עַד בְּלִי דַי,

נִטַּע עֵצִים עַל הַסְּלָעִים,

גַּם בָּהָר וְגַם בַּגַּיְא.

A - noo nih-yeh ha-ree-shaw-neem kach a-mar-noo ach el ach,

a - noo nih-yeh ben ha-baw-neem net ha-me-tar net a - nach

a - noo nih-yeh ben ha-baw-neem net ha-me-tar net a - nach.

קְרִיאָה נוֹסֶפֶת

סִפּוּר עָצֵב

Three brothers visit New York to see the sights.

שְׁלֹשָׁה אַחִים, רְאוּבֵן שִׁמְעוֹן וְלֵוִי, בָּאוּ אֶל נְיוּ יוֹרְק לִרְאוֹת אֶת הָעִיר הַגְּדוֹלָה.

שָׂכְרוּ (rented) חֶדֶר בַּקּוֹמָה הַשִּׁשִּׁים (60th floor) שֶׁל מָלוֹן גָּדוֹל.

רְאוּבֵן נָתַן אֶת הַמַּפְתֵּחַ (the key) אֶל לֵוִי וְאָמַר:

„לֵוִי, הִנֵּה הַמַּפְתֵּחַ. שְׁמֹר אוֹתוֹ.‟

אַחֲרֵי כֵן יָרְדוּ הָאַחִים בַּמַּעֲלִית (the elevator) וַיֵּצְאוּ מִן הַמָּלוֹן. כָּל הַיּוֹם הָלְכוּ בִּרְחוֹבוֹת נְיוּ יוֹרְק לִרְאוֹת אֶת הַמְּקוֹמוֹת הַיָּפִים, וְשָׁבוּ לַמָּלוֹן בַּחֲצִי הַלַּיְלָה.

כַּאֲשֶׁר בָּאוּ אֶל הַמָּלוֹן רָאוּ כִּי אֵין אוֹר בַּמַּעֲלִית.

„מַה קָּרָה?‟ שָׁאַל רְאוּבֵן אֶת הַפּוֹעֵל (the worker) אֲשֶׁר עָמַד שָׁם. עָנָה הַפּוֹעֵל:

„הַמַּעֲלִית שְׁבוּרָה (is broken).‟

„שְׁבוּרָה,‟ קָרְאוּ הָאַחִים. „יֵשׁ לָנוּ חֶדֶר בַּקּוֹמָה הַשִּׁשִּׁים!‟ הִתְחִילוּ הָאַחִים לַעֲלוֹת בָּרֶגֶל.

אָמַר רְאוּבֵן: „יֵשׁ לִי עֵצָה טוֹבָה. מִן הַקּוֹמָה הָרִאשׁוֹנָה עַד הַקּוֹמָה הָעֶשְׂרִים, אֲנִי אָשִׁיר שִׁירִים יָפִים. מִן הַקּוֹמָה

הָעֶשְׂרִים עַד הַקוֹמָה הָאַרְבָּעִים, שִׁמְעוֹן יְסַפֵּר (will tell)

סִפּוּרִים מַצְחִיקִים (funny), וּמִן הַקוֹמָה הָאַרְבָּעִים עַד

הַקוֹמָה הַשִּׁשִּׁים, לֵוִי יְסַפֵּר סִפּוּרִים עֲצֵבִים."

רְאוּבֵן שָׁר שִׁירִים עַד הַקוֹמָה הָעֶשְׂרִים, אַחֲרֵי כֵן סִפֵּר שִׁמְעוֹן

סִפּוּרִים מַצְחִיקִים.

כַּאֲשֶׁר בָּאוּ אֶל הַקוֹמָה הָאַרְבָּעִים, אָמַר רְאוּבֵן:

„לֵוִי, עַכְשָׁו סַפֵּר אַתָּה סִפּוּרִים עֲצֵבִים."

אָמַר לֵוִי: „יֵשׁ לִי רַק סִפּוּר עָצֵב אֶחָד:

הִשְׁאַרְתִּי (I left) אֶת הַמַּפְתֵּחַ לְמַטָּה (downstairs)."

מִלּוֹן

freedom	חֹפֶשׁ	Touro (proper name)	טוּרוֹ
hero	גִּבּוֹר	New Orleans	נְיוּ אוֹרְלִיאַנְס
I was wounded	נִפְצַעְתִּי	house of worship, church	בֵּית תְּפִלָּה יֹ·
I rolled	הִתְגַּלְגַּלְתִּי	bank	בַּנְק
don't go down!	אַל תֵּרֵד	congregation	עֵדָה
you will die	תָּמוּת	owe	חַיָּב (ר· חַיָּבִים)
paid attention	שָׂם לֵב	in him, at him	בּוֹ
rescued	הִצִּיל	I shall tell	אֲסַפֵּר (ע· סִפֵּר)
prays	מִתְפַּלֵּל	Shepard (proper name)	שֶׁפַּרְד
but, however	אַךְ	we fought for	נִלְחַמְנוּ עַל

יְהוּדָה טוּרוֹ

Judah Touro, American patriot, proves that to be a good American one must practice tolerance.

בָּעִיר נְיוּ אוֹרְלִיאַנְס יָשַׁב אִישׁ עִבְרִי בְּשֵׁם יְהוּדָה טוּרוֹ.

פַּעַם אַחַת עָבַר יְהוּדָה בָּעִיר וְרָאָה אֲנָשִׁים רַבִּים עוֹמְדִים

עַל יַד בֵּית תְּפִלָּה.

שָׁאַל יְהוּדָה:

מַדּוּעַ עוֹמְדִים פֹּה כָּל הָאֲנָשִׁים הָאֵלֶּה?

עָנָה אִישׁ אֶחָד:

בַּנְק מוֹכֵר בֵּית תְּפִלָּה. אֵין בְּנֵי הָעֵדָה

יְכֹלִים לְשַׁלֵּם אֶת הַכֶּסֶף אֲשֶׁר הֵם חַיָּבִים לַבַּנְק.

אָמַר יְהוּדָה: „אֲנִי אֶקְנֶה אֶת בֵּית הַתְּפִלָּה."

בָּא יְהוּדָה טוּרוֹ אֶל רֹאשׁ הָעֵדָה וְאָמַר לוֹ:

„אֲנִי אֶקְנֶה אֶת בֵּית הַתְּפִלָּה מִן הַבַּנְק וְאֶתֵּן אוֹתוֹ לָכֶם בְּמַתָּנָה,
וְאַתֶּם אֵינְכֶם חַיָּבִים עוֹד כֶּסֶף לַבַּנְק."

הִתְפַּלְּאוּ כָּל הָאֲנָשִׁים וְהִבִּיטוּ בּוֹ, וְרֹאשׁ הָעֵדָה שָׁאַל:

„מַדּוּעַ עָשִׂיתָ זֹּאת? אַתָּה עִבְרִי וַאֲנַחְנוּ לֹא מִבְּנֵי יִשְׂרָאֵל."

עָנָה יְהוּדָה:

„שְׁמַע וַאֲסַפֵּר לְךָ סִפּוּר.

יֵשׁ לִי חָבֵר בְּשֵׁם שְׁפֶּרְד. הוּא אֵינוֹ מִבְּנֵי יִשְׂרָאֵל.

בִּשְׁנַת אֶלֶף שְׁמֹנֶה מֵאוֹת וְאַרְבַּע עֶשְׂרֵה (1814),

נִלְחַמְנוּ יַחַד עַל יַד נְיוּ אוֹרְלִיאַנְס עַל חֹפֶשׁ אֲמֶרִיקָה.

חֲבֵרִי נִלְחַם כְּגִבּוֹר.

פִּתְאֹם נִפְצַעְתִּי אֲנִי וְהִתְגַּלְגַּלְתִּי מֵעַל הָהָר.

שְׁפֶּרְד רָץ לַעֲזֹר לִי.

„אַל תֵּרֵד! תָּמוּת אִם תֵּרֵד!' אָמַר אֶחָד.

שְׁפֶּרְד לֹא שָׂם לֵב לַדְּבָרִים הָאֵלֶּה.

הוּא נָשָׂא אוֹתִי וְהֵבִיא אוֹתִי לָרוֹפֵא וְהִצִּיל אוֹתִי מִמָּוֶת.

וְעַכְשָׁו חֲבֵרִי שְׁפֶּרְד מִתְפַּלֵּל בְּבֵית הַתְּפִלָּה הַזֶּה!

נָכוֹן הַדָּבָר שֶׁאַתֶּם לֹא מִבְּנֵי יִשְׂרָאֵל וַאֲנִי עִבְרִי;

אַךְ כֻּלָּנוּ אֲמֶרִיקָאִים וּמַאֲמִינִים בַּפִּתְגָּם שֶׁבַּתּוֹרָה:

„וְאָהַבְתָּ לְרֵעֲךָ כָּמוֹךָ'."

דִקְדּוּק

INFLECTION OF בְּ (IN, WITH, AT, AGAINST)

I found money in it.	1. מָצָאתִי בּוֹ כֶסֶף.
He took the keys and opened both doors with them.	2. לָקַח אֶת הַמַּפְתְּחוֹת וּפָתַח בָּהֶם שְׁתֵּי הַדְּלָתוֹת.
I don't know what to do with you.	3. אֵינִי יוֹדֵעַ מַה לַעֲשׂוֹת בְּךָ.
They looked at him for a moment.	4. הִבִּיטוּ בּוֹ רֶגַע.

in, with us	בָּנוּ	in, with me	בִּי
in, with you (m. pl.)	בָּכֶם	in, with you (m. s.)	בְּךָ
in, with you (f. pl.)	בָּכֶן	in, with you (f. s.)	בָּךְ
in, with them (m.)	בָּהֶם	in, with him	בּוֹ
in, with them (f.)	בָּהֶן	in, with her	בָּהּ

Note the different meanings of the preposition בְּ in sentences 1, 2, 3 and 4, above.

The preposition בְּ is inflected exactly like לְ and שֶׁל. The preposition עִם (together with) is also inflected in the same manner.

תַּרְגִּילִים

I. שְׁאֵלוֹת:

1. מַדּוּעַ מָכַר הַבַּנְק אֶת בֵּית הַתְּפִלָּה?

2. מַדּוּעַ הִתְפַּלְּאוּ כָּל הָאֲנָשִׁים עַל יְהוּדָה טוּרוֹ?

3. מַה שָׁאַל רֹאשׁ הָעֵדָה אֶת טוּרוֹ?

4. אֵיפֹה נִלְחַם טוּרוֹ עַל חֹפֶשׁ אֲמֶרִיקָה?

5. מַה קָּרָה לְטוּרוֹ בַּמִּלְחָמָה הַזֹּאת?

6. מֶה הָיוּ הַדְּבָרִים הָאַחֲרוֹנִים שֶׁל טוּרוֹ לְרֹאשׁ הָעֵדָה?

II. חַבֵּר מִשְׁפָּטִים בַּמִּלִּים הָאֵלֶּה:

1. חֹפֶשׁ   2. חַיָּב   3. שָׂם לֵב   4. אַךְ   5. בֵּית תְּפִלָּה

6. הִצִּיל   7. גִּבּוֹר   8. אַסְפֵּר   9. עֵדָה   10. מַתָּנָה

III. כְּתֹב הֲפָכִים:

1. רֵיק   2. יָפֶה   3. צָעִיר   4. בָּרִיא   5. מַתְחִיל

6. קַח   7. עֶצֶב   8. בָּכָה   9. מָכַר   10. חֹשֶׁךְ

IV. שַׁנֵּה (change) לְיָחִיד:

1. הִבִּיט בָּהֶם.

2. הִתְחִיל בָּנוּ.

3. גָּמַרְתִּי בָּכֶם.

4. מָצָאתִי בָּהֶן רַק טוֹב.

5. לֹא יָדַעְתִּי מַה לַּעֲשׂוֹת בָּכֶן.

V. הַשְׁלֵם בַּמִּלָּה הַנְּכוֹנָה:

in it	1. מַה מָּצָאתָ ——— ?
at them (m.)	2. הִבִּיטוּ ——— זְמַן רַב.
in it	3. מִי בַּמִּסְעָדָה? אֲנָשִׁים רַבִּים ———.
with them (f.)	4. מֶה עָשָׂה ——— ?
against me	5. הוּא נִלְחַם ———.

VI. עִבְרִית מְדֻבֶּרֶת:

סַפֵּר אֶת הַסִּפּוּר „יְהוּדָה טוּרוֹ" לְפִי הַנּוֹשְׂאִים (topics) הָאֵלֶּה:

1. יְהוּדָה עוֹבֵד בָּעִיר.
2. הוּא קוֹנֶה אֶת בֵּית הַתְּפִלָּה.
3. בְּנֵי הָעִיר מִתְפַּלְּאִים.
4. הַמַּעֲשֶׂה בִּשְׁפֶרְד.
5. הַדְּבָרִים הָאַחֲרוֹנִים שֶׁל טוּרוֹ.

לוּחַ עִבְרִי   HEBREW CALENDAR

The Hebrew calendar is a lunar calendar. Since there are only 354 days in the lunar year, an extra month (Adar II) is added during leap years to reconcile the lunar and solar calendars. Leap years are declared approximately every third year, or more accurately, seven times in nineteen years.

The following are the months of the year:

SUMMER	קַיִץ		SPRING	אָבִיב	
תַּמּוּז	4.		נִיסָן	1.	
אָב	5.		אִיָּר	2.	
אֱלוּל	6.		סִיוָן	3.	
WINTER	חֹרֶף		AUTUMN	סְתָו	
טֵבֵת	10.		תִּשְׁרֵי	7.	
שְׁבָט	11.		חֶשְׁוָן	8.	
אֲדָר	12.		כִּסְלֵו	9.	

[314]

שִׁעוּר חֲמִשִּׁים

LESSON 50

מִלּוֹן

swear	נִשְׁבַּע	merciful	רַחֲמָן
commanded	צִוָּה	south	דָּרוֹם
his father	אָבִיו	president	נָשִׂיא
to believe	לְהַאֲמִין	north	צָפוֹן
wait! (imp.)	חַכֵּה	army	צָבָא
we shall see	נִרְאֶה (ע· רָאָה)	they captured	לָקְחוּ בַּשֶּׁבִי
at him	אֵלָיו	prison	בֵּית אֲסוּרִים י·
a tear	דִּמְעָה (ר· דְּמָעוֹת)	feel	מַרְגִּישׁ

הוּא שָׁב

This is a story about Lincoln's love of his fellow men regardless of race or creed.

לְאַבְרָהָם לִינְקוֹן (Lincoln) הָיָה חָבֵר עִבְרִי בְּשֵׁם יוֹנָה (Jonah).

יוֹנָה אָהַב אֶת לִינְקוֹן כִּי לִינְקוֹן הָיָה טוֹב לֵב וְרַחֲמָן.

עָבְרוּ שָׁנִים אֲחָדוֹת וְיוֹנָה הָלַךְ לַדָּרוֹם וְיָשַׁב שָׁם.

בִּשְׁנַת אֶלֶף שְׁמֹנֶה מֵאוֹת שִׁשִּׁים וְאַחַת (1861) הָיָה לִינְקוֹן לְנָשִׂיא.

בַּשָּׁנָה הַהִיא הִתְחִילָה הַמִּלְחָמָה בֵּין הַדָּרוֹם וּבֵין הַצָּפוֹן.

לְיוֹנָה הָיָה בֵן וּשְׁמוֹ יוֹסֵף. יוֹסֵף הָיָה בַּצָּבָא שֶׁל הַדָּרוֹם.

עָבְרוּ חֳדָשִׁים אֲחָדִים וְלָקְחוּ אֶת יוֹסֵף בַּשֶּׁבִי,

וְשָׂמוּ אוֹתוֹ בְּבֵית הָאֲסוּרִים בְּוַשִׁינְגְטוֹן (in Washington).

כַּאֲשֶׁר שָׁמַע זֹאת יוֹנָה, חָלָה, וְכָתַב אֶל חֲבֵרוֹ לִינְקוֹן:

‏„אַבְרָהָם הַיָּקָר,

בְּנִי יוֹסֵף יוֹשֵׁב בְּבֵית הָאֲסוּרִים בְּוַשִׁינְגְטוֹן.

אֲנִי מַרְגִּישׁ שֶׁהַמָּוֶת קָרוֹב. בְּבַקָּשָׁה – שְׁלַח אֶת בְּנִי אֵלַי.

וַאֲנִי נִשְׁבַּע כִּי יָשׁוּב אֶל בֵּית הָאֲסוּרִים וְלֹא יִבְרַח.‏"

לִינְקוֹן הָלַךְ אֶל שׁוֹמֵר בֵּית הָאֲסוּרִים וְצִוָּה לִשְׁלֹחַ אֶת
יוֹסֵף לִרְאוֹת אֶת אָבִיו.

‏„אוּלַי לֹא יָשׁוּב,‏" אָמַר הַשּׁוֹמֵר.

‏„אָבִיו נִשְׁבַּע כִּי יָשׁוּב, וְאַתָּה יָכֹל לְהַאֲמִין לְדִבְרֵי הָאָב,‏"
עָנָה הַנָּשִׂיא.

עָבַר שָׁבוּעַ וְיוֹסֵף לֹא שָׁב. בָּא הַשּׁוֹמֵר אֶל הַנָּשִׂיא וְקָרָא:
‏„הֲלֹא אָמַרְתִּי שֶׁלֹּא יָשׁוּב!‏"

‏„חַכֵּה עוֹד שָׁבוּעַ וְנִרְאֶה,‏" עָנָה לִינְקוֹן.

בְּסוֹף הַשָּׁבוּעַ הַשֵּׁנִי בָּא יוֹסֵף אֶל הַנָּשִׂיא.

לִינְקוֹן שָׂמַח לִרְאוֹת אוֹתוֹ וְאָמַר:
‏„אֲנִי יָדַעְתִּי כִּי תָשׁוּב. מַה שְׁלוֹם אָבִיךָ?‏"

עָנָה יוֹסֵף: ‏„אָבִי מֵת. אַךְ שָׂמַח כִּי רָאָה אֶת בְּנוֹ לִפְנֵי מוֹתוֹ.‏"

‏„מֶה הָיוּ הַדְּבָרִים הָאַחֲרוֹנִים שֶׁל אָבִיךָ?‏" שָׁאַל לִינְקוֹן.

הִבִּיט אֵלָיו יוֹסֵף וּדְמָעוֹת יָרְדוּ מֵעֵינָיו.

‏„הַדְּבָרִים הָאַחֲרוֹנִים שֶׁל אָבִי הָיוּ – שׁוּב, בְּנִי יוֹסֵף,
אֶל לִינְקוֹן וֶאֱמֹר לוֹ... תּוֹדָה.‏"

דִּקְדּוּק

INFLECTION OF אֶל AND עַל

Joseph looked at him.	1. הִבִּיט אֵלָיו יוֹסֵף.
I am speaking about you (m.).	2. אֲנִי מְדַבֵּר עָלֶיךָ.
We must (literally, "upon us") do the work.	3. עָלֵינוּ לַעֲשׂוֹת אֶת הָעֲבוֹדָה.
Speak to me, and not to them!	4. דַּבֵּר אֵלַי וְלֹא אֲלֵיהֶם.

אֶל and עַל are inflected like plural nouns.

יָחִיד

to me	אֵלַי	upon, concerning me	עָלַי
to you (m.)	אֵלֶיךָ	upon, concerning you (m.)	עָלֶיךָ
to you (f.)	אֵלַיִךְ	upon, concerning you (f.)	עָלַיִךְ
to him	אֵלָיו	upon, concerning him	עָלָיו
to her	אֵלֶיהָ	upon, concerning her	עָלֶיהָ

רִבּוּי

to us	אֵלֵינוּ	upon, concerning us	עָלֵינוּ
to you (m.)	אֲלֵיכֶם	upon, concerning you (m.)	עֲלֵיכֶם
to you (f.)	אֲלֵיכֶן	upon, concerning you (f.)	עֲלֵיכֶן
to them (m.)	אֲלֵיהֶם	upon, concerning them (m.)	עֲלֵיהֶם
to them (f.)	אֲלֵיהֶן	upon, concerning them (f.)	עֲלֵיהֶן

Note that עַל has several meanings: upon, over, concerning, and against. עָלַי may therefore mean: "upon me," "over me," "I must," "concerning me" and "against me."

[317]

עִבְרִית חַיָּה

תַּרְגִּילִים

I. כְּתֹב „כֵּן" אוֹ „לֹא" וְתַקֵּן כָּל מִשְׁפָּט בִּלְתִּי נָכוֹן:

1. יוֹנָה הָעִבְרִי אָהַב אֶת לִינְקוֹן כִּי לִינְקוֹן הָיָה הַנָּשִׂיא.
2. יוֹנָה הָיָה בַּצָּבָא שֶׁל הַצָּפוֹן.
3. בִּשְׁנַת 1861 הִתְחִילָה הַמִּלְחָמָה בֵּין הַצָּפוֹן וְהַדָּרוֹם.
4. יוֹנָה בִּקֵּשׁ מֵאֵת לִינְקוֹן לִשְׁלֹחַ לוֹ אֶת בְּנוֹ יוֹסֵף.
5. יוֹסֵף הָיָה בְּבֵית הָאֲסוּרִים בַּדָּרוֹם.
6. יוֹנָה נִשְׁבַּע כִּי בְּנוֹ יוֹסֵף יָשׁוּב אֶל בֵּית הָאֲסוּרִים.
7. הַשּׁוֹמֵר אָמַר לְלִינְקוֹן: „כֵּן, בְּוַדַּאי (surely) יָשׁוּב יוֹסֵף אֶל בֵּית הָאֲסוּרִים."
8. לִינְקוֹן חִכָּה שְׁנֵי שָׁבוּעוֹת וְיוֹסֵף לֹא שָׁב.
9. לִינְקוֹן רָצָה לָדַעַת אֶת הַדְּבָרִים הָאַחֲרוֹנִים שֶׁל יוֹנָה.
10. דִּבְרֵי יוֹנָה הָאַחֲרוֹנִים הָיוּ: „שׁוּב אֶל לִינְקוֹן וֶאֱמָר לוֹ תּוֹדָה."

II. כְּתֹב אֶת תֹּכֶן (contents) הַסִּפּוּר לְפִי הַנּוֹשְׂאִים (topics) הָאֵלֶּה (75—100 מִלִּים):

1. לִינְקוֹן וְיוֹנָה חֲבֵרִים.
2. הַמִּלְחָמָה בֵּין הַצָּפוֹן וְהַדָּרוֹם.
3. יוֹסֵף בְּבֵית הָאֲסוּרִים.
4. מִכְתָּב מִיּוֹנָה לְלִינְקוֹן.
5. יוֹסֵף רוֹאֶה אֶת אָבִיו.
6. דִּבְרֵי יוֹנָה הָאַחֲרוֹנִים.

[318]

III. זַוֵּג:

ב	א
יָרְדוּ	בֵּית
חָבֵר שֶׁל לִינְקוֹן	לָקְחוּ
בַּשֶּׁבִי	מִלְחָמָה
הָאֲסוּרִים	טוֹב
לֵב	לִינְקוֹן
בֵּין הַצָּפוֹן וְהַדָּרוֹם	יוֹסֵף
נָשִׂיא	דְּמָעוֹת
בֶּן יוֹנָה	יוֹנָה

IV. הַשְׁלֵם בְּעִבְרִית (עַל or אֶל) (Fill in the correct form of אֶל or עַל):

about me	1. הוּא דִּבֵּר ——— לַחֲבֵרוֹ.
to her	2. כָּתַבְתִּי ——— מִכְתָּבִים רַבִּים
over them (*m.*)	3. הַמֶּלֶךְ מָשַׁל ———.
upon you (*m. pl.*)	4. שָׁלוֹם ———.
to Him	5. אֲנִי מִתְפַּלֵּל ———.
we must (i.e., upon us)	6. ——— לִגְמֹר אֶת הַשִּׁעוּר.
at you (*f. pl.*)	7. הֵם מַבִּיטִים ———.
upon it (*m.*)	8. שָׂם אֶת הַסֵּפֶר ———.
I must (i.e., upon me)	9. ——— לַעֲשׂוֹת אֶת הָעֲבוֹדָה.
to you (*f. s.*)	10. לֹא שָׂם לֵב ———.

V. כְּתֹב בִּשְׁתֵּי מִלִּים:

6. כַּדָּה ———		1. אֵינֶנּוּ ———
7. אֵינָהּ ———		2. דְּבָרָיו ———
8. אֵינָם ———		3. שִׁירוֹ ———
9. מִכְתָּבֵיךְ ———		4. אֵינְכֶם ———
10. סִפּוּרֵיהֶם ———		5. דּוֹדֵינוּ ———

חֲזָרָה

1. doctor	9. where?	17. paid attention
2. Jew	10. suffered	18. rescued
3. put	11. settlement	19. feels
4. he became sick	12. strong	20. swears
5. he lay down	13. strength	21. owe
6. he met	14. young	22. his father
7. full	15. freedom	23. wait!
8. empty	16. month	24. to him

II. תַּרְגֵּם לְאַנְגְּלִית:

33. נִפְצַעְתִּי	17. זֵכֶר	1. רָפָא
34. גִּבּוֹר	18. אַל יִפֹּל רוּחֲכֶם	2. רָאשֵׁי תֵבוֹת
35. נִלְחַמְנוּ עַל	19. דִּמְעָה	3. בְּקוֹל רָם
36. אֶסְפֵּר	20. לְיַבֵּשׁ	4. מַלְאַךְ הַמָּוֶת
37. עֵדָה	21. אָסוֹן	5. שָׁמַר בְּלִבּוֹ
38. בַּנְק	22. הָרוּג	6. מְחַיֶּה מֵתִים
39. בֵּית תְּפִלָּה	23. שׁוֹדֵד	7. נֶהְדָּר
40. נִרְאָה	24. אֶצְלוֹ	8. מוֹשָׁב
41. לְהַאֲמִין	25. הָפַךְ	9. בָּתֵּיהֶם
42. צִוָּה	26. רוּחַ	10. נִבְנֶה
43. בֵּית אֲסוּרִים	27. אֹהֶל	11. אֵין דָּבָר
44. לָקְחוּ בַּשְּׁבִי	28. אַךְ	12. לִחְיוֹת
45. צָבָא	29. מִתְפַּלֵּל	13. הָלַךְ לוֹ
46. צָפוֹן	30. תָּמוּת	14. גָּרְמְנִי
47. נָשִׂיא	31. אַל תֵּרֵד	15. בִּצָּה
48. דָּרוֹם	32. הִתְגַּלְגַּלְתִּי	16. לִבְנוֹת

III. D⸳ you know the following grammatical **forms?**

    A. Verbs: Present and past of שִׂים, page 292.

    B. Nouns: Inflection of plural noun תַּלְמִידִים, page 298.

    C. Prepositions: Inflection of אֵצֶל, page 304; בְּ, page 312; אֶל and עַל, page 317.

IV. Oral Hebrew:

Can you summarize the following stories in Hebrew, giving the most important facts and events?

1. "נַהֲלָל"   2. "דְּגַנְיָה"   3. "יְהוּדָה טוּרוֹ"   4. "הוּא שָׁב"

V. Culture:

    A. Give the names of two pioneering songs in Hebrew.

    B. Name the Hebrew months of the year and the corresponding four seasons.

מִבְחָן

‫J.‬ עֲנֵה בְּעִבְרִית:‬ (20)

‫1.‬ מַדּוּעַ אָמַר לְסִינְג כִּי רָאשֵׁי הַתֵּבוֹת מה״ם הֵם „מְחַיֵּה מֵתִים״?‬

‫2.‬ מַדּוּעַ לֹא עָזְבוּ הַחֲלוּצִים אֶת נַהֲלָל כַּאֲשֶׁר הָיָה מָלֵא בִּצּוֹת?‬

‫3.‬ מַה כָּתַב הָאָב שֶׁל מֹשֶׁה בַּרְסְקִי בְּמִכְתָּב?‬

‫4.‬ אֵיךְ זָכַר טוּרוֹ אֶת הַחֶסֶד (kindness) שֶׁעָשָׂה לוֹ שְׁפָּרְדְּ?‬

‫5.‬ בַּמֶּה הָיָה לִינְקוֹן טוֹב לֵב וְרַחֲמָן בַּסִּפּוּר „הוּא שָׁב״?‬

‫II.‬ מִי אָמַר אֶל מִי?‬ (10)

‫1.‬ „מה״ם – מַלְאַךְ הַמָּוֶת.״‬

‫2.‬ „הַמָּוֶת בָּא מִן הַמַּיִם וּמִן הַבִּצּוֹת.״‬

‫3.‬ „אֲנִי אֵלֵךְ אֶל הַמּוֹשָׁבָה לִקְרֹא לָרוֹפֵא.״‬

‫4.‬ „אֲנִי אֶקְנֶה אֶת בֵּית הַתְּפִלָּה מִן הַבַּנְק.״‬

‫5.‬ „אֲנִי יָדַעְתִּי כִּי תָשׁוּב. מַה שְׁלוֹם אָבִיךָ?״‬

‫III.‬ כְּתֹב בְּמִלָּה אַחַת:‬ (20)

‫1.‬ הַבָּתִּים שֶׁלְּךָ ——		‫6.‬ הַסּוּס שֶׁלּוֹ	——
‫2.‬ הַיָּדַיִם שֶׁלָּהּ ——		‫7.‬ הַחֲמוֹר שֶׁלָּךְ	——
‫3.‬ הַסְּפָרִים שֶׁלּוֹ ——		‫8.‬ הָעֵט שֶׁלָּהּ	——
‫4.‬ הַשִּׁירִים שֶׁלָּנוּ ——		‫9.‬ הַסִּפּוּרִים שֶׁלָּהֶם	——
‫5.‬ הַשְּׁכֵנִים שֶׁלִּי ——		‫10.‬ הַדּוֹדִים שֶׁלָּהֶן	——

[323]

IV. שַׁנֵּה לְעָבָר: (10)

1. אֲנִי שָׂם אֶת הַסֵּפֶר עַל הַשֻּׁלְחָן.

2. חַנָּה שָׁרָה אֶת שִׁירֵי הַחֲלוּצִים.

3. אַתְּ רָבָה תָּמִיד עִם הָאָח.

4. הֵם שָׂמִים לֵב לְדִבְרֵי הַמּוֹרָה.

5. אֲנַחְנוּ שָׁרִים שִׁיר עִבְרִי חָדָשׁ.

V. כְּתֹב אֶת הַצּוּרָה הַנְּכוֹנָה: (20)

Write the correct form of the word in parenthesis:

near me   1. הוּא עָמַד (אֵצֶל).

in them (m.)   2. מַה מָּצָאתָ (בְּ)?

in it (m.)   3. שָׂם (בְּ) אֶת הַכֶּסֶף.

upon us   4. הֵם מַבִּיטִים (עַל).

with it (m.)   5. אֲנַחְנוּ מְשַׂחֲקִים (בְּ) בַּגַּן.

to me   6. מֹשֶׁה דִּבֵּר (אֶל) בַּטֶּלֶפוֹן.

we must   7. (עַל) לִקְרֹא לָרוֹפֵא.

at his home   8. לֹא מָצָאתִי אִישׁ (אֵצֶל).

upon you (m. s.)   9. שָׁלוֹם (עַל).

to him   10. שַׂמְתִּי לֵב (אֶל).

VI. חַבֵּר חֲמִשָּׁה מִשְׁפָּטִים עַל אֶחָד מִן הַסִּפּוּרִים הָאֵלֶּה: (20)

1. "דְּנִיָּה"   2. "נֶהְלָל"   3. "הוּא שָׁב"

[324]

סִפּוּרִים נוֹסָפִים

1. הַשּׁוּעָל וְהַכֶּרֶם

מִלּוֹן

became thin	כָּחַשׁ	fox	שׁוּעָל
he became fat	שָׁמֵן	vineyard	כֶּרֶם
fat	שָׁמֵן	around	מִסָּבִיב לְ...
to leave	לָצֵאת	he went round	סָבַב
his face	פָּנָיו	fence	גָּדֵר נ׳
fruit	פְּרִי ז׳ (ר׳ פֵּרוֹת)	to enter	לְהִכָּנֵס
beautiful	נָאֶה	entered	נִכְנַס
use, benefit	תּוֹעֶלֶת נ׳	fasted	צָם

The fox learns the futility of those things that you can't take with you.

פַּעַם אַחַת הָיָה שׁוּעָל רָעֵב.

הָלַךְ הַשּׁוּעָל בַּדֶּרֶךְ וְרָאָה כֶּרֶם.

מִסָּבִיב לַכֶּרֶם הָיְתָה גָּדֵר גְּבוֹהָה. סָבַב אֶת הַכֶּרֶם פְּעָמִים

אֲחָדוֹת וּמָצָא חוֹר קָטָן בַּגָּדֵר.

בִּקֵּשׁ לְהִכָּנֵס אֶל הַכֶּרֶם וְלֹא יָכֹל.

מֶה עָשָׂה?

צָם שְׁלֹשָׁה יָמִים עַד שֶׁכָּחַשׁ.

נִכְנַס הַשּׁוּעָל אֶל הַכֶּרֶם, אָכַל וְאָכַל עַד שֶׁשָּׁמֵן.

בִּקֵּשׁ הַשּׁוּעָל לָצֵאת מִן הַכֶּרֶם וְלֹא יָכֹל, כִּי הָיָה שָׁמֵן מְאֹד.

מֶה עָשָׂה?

צָר עוֹד שְׁלֹשָׁה יָמִים עַד שֶׁכָּחַשׁ עוֹד פַּעַם, וְאַחֲרֵי כֵן יָכֹל
לָצֵאת.

כַּאֲשֶׁר יָצָא, הָפַךְ אֶת פָּנָיו וְהִבִּיט אֶל הַכֶּרֶם וְאָמַר:
„כֶּרֶם, כֶּרֶם! מַה טּוֹב אַתָּה! וּמַה טּוֹבִים פֵּרוֹתֶיךָ!
כָּל מַה שֶׁיֵּשׁ בְּךָ טוֹב וְנָאֶה! אֲבָל מַה תּוֹעֶלֶת בְּךָ? רָעֵב בָּאתִי
וְרָעֵב יָצָאתִי!״

תַּרְגִּילִים

I. עֲנֵה בְעִבְרִית:

1. מַה בִּקֵּשׁ הַשּׁוּעָל כַּאֲשֶׁר הָלַךְ בַּדֶּרֶךְ?
2. מַדּוּעַ סָבַב הַשּׁוּעָל אֶת הַכֶּרֶם פְּעָמִים אֲחָדוֹת?
3. אֵיךְ יָכֹל הַשּׁוּעָל לְהִכָּנֵס?
4. מֶה עָשָׂה הַשּׁוּעָל בַּכֶּרֶם?
5. מַדּוּעַ לֹא הָיְתָה תּוֹעֶלֶת בַּכֶּרֶם?

II. בְּחַר בַּמִּלָּה הַנְּכוֹנָה:

(יָצָאתִי, חוֹר, כָּחַשׁ, שָׁמֵן, גָּדֵר, הָפַךְ, פֵּרוֹתֶיךָ)

1. צָם הַשּׁוּעָל שְׁלֹשָׁה יָמִים עַד שֶׁ —————.
2. מִסָּבִיב לַכֶּרֶם הָיְתָה ————— גְּבוֹהָה.
3. הַשּׁוּעָל לֹא יָכֹל לָצֵאת כִּי הָיָה ————— .
4. הוּא מָצָא ————— קָטָן בַּגָּדֵר.
5. כַּאֲשֶׁר יָצָא מִן הַכֶּרֶם, ————— אֶת פָּנָיו אֶל הַכֶּרֶם.
6. הַשּׁוּעָל אָמַר: „מַה טּוֹבִים —————!״
7. „רָעֵב בָּאתִי וְרָעֵב ————— .״

.2 קֶבֶר הָרַמְבַּ"ם

מִלּוֹן

to decide	לְהַחְלִיט	tomb, grave	קֶבֶר
decided	הֶחְלִיט	he buried	קָבַר
yourselves	בְּעַצְמְכֶם	רַמְבַּ"ם—רַבִּי מֹשֶׁה בֶּן מַיְמוֹן	
broke out	פָּרַץ	Moses Maimonides	
community	קְהִלָּה (ר׳ קְהִלּוֹת)	they shall bring up	יַעֲלוּ
Hebron	חֶבְרוֹן נ׳	coffin	אָרוֹן
kneeled	בָּרַךְ	boundary	גְּבוּל
he will kneel	יִבְרַךְ	to give, allow	לָתֵת
Tiberias	טְבֶרְיָה נ׳	honor	כָּבוֹד

This legend tells why the great scholar and philosopher, Moses ben
Maimon (1135-1204 C. E.), was buried in Tiberias.

לִפְנֵי מוֹתוֹ בְּאֶרֶץ מִצְרַיִם צִוָּה הָרַמְבַּ"ם שֶׁיַּעֲלוּ אֶת אֲרוֹנוֹ

לְאֶרֶץ יִשְׂרָאֵל וְשָׁם יִקְבְּרוּ אוֹתוֹ.

אֲבָל לֹא אָמַר בְּאֵיזֶה מָקוֹם בְּאֶרֶץ יִשְׂרָאֵל יִקְבְּרוּ אוֹתוֹ.

וְכַאֲשֶׁר מֵת, בָּכוּ כָּל הָעָם עָלָיו וְשָׂמוּ אֶת גּוּפוֹ בְּאָרוֹן,

וְאֶת הָאָרוֹן שָׂמוּ עַל גָּמָל וְשָׁלְחוּ אוֹתוֹ לְאֶרֶץ יִשְׂרָאֵל.

וְהַרְבֵּה אֲנָשִׁים מְלַוִּים אוֹתוֹ עַד הַגְּבוּל.

כַּאֲשֶׁר שָׁמְעוּ הַיְּהוּדִים בְּאֶרֶץ יִשְׂרָאֵל כִּי בָּא הָאָרוֹן שֶׁל

הָרַמְבַּ״ם, יָצְאוּ לְקַבֵּל אוֹתוֹ וְלָתֵת לוֹ כָּבוֹד גָּדוֹל.

עַל הַגְּבוּל, שָׁאֲלוּ אַנְשֵׁי אֶרֶץ יִשְׂרָאֵל אֶת יְהוּדֵי מִצְרַיִם:

״אֵיפֹה נִקְבֹּר אֶת הַצַּדִּיק?׳

עָנוּ בְּנֵי מִצְרַיִם:

״לֹא אָמַר לָנוּ הָרַמְבַּ״ם לִפְנֵי מוֹתוֹ, וְאַתֶּם צְרִיכִים

לְהַחְלִיט בְּעַצְמְכֶם.׳

וְהִנֵּה פָּרַץ רִיב בֵּין הַקְּהִלּוֹת בְּאֶרֶץ יִשְׂרָאֵל.

בְּנֵי יְרוּשָׁלַיִם אָמְרוּ:

״נִקְבֹּר אוֹתוֹ בִּירוּשָׁלַיִם, כִּי הִיא לֵב הָעָם.׳

בָּאוּ אַנְשֵׁי חֶבְרוֹן וְאָמְרוּ:

״נִקְבֹּר אוֹתוֹ בְּחֶבְרוֹן, כִּי שָׁם קֶבֶר הָאָבוֹת.׳

בָּאוּ אַנְשֵׁי מֵירוֹן (Meron) וְאָמְרוּ:

״נִקְבֹּר אוֹתוֹ בְּמֵירוֹן, כִּי שָׁם קֶבֶר הַצַּדִּיק הַגָּדוֹל,

רַבִּי שִׁמְעוֹן בֶּן יוֹחַאי.׳

בְּסוֹף הֶחְלִיטוּ לָתֵת לַגָּמָל לָלֶכֶת בַּדֶּרֶךְ, וּבַמָּקוֹם אֲשֶׁר יַעֲמֹד

וְיִבְרַךְ–שָׁם יִהְיֶה קֶבֶר הָרַמְבַּ״ם.

וְכֵן הָיָה.

הַגָּמָל הָלַךְ יָמִים רַבִּים עַד אֲשֶׁר בָּא לִטְבֶרְיָה, וְשָׁם עָמַד

וּבָרַךְ; וּבַמָּקוֹם הַהוּא קָבְרוּ אֶת הָרַמְבַּ״ם.

זֶה הַסִּפּוּר אֲשֶׁר מְסַפְּרִים אַנְשֵׁי טְבֶרְיָה.

תַּרְגִּילִים

I. כְּתֹב „כֵּן" אוֹ „לֹא" וְתַקֵּן כָּל מִשְׁפָּט בִּלְתִּי נָכוֹן:

1. הָרַמְבַּ״ם מֵת בְּאֶרֶץ יִשְׂרָאֵל.

2. הָרַמְבַּ״ם אָמַר שֶׁיִּקְבְּרוּ אוֹתוֹ בִּירוּשָׁלַיִם.

3. הָרַמְבַּ״ם הָיָה צַדִּיק גָּדוֹל וְכָל הָעָם בָּכוּ עָלָיו.

4. הַגָּמָל הָלַךְ לְבַדּוֹ (alone) מֵאֶרֶץ מִצְרַיִם לְאֶרֶץ יִשְׂרָאֵל.

5. בְּנֵי מִצְרַיִם אָמְרוּ לִיהוּדֵי אֶרֶץ יִשְׂרָאֵל כִּי יִקְבְּרוּ אוֹתוֹ בְּחֶבְרוֹן.

6. יְרוּשָׁלַיִם הָיְתָה לֵב הָעָם.

7. קֶבֶר רַבִּי שִׁמְעוֹן בֶּן יוֹחַאי נִמְצָא בְּחֶבְרוֹן.

8. הַגָּמָל עָמַד וּבָרַךְ בְּעִיר טְבֶרְיָה.

II. זַוֵּג:

ב	א
קֶבֶר הָרַמְבַּ״ם	מִלּוּיִם
קֶבֶר הָאָבוֹת	רַמְבַּ״ם
כָּבוֹד	יְרוּשָׁלַיִם
רַבִּי מֹשֶׁה בֶּן מַיְמוֹן	חֶבְרוֹן
אֶת הָאָרוֹן	מֵירוֹן
יִשְׂרָאֵל	הַגָּמָל
בָּרַךְ	טְבֶרְיָה
לֵב הָעָם	פֶּרֶץ
רִיב	לָתֵת
קֶבֶר רַבִּי שִׁמְעוֹן בֶּן יוֹחַאי	אֶרֶץ

3. תֵּל חַי

מִלּוֹן

courtyard of	חֲצַר	Tel Ḥai	תֵּל חַי נ׳
monument	מַצֵּבָה	Trumpeldor	טְרוּמְפֶּלְדּוֹר
point	נְקֻדָּה	gymnasium (secondary school)	גִּמְנַסְיָה
stood guard	עָמַד עַל הַמִּשְׁמָר	Galilee	גָּלִיל נ׳
Bedouin	בֶּידוּאִים	village	כְּפָר
attack	מִתְנַפֵּל עַל	clear	בָּהִיר (ר׳ בְּהִירִים)
ready, prepared	מוּכָן (ר׳ מוּכָנִים)	flower	פֶּרַח (ר׳ פְּרָחִים)
conquered	נִצַּח (ר׳ נִצְּחוּ)	courtyard	חָצֵר ז״נ
		pride	גַּאֲוָה

Avinoam describes an interesting trip to historic Tel Ḥai on the 11th of the month of Adar.

11 בַּאֲדָר

שָׁלוֹם, בִּנְיָמִין!

אַתָּה מִתְפַּלֵּא בְּוַדַּאי עַל הַמִּכְתָּב הַזֶּה.

מַדּוּעַ שׁוֹלֵחַ אֲנִי אֶת הַמִּכְתָּב מִתֵּל חַי?

הִנֵּה אֲסַפֵּר לְךָ מַה שֶּׁעָשִׂינוּ הַיּוֹם.

הַיּוֹם הוּא יוֹם הַזִּכָּרוֹן (memorial) לְטְרוּמְפֶּלְדּוֹר.

עָרַכְנוּ טִיּוּל לְתֵל חַי. כָּל תַּלְמִידֵי הַגִּמְנַסְיָה בְּחֵיפָה

יָצְאוּ בִּמְכוֹנִיּוֹת בְּשָׁעָה שְׁמֹנֶה בַּבֹּקֶר.

נָסַעְנוּ שָׁלֹשׁ שָׁעוֹת בַּדֶּרֶךְ לַגָּלִיל.

עָבַרְנוּ דֶּרֶךְ כְּפָרִים עַרְבִים וְגַם רָאִינוּ הַרְבֵּה מוֹשָׁבוֹת

וּקְבוּצוֹת עִבְרִיּוֹת. מִכָּל צַד רָאִינוּ שָׂדוֹת יָפִים.

בְּשָׁעָה אַחַת עֶשְׂרֵה בָּאנוּ לְתֵל חַי.

יָרַדְנוּ מִן הַמְּכוֹנִיּוֹת וְהָלַכְנוּ בְּרֶגֶל לֶחָצֵר שֶׁל תֵּל חַי.

אַחֲרֵי כֵן עָלִינוּ אֶל הַמַּצֵּבָה בֵּין תֵּל חַי וּכְפַר גִּלְעָדִי.

אַחַד הַמּוֹרִים הִתְחִיל מְדַבֵּר:

,,אַתֶּם רוֹאִים אֶת הַמַּצֵּבָה הַזֹּאת?

הַדָּבָר קָרָה שָׁלֹשׁ שָׁנִים אַחֲרֵי הַמִּלְחָמָה הָרִאשׁוֹנָה.

אֲנַחְנוּ הָיִינוּ מְעַטִּים בָּאָרֶץ, וּבְכָל זֹאת עָבַדְנוּ וּבָנִינוּ

מוֹשָׁבוֹת וּקְבוּצוֹת.

תֵּל חַי הָיְתָה אַחַת הַנְּקֻדּוֹת עַל גְּבוּל הָאָרֶץ.

יוֹסֵף טְרוּמְפֶּלְדוֹר וַחֲבֵרָיו עָמְדוּ עַל הַמִּשְׁמָר יוֹם וָלַיְלָה.

הַבֶּידוּאִים הָיוּ מִתְנַפְּלִים לִפְעָמִים עַל הַמּוֹשָׁבוֹת הָעִבְרִיּוֹת.

בְּיוֹם אַחַד עָשָׂר לְחֹדֶשׁ אֲדָר, הִתְנַפְּלוּ הַרְבֵּה בֶּידוּאִים

עַל תֵּל חַי.

אֲבָל טְרוּמְפֶּלְדוֹר וַחֲבֵרָיו הָיוּ מוּכָנִים. לֹא יִתְּנוּ אֶת

הַכְּפָר הָעִבְרִי בִּידֵי הָעַרְבִים, וְיָבֹא מַה!

כָּל הַיּוֹם וְהַלַּיְלָה נִלְחָמוּ. בַּסּוֹף נִצְּחוּ הָעִבְרִים.

הָעַרְבִים בָּרְחוּ.

אֲבָל טְרוּמְפֶּלְדוֹר נִפְצַע קָשֶׁה.

בַּלַּיְלָה נָשְׂאוּ אֶת טְרוּמְפֶּלְדוֹר לְרוֹפֵא בִּכְפַר גִּלְעָדִי.

בַּדֶּרֶךְ מֵת טְרוּמְפֶּלְדוֹר.

לִפְנֵי מוֹתוֹ אָמַר לַחֲבֵרָיו: ,,אֵין דָּבָר. טוֹב לָמוּת בְּעַד אַרְצֵנוּ'.''

הַמּוֹרֶה גָּמַר לְדַבֵּר. הָיָה שֶׁקֶט רְגָעִים אֲחָדִים.

אַחֲרֵי כֵן הָלַכְנוּ אֶל הַשָּׂדֶה.

יָשַׁבְנוּ וְאָכַלְנוּ תַּחַת הַשָּׁמַיִם הַבְּהִירִים.

שַׁרְנוּ שִׁירֵי הַחֲלוּצִים וְרָקַדְנוּ „הוֹרָה."

בְּאַרְבַּע אַחַר הַצָּהֳרַיִם יָצָאנוּ מִתֵּל חַי לָשׁוּב לְחֵיפָה.

אֲנִי אוֹמֵר לְךָ, בִּנְיָמִין, כִּי לִבִּי הָיָה מָלֵא גַאֲוָה כַּאֲשֶׁר

חָשַׁבְתִּי עַל הַ„מַּכַּבִּים" הַחֲדָשִׁים שֶׁלָּנוּ.

כְּתֹב לִי, בִּנְיָמִין, עַל מַה שֶׁעֲשִׂיתֶם בַּאֲגֻדָּה הָעִבְרִית

שֶׁלָּכֶם בְּנְיוּ יוֹרְק לְזֵכֶר טְרוּמְפֶּלְדּוֹר.

שֶׁלְּךָ,

אֲבִינֹעַם

תַּרְגִּילִים

I. מַדּוּעַ?

1. כָּתַב אֲבִינֹעַם מִכְתָּב מִתֵּל חַי?

2. הָיְתָה הַמַּצֵּבָה בֵּין תֵּל חַי וּכְפַר גִּלְעָדִי?

3. עָמְדוּ הָעִבְרִים עַל הַמִּשְׁמָר יוֹם וָלַיְלָה?

4. נָשְׂאוּ אֶת טְרוּמְפֶּלְדּוֹר לִכְפַר גִּלְעָדִי?

5. אָמַר טְרוּמְפֶּלְדּוֹר: „טוֹב לָמוּת בְּעַד אַרְצֵנוּ"?

6. אָכְלוּ הַתַּלְמִידִים תַּחַת הַשָּׁמַיִם?

7. הָיָה לֵב אֲבִינֹעַם מָלֵא גַאֲוָה?

יז. כְּתֹב אֶת תֹּכֶן הַמִּכְתָּב „תֵּל חַי" לְפִי הַנּוֹשְׂאִים הָאֵלֶּה (75 מִלִּים):

1. בַּדֶּרֶךְ מֵחֵיפָה לְתֵל חַי.

2. אֵצֶל הַמַּצֵּבָה.

3. דִּבְרֵי הַמּוֹרֶה.

4. מוֹת טְרוּמְפֶּלְדּוֹר.

5. אַחַר הַצָּהֳרַיִם.

יְלֵיל

The ḥalutz sings of his homeland (מוֹלֶדֶת).

יְלֵיל, יְלֵיל,

מוֹלַדְתִּי אֶרֶץ כְּנַעַן,

מִנַּמְתִּי שְׂדוֹת חָרָן.

Moderato

Yal - lel yal - lel   yal - lel yal - lel   yal-
Maw - la - d' - tee   e - rets k' - na - an   m'-

lel yal - lel   yal - lel yal - lel   yal - lel yal - lel   yal-
ga - ma - tee   s' - dawt chaw - ran   maw - la - d' - tee   e-

lel yal - lel   yal - lel yal - lel   yal - lel   yal - lel.
rets k' - naan   m' - ga - ma - tee   s' - dawt chaw - ran.

4. הָאָנוּס

מִלּוֹן

A traveler stranded in Spain finds a Marrano.

הָיָה רוֹפֵא יְהוּדִי גָּדוֹל בְּאֶרֶץ פּוֹלַנְיָה, וּשְׁמוֹ אַהֲרֹן גּוֹרְדּוֹן.

פַּעַם אַחַת הָיָה צָרִיךְ לִנְסֹעַ לְאִיטַלְיָה.

כַּאֲשֶׁר גָּמַר אֶת עֲבוֹדָתוֹ בְּאִיטַלְיָה, יָרַד בָּאֳנִיָּה לָשׁוּב לְבֵיתוֹ בְּפוֹלַנְיָה.

בַּדֶּרֶךְ, עַל הַיָּם, קָמָה רוּחַ חֲזָקָה מְאֹד, וְהָאֳנִיָּה סָרָה מִדַּרְכָּהּ וּבָאָה אֶל נְמַל בְּאֶרֶץ סְפָרַד.

וְהַיּוֹם הָיָה עֶרֶב פֶּסַח.

אַהֲרֹן גּוֹרְדּוֹן רָצָה לִשְׁמֹר אֶת חַג הַפֶּסַח.

הוּא יָדַע כִּי לֹא הָיוּ יְהוּדִים בְּאֶרֶץ סְפָרַד, אֲבָל שָׁמַע כִּי

הָיוּ יְהוּדִים שֶׁשָּׁמְרוּ אֶת דָּתָם בַּסֵּתֶר.

מֶה עָשָׂה?

הָלַךְ אֶל שׁוּק הַיְרָקוֹת וְעָמַד שָׁם מֵרָחוֹק.

אַחֲרֵי רְגָעִים אֲחָדִים בָּאָה מֶרְכָּבָה יָפָה וְעָמְדָה אֵצֶל הַשׁוּק.

בַּמֶּרְכָּבָה הָיָה אִישׁ לָבוּשׁ בִּגְדֵי שַׂר. הַמְשָׁרֵת שֶׁל הַשַּׂר יָרַד מֵעַל הַמֶּרְכָּבָה, נִכְנַס אֶל הַחֲנוּת וְקָנָה הַרְבֵּה יְרָקוֹת.

כַּאֲשֶׁר רָאָה זֹאת הָרוֹפֵא, שָׂמַח מְאֹד, וְהָלַךְ אַחַר הַמֶּרְכָּבָה עַד שֶׁבָּא לְבֵית הַשַּׂר.

נִכְנַס אֶל בֵּיתוֹ וּבִקֵּשׁ לְדַבֵּר אֶל הַשַּׂר בַּסֵּתֶר.

„מַה אַתָּה רוֹצֶה, אֲדוֹנִי?" אָמַר הַשַּׂר.

„הַאִם אַתָּה יְהוּדִי?" שָׁאַל הָרוֹפֵא הַיְהוּדִי.

בָּרֶגַע הָרִאשׁוֹן לֹא עָנָה הַשַּׂר, אֲבָל אַחֲרֵי כֵן הוּא עָנָה בְּלַחַשׁ:

„כֵּן. מִי אָמַר לְךָ?"

„רָאִיתִי אֶת הַמְשָׁרֵת קוֹנֶה יְרָקוֹת, וְיָדַעְתִּי שֶׁהוּא קוֹנֶה מָרוֹר לְפֶסַח."

„צָדַקְתָּ," עָנָה הַשַּׂר. „שֵׁב אִתִּי וַעֲשֵׂה אִתִּי אֶת הַפֶּסַח."

„תּוֹדָה רַבָּה," אָמַר הָרוֹפֵא.

וְהֵם חָגְגוּ אֶת הַפֶּסַח בְּמִשְׁתֶּה וּבְשִׂמְחָה גְדוֹלָה.

תַּרְגִּילִים

‏I. כְּתֹב „כֵּן" אוֹ „לֹא" וְתַקֵּן כָּל מִשְׁפָּט בִּלְתִּי נָכוֹן:

1. אַהֲרֹן גּוֹרְדּוֹן נָסַע לְאֶרֶץ סְפָרַד לַעֲשׂוֹת שָׁם עֲבוֹדָה.

2. הוּא הָלַךְ בָּאֳנִיָּה לָשׁוּב לְבֵיתוֹ בְּפוֹלַנְיָה.

3. הָאֳנִיָּה בָּאָה לְפוֹלַנְיָה בְּשָׁלוֹם.

4. בְּאֶרֶץ סְפָרַד יֵשׁ הַרְבֵּה יְהוּדִים.

5. בִּסְפָרַד הָיוּ יְהוּדִים שֶׁשָּׁמְרוּ אֶת דָּתָם בַּסֵּתֶר.

6. הָלַךְ גּוֹרְדּוֹן אֶל שׁוּק הַיְרָקוֹת לִמְצֹא יְהוּדִי.

7. הַמְשָׁרֵת שֶׁיָּרַד מֵעַל הַמֶּרְכָּבָה קָנָה מְעַט יְרָקוֹת.

8. אַהֲרֹן גּוֹרְדּוֹן הָלַךְ אַחֲרֵי הַמֶּרְכָּבָה לִרְאוֹת אֵיפֹה גָּר הַשַּׂר.

9. הַשַּׂר אָמַר בְּקוֹל רָם כִּי הוּא יְהוּדִי.

10. הֵם חָגְגוּ אֶת הַפֶּסַח בְּשִׂמְחָה.

‏II. חַבֵּר מִשְׁפָּטִים בַּמִּלִּים הָאֵלֶּה:

1. יְרָקוֹת   2. דָּת   3. סוּר   4. בַּסֵּתֶר   5. אֳנִיָּה

6. מִשְׁתֶּה   7. חָגַג   8. שַׂר   9. צָרִיךְ   10. רוּחַ

5. עַדְלְיָדַע

מִלּוֹן

Ahasuerus (king of Persia)	אֲחַשְׁוֵרוֹשׁ	Adloyada (Purim festival in Tel Aviv)	עַדְלְיָדַע
Haman the wicked	הָמָן הָרָשָׁע	festival	חֲגִיגָה
mask	מַסֵּכָה	world	עוֹלָם
impression	רֹשֶׁם	forever	לְעוֹלָם
Hitler	הִיטְלֶר	take part	לוֹקֵחַ חֵלֶק
pile, heap	עֲרֵמָה	decorated	מְקֻשָּׁט
burned	עָלָה בָּאֵשׁ	decoration	קִשּׁוּט
placard, sign	שֶׁלֶט	sight	מַרְאֶה י׳
to destroy	לְאַבֵּד	carnival	קַרְנָבָל

Avinoam describes the unforgettable Purim Carnival in Tel Aviv.

14 בַּאֲדָר

שָׁלוֹם, בִּנְיָמִין!

הַיּוֹם רוֹצֶה אֲנִי לִכְתֹּב לְךָ עַל חַג גָּדוֹל. יֵשׁ לִי כָּל כָּךְ הַרְבֵּה
לִכְתֹּב, עַד שֶׁאֵינִי יוֹדֵעַ בַּמֶּה לְהַתְחִיל. אַתָּה יוֹדֵעַ כִּי בָּאתִי
לְאֶרֶץ יִשְׂרָאֵל מֵאֲמֵרִיקָה לִפְנֵי שָׁנָה. רָאִיתִי הַרְבֵּה חֲגִיגוֹת
בַּאֲמֵרִיקָה, אֲבָל אַף פַּעַם לֹא רָאִיתִי חֲגִיגָה נִפְלָאָה כָּזֹאת אֲשֶׁר
בְּתֵל אָבִיב.

חַג פּוּרִים הוּא חַג גָּדוֹל לַיְּהוּדִים בְּכָל הָעוֹלָם, וְלִיהוּדֵי תֵּל
אָבִיב הוּא הַחַג הַיּוֹתֵר נִפְלָא שֶׁלָּהֶם. כָּל הָאֲנָשִׁים, קְטַנִּים
וּגְדוֹלִים, נְעָרִים וּזְקֵנִים, לוֹקְחִים חֵלֶק בַּחֲגִיגָה. הָרְחוֹבוֹת,
הַבָּתִּים וְהַחֲנֻיּוֹת מְקֻשָּׁטִים בְּכָל מִינֵי קִשּׁוּטִים לִכְבוֹד פּוּרִים.

הַמַּרְאֶה הַיּוֹתֵר נִפְלָא הוּא הַקַּרְנָבָל בִּרְחוֹבוֹת הָעִיר. תְּמוּנוֹת
חַיּוֹת הוֹלְכוֹת בָּרְחוֹבוֹת. הַקְּטַנִּים הוֹלְכִים בָּרִאשׁוֹנָה וְאַחֲרֵיהֶם
הַגְּדוֹלִים. הַקְּטַנִּים לְבוּשִׁים כִּנְבּוֹרֵי הַחַג: מָרְדְּכַי, אֶסְתֵּר,
אֲחַשְׁוֵרוֹשׁ וְהָמָן הָרָשָׁע, וְאַחֲרֵיהֶם בָּאִים הַגְּדוֹלִים וּמַסֵּכוֹת עַל
פְּנֵיהֶם. תְּמוּנוֹת חַיּוֹת הוֹלְכוֹת כָּל הַיּוֹם, תְּמוּנוֹת מֵחַיֵּי הַחֲלוּצִים,
גִּבּוֹרֵי יִשְׂרָאֵל, אֲנָשִׁים יְדוּעִים וְעוֹד.

תְּמוּנָה אַחַת עָשְׂתָה עָלַי רֹשֶׁם גָּדוֹל. רָאִיתִי אִישׁ לָבוּשׁ
כְּהִיטְלֶר הָרָשָׁע, וְאֶצְלוֹ עֲרֵמָה גְּדוֹלָה שֶׁל סְפָרִים עִבְרִיִּים.
הַסְּפָרִים עוֹלִים בָּאֵשׁ. וּמִן הַצַּד עוֹמֵד אִישׁ לָבוּשׁ כְּמָרְדְּכַי
וְשֶׁלֶט בְּיָדוֹ, וְעַל הַשֶּׁלֶט כָּתוּב:

„הָמָן בִּקֵּשׁ לְאַבֵּד אֶת עַמֵּנוּ וְלֹא הִצְלִיחַ (did not succeed)
וְגַם הִיטְלֶר לֹא הִצְלִיחַ. רוּחַ עַם חָפְשִׁי[1] תִּחְיֶה לְעוֹלָם."

בִּנְיָמִין, אֲנִי אוֹמֵר לְךָ כִּי לֹא אֶשְׁכַּח (forget) אֶת הַחֲגִיגָה
הַנִּפְלָאָה הַזֹּאת כָּל יְמֵי חַיָּי.

שֶׁלְּךָ בְּחִבָּה,
אֲבִינֹעַם

---

[1] The ־ֲ in חָפְשִׁי is pronounced like the o in "more" in Sefardic.

תַּרְגִּילִים

I. שְׁאֵלוֹת:

1. אֶל מִי כּוֹתֵב אֲבִינֹעַם?
2. מַדּוּעַ לֹא יָדַע אֲבִינֹעַם בַּמֶּה לְהַתְחִיל אֶת הַמִּכְתָּב שֶׁלּוֹ?
3. מָתַי בָּא אֲבִינֹעַם לְאֶרֶץ יִשְׂרָאֵל.
4. מַדּוּעַ הָיְתָה הַחֲגִיגָה בְּתֵל אָבִיב כָּל כָּךְ נִפְלָאָה?
5. מִי לָקַח חֵלֶק בַּקַּרְנְבַל הַגָּדוֹל.
6. מִי הֵם הַגִּבּוֹרִים אֲשֶׁר הָלְכוּ בָּרְחוֹבוֹת?
7. אֵיזוֹ תְּמוּנָה עָשְׂתָה רֹשֶׁם גָּדוֹל עַל אֲבִינֹעַם?
8. מַה כָּתוּב עַל שֶׁלֶט מָרְדְּכַי?
9. מָה עוֹד רָאָה אֲבִינֹעַם?

II. הַשְׁלֵם בַּמִּלָּה הַנְּכוֹנָה:

(הַחֲלוּצִים, חֵלֶק, רוּחַ, שֶׁלֶט, עֲרֵמָה, אֶרֶץ יִשְׂרָאֵל,
אַף פַּעַם, מָרְדְּכַי וְאֶסְתֵּר, מְקֻשָּׁטִים)

1. בָּאֲסֵפוֹת שָׁרוּ שִׁירֵי ———— ————.
2. ———— לֹא רָאָה אֲבִינֹעַם חֲגִיגָה נִפְלָאָה כָּזֹאת.
3. הַקְּטַנִּים וְהַגְּדוֹלִים לוֹקְחִים ———— בַּחֲגִיגָה.
4. גִּבּוֹרֵי חַג הַפּוּרִים הֵם ———— וְ————.
5. אֵצֶל הִיטְלֶר עָמְדָה ———— גְּדוֹלָה שֶׁל סְפָרִים.
6. ———— עַם חָפְשִׁי יִחְיֶה לְעוֹלָם.
7. הָרְחוֹבוֹת וְהַחֲנֻיּוֹת הָיוּ ———— בְּכָל מִינֵי קִשּׁוּטִים לִכְבוֹד הַחַג.
8. בְּיַד מָרְדְּכַי הָיָה ———— ————.

[341]

6. אֱלִיעֶזֶר בֶּן יְהוּדָה

מִלּוֹן

will build	יִבְנֶה (ע. בָּנָה)	Eliezer ben Yehudah	אֱלִיעֶזֶר בֶּן יְהוּדָה
will undersatnd	יָבִינוּ (ע. הֵבִין)	Paris	פָּרִין ג.
that unites	הַמְאַחֶדֶת	medicine	תּוֹרַת הָרְפוּאָה ג.
to change	לַהֲפֹךְ	stopped	חָדַל
in the beginning	בַּתְּחִלָּה	pogroms	פְּרָעוֹת ג. ר.
was born	נוֹלַד	were slain	נֶהֶרְגוּ
spread	הִתְפַּשֵּׁט	felt (v.)	הִרְגִּישׁ
speech	דִּבּוּר	thought of	עָלָה בְּלִבּוֹ
		Europe	אֵירוֹפָּה ג.

The story of the man who revived Hebrew as a spoken language.

לִפְנֵי שְׁמֹנִים שָׁנָה הָיְתָה הַלָּשׁוֹן הָעִבְרִית כְּלָשׁוֹן מֵתָה. רַק אֲנָשִׁים מְעַטִּים דִּבְּרוּ עִבְרִית.

וּבַיָּמִים הָהֵם הָיָה נַעַר צָעִיר בְּשֵׁם אֱלִיעֶזֶר. תַּלְמִיד הָיָה בָּאוּנִיבֶרְסִיטָה בְּפָּרִין וְלָמַד רְפוּאָה, כִּי רָצָה לִהְיוֹת לְרוֹפֵא. וְהַנַּעַר הַזֶּה אָהַב אֶת הַלָּשׁוֹן הָעִבְרִית מְאֹד וְלֹא חָדַל לִקְרֹא בִּסְפָרִים עִבְרִיִּים יוֹם וָלַיְלָה.

וּפִתְאֹם פָּרְצוּ הַפְּרָעוֹת הַנּוֹרָאוֹת בְּרוּסְיָה. הַרְבֵּה יְהוּדִים נִפְצְעוּ וְנֶהֶרְגוּ. צַר הָיָה לַתַּלְמִיד אֱלִיעֶזֶר. הוּא הִרְגִּישׁ בְּצַעַר עַמּוֹ וְרָצָה לַעֲזֹר לָהֶם, אֲבָל מַה יָכֹל לַעֲשׂוֹת

וְהִנֵּה עָלָה בְּלִבּוֹ רַעְיוֹן גָּדוֹל: יָשׁוּב הָעָם הָעִבְרִי לְאַרְצוֹ,
אֶרֶץ יִשְׂרָאֵל. שָׁם יִחְיֶה בְּכָבוֹד וּבְלִי פַחַד, יַעֲבֹד וְיִבְנֶה. אֲבָל
אִם יָשׁוּבוּ הָעִבְרִים לְאַרְצָם, אֵיךְ יָבִינוּ זֶה אֶת זֶה? הֵם צְרִיכִים
בְּלָשׁוֹן אַחַת שֶׁכֻּלָּם יוֹדְעִים. וּמָה הִיא הַלָּשׁוֹן הָאַחַת הַמְאַחֶדֶת
אֶת כָּל הָעִבְרִים? הֲלֹא הִיא הַלָּשׁוֹן הַהִיסְטוֹרִית (historic) שֶׁלָּהֶם:
עִבְרִית! וְעִבְרִית הָיְתָה כִּלְשׁוֹן מֵתָה.

וֶאֱלִיעֶזֶר נִשְׁבַּע לַהֲפֹךְ אֶת הַלָּשׁוֹן הַמֵּתָה לְלָשׁוֹן חַיָּה. הוּא
לֹא רַק אָמַר כִּי אִם גַּם עָשָׂה.

הוּא נָסַע לְאֶרֶץ יִשְׂרָאֵל וְהִתְחִיל לְדַבֵּר רַק עִבְרִית לְאִשְׁתּוֹ,
אֲשֶׁר בַּתְּחִלָּה לֹא הֵבִינָה אֲפִילוּ מִלָּה אַחַת.

נוֹלַד לָהֶם בֵּן וְהֵם דִּבְּרוּ אֵלָיו רַק עִבְרִית. הַמִּשְׁפָּחָה שֶׁל בֶּן
יְהוּדָה הָיְתָה הַמִּשְׁפָּחָה הָעִבְרִית הָרִאשׁוֹנָה בְּאֶרֶץ יִשְׂרָאֵל.
וְגַם לְכָל הַחֲבֵרִים שֶׁלָּהֶם דִּבְּרוּ רַק עִבְרִית.

אָמְרוּ לָהֶם הַחֲבֵרִים: „מְשֻׁגָּעִים אַתֶּם! לֹא תוּכְלוּ לַהֲפֹךְ לָשׁוֹן
מֵתָה לְלָשׁוֹן חַיָּה!״ אֲבָל אֱלִיעֶזֶר וְאִשְׁתּוֹ לֹא שָׂמוּ לֵב אֲלֵיהֶם.
עָבְרוּ שָׁנִים וְעוֹד מִשְׁפָּחוֹת בִּירוּשָׁלַיִם הִתְחִילוּ לְדַבֵּר
עִבְרִית. וּמִירוּשָׁלַיִם הִתְפַּשֵּׁט הַדִּבּוּר הָעִבְרִי בְּכָל אֶרֶץ יִשְׂרָאֵל,
וּמִשָּׁם עָבַר לְאֵירוֹפָּה וְלַאֲמֵרִיקָה.

סוֹף סוֹף בָּא הַחֲלוֹם הַגָּדוֹל שֶׁל אֱלִיעֶזֶר בֶּן יְהוּדָה. הַלָּשׁוֹן
הַהִיסְטוֹרִית שֶׁל הָעָם הָעִבְרִי הָיְתָה עוֹד פַּעַם לְלָשׁוֹן חַיָּה
בְּפִי הָעָם.

הֲדֹאַר

ביד הגורל מאת ש. ל. בלאנק
שלושה סיפורים. שירי יהודה הלוי
אסף יהל. אמריקה יֵדש וחתל – עורך ומבואר על-ידי
יעוֹן ברנשטיין. ספר השנה ליהדי אמריקה (תשי״ה)
כרך שביעי בארצות הברית באמריקה
בהתצאת ההברדרות העברית באמריקה
ובעריכת מנחם ריבולוב

שְׁבִילֵי־הַחִנּוּךְ

בִּצָּרוֹן

הָאָמְלַט מיליאם שקספיר,
בתרגום ישראל אפרת

הַדֹּאַר לַנֹּעַר

הַסֵּפֶר הָעִבְרִי בָּאֲמֵרִיקָה

Hebrew Books and Magazines Published in America

[344]

תַּרְגִּילִים

I. עֲנֵה בְעִבְרִית:

1. כַּמָּה אֲנָשִׁים דִּבְּרוּ עִבְרִית לִפְנֵי שְׁמֹנִים שָׁנָה?

2. מֶה עָשָׂה אֱלִיעֶזֶר בֶּן יְהוּדָה בְּפָרִיז?

3. אֵיךְ הִרְגִּישׁ בֶּן יְהוּדָה כַּאֲשֶׁר פָּרְצוּ הַפְּרָעוֹת בְּרוּסְיָה?

4. אֵיזֶה רַעְיוֹן עָלָה עַל לֵב בֶּן יְהוּדָה?

5. לְאָן (where) נָסַע לְהַגְשִׁים (to realize) אֶת רַעְיוֹנוֹ?

6. מַדּוּעַ קָרְאוּ לְבֵיתוֹ «הַבַּיִת הָעִבְרִי הָרִאשׁוֹן"?

7. אֵיךְ הִתְפַּשֵּׁט הַדִּבּוּר הָעִבְרִי בְּכָל אֶרֶץ יִשְׂרָאֵל?

II. אֵיפֹה?

1. לָמַד בֶּן יְהוּדָה תּוֹרַת הָרְפוּאָה?

2. פָּרְצוּ פְּרָעוֹת?

3. יָכוֹל הָעָם הָעִבְרִי לִחְיוֹת בְּכָבוֹד?

4. הֵקִימוּ אֶת הַבַּיִת הָעִבְרִי הָרִאשׁוֹן?

5. הִתְפַּשֵּׁט הַדִּבּוּר הָעִבְרִי?

APPENDIX

I

1.	Good morning	1. בֹּקֶר טוֹב
2.	Please sit down	2. בְּבַקָּשָׁה לָשֶׁבֶת
3.	Quiet!	3. שֶׁקֶט!
4.	Stand up!	4. קוּם (יּ קוּמִי)
5.	Open books!	5. פִּתְחוּ אֶת הַסְּפָרִים
6.	Read!	6. קִרְאוּ
7.	That's enough	7. זֶה דַי
8.	Read aloud!	8. קְרָא בְּקוֹל (יּ קִרְאִי)
9.	Read slowly!	9. קְרָא לְאַט לְאַט (יּ קִרְאִי)
10.	Translate into English	10. תַּרְגֵּם לְאַנְגְּלִית (יּ תַּרְגְּמִי)
11.	Repeat!	11. אֱמֹר עוֹד פַּעַם (יּ אִמְרִי)
12.	Close your notebook!	12. סְגֹר אֶת הַמַּחְבֶּרֶת (יּ סִגְרִי)
13.	Go to the board!	13. לֵךְ אֶל הַלּוּחַ (יּ לְכִי)
14.	Take the chalk!	14. קַח אֶת הַגִּיר (יּ קְחִי)
15.	Write the word	15. כְּתֹב אֶת הַמִּלָּה (יּ כִּתְבִי)
16.	Correct the mistake!	16. תַּקֵּן אֶת הַשְּׁגִיאָה (יּ תַּקְּנִי)
17.	How do you spell ... ?	17. אֵיךְ כּוֹתְבִים ... ?
18.	Answer the question!	18. עֲנֵה עַל הַשְּׁאֵלָה (יּ עֲנִי)

	English	Hebrew	
19.	At the top of the page	בְּרֹאשׁ הַדַּף	.19
20.	At the end of the page	בְּסוֹף הַדַּף	.20
21.	How do you say...?	אֵיךְ אוֹמְרִים...?	.21
22.	What mark did you get?	אֵיזֶה צִיּוּן קִבַּלְתָּ?	.22
23.	Report card	תְּעוּדָה	.23
24.	I failed	נִכְשַׁלְתִּי	.24
25.	I passed the test	עָמַדְתִּי בַּמִּבְחָן	.25

II

IDIOMS AND EXPRESSIONS נִיבִים וְצֵרוּפֵי לָשׁוֹן

1.	How are you (*m.*)?	מַה שְּׁלוֹמְךָ? .1
2.	How are you (*f.*)?	מַה שְּׁלוֹמֵךְ? .2
3.	by the name of	בְּשֵׁם .3
4.	I have	יֵשׁ לִי .4
5.	to mock him	לְצַחֵק בּוֹ .5
6.	afterwards	אַחֲרֵי כֵן .6
7.	again	עוֹד פַּעַם .7
8.	aloud	בְּקוֹל .8
9.	everything's fine	הַכֹּל בְּסֵדֶר .9
10.	please!	בְּבַקָּשָׁה .10
11.	Au revoir!	לְהִתְרָאוֹת .11
12.	one another (*f.*)	זֹאת אֶת זֹאת .12
	one another (*m.*)	זֶה אֶת זֶה
13.	breakfast	אֲרוּחַת הַבֹּקֶר .13
14.	supper	אֲרוּחַת הָעֶרֶב .14
15.	homework	שִׁעוּרֵי בַיִת .15
16.	today	הַיּוֹם .16
17.	in, with what?	בַּמֶּה .17
18.	hateful to you (*m. s.*)	שָׂנוּא עָלֶיךָ .18
19.	a month ago	לִפְנֵי חֹדֶשׁ .19

20.	he thought	אָמַר בְּלִבּוֹ	.20
21.	on his way	לְדַרְכּוֹ	.21
22.	shepherd	רוֹעֶה צֹאן	.22
23.	became (m.)	הָיָה לְ ...	.23
24.	I am fine	שָׁלוֹם לִי	.24
25.	It's eight o'clock	הַשָּׁעָה שְׁמֹנֶה	.25
26.	midnight	חֲצִי הַלַּיְלָה	.26
27.	he was grieved	צַר הָיָה לוֹ	.27
28.	Woe is me!	אוֹי לִי	.28
29.	I lost	אָבַד לִי	.29
30.	How much does it cost?	בְּכַמָּה זֶה עוֹלֶה	.30
31.	married man	בַּעַל אִשָּׁה	.31
32.	regards (n.)	דְּרִישַׁת שָׁלוֹם	.32
33.	every day	יוֹם יוֹם	.33
34.	never	אַף פַּעַם לֹא	.34
35.	at the top of one's voice	בְּקוֹלֵי קוֹלוֹת	.35
36.	so (much)	כָּל כָּךְ	.36
37.	jewel	אֶבֶן יְקָרָה	.37
38.	take a hike	עוֹרֵךְ טִיּוּל	.38
39.	Mediterranean Sea	יָם הַתִּיכוֹן	.39
40.	win	זוֹכֶה בְּ ...	.40
41.	What time is it?	מַה הַשָּׁעָה?	.41

42.	at eight	בִּשְׁמֹנֶה	.42
43.	a quarter to nine	תֵּשַׁע פָּחוֹת רֶבַע	.43
44.	to welcome	לְקַבֵּל פְּנֵי ...	.44
45.	better	טוֹב יוֹתֵר	.45
46.	worse	רַע יוֹתֵר	.46
47.	the best	הַיּוֹתֵר טוֹב	.47
48.	handsome	יְפֵה־תֹּאַר	.48
49.	earthenware	כְּלֵי חֶרֶס	.49
50.	I shall become your wife	אֶהְיֶה לְאִשְׁתְּךָ	.50
51.	nevertheless	בְּכָל זֹאת	.51
52.	you're right	הַצֶּדֶק לְךָ	.52
53.	scholar	תַּלְמִיד חָכָם	.53
54.	concerning	עַל אֹדוֹת	.54
55.	instead of	בִּמְקוֹם	.55
56.	thirty days old	בֶּן שְׁלֹשִׁים יוֹם	.56
57.	initials	רָאשֵׁי תֵבוֹת	.57
58.	remembered	שָׁמַר בְּלִבּוֹ	.58
59.	It's all right	אֵין דָּבָר	.59
60.	don't (pl.) be discouraged	אַל יִפֹּל רוּחֲכֶם	.60
61.	paid attention	שָׂם לֵב	.61
62.	captured	לָקַח בַּשְּׁבִי	.62
63.	prison	בֵּית אֲסוּרִים	.63
64.	approaches	הוֹלֵךְ וּבָא	.64

III. NUMBERS

1. Cardinal Numbers

זָכָר וּנְקֵבָה *m. & f.*		*f.* נְקֵבָה	*m.* זָכָר	
שְׁלֹשִׁים	30	אַחַת	אֶחָד	1
אַרְבָּעִים	40	שְׁתַּיִם (שְׁתֵּי)	שְׁנַיִם (שְׁנֵי)	2
חֲמִשִּׁים	50	שָׁלֹשׁ	שְׁלֹשָׁה	3
שִׁשִּׁים	60	אַרְבַּע	אַרְבָּעָה	4
שִׁבְעִים	70	חָמֵשׁ	חֲמִשָּׁה	4
שְׁמֹנִים	80	שֵׁשׁ	שִׁשָּׁה	6
תִּשְׁעִים	90	שֶׁבַע	שִׁבְעָה	7
מֵאָה	100	שְׁמֹנֶה	שְׁמֹנָה	8
		תֵּשַׁע	תִּשְׁעָה	9
		עֶשֶׂר	עֲשָׂרָה	10

נְקֵבָה	זָכָר		אַחַת עֶשְׂרֵה	אַחַד עָשָׂר	11
מֵאָה וְאֶחָת	מֵאָה וְאֶחָד	101	שְׁתֵּים עֶשְׂרֵה	שְׁנַיִם עָשָׂר	12
	שְׁתֵּי מֵאוֹת (מָאתַיִם)	200	שְׁלֹשׁ עֶשְׂרֵה	שְׁלֹשָׁה עָשָׂר	13
	שְׁלֹשׁ מֵאוֹת	300	אַרְבַּע עֶשְׂרֵה	אַרְבָּעָה עָשָׂר	14
	אַרְבַּע מֵאוֹת	400	חֲמֵשׁ עֶשְׂרֵה	חֲמִשָּׁה עָשָׂר	15
	חֲמֵשׁ מֵאוֹת	500	שֵׁשׁ עֶשְׂרֵה	שִׁשָּׁה עָשָׂר	16
	שֵׁשׁ מֵאוֹת	600	שְׁבַע עֶשְׂרֵה	שִׁבְעָה עָשָׂר	11
	שְׁבַע מֵאוֹת	700	שְׁמֹנֶה עֶשְׂרֵה	שְׁמֹנָה עָשָׂר	18
	שְׁמֹנֶה מֵאוֹת	800	תְּשַׁע עֶשְׂרֵה	תִּשְׁעָה עָשָׂר	19
	תְּשַׁע מֵאוֹת	900	עֶשְׂרִים	עֶשְׂרִים	20
	אֶלֶף	1000	עֶשְׂרִים וְאַחַת	עֶשְׂרִים וְאֶחָד	21

2. ORDINAL NUMBERS

	נְקֵבָה		זָכָר	
first	רִאשׁוֹנָה		רִאשׁוֹן	1
second	שֵׁנִית		שֵׁנִי	2
third	שְׁלִישִׁית		שְׁלִישִׁי	3
fourth	רְבִיעִית		רְבִיעִי	4
fifth	חֲמִישִׁית		חֲמִישִׁי	5
sixth	שִׁשִּׁית		שִׁשִּׁי	6
seventh	שְׁבִיעִית		שְׁבִיעִי	7
eighth	שְׁמִינִית		שְׁמִינִי	8
ninth	תְּשִׁיעִית		תְּשִׁיעִי	9
tenth	עֲשִׂירִית		עֲשִׂירִי	10
eleventh[1]	הָאַחַת עֶשְׂרֵה		הָאַחַד עָשָׂר	11

[1] Beginning with number 11 and above, the ordinal numbers are the same as the cardinal numbers, with the definite article added.

[355]

IV. NOUN PARADIGMS

1. DECLENSION OF SINGULAR NOUN

	נְקֵבָה *f.* מִטָּה (Bed)		זָכָר *m.* שִׁיר (Song)
my bed	מִטָּתִי	my song	שִׁירִי
your (*m. s.*) bed	מִטָּתְךָ	your (*m. s.*) song	שִׁירְךָ
your (*f. s.*) bed	מִטָּתֵךְ	your (*f. s.*) song	שִׁירֵךְ
his bed	מִטָּתוֹ	his song	שִׁירוֹ
her bed	מִטָּתָה	her song	שִׁירָהּ
our bed	מִטָּתֵנוּ	our song	שִׁירֵנוּ
your (*m. pl.*) bed	מִטַּתְכֶם	your (*m. pl.*) song	שִׁירְכֶם
your (*f. pl.*) bed	מִטַּתְכֶן	your (*f. pl.*) song	שִׁירְכֶן
their (*m.*) bed	מִטָּתָם	their (*m.*) song	שִׁירָם
their (*f.*) bed	מִטָּתָן	their (*f.*) song	שִׁירָן

2. DECLENSION OF PLURAL NOUN

	מִטּוֹת (Beds)		שִׁירִים (Songs)
my beds	מִטּוֹתַי	my songs	שִׁירַי
your (*m. s.*) beds	מִטּוֹתֶיךָ	your (*m. s.*) songs	שִׁירֶיךָ
your (*f. s.*) beds	מִטּוֹתַיִךְ	your (*f. s.*) songs	שִׁירַיִךְ
his beds	מִטּוֹתָיו	his songs	שִׁירָיו
her beds	מִטּוֹתֶיהָ	her songs	שִׁירֶיהָ
our beds	מִטּוֹתֵינוּ	our songs	שִׁירֵינוּ
your (*m. pl.*) beds	מִטּוֹתֵיכֶם	your (*m. pl.*) songs	שִׁירֵיכֶם
your (*f. pl.*) beds	מִטּוֹתֵיכֶן	your (*f. pl.*) songs	שִׁירֵיכֶן
their (*m.*) beds	מִטּוֹתֵיהֶם	their (*m.*) songs	שִׁירֵיהֶם
their (*f.*) beds	מִטּוֹתֵיהֶן	their (*f.*) songs	שִׁירֵיהֶן

V. VERB PARADIGMS

1ᴀ.   קַל–שְׁלֵמִים   Regular Verbs in *Kal*

Present הֹוֶה

m. s. זָכָר

I close		אֲנִי
you close	סוֹגֵר	אַתָּה
he closes		הוּא

f. s. נְקֵבָה

I close		אֲנִי
you close	סוֹגֶרֶת	אַתְּ
she closes		הִיא

m. pl. רַבִּים

we close		אֲנַחְנוּ
you close	סוֹגְרִים	אַתֶּם
they close		הֵם

f. pl. רַבּוֹת

we close		אֲנַחְנוּ
you close	סוֹגְרוֹת	אַתֶּן
they close		הֵן

Imperative צִוּוּי

close! (*m. s.*)	סְגֹר
close! (*f. s.*)	סִגְרִי
close! (*m. pl.*)	סִגְרוּ
close! (*f. pl.*)	סְגֹרְנָה

Infinitive מָקוֹר

to close	לִסְגֹּר

Past עָבָר

I closed	סָגַרְתִּי
you (*m. s.*) closed	סָגַרְתָּ
you (*f. s.*) closed	סָגַרְתְּ
he closed	סָגַר
she closed	סָגְרָה
we closed	סָגַרְנוּ
you (*m. pl.*) closed	סְגַרְתֶּם
you (*f. pl.*) closed	סְגַרְתֶּן
they (*m.*) closed	סָגְרוּ
they (*f.*) closed	סָגְרוּ

Future עָתִיד

I shall close	אֶסְגֹּר
you (*m.*) will close	תִּסְגֹּר
you (*f.*) will close	תִּסְגְּרִי
he will close	יִסְגֹּר
she will close	תִּסְגֹּר
we shall close	נִסְגֹּר
you (*m. pl.*) will close	תִּסְגְּרוּ
you (*f. pl.*) will close	תִּסְגֹּרְנָה
they (*m.*) will close	יִסְגְּרוּ
they (*f.*) will close	תִּסְגֹּרְנָה

[357]

1B. Regular Verbs (אֶפְעַל in Future)

עָבָר Past

I studied	לָמַדְתִּי
you (m. s.) studied	לָמַדְתָּ
you (f. s.) studied	לָמַדְתְּ
he studied	לָמַד
she studied	לָמְדָה
we studied	לָמַדְנוּ
you (m. pl.) studied	לְמַדְתֶּם
you (f. pl.) studied	לְמַדְתֶּן
they (m.) studied	לָמְדוּ
they (f.) studied	לָמְדוּ

הֹוֶה Present

זָכָר m. s.

I study		אֲנִי
you study	לוֹמֵד	אַתָּה
he studies		הוּא

נְקֵבָה f. s.

I study		אֲנִי
you study	לוֹמֶדֶת	אַתְּ
she studies		הִיא

רַבִּים m. pl.

we study		אֲנַחְנוּ
you study	לוֹמְדִים	אַתֶּם
they study		הֵם

רַבּוֹת f. pl.

we study		אֲנַחְנוּ
you study	לוֹמְדוֹת	אַתֶּן
they study		הֵן

עָתִיד Future

I shall study	אֶלְמַד
you (m. s.) will study	תִּלְמַד
you (f. s.) will study	תִּלְמְדִי
he will study	יִלְמַד
she will study	תִּלְמַד
we shall study	נִלְמַד
you (m. pl.) will study	תִּלְמְדוּ
you (f. pl.) will study	תִּלְמַדְנָה
they (m.) will study	יִלְמְדוּ
they (f.) will study	תִּלְמַדְנָה

Imperative צִוּוּי

study! (m. s.)	לְמַד
study! (f. s.)	לִמְדִי
study! (m. pl.)	לִמְדוּ
study! (f. pl.)	לְמֵדְנָה

Infinitive מָקוֹר

to study	לִלְמֹד

2. פָּעַל–שְׁלֵמִים Regular Verbs in *Piel*

	Present הֹוֶה		Past עָבָר	
	m. s. זָכָר		I spoke	דִּבַּרְתִּי
I speak		אֲנִי	you (*m. s.*) spoke	דִּבַּרְתָּ
you speak	מְדַבֵּר	אַתָּה	you (*f. s.*) spoke	דִּבַּרְתְּ
he speaks		הוּא	he spoke	דִּבֵּר
	f. s. נְקֵבָה		she spoke	דִּבְּרָה
I speak		אֲנִי		
you speak	מְדַבֶּרֶת	אַתְּ	we spoke	דִּבַּרְנוּ
she speaks		הִיא	you (*m. pl.*) spoke	דִּבַּרְתֶּם
	m. pl. רַבִּים		you (*f. pl.*) spoke	דִּבַּרְתֶּן
we speak		אֲנַחְנוּ	they (*m.*) spoke	דִּבְּרוּ
you speak	מְדַבְּרִים	אַתֶּם	they (*f.*) spoke	דִּבְּרוּ
they speak		הֵם		
	f. pl. רַבּוֹת		Future עָתִיד	
we speak		אֲנַחְנוּ	I shall speak	אֲדַבֵּר
you speak	מְדַבְּרוֹת	אַתֶּן	you (*m.*) will speak	תְּדַבֵּר
they speak		הֵן	you (*f.*) will speak	תְּדַבְּרִי
	Imperative צִוּוּי		he will speak	יְדַבֵּר
speak! (*m. s.*)		דַּבֵּר	she will speak	תְּדַבֵּר
speak! (*f. s.*)		דַּבְּרִי	we shall speak	נְדַבֵּר
speak! (*m. pl.*)		דַּבְּרוּ	you (*m. pl.*) will speak	תְּדַבְּרוּ
speak! (*f. pl.*)		דַּבֵּרְנָה	you (*f. pl.*) will speak	תְּדַבֵּרְנָה
	Infinitive מָקוֹר		they (*m.*) will speak	יְדַבְּרוּ
to speak		לְדַבֵּר	they (*f.*) will speak	תְּדַבֵּרְנָה

3. שִׂים, Put (ע"י Verbs)

				Past עָבָר
Present הֹוֶה				
m. s. זָכָר			I put	שַׂמְתִּי
I put		אֲנִי	you (m. s.) put	שַׂמְתָּ
you put	שָׂם	אַתָּה	you (f. s.) put	שַׂמְתְּ
he puts		הוּא	he put	שָׂם
f. s. נְקֵבָה			she put	שָׂמָה
I put		אֲנִי	we put	שַׂמְנוּ
you put	שָׂמָה	אַתְּ	you (m. pl.) put	שַׂמְתֶּם
she puts		הִיא	you (f. pl.) put	שַׂמְתֶּן
m. pl. רַבִּים			they (m.) put	שָׂמוּ
we put		אֲנַחְנוּ	they (f.) put	שָׂמוּ
you put	שָׂמִים	אַתֶּם		
they put		הֵם		
f. pl. רַבּוֹת			**Future עָתִיד**	
we put		אֲנַחְנוּ	I shall put	אָשִׂים
you put	שָׂמוֹת	אַתֶּן	you (m.) will put	תָּשִׂים
they put		הֵן	you (f.) will put	תָּשִׂימִי
Imperative צִוּוּי			he will put	יָשִׂים
put! (m. s.)		שִׂים	she will put	תָּשִׂים
put! (f. s.)		שִׂימִי	we shall put	נָשִׂים
put! (m. pl.)		שִׂימוּ	you (m. pl.) will put	תָּשִׂימוּ
Infinitive מָקוֹר			you (f. pl.) will put	תָּשֵׂמְנָה
to put		לָשִׂים	they (m.) will put	יָשִׂימוּ
			they (f.) will put	תְּשֵׂמְנָה

[360]

נטיות הפעלים

4. קוּם, Arise (ע"ו Verbs)

הֹוֶה Present

זָכָר *m. s.*

I arise	אֲנִי
you arise	אַתָּה ⎫ קָם
he arises	הוּא ⎭

נְקֵבָה *f. s.*

I arise	אֲנִי
you arise	אַתְּ ⎫ קָמָה
she arises	הִיא ⎭

רַבִּים *m. pl.*

we arise	אֲנַחְנוּ
you arise	אַתֶּם ⎫ קָמִים
they arise	הֵם ⎭

רַבּוֹת *f. pl.*

we arise	אֲנַחְנוּ
you arise	אַתֶּן ⎫ קָמוֹת
they arise	הֵן ⎭

צִוּוּי Imperative

arise! (*m. s.*)	קוּם
arise! (*f. s.*)	קוּמִי
arise! (*m. pl.*)	קוּמוּ
arise! (*f. pl.*)	קֹמְנָה

מָקוֹר Infinitive

to arise	לָקוּם

עָבָר Past

I arose	קַמְתִּי
you (*m. s.*) arose	קַמְתָּ
you (*f. s.*) arose	קַמְתְּ
he arose	קָם
she arose	קָמָה
we arose	קַמְנוּ
you (*m. pl.*) arose	קַמְתֶּם
you (*f. pl.*) arose	קַמְתֶּן
they (*m.*) arose	קָמוּ
they (*f.*) arose	קָמוּ

עָתִיד Future

I shall arise	אָקוּם
you (*m.*) will arise	תָּקוּם
you (*f.*) will arise	תָּקוּמִי
he will arise	יָקוּם
she will arise	תָּקוּם
we shall arise	נָקוּם
you (*m. pl.*) will arise	תָּקוּמוּ
you (*f. pl.*) will arise	תָּקֹמְנָה
they (*m.*) will arise	יָקוּמוּ
they (*f.*) will arise	תָּקֹמְנָה

[361]

5. קָנָה, Buy (ל"ה Verbs)

	Present הֹוֶה			Past עָבָר	
		m. s. זָכָר		I bought	קָנִיתִי
I buy		אֲנִי		you (m. s.) bought	קָנִיתָ
you buy	קוֹנֶה	אַתָּה		you (f. s.) bought	קָנִית
he buys		הוּא		he bought	קָנָה
		f. s. נְקֵבָה		she bought	קָנְתָה
I buy		אֲנִי			
you buy	קוֹנָה	אַתְּ		we bought	קָנִינוּ
she buys		הִיא		you (m. pl.) bought	קְנִיתֶם
		m. pl. רַבִּים		you (f. pl.) bought	קְנִיתֶן
we buy		אֲנַחְנוּ		they (m.) bought	קָנוּ
you buy	קוֹנִים	אַתֶּם		they (f.) bought	קָנוּ
they buy		הֵם			

Future עָתִיד

	Present f. pl. רַבּוֹת			Future עָתִיד	
we buy		אֲנַחְנוּ		I shall buy	אֶקְנֶה
you buy	קוֹנוֹת	אַתֶּן		you (m.) will buy	תִּקְנֶה
they buy		הֵן		you (f.) will buy	תִּקְנִי
				he will buy	יִקְנֶה
	Imperative צִוּוּי			she will buy	תִּקְנֶה
buy! (m. s.)		קְנֵה		we shall buy	נִקְנֶה
buy! (f. s.)		קְנִי		you (m. pl.) will buy	תִּקְנוּ
buy! (m. pl.)		קְנוּ		you (f. pl.) will buy	תִּקְנֶינָה
buy! (f. pl.)		קְנֶינָה		they (m.) will buy	יִקְנוּ
	Infinitive מָקוֹר			they (f.) will buy	תִּקְנֶינָה
to buy		לִקְנוֹת			

נטיות הפעלים

6. קָרָא, Read (ל"א Verbs)

Present הֹוֶה			**Past עָבָר**	

Present הֹוֶה

m. s. זָכָר

I read		אֲנִי
you read	קוֹרֵא	אַתָּה
he reads		הוּא

f. s. נְקֵבָה

I read		אֲנִי
you read	קוֹרֵאת	אַתְּ
she reads		הִיא

m. pl. רַבִּים

we read		אֲנַחְנוּ
you read	קוֹרְאִים	אַתֶּם
they read		הֵם

f. pl. רַבּוֹת

we read		אֲנַחְנוּ
you read	קוֹרְאוֹת	אַתֶּן
they read		הֵן

Imperative צִוּוּי

read! (m. s.)	קְרָא
read! (f. s.)	קִרְאִי
read! (m. pl.)	קִרְאוּ
read! (f. pl.)	קְרֶאנָה

Infinitive מָקוֹר

to read	לִקְרֹא

Past עָבָר

I read	קָרָאתִי
you (m. s.) read	קָרָאתָ
you (f. s.) read	קָרָאת
he read	קָרָא
she read	קָרְאָה
we read	קָרָאנוּ
you (m. pl.) read	קְרָאתֶם
you (f. pl.) read	קְרָאתֶן
they (m.) read	קָרְאוּ
they (f.) read	קָרְאוּ

Future עָתִיד

I shall read	אֶקְרָא
you (m. s.) will read	תִּקְרָא
you (f. s.) will read	תִּקְרְאִי
he will read	יִקְרָא
she will read	תִּקְרָא
we shall read	נִקְרָא
you (m. pl.) will read	תִּקְרְאוּ
you (f. pl.) will read	תִּקְרֶאנָה
they (m.) will read	יִקְרְאוּ
they (f.) will read	תִּקְרֶאנָה

7. ‏פָּתַח‏, Open ‏(לׁ"ח)‏

Present ‏הׂוֶה‏			Past ‏עָבָר‏	
‏m. s.‏ ‏זָכָר‏			I opened	‏פָּתַחְתִּי‏
I open		‏אֲנִי‏	you (m. s.) opened	‏פָּתַחְתָּ‏
you open	‏פּוֹתֵחַ‏	‏אַתָּה‏	you (f. s.) opened	‏פָּתַחְתְּ‏
he opens		‏הוּא‏	he opened	‏פָּתַח‏
‏f. s.‏ ‏נְקֵבָה‏			she opened	‏פָּתְחָה‏
I open		‏אֲנִי‏	we opened	‏פָּתַחְנוּ‏
you open	‏פּוֹתַחַת‏	‏אַתְּ‏	you (m. pl.) opened	‏פְּתַחְתֶּם‏
she opens		‏הִיא‏	you (f. pl.) opened	‏פְּתַחְתֶּן‏
‏m. pl.‏ ‏רַבִּים‏			they (m.) opened	‏פָּתְחוּ‏
we open		‏אֲנַחְנוּ‏	they (f.) opened	‏פָּתְחוּ‏
you open	‏פּוֹתְחִים‏	‏אַתֶּם‏		
they open		‏הֵם‏	Future ‏עָתִיד‏	
‏f. pl.‏ ‏רַבּוֹת‏			I shall open	‏אֶפְתַּח‏
we open		‏אֲנַחְנוּ‏	you (m.) will open	‏תִּפְתַּח‏
you open	‏פּוֹתְחוֹת‏	‏אַתֶּן‏	you (f.) will open	‏תִּפְתְּחִי‏
they open		‏הֵן‏	he will open	‏יִפְתַּח‏
Imperative ‏צִוּוּי‏			she will open	‏תִּפְתַּח‏
open! (m. s.)		‏פְּתַח‏	we shall open	‏נִפְתַּח‏
open! (f. s.)		‏פִּתְחִי‏	you (m. pl.) will open	‏תִּפְתְּחוּ‏
open! (m. pl.)		‏פִּתְחוּ‏	you (f. pl.) will open	‏תִּפְתַּחְנָה‏
open! (f. pl.)		‏פְּתַחְנָה‏	they (m.) will open	‏יִפְתְּחוּ‏
Infinitive ‏מָקוֹר‏			they (f.) will open	‏תִּפְתַּחְנָה‏
‏חִ‏		‏לִפְתֹּחַ‏		

[364]

נטיות הפעלים

8. ‏עָמַד‎, Stood ‏(פ"ע)‎

Present ‏הֹוֶה‎   Past ‏עָבָר‎

‏זָכָר‎ *m. s.*

I stand		‏אֲנִי‎
you stand	‏עֹומֵד‎	‏אַתָּה‎
he stands		‏הוּא‎

‏נְקֵבָה‎ *f. s.*

I stand		‏אֲנִי‎
you stand	‏עֹומֶדֶת‎	‏אַתְּ‎
she stands		‏הִיא‎

‏רַבִּים‎ *m. pl.*

we stand		‏אֲנַחְנוּ‎
you stand	‏עֹומְדִים‎	‏אַתֶּם‎
they stand		‏הֵם‎

‏רַבּוֹת‎ *f. pl.*

we stand		‏אֲנַחְנוּ‎
you stand	‏עֹומְדֹות‎	‏אַתֶּן‎
they stand		‏הֵן‎

Imperative ‏צִוּוּי‎

stand! (*m. s.*)	‏עֲמֹד‎
stand! (*f. s.*)	‏עִמְדִי‎
stand! (*m. pl.*)	‏עִמְדוּ‎
stand! (*f. pl.*)	‏עֲמֹדְנָה‎

Infinitive ‏מָקֹור‎

to stand	‏לַעֲמֹד‎

Past ‏עָבָר‎

I stood	‏עָמַדְתִּי‎
you (*m. s.*) stood	‏עָמַדְתָּ‎
you (*f. s.*) stood	‏עָמַדְתְּ‎
he stood	‏עָמַד‎
she stood	‏עָמְדָה‎
we stood	‏עָמַדְנוּ‎
you (*m. pl.*) stood	‏עֲמַדְתֶּם‎
you (*f. pl.*) stood	‏עֲמַדְתֶּן‎
they (*m.*) stood	‏עָמְדוּ‎
they (*f.*) stood	‏עָמְדוּ‎

Future ‏עָתִיד‎

I shall stand	‏אֶעֱמֹד‎
you (*m. s.*) will stand	‏תַּעֲמֹד‎
you (*f. s.*) will stand	‏תַּעֲמְדִי‎
he will stand	‏יַעֲמֹד‎
she will stand	‏תַּעֲמֹד‎
we shall stand	‏נַעֲמֹד‎
you (*m. pl.*) will stand	‏תַּעֲמְדוּ‎
you (*f. pl.*) will stand	‏תַּעֲמֹדְנָה‎
they (*m.*) will stand	‏יַעֲמְדוּ‎
they (*f.*) will stand	‏תַּעֲמֹדְנָה‎

9. ‎(פ"י)‎ Sit ,יָשַׁב

Present הֹוֶה			Past עָבָר	
		m. s. זָכָר		
I sit		אֲנִי	I sat	יָשַׁבְתִּי
you sit	יוֹשֵׁב	אַתָּה	you (m. s.) sat	יָשַׁבְתָּ
he sits		הוּא	you (f. s.) sat	יָשַׁבְתְּ
			he sat	יָשַׁב
		f. s. נְקֵבָה	she sat	יָשְׁבָה
I sit		אֲנִי		
you sit	יוֹשֶׁבֶת	אַתְּ	we sat	יָשַׁבְנוּ
she sits		הִיא	you (m. pl.) sat	יְשַׁבְתֶּם
			you (f. pl.) sat	יְשַׁבְתֶּן
		m. pl. רַבִּים	they (m.) sat	יָשְׁבוּ
we sit		אֲנַחְנוּ	they (f.) sat	יָשְׁבוּ
you sit	יוֹשְׁבִים	אַתֶּם		
they sit		הֵם		
			Future עָתִיד	
		f. pl. רַבּוֹת		
we sit		אֲנַחְנוּ	I shall sit	אֵשֵׁב
you sit	יוֹשְׁבוֹת	אַתֶּן	you (m. s.) will sit	תֵּשֵׁב
they sit		הֵן	you (f. s.) will sit	תֵּשְׁבִי
			he will sit	יֵשֵׁב
Imperative צִוּוּי			she will sit	תֵּשֵׁב
sit! (m. s.)		שֵׁב		
sit! (f. s.)		שְׁבִי	we shall sit	נֵשֵׁב
sit! (m. pl.)		שְׁבוּ	you (m. pl.) will sit	תֵּשְׁבוּ
sit! (f. pl.)		שֵׁבְנָה	you (f. pl.) will sit	תֵּשַׁבְנָה
			they (m.) will sit	יֵשְׁבוּ
Infinitive מָקוֹר			they (f.) will sit	תֵּשַׁבְנָה
to sit		לָשֶׁבֶת		

[366]

ALPHABET EXERCISES

THE ALPHABET

Pronunciation	Original Meaning	Script	Printed Letter	Name of Letter
(Silent letter)	Ox	אc	א	1. אָלֶף
b, v	House	ב ב	ב, ב	2. בֵּית, בֵית
g (as in "good")	Camel	ג	ג	3. גִּמֶל
d	Door	ד	ד	4. דָלֶת
h	Window	ה	ה	5. הֵא
v	Hook	ו	ו	6. וָו
z	Weapon	ז	ז	7. זַיִן
ḥ (as in "Pesaḥ")	Fence	ח	ח	8. חֵית
t	Snake	ט	ט	9. טֵית
y (as in "yes")	Hand	י	י	10. יוֹד
k, kh[1]	Palm of hand	כ כ	כ, כ	11. כָּף, כָף
kh[1] (used at the end of a word)		ך	ך	כָף סוֹפִית
l	Ox-goad	ל	ל	12. לָמֶד

[1] Pronounced like ח.

THE ALPHABET

Pronunciation	Original Meaning	Script	Printed Letter	Name of Letter
m	Water	N	מ	13. מֵם
m (used at the end of a word)		ρ	ם	מֵם סוֹפִית
n	Fish	J	נ	14. נוּן
n (used at the end of a word)		$/$	ן	נוּן סוֹפִית
s	Prop	O	ס	15. סָמֶךְ
(Silent letter)	Eye	δ	ע	16. עַיִן
p, f	Mouth	⊙,⊙	פּ, פ	17. פֵּא, פֵא
f (used at the end of a word)		$\int$	ף	פֵאֿסוֹפִית
ts	Fish-hook	3	צ	18. צָדֵי
ts (used at the end of a word)		y	ץ	צָדֵי סוֹפִית
k	Back of the head	P	ק	19. קוֹף
r	Head	$\mathcal{D}$	ר	20. רֵישׁ
sh, s	Tooth	e,e	שׁ, שׂ	21. שִׂין, שִׁין
t	Sign	$\mathcal{N}$	ת	22. תָּו

THE VOWELS

Sefardic Pronunciation		Sign of Vowel	Name of Vowel
	Long Vowels		
a as in "father"[1]		ָ	קָמַץ גָּדוֹל
e as in "they"[2]		ֵ	צֵירֶה
ee as in "feet"		ִי	חִירֶק גָּדוֹל
o as in "more"[3]		וֹ	חוֹלָם
oo as in "too"		וּ	שׁוּרֶק
	Short Vowels		
a as in "what"		ַ	פַּתַח
e as in "met"		ֶ	סֶגּוֹל
i as in "big"		ִ	חִירֶק קָטָן
o as in "more"		ָ	קָמַץ קָטָן
u as in "put"		ֻ	קֻבּוּץ
	Half-Vowels		
(like the פַּתַח but shorter in duration)		ֲ	חֲטַף־פַּתַח
o as in "more"		ֳ	חֲטַף־קָמַץ
(like the סֶגּוֹל but shorter in duration)		ֱ	חֲטַף־סֶגּוֹל
e as in "delay"		ְ	שְׁוָא נָע
(silent — marks the end of a syllable)		ְ	שְׁוָא נָח

[1] Ashkenazic pronunciation: o as in "more."

[2] Some Israelis pronounce the ֵ like the e as in "met."

[3] Ashkenazic pronunciation: o as in "go."

[371]

תַּרְגִּילֵי קְרִיאָה

A BOY יֶלֶד YELED .1

Hebrew is read from right to left. The three letters in the word
יֶלֶד (yeled) are pronounced as follows:

י—pronounced like the y in "yes."
ל—pronounced like the "l."
ד—pronounced like the "d."

Vowels in Hebrew are indicated by symbols placed below or
above a letter. The ֶ is pronounced like the e in "met."

Read the following letters:

לֶ.	דֶ,	דֶ,	דֶ,	לֶ,	לֶ,	יֶ,	יֶ,	.1
יֶ.	דֶ,	לֶ,	דֶ,	דֶ,	לֶ,	יֶ,	יֶ,	.2
יֶ.	לֶ,	יֶ,	יֶ,	לֶ,	לֶ,	דֶ,	דֶ,	.3
דֶ.	דֶ,	יֶ,	דֶ,	לֶ,	דֶ,	דֶ,	לֶ,	.4

Read the following syllables and words:

דֶד.	יֶד,	לֶד,	לֶל,	יֶל,	יֶד,	.5
יֶד.	לֶל,	דֶל,	יֶלֶד,	לֶד,	יֶל,	.6
לֶל.	לֶד,	יֶד,	יֶל,	דֶל,	יֶלֶד,	.7
יֶלֶד.	יֶל,	לֶל,	לֶד,	יֶד,	דֶד,	.8

Note the script for these letters:

ר ד ל י

Copy the Hebrew words above into script.

Read aloud the following letters and words:

[373]

עברית חיה

THE BOY הַיֶּלֶד HA-YELED .2

– *a* as in "what"   ה (הַ) H

.1 דַ, לַ, יַ, הַ, הַ, לַ, דַ, לַ, יַ, הַ.

.2 דֶ, יֶ, הֶ, לֶ, יֶ, לֶ, לֶ, יֶ, הֶ.

.3 הֶ, יֶ, לֶ, לַ, יַ, דֶ, לֶ, הֶ, הַ.

.4 יַד, הַד, יַל, הַל, דַל, לַד, דַל, הַדַל.

.5 יֶד, הֶד, דֶה, דֶל, לֶל, יֶל, יַד, יֶלֶד.

.6 יֶלֶד, הַיֶלֶד, לַיֶלֶד, לַד, הַיֶלֶד.

בַ , הַ , יַ , יַ , ־ , ־ , לֶ , יֶ , הַ , הַ , יַ , הַ , יַ , לֶ

A GIRL יַלְדָה YAL-DAH .3

‎ : not pronounced   ָ *a* as in "father"[1]
(indicates the end of a syllable)

.1 יַ, לָ, דָ, לָ, לָ, יָ, יָ, יָ, הָ, הָ.

.2 דָ, הָ, יָ, הָ, דֶ, לֶ, לָ, יָ, הָ, הֶ, דָ.

.3 לָ, דָ, הָ, יָ, לָ, דָ, יָ, הָ, דֶ, לָ.

.4 יֶלֶד, יַלְדָה, יָד, לָד, הָד, לָה, דָה.

.5 הַיַלְדָה, יַל, דַל, לָה, דֶד, דֶל, יַל.

.6 הַיֶלֶד, יָד, הַיָד, יֶלֶד, יַלְדָה, יַל.

וָ , ־ , הַ , הִ , יָ , ־ , יָ , דָ , הִ , יָ , ־ , הַ , דָ , הַ

[1]This is the Sefardic pronunciation used in Israel. In the Ashkenazic pronunciation the ָ is pronounced like the o in "more."

[374]

4. Mah מַה What

מ **א** M

.1 מַ, מָ, מַ, מִ, מָ, מֶ, מַ, מֶ, מַ, יִ, הַ.

.2 לַ, הַ, מַ, מָ, לַ, לָ, לֶ, הֶ, מֶ, הַ.

.3 מָה, מַה, מָ, יָ, מַ, מָר, מֶד, מֵל, מַה, הַד.

.4 דַל, דֶה, לָד, מַד, מָל, מַל, מָה, דָה, יַל, מַד.

.5 לָמָה, יָמָה, דָמָה, לָמַד, מַה, יֶ.

.6 יֶלֶד, הַיֶלֶד, יַלְדָה, מָה, מַה, מַ.

אָ, אַ, אָ, אַד, אַד, יֶלֶד, יַלְדָה, הַיֶלֶד

5. Mee מִי Who?

ee as in "feet" ‎מִי

.1 מִי, דִי, לִי, הִי, יִי, מִי, מָ, מֶ, מִי, מַד.

.2 לִי, הִי, הָ, הֶ, לֶ, דֶ, מָ, יֶ, מִי, מִיד.

.3 דִי, יִי, לִי, לַ, מֶ, דָ, דֶ, רֶ, לִי, מַה.

.4 מָל, מַל, מַד, מָה, יַל, מִי.

.5 לִיד, יֶלֶד, יַלְדִי, לִי, מַה, לָה.

.6 לָמָה, לָמַד, מִי יֶלֶד: מִי יַלְדָה:

אִי, אַד, אָד, אִי יֶלֶד? אִי יַלְדָה?

[375]

6. תַּלְמִיד TAL-MEED A Pupil

ת ﬨ T

1. תָּ, תֶּ, תִּי, תָּ, תַּ, מֶ, מִי, מָ, תַּל, תַּר.
2. לֶ, לִי, לָ, לֵ, הֶ, הִי, הָ, נַ, תָּה.
3. תִּי, לִי, תַּ, מַ, תֶּ, הֶ, תָּ, דַ, תֵּל.
4. מַה, מִי, תַּל, מִיד, תַּלְמִיד, יֶלֶד, הַיֶּלֶד.
5. מָה, לָה, לָמַד, דַל, יֶלֶד, יַלְדִי, יַלְדָה.
6. לָה, תָּלָה, לִי, דַלְתִּי, הַיַלְדָה, תַּלְמִיד, הַתַּלְמִיד.

תָּ, תַּ, תְּ, תִּי, תַּלְאִיד, יֶלֶד, הַתַּלְאִיד

7. זֶה ZEH This (is)

ז ﬥ Z

1. זֶה, זֶ, זָ, זַ, זִי, לִי, זֶ, דֶ, זֶה.
2. דַ, זַ, לֶ, מַ, נַ, הַ, תֶּ, זֶ, זַל, זָה.
3. זָה, זֶ, זָ, הֶ, דֶ, לֶ, לָ, לֶ, יֶ, יָ.
4. דַל, דָה, יַלְדָה, הַיַלְדָה, לִי, זֶה, יֶלֶד.
5. מִיל, זִיל, זַל, זָז, לָמָה, לָמַד, זֶה תַּלְמִיד.
6. מִי זֶה? תַּלְמִיד. מִי זֶה? יֶלֶד.

זֶ, זִי, זַ, אִי זֶה? זֶה תַּלְאִיד

[376]

8. MO-REH מוֹרֶה A Teacher

ר R   וֹ /   ₃¹ as in "more"

1. רֶ, רַ, רָ, רִי, רוֹ, רַ, רֶ, רוֹ, רֶה.
2. מוֹ, לוֹ, זוֹ, רוֹ, יוֹ, דוֹ, תוֹ, הוֹ, רָה.
3. רוֹ, רֶ, לֶ, לָ, דַ, הַ, זַ, תַּ, תוֹ, מַה.
4. דָר, דוֹר, דִיר, דִירָה, יוֹרֶה, יָד, יָדָה.
5. הַר, מַר, מוֹר, יָרָה, מִי זֶהּ זֶה מוֹרֶה.
6. מוֹרֶה, מוֹרָה, הַמּוֹרֶה, הַמּוֹרָה, יֶלֶד, זֶה תַּלְמִיד.

רוֹ, רַ, רִי, אוֹרֶה, הָאוֹרֶה, לָה אוֹרֶה

9. DEGEL דֶּגֶל A Flag

ג g   g as in "go"

1. גוֹ, גִי, גַ, גֶ, גָ, גוֹ, גַ, גִי, גַל, תַּל.
2. רִי, תִּי, זַ, זוֹ, הוֹ, הַ, זַ, לַ, גֶל.
3. לוֹ, לִי, מִי, תּוֹ, דוֹ, דַ, גַ, גִי, רַגּ.
4. זַ, גַ, גִיד, גִיר, הַגִּיר, דֶּגֶל.
5. יֶלֶד, יַלְדִי, הַיֶּלֶד, דֶּגֶל, הַדֶּגֶל, יַלְדָּה, הַדֶּגֶל.
6. דֶּגֶל, רַגְלִי, רַגְלוֹ, גַּל, מַה זֶהּ זֶה דֶּגֶל.

גֶ, גִּי, גַ, גָוֹ, דֶּגֶל, לָה דֶּגֶל.

¹ In Israel the וֹ is pronounced like the o in "more."
In Ashkenazic the וֹ is pronounced like the o in "go."

[377]

PEACE שָׁלוֹם SHA-LOM .10

m (at the end of a word)   ם   ם   SH   שׁ

1. שָׁ, שֶׁ, שִׁי, שׁוֹ, שַׁ, שׁוּ, שִׁי, שֶׁ, שׁוֹר, תָּשׁ.
2. שָׁם, תָּם, יָם, יַם, לוֹם, שָׁלוֹם, תָּם.
3. שֶׁל, שַׁל, שֶׁה, שָׁם, שָׁר, שִׁיר, תָּמִים.
4. מוֹרָה, מוֹרִים, רָם, רָמָה, מַר, זֶמֶר. שָׁלוֹם, יֶלֶד!
5. מַר, הַר, דָם, דָמָה, דוֹמָה, רָשָׁם, רָשַׁם. שָׁלוֹם, תַּלְמִיד!

שָׁ, שֶׁ, שִׁי, וֹשׁ, שִׁ, שׁוֹ, אוֹרָה, שׁוֹ, שָׁלוֹם!

ם, רָם, שֶׁם, דָם, יַם, תָּם, שָׁלוֹם

A CANDLE נֵר NER .11

e as in "they"[1]   ‥   N   נ

1. גֵּ, יֵ, לֵ, דֵ, הֵ, זֵ, מֵ, שֵׁ, רֵ, תֵּ.
2. גֵּ, גֵ, נָ, בַ, נִי, נוֹ, תּוֹ, רוֹ, שׁוֹ, לוֹ.
3. נֵר, גֵּר, זֵר, נִים, נֵנִים, נֵרִי, נֵרוֹ.
4. שָׁנָה, שֵׁנָה, שָׁנִים, מָנָה, נֵר, הַנֵּר, נֵרִי.
5. יֶלֶד. מִי זֶהוּ תַּלְמִיד. מַה זֶהוּ נֵר.

נֵ, נִי, נוֹ, נֵר, אַהּ לֶה ? הַנֵר

12. אוֹמֵר O-mer Says

silent letter א

1. אוֹ, אִי, אַ, אָ, אֶ, אֵ, אֱ, אֻ, רֵ, אָ, אֱ.
2. אִי, תִּי, אַ, אָ, אֶ, מָ, אוֹ, לוֹ, אֻ, דְ.
3. אֵ, אִי, תֵּ, נִי, נָ, אֶ, גֶ, אָ, הֵ, אַ.
4. אִי, אוֹ, אוֹמֵר, אָז, רָז, זֵר, אוֹזֵר.
5. אֵם, הָאֵם, אִישׁ, הָאִישׁ, אוֹר, אַתְּ, אַתָּה.
6. הַיֶּלֶד אוֹמֵר שָׁלוֹם. הַתַּלְמִיד אוֹמֵר, „שָׁלוֹם, מוֹרֶה.‟

אוֹ, אָ, אִי, אוֹאֵר, הָאוֹרָה אוֹאֵר שָׁלוֹם

13. חֶדֶר Ḥeder A Room

Ḥ[1] ח

1. חֶ, חָ, חִי, חוֹ, חֶ, חַ, תַּ, חִי, רִי, חֵ.
2. חוֹ, אוֹ, חֶ, אֶ, חַ, רֵ, חִי, זִי, תָ, דָ.
3. חֶדֶר, חוֹר, חִישׁ, חָשׁ, חַד, חַדָה, חַדִים.
4. אֶחָד, חִידָה, אָת, הָאָת, אָחִי, אַחִים, אַחֵר.
5. חֶדֶר, חַדְרִי, חַדְרוֹ, חַם, חַמָה, יַחַד, יָחִיד.
6. מִי זֶה? תַּלְמִיד. מַה זֶה? זֶה חֶדֶר.

חִי, חֶ, חַ, חוֹ, חֶדֶר, תַּלְמִיד, הַחֶדֶר

[1] The ח is formed deep down in the throat. There is no sound like it in English. The ח is heard in the names of holidays such as Ḥanukah and Pesaḥ.

IN THE ROOM בַּחֶדֶר BA-ḤEDER 14.

B בּ ‎

1. בַּ, בֶּ, בָּ, בִּ, בּוֹ, בֶּ, חַ, אַ, בָּ, תָּ.

2. יַ, בַּ, רֶ, בֶּ, מִי, בִּי, זַ, בּוֹ, הַ, בֶּ.

3. בַּד, הַבַּד, בַּר, בָּרָא, בּוֹא, אַבָּא, אַמָּה.

4. חֶדֶר, הַחֶדֶר, בַּחֶדֶר, מָה, בָּמָה, בַּמֶּה, בָּהֶם.

5. שֵׁם, שָׁם, רַבָּם, רַבּוֹ, רַבָּה, תָּם, תָּמִים, בָּנִים.

6. מַה זֶּה? רֶגֶל, מִי בַּחֶדֶר? הַמּוֹרָה בַּחֶדֶר.

בָּ, בָּ, בּוֹ, בֶּ, בַּחֶדֶר. הַלּוּ בַּחֶדֶר

A BLACKBOARD לוּחַ LOO-AḤ[1] 15.

oo as in "too" וּ /

1. לוּ, דוּ, יוּ, הוּ, מוּ, תוּ, זוּ, רוּ, שׁוּ, נוּ.

2. אוּ, חוּ, בּוּ, בִּי, לִי, לוּ, מוֹ, מוּ, תוּ, תוּ.

3. לוּחַ, רוּחַ, הַלּוּחַ, הָרוּחַ, יָרֵחַ, נוּחַ, לָנוּחַ.

4. הוּא, הִיא, בָּאוּ, רָאוּ, לָנוּ, בָּנוּ, בָּאנוּ.

5. שָׁר, שָׁרוּ, תָּם, תּוֹר, תּוֹרָה, לוּ, בִּילוּ.

6. מַה זֶּה? לוּחַ. הַלּוּחַ בַּחֶדֶר. שָׁלוֹם, מוֹרָה.

וּ, לוּ, נוּ, הוּא, לוּחַ, הַלּוּחַ בַּחֶדֶר

¹Note that ח at the end of a word is pronounced *aḥ*.

A WALL קִיר KEER. 16

ק K

1. קִי, קָ, קוֹ, קַ, קֶ, קוּ, קִי, קוֹ, קִי, קוּ.

2. קֵ, יֶ, קֶ, קֵ, תָּ, קַ, קוּ, הוּ, קוֹ, רוֹ.

3. קַר, קִיר, קַל, קוֹל, רַק, דַק, דָג.

4. קָם, קוּם, קָמִים, קַמְ־תִּי, קַמְ־תָּ, קַש, הַקַש.

5. מַקֵל, מַקְ־לִי, מַקְלוֹ, קוֹרֵא, קָרָא, לָקַח, לוֹקֵחַ.

6. קִיר, הַקִיר, הַקִיר בַּחֶדֶר. מַה זֶּה קִיר.

קֵי, קוֹ, קִי, קַ, לוּחַ, לֵד קָ'יר

A TABLE שֻׁלְחָן SHUL-ḤAN. 17

u as in "put"   n (at the end of a word) ן | נ

1. לָ, שָׁ, מָ, בָ, יָ, רָ, זָ, חָ, קָ, תָּ.

2. לָו, רָו, שָׁו, חָו, בֶּן, חֵן, דָן.

3. מָן, מִין, בִּין, דִין, לוֹן, זָן, נַן.

4. יֶלֶד, יָלַד, יָתַן, הֵם, הֵן, לָהֶן, לָהֶם.

5. לוֹ, אוֹ, אוֹמֵר, אוֹר, שׁוֹר, לוּחַ, הַלוּחַ.

6. קִיר. זֶה שֻׁלְחָן. הַשֻׁלְחָן בַּחֶדֶר. הַלוּחַ בַּחֶדֶר.

שֻׁלְחָן, הַשֻׁלְחָן, בַּחֶדֶר, דָּן, יֶלֶד ‖‖

מִטָּה MITAH .18 A BED

צ $($ ט   T

• _i_ as in "big" •

1. טֶ, טֶ, טִי, טוֹ, טוּ, טֶ, טֶ, טֶ, טֵ, טֶ.
2. טָ, לָ, טוֹ, רוּ, טֶ, אָ, טֶ, שֶׁ, טִי, הִי.
3. טַל, מִטָּה, הַמִּטָּה, בַּמִּטָּה, מַטֶּה, הַמַּטֶּה, מָטָר.
4. מִן, בֵּן, זֶ, מָזוֹן, רִין, אִי, אִישׁ.
5. אֵם, אִמָּא, אִמִּי, אִמּוֹ, אִמָּם, אִמָּן, אָמֵן.
6. מִלָּה, הַמִּטָּה בַּחֶדֶר. מִי בַּמִּטָּה? הַיֶּלֶד בַּמִּטָּה.

[handwritten:] טוֹ, טֶ, טוּ, אֵטֶה, הָאִטֶּה, הַיֶּלֶד בַּמִּטָּה

צִפּוֹר TSI-POR .19 A BIRD

P פ   TS צ

1. צֶ, צִי, צוֹ, צוּ, צֶ, צֵ, צֶ, צֶ, צֵ, צֶ.
2. פֶּ, פִּי, פֶּ, פֶּ, פּוּ, פֶּ, פֶּ, פּוֹ, פֶּ, פֶּ.
3. צִיר, צַר, צָרָה, צָרִים, צַד, בְּצַד, הַצַּד.
4. פִּי, פִּיל, הַפִּיל, פֵּן, פָּנִים, הַפָּנִים, תַּפּוּחַ.
5. צִפּוֹר בַּחֶדֶר. הַיֶּלֶד אוֹמֵר, "שָׁלוֹם צִפּוֹר, שָׁלוֹם."

[handwritten:] צָ, צוּ, צוֹ, פֶּ. צִפּוֹר, הַצִּפּוֹר

20. טוב Tov Good

ב ‎ﬡ V

1. בָּ, בּוֹ, בִּי, בוּ, בַּ, בָּ, בְּ, בָּ, בֶּ, בֵּ, בָּ.
2. בֵּ, בֶּ, בַּ, בָּ, בּוֹ, בִּי, בּוֹ, בוּ, בְּ, בֵּ.
3. שֵׁב, שָׁב, שׁוּב, אָב, אָבִי, אָבִיב, חָבִיב.
4. תֵּל אָבִיב, חָבֵר, הֶחָבֵר, טוֹב, טוֹבָה, טוֹבִים.
5. טִיב, מֵטִיב, הַטּוֹב, טָבַל, טוֹבֵל, אָבֵל, אָבַד.
6. מִי בַּחֶדֶר? יֶלֶד. הַתַּלְמִיד טוֹב. הַמּוֹרָה טוֹב.

בָּ, בּוֹ, בּוּ, בִּי, טוֹב. הַיֶּלֶד טוֹב.

21. סֵפֶר Sefer A Book

F ‎ﬥ פּ ‎ ‎ S O ס

1. סֶ, סַ, סִי, סוֹ סֶ, סוּ, סֶ, סָ, סָ, סְ.
2. פֶּ, פַּ, פִּי, פּוֹ, פֶּ, פּוּ, פֶּ, פָּ, פָּ, פְּ.
3. סֶ, פֶּ, סַ, פַּ, סָ, פָּ, סוֹ, פּוֹ, סִי, פִּי.
4. נֵס, סוּס, טָס, מַס, סֵפֶר, הַסֵּפֶר, בַּסֵּפֶר.
5. יָפֶה, יָפָה, יָפִים, הַיָּפֶה, סֵפֶל, נָפַל, נוֹפֵל.
6. מַה זֶּה? סֵפֶר. מִי זֶה? זֶה תַּלְמִיד.

פָּ, פֶּ, סוֹ, סֶה סֵפֶר, הַיֶּלֶד סֵפֶר טוֹב.

22. כּוֹתֵב Ko-tev WRITES

ת׳ ת ‎ ‎ ‎ כ K

1. כָּ, כֶּ, כִּי, כּוֹ, כָּ, כֵּ, כַּ, כָּ, כּוּ, כּוֹ.

2. תָּ, תֶּ, תִּי, תוֹ, תָ, תֶ, תָ, תּוּ, תוֹ.

3. כָּ, תָּ, כֶּ, תָ, כִּי, תִּי, כּוֹ, תוֹ, כָ, תָ.

4. כּוֹתֵב, כּוֹתֶבֶת, יוֹשֵׁב, יוֹשֶׁבֶת, כָּתַב, נָתַן, נוֹתֵן.

5. תֵּל אָבִיב, בְּתֵל אָבִיב, בַּת, אֵת, אַתְּ.

6. הַיֶּלֶד כּוֹתֵב. הַתַּלְמִיד כּוֹתֵב. הַמּוֹרָה כּוֹתֵב סֵפֶר.

פְּ, כָּ, תִּי, ת, הַתָּן אִישׁ כּוֹתֵב בְּסֵפֶר

23. שִׂמְלָה Simlah A DRESS

שׂ ‎ ‎ ‎ s

1. שָׂ, שַׂ, שִׂי, שָׂ, שׂוֹ, שֶׂ, שָׂ, שַׂ, שִׂי, שֶׂ.

2. שִׂי, תִּי, שַׂ, ׂ, שֶׂ, דְ, שׂוֹ, פּוּ, שֶׂ, סֶ.

3. שַׂר, שָׂם, שִׂים, שְׂמ, שִׂמְלָה, הַשִּׂמְלָה, שַׂק.

4. יִשְׂ, יִשְׂרָאֵל, סֵפֶר, סְפָרָה, שָׂשׂ, שָׂשׂוֹן, שִׂישׂוּ.

5. מְשָׂ, מִשְׂרָה, שִׂיא, שֶׂה, הַשֶּׂה, שָׂרָה, קָרָא.

6. שֶׁלֶג, שָׁלוֹם, סֵפֶר, צִפּוֹר, טוֹב, שֻׁלְחָן, שִׂמְלָה.

שִׂי, שִׂי, שׂוֹ, שַׂ, שָׂאלָה, הַשְׂאֵלָה, שְׂאֵלוֹת

¹ Pronounced s in Ashkenazic.

[384]

WORK עֲבוֹדָה A-VO-DAH .24

a ־ִ׃

silent letter א ע

1. עַ, עֶ, עִי, עוֹ, עוּ, עָ, עֲ, עֶ, עִי, עַי׃
2. עֶ, תַ, עֲ, רָ, אֶ, הֶ, עִי, אִי, עוֹ, יוֹ׃
3. עַל, עַד, עַם, אָב, עַמִי, עַמוֹ, עוֹד׃
4. עִיר, עֵר, עֶבֶד, עָבַד, עוֹבֵד, עוֹבֶדֶת, עֵת׃
5. עֲבוֹדָה. בֹּקֶר² בָּא לַעֲבוֹדָה. אֲנִי עוֹבֵד. הָעֲבוֹדָה׃

עֲ אוֹ, עַ, עֲבוֹדָה. בֹּקֶר בָּא לַעֲבוֹדָה

A NEIGHBOR שָׁכֵן SHA-ḤEN .25

Kh כ³ כ

1. כֶּ, כַּ, כִּי, כָּ, כוֹ, כִּי, כוּ, כֹ, כָ, כֹּ׃
2. כֶּ, יְ, כַּ, הֶ, כָּ, שֶׁ, כוֹ, אוֹ, כַ, עַ׃
3. חֵן, בֵּן, שָׁכֵן, אָבֵן, לָכֵן, חָכָם, הֶחָכָם׃
4. בָּכָה, בָּכוּ, בּוֹכֶה, בּוֹכָה, כָּכָה, שָׁכֵן, הַשָּׁכֵן׃
5. מִי בַּחֶדֶר? הַשָּׁכֵן. הַיֶּלֶד אוֹמֵר, „שָׁלוֹם, שָׁכֵן.‟

כַ, כֶ, כוֹ, כֹּ, שָׁכֵן הַשָּׁכֵן בְּחֶדֶר

¹ The ־ִ is pronounced like the ־ but is a little shorter. It is not accented.
² בֹּ is pronounced like בּוֹ.
³ Pronounced like the ח.

[385]

עברית חיה

A Nose אַף Af 26.

f (used in place of פ at the end of a word) $\mathcal{f}$ ף

1. אַף, גוּף, דַף, חוֹף, סַף, כַּף, עוֹף.
2. נוֹף, סַף, עָף, קוֹף, תֹּף, סוֹף, צוּף.
3. סוֹפוֹ, תָּפִּי, עָפִים, גוּף, גוּפִי, גוּפוֹ, צָף.
4. צַד, צַדִּיק, תָּם, תָּמִים, גַּן, גַּנִּים, דַּפִּים.
5. אַף, הָאַף, צִפּוֹר, סֵפֶר, שֻׁלְחָן, שָׁלוֹם, טוֹב.

$\mathcal{f}$, $\mathcal{f}$, $\mathcal{f}$, הַצִּפּוֹר, הַדִּיר, דָּצַוּ.

David and Dan דָּוִד וְדָן Da-vid v'dan 27.

e as in "delay" 2: V / ו 1

1. וָ, וִי, וֵ, וָ, וָ, ווֹ, וָ, ווּ, וָ, וָ.
2. בְ, וְ, גְ, דְ, יְ, לְ, מְ, תְ, שְ, בְּ.
3. דָוִד, וְדָוִד, וְדָן, יֶלֶד וְיַלְדָה, מוֹרֶה וְתַלְמִיד.
4. אָב, אָבִי, אָבִיב, אָבִיו, אָחִיו, לוּחַ וְשֻׁלְחָן.
5. דָוִד וְדָן. הַיֶּלֶד וְהַיַּלְדָה בַּחֶדֶר. דָוִד כּוֹתֵב.

1 The ו is sometimes a consonant as above, and sometimes a vowel as in וֹ and וּ.

2 The : at the beginning of a syllable is pronounced. At the end of a syllable it is not pronounced (תַּל־מִיד).

[386]

To you (f.) לָךְ LAKH   To you (m.) לְךָ L'KHA .28

Kh (used at the end of a word)   ך

.1   לָךְ, בָּךְ, לִבְּךָ, בִּתְּךָ, סִפְרְךָ, אִמְּךָ, אָבִיךָ.

.2   לָךְ, לֵךְ, לְכִי, הָלַךְ, אֵלֵךְ, בְּנֵךְ, בִּתְּךָ.

.3   לִי, לָךְ, לָהּ, לָהֶם, לָהֶן, עַט, עֵטְךָ.

.4   אָחִיךְ, אָחִיךָ, אַחֶיךָ,¹ פָּנֶיךָ, בָּנֶיךָ, אֵלֶיךָ.

.5   הוֹלֵךְ, בָּרוּךְ, אָחִיו, אֶחָיו,² פָּנָיו, בָּנָיו.

ק, לְך, אֵי שׁוֹלְך? אֵיךְ שׁוֹלְך לָךְ?

A bird on a tree צִפּוֹר עַל עֵץ TSI-POR AL ETS .29

ts (used in place of צ at the end of a word)   ץ

.1   עֵץ, אֵץ, גֵּץ, חֵץ, קֵץ, לֵץ, לֵצִים.

.2   נֵץ, רָץ, רוּץ, רָצִים, חִצִּים, עֵצִים, עֲצֵי·³

.3   אַף, עֵץ, הָעֵצִים, דַּף, דָּן, דָּם, דְּמֵי·

.4   אִם, עָף, עֲצֵי, עֲצוֹ, עֵט, צַדִּיק, הָעֵץ.

.5   מִי עַל הָעֵץ? הַצִּפּוֹר עַל הָעֵץ·

עֵ, עָ, עֵץ, עָ, הַצִּפּוֹר עַל הָעֵץ?

¹ The י is not pronounced in the combination יֶ.

² The י is not pronounced in the combination ָיו.

³ ֵי is pronounced like the e in "they."

[387]

TRUTH אֱמֶת EMET   A BOAT אֳנִיָּה O-NEE-YAH   30.

The ָ: is pronounced like the o in "more."

The ֳ: is pronounced like the ֶ: but is not accented.

For grammatical reasons the ָ is sometimes a short vowel and is pronounced like the o in "more" in both Sefardic and Ashkenazic. Every ָ in the next two lines follows this rule.

כֹּל, כָּל, אֹזֶן, אָזְנִי, חָנֵנוּ, זָכְרֵנוּ, חָפְשִׁי.

אֱמֶת, עֳנִי, אֳנִיּוֹת, חָכְמַת, מָרְדְּכַי, אֶעֱשֶׂה.

LIVING חַי ḤY   31.

y (as in "my")   ַי

1. חַי, דַּי, נַי, לַי, נַי, עַי, רַי, שַׁי.

2. נֹוי,[1] הֹוי, אֹוי, עָלַי, עָלָיו, רֵעַי, בָּתַּי.

3. חָי,[2] דָּי, נָי, עֵינַי, לְפָנַי, מוֹרַי, בָּנַי.

4. בָּנוּי,[3] קָנוּי, עָשׂוּי, רָאוּי, יָמַי, אַחַי, אֲזַי.

The דָּגֵשׁ (dot in the middle of a letter) sometimes strengthens or doubles a letter:

כִּנּוֹר (kinnor); הַגַּן (haggan); מִטָּה (mittah).

[1] The ֹוי is pronounced like the oy in "boy."

[2] The ָי is pronounced like ַי in Sefardic and like ֹוי in Ashkenazic.

[3] The וּי is pronounced "ui."

[388]

VOCABULARIES

Abbreviations רָאשֵׁי תֵּבוֹת

Masculine	זָכָר	ז.
Plural Masculine	זָכָר רַבִּים	ז.ר.
Masculine & Feminine	זָכָר וּנְקֵבָה	זו״נ
Singular	יָחִיד	י.
Feminine	נְקֵבָה	נ.
Feminine Plural	נְקֵבָה רַבּוֹת	נ.ר.
Past	עָבָר	ע.
Plural	רִבּוּי	ר.
Root	שֹׁרֶשׁ	ש.

adj.	adjective	n.	noun
adv.	adverb	neg. imp.	negative imperative
conj.	conjunction	obj. pr.	object pronoun
f.	feminine	pl.	plural
f. s.	feminine singular	prep.	preposition
imp.	imperative	rel. pr.	relative pronoun
m.	masculine	s.	singular
m. s.	masculine singular	v.	verb

Note On the Use of the Vocabulary

Verbs are listed in the third person masculine singular of the past, present and future tenses.

Nouns are given in the singular and plural with the gender of each noun indicated if the noun is irregular.

Complete paradigms of nouns and verbs may be found in Appendix, pages 356-366.

Adjectives are given in the masculine and feminine singular.

[391]

English	Hebrew	English	Hebrew
love	אָהַב (אוֹהֵב, יֶאֱהַב)	Aleph-Beth, alphabet	א"ב
they loved	אָהֲבוּ	father	אָב (אָבוֹת)
love	אַהֲבָה	Av (5th month of the Hebrew calendar)	אָב
beloved	אָהוּב (נ׳ אֲהוּבָה)	dad, papa	אַבָּא
I shall be	אֶהְיֶה	I shall come	אָבֹא
I shall become	אֶהְיֶה לְ	was lost; perished	אָבַד (אוֹבֵד, יֹאבַד)
tent	אֹהֶל (אֹהָלִים)	I lost	אָבַד לִי
or	אוֹ	I shall lose	יֹאבַד לִי
concerning, about	אוֹדוֹת	waste, destroy	אִבֵּד (מְאַבֵּד, יְאַבֵּד)
" "	עַל אוֹדוֹת	patriarchs	אָבוֹת
autobus, bus	אוֹטוֹבּוּס (אוֹטוֹבּוּסִים)	Avtalion	אַבְטַלְיוֹן
alas! woe!	אוֹי	spring (the season)	אָבִיב
woe is me!	אוֹי לִי	his father	אָבִיו
airplane	אֲוִירוֹן (אֲוִירוֹנִים)	but	אֲבָל
I shall be able	אוּכַל	stone	אֶבֶן נ׳ (אֲבָנִים)
perhaps	אוּלַי	precious stone, jewel	אֶבֶן יְקָרָה
university	אוּנִיבֶרְסִיטָה	Abner	אַבְנֵר
light	אוֹר ז׳ (אוֹרוֹת)	Abraham	אַבְרָהָם
guest	אוֹרֵחַ (אוֹרְחִים)	club	אֲגֻדָּה (אֲגֻדּוֹת)
letter (alphabet)	אוֹת נ׳ (אוֹתִיּוֹת)	agora (Israeli coin: ⅟₁₀₀ of a lira)	אֲגוֹרָה
me (obj. pronoun)	אוֹתִי	Sir, Mr.; lord	אָדוֹן
you	אוֹתְךָ (נ׳ אוֹתָךְ)	Sir, Mr.	אֲדוֹנִי
her	אוֹתָהּ	red	אָדֹם (נ׳ אֲדֻמָּה)
him; it (m.)	אוֹתוֹ	soil	אֲדָמָה
them	אוֹתָם (נ׳ אוֹתָן)	Adar (12th month of Hebrew calendar)	אֲדָר

Iyar (2nd month of the Hebrew calendar)	אִיָּר	then	אָז
Europe	אֵירוֹפָּה נ·	ear	אֹזֶן נ· (אָזְנַיִם)
man	אִישׁ (אֲנָשִׁים)	brother	אָח (אַחִים)
but	אַךְ	brother	אָחָא
eat	אָכַל (אוֹכֵל, יֹאכַל)	he united	אִחֵד
food	אֹכֶל	one	אֶחָד
to eat	(לֶ)אֱכֹל	several	אֲחָדִים (י· אֶחָד)
farmer, peasant	אִכָּר (אִכָּרִים)	eleven	אַחַד עָשָׂר (נ· אַחַת עֶשְׂרֵה)
to; at	אֶל	sister	אָחוֹת (אֲחָיוֹת)
do not (neg. imp.)	אַל	brothers	אַחִים (י· אָח)
do not be dis-couraged (m. pl.)	אַל יִפֹּל רוּחֲכֶם	another; other	אַחֵר (נ· אַחֶרֶת)
do not go down! (m. s.)	אַל תֵּרֵד	after	אַחַר, אַחֲרֵי
these	אֵלֶּה; הָאֵלֶּה	afterwards	אַחֲרֵי כֵן
God	אֱלֹהִים	last	אַחֲרוֹן (נ· אַחֲרוֹנָה)
Elul (6th month of the Hebrew calendar)	אֱלוּל	registered, insured	(בְּ)אַחְרָיוּת
to him	אֵלָיו	Ahasuerus	אֲחַשְׁוֵרוֹשׁ
I shall go	אֵלֵךְ (ע· הָלַךְ)	one	אַחַת נ·
Alexander	אֲלֶכְּסַנְדֶּר	impossible	אִי אֶפְשָׁר
I shall study	אֶלְמַד	where?	אַיֵּה
Allenby	אַלֶּנְבִּי	which? which one?	אֵיזֶה (נ· אֵיזוֹ)
thousand	אֶלֶף (אֲלָפִים)	Italy	אִיטַלְיָה נ·
alphabet	אָלֶף־בֵּית	how?	אֵיךְ
if	אִם	when then?	אֵימָתַי
if that's the case	אִם כֵּן	(there is) not, does not, do not (used with present tense of verb)	אֵין
God willing	אִם יִרְצֶה הַשֵּׁם	it's nothing; you're welcome	אֵין דָּבָר
mother	אֵם (אִמּוֹת)	I am not, do not	אֵינִי
ma, mama	אִמָּא	you (m. s.) are not, do not	אֵינְךָ
say	אָמַר (אוֹמֵר, יֹאמַר)	where?	אֵיפֹה

English	Hebrew	English	Hebrew
four	אַרְבָּעָה (נ· אַרְבַּע)	he thought	אָמַר בְּלִבּוֹ
fourteen	אַרְבָּעָה עָשָׂר (נ· אַרְבַּע עֶשְׂרֵה)	American	אֲמֵרִיקָאִי (נ· אֲמֵרִיקָאִית)
forty	אַרְבָּעִים	America	אֲמֵרִיקָה נ·
purple	אַרְגָּמָן	truth	אֱמֶת נ·
stable	אֻרְוָה (אֻרְוֹת)	English	אַנְגְּלִי (נ· אַנְגְּלִית)
meal	אֲרוּחָה (אֲרֻחוֹת)	England	אַנְגְּלִיָּה נ·
breakfast	אֲרוּחַת הַבֹּקֶר	we	אָנוּ
supper	אֲרוּחַת הָעֶרֶב	I shall rest	אָנוּחַ (ש· נוּחַ)
lunch	אֲרוּחַת הַצָּהֳרַיִם	we	אֲנַחְנוּ
coffin; closet	אָרוֹן ז· (אֲרוֹנוֹת)	I	אֲנִי
wrap (v.)	אָרַז (אוֹרֵז, יֶאֱרֹז)	boat	אֳנִיָּה (אֳנִיּוֹת)
Arctic (ice-cream stick)	אַרְטִיק	plumbline	אֲנָךְ (אֲנָכִים)
lion	אֲרִי ז· (אֲרָיוֹת)	men, people	אֲנָשִׁים (י· אִישׁ)
long	אָרֹךְ (נ· אֲרֻכָּה)	accident	אָסוֹן ז· (אֲסוֹנוֹת)
palace	אַרְמוֹן ז· (אַרְמוֹנוֹת)	forbidden	אָסוּר (נ· אֲסוּרָה)
earth, land	אֶרֶץ נ· (אֲרָצוֹת)	(a) meeting	אֲסֵפָה (אֲסֵפוֹת)
to the land	אַרְצָה	I shall relate	אֲסַפֵּר (ש· סִפֵּר)
Israel	אֶרֶץ יִשְׂרָאֵל נ·	Esther	אֶסְתֵּר
Israeli	אֶרֶץ יִשְׂרָאֵלִי ז·	I shall do	אֶעֱשֶׂה (ע· עָשָׂה)
	(נ· אֶרֶץ יִשְׂרָאֵלִית)	nose	אַף (אַפִּים)
Land of Canaan	אֶרֶץ כְּנַעַן נ·	never	אַף פַּעַם לֹא
fire	אֵשׁ נ·	even, even if	אֲפִילוּ
woman	אִשָּׁה (נָשִׁים)	style	אָפְנָה
your wife	אִשְׁתְּךָ	(it is) possible	אֶפְשָׁר
his wife	אִשְׁתּוֹ	near, next to	אֵצֶל
I shall forget	אֶשְׁכַּח (ע· שָׁכַח)	next to him, near him	אֶצְלוֹ
who, which (rel. pr.)	אֲשֶׁר	I shall succeed	אַצְלִיחַ
word placed before a definite direct object	אֵת	I shall call, read	אֶקְרָא (ע· קָרָא)

[395]

עברית חיה

cheap	בָּזוֹל	you (f. s.)	אַתְּ
youth, young man	בָּחוּר (בַּחוּרִים)	you (m. s.)	אַתָּה
young lady	בַּחוּרָה (בַּחוּרוֹת)	with him	אִתּוֹ
test, examination	בְּחִינָה (בְּחִינוֹת)	athlete	אַתְלֵיט (אַתְלֵיטִים)
choose! (imp. m. pl.)	בַּחֲרוּ	you (m. pl.)	אַתֶּם
expression	בִּטּוּי (בִּטּוּיִים)	yesterday	אֶתְמוֹל
Bialik (famous modern Hebrew poet)	בְּיַאלִיק	you (f. pl.)	אַתֶּן
in the power of	בְּיַד (יָד)	I shall give	אֶתֵּן (נָתַן)
Bedouin	בֵּידוּאִים ז.ר.		
biology	בִּיוֹלוֹגְיָה		
between; among	בֵּין	in a; with a	בְּ
between them	בֵּינֵיהֶם	in the; with the	בַּ
house	בַּיִת ז. (בָּתִּים)	come	בָּא (בָּא, יָבוֹא)
Beth-Alpha (village in the Emek)	בֵּית אַלְפָא	I came	בָּאתִי
prison	בֵּית אֲסוּרִים ז.	they came	בָּאוּ
post office	בֵּית דֹּאַר ז. (בָּתֵּי דֹּאַר)	a well	בְּאֵר נ. (בְּאֵרוֹת)
synagogue	בֵּית כְּנֶסֶת ז. (בָּתֵּי כְנֵסִיּוֹת)	Beersheba	בְּאֵר שֶׁבַע
school, academy	בֵּית מִדְרָשׁ ז. (בָּתֵּי מִדְרָשׁוֹת)	Babylonia	בָּבֶל נ.
Holy Temple	בֵּית הַמִּקְדָּשׁ ז.	please	בְּבַקָּשָׁה
school	בֵּית סֵפֶר ז. (בָּתֵּי סֵפֶר)	coat; garment; cloak	בֶּגֶד (בְּגָדִים)
high school	בֵּית סֵפֶר תִּיכוֹן ז.	bathing suits	בִּגְדֵי יָם
	(בָּתֵּי סֵפֶר תִּיכוֹנִים)	clear	בָּהִיר (נ. בְּהִירָה)
bath house	בֵּית רַחֲצָה ז.	in him; with him; in it	בּוֹ
house of worship, synagogue, church	בֵּית תְּפִלָּה ז.	come! (imp.)	בּוֹא
weep	בָּכָה (בּוֹכֶה, יִבְכֶּה)	scorn, contempt	בּוּז
she wept	בָּכְתָה	stamp	בּוּל (בּוּלִים)
they wept	בָּכוּ	builders	בּוֹנִים
nevertheless	בְּכָל זֹאת	Boston	בּוֹסְטוֹן נ.

[396]

English	Hebrew		English	Hebrew
seek, request	בַּקֵּשׁ (מְבַקֵּשׁ, יְבַקֵּשׁ)		without	בְּלִי
create	בָּרָא (בּוֹרֵא, יִבְרָא)		not, except	בִּלְתִּי
in the beginning	בְּרֵאשִׁית		not correct	בִּלְתִּי נָכוֹן
flee	בָּרַח (בּוֹרֵחַ, יִבְרַח)		son	בֵּן (בָּנִים)
they fled	בָּרְחוּ		only son	בֵּן יָחִיד
well, healthy	בָּרִיא (נ. בְּרִיאָה)		thirty days old	בֶּן שְׁלֹשִׁים יוֹם
kneel	בָּרַךְ (בּוֹרֵךְ, יִבְרַךְ)		build	בָּנָה
bless	בֵּרֵךְ (מְבָרֵךְ, יְבָרֵךְ)		she built	בָּנְתָה
blessing, greeting	בְּרָכָה (בְּרָכוֹת)		they built	בָּנוּ
Berlin	בֶּרְלִין נ.		daughters	בָּנוֹת (י. בַּת)
named; by the name of	בְּשֵׁם		sons	בָּנִים (בֵּן)
meat	בָּשָׂר		sons of, members of	בְּנֵי
daughter	בַּת (בָּנוֹת)		children of Israel	בְּנֵי יִשְׂרָאֵל
smile	בַּת צְחוֹק נ.		bank	בַּנְק
houses	בָּתִּים ז. (י. בַּיִת)		in order; fine; o.k.	בְּסֵדֶר
			secretly	(בְּ)סֵתֶר
			for the sake of, through	בְּעַד
pride	גַּאֲוָה		master, owner, husband	בַּעַל
redeem	גָּאַל (גּוֹאֵל, יִגְאַל)		innkeeper	בַּעַל מָלוֹן
back	גַּב (גַּבִּים)		married	בַּעַל אִשָּׁה ז.
high, tall	גָּבֹהַּ (נ. גְּבֹהָה)		mistress; owner	בַּעֲלָה
border, boundary	גְּבוּל (גְּבוּלִים)		swamp	בִּצָּה (בִּצּוֹת)
courageous, mighty; a hero	גִּבּוֹר (גִּבּוֹרִים)		Bezalel	בְּצַלְאֵל
heroism	גְּבוּרָה		aloud	בְּקוֹל
hill	גִּבְעָה (גְּבָעוֹת)		at the top of his voice	בְּקוֹלֵי קוֹלוֹת
Givat Ram (Jerusalem)	גִּבְעַת רָם		to visit, attend	(לְ)בַקֵּר
Miss, Mrs.	גְּבֶרֶת		visit, attend	בִּקֵּר (מְבַקֵּר, יְבַקֵּר)
roof	גַּג ז. (גַּגּוֹת)		morning	בֹּקֶר

[397]

English	Hebrew
big, great, large	גָּדוֹל (נ· גְּדוֹלָה)
become big, grow	גָּדַל (גָּדֵל, יִגְדַּל)
fence	גָּדֵר נ· (גְּדֵרוֹת)
body	גּוּף (גּוּפִים)
soda water	גָּזוֹז
rob	גָּזַל (גּוֹזֵל, יִגְזֹל)
valley	גַּיְא ז"נ (גֵּאָיוֹת)
chalk	גִּיר
with chalk	בְּגִיר
ice cream	גְּלִידָה
sheet (of paper)	גִּלָּיוֹן ז· (גִּלְיוֹנוֹת)
Galilee	גָּלִיל נ·
Goliath	גָּלְיַת
also, even	גַּם
also	גַּם כֵּן
camel	גָּמָל (גְּמַלִּים)
Gamaliel	גַּמְלִיאֵל
gymnasium (secondary school)	גִּמְנַסְיָה
finish	גָּמַר (גּוֹמֵר, יִגְמֹר)
garden	גַּן (גַּנִּים)
steal	גָּנַב (גּוֹנֵב, יִגְנֹב)
reside, sojourn	גָּר (גָּר, יָגוּר)
German	גֶּרְמָנִי (גֶּרְמָנִים)
Germany	גֶּרְמַנְיָה נ·
chase away	גֵּרַשׁ (מְגָרֵשׁ, יְגָרֵשׁ)
they chased away	גֵּרְשׁוּ
rain	גֶּשֶׁם (גְּשָׁמִים)

post	דֹּאַר
Hadoar (name of a Hebrew magazine)	„הַדֹּאַר"
speech	דִּבּוּר
word; thing	דָּבָר (דְּבָרִים)
words of	דִּבְרֵי
my, your words	דְּבָרַי, דְּבָרֶיךָ
speak	דִּבֵּר (מְדַבֵּר, יְדַבֵּר)
to speak	(לְ)דַבֵּר
fish	דָּג (דָּגִים)
herring; necktie (in Israeli slang)	דָּג מָלוּחַ
Degania	דְּגַנְיָה נ·
dagesh (in grammar, a dot inserted in a letter)	דָּגֵשׁ
David	דָּוִד
uncle	דּוֹד (דּוֹדִים)
aunt	דּוֹדָה (דּוֹדוֹת)
dunam (¼ of acre)	דּוּנָם
generation	דּוֹר ז· (דּוֹרוֹת)
enough	דַּי
fisherman	דַּיָּג (דַּיָּגִים)
ink	דְּיוֹ ז"נ
door	דֶּלֶת נ· (דְּלָתוֹת)
image, likeness	דְּמוּת נ· (דְּמֻיּוֹת)
silence	דְּמָמָה
tear (n.)	דִּמְעָה (דְּמָעוֹת)
Dan	דָּן
a knock	דְּפִיקָה (דְּפִיקוֹת)
knock	דָּפַק (דּוֹפֵק, יִדְפֹּק)
grammar	דִּקְדּוּק

[398]

English	עברית
approaching	הוֹלֵךְ וּבָא
take out! (*imp. m. s.*)	הוֹצֵא
take out	הוֹצִיא (מוֹצִיא, יוֹצִיא)
instructions	הוֹרָאוֹת נ.ר.
Hora (national Israeli dance)	הוֹרָה
he invited	הִזְמִין
decided	הֶחְלִיט (מַחְלִיט, יַחְלִיט)
became sour	הֶחְמִיץ
she	הִיא
be	הָיָה (הֹוֶה, יִהְיֶה)
she was	הָיְתָה
they were	הָיוּ
he became	הָיָה לְ...
today	הַיּוֹם
be! (*imp. f. s.*)	הֲיִי
smite, strike	הִכָּה (מַכֶּה, יַכֶּה)
they smote, struck	הִכּוּ
recognized	הִכִּיר (מַכִּיר, יַכִּיר)
everything	הַכֹּל
hello! (telephone)	הַלּוֹ
funeral	הַלְוָיָה
go, walk	הָלַךְ (הוֹלֵךְ, יֵלֵךְ)
he went on his way	הָלַךְ לְדַרְכּוֹ
Hillel	הִלֵּל
hallelujah (praise the Lord)	הַלְלוּיָהּ
fit (*v.*)	הָלַם (הוֹלֵם, יַהֲלֹם)
they (*m.*)	הֵם
Haman	הָמָן

English	עברית
minute	דַּקָּה (דַּקּוֹת)
south	דָּרוֹם
greetings, regards	דְּרִישַׁת שָׁלוֹם נ.
way, road	דֶּרֶךְ זו"נ (דְּרָכִים)
through (*prep.*)	דֶּרֶךְ
on the road	בַּדֶּרֶךְ
religion	דָּת נ. (דָּתוֹת)
the (the definite article)	הַ (הֵא הַיְדִיעָה)
these	הָאֵלֶּה
(word introducing a question)	הַאִם
believe	הֶאֱמִין (מַאֲמִין, יַאֲמִין)
Is it true? Indeed!	הַאֻמְנָם
bring! (*imp. m. s.*)	הָבֵא
bring	הֵבִיא (מֵבִיא, יָבִיא)
they brought	הֵבִיאוּ
look	הִבִּיט (מַבִּיט, יַבִּיט)
she looked	הִבִּיטָה
they looked	הִבִּיטוּ
understood	הֵבִין (מֵבִין, יָבִין)
she understood	הֵבִינָה
steering wheel	הֶגֶה ז. (הֶגָאִים)
Hadar Ha-Carmel	הֲדַר הַכַּרְמֶל
that (*dem. pronoun*)	הַהוּא ז. (נ. הַהִיא)
those	הָהֵם (נ. הָהֵן)
he	הוּא
present (tense)	הֹוֶה

to kill	(לַ)הֲרֹג	continue	הַמְשִׁיךְ (מַמְשִׁיךְ, יַמְשִׁיךְ)
feel	הִרְגִּישׁ (מַרְגִּישׁ, יַרְגִּישׁ)	they (f.)	הֵן
killed, slain	הָרוּג (נ. הֲרוּגָה)	behold	הֵן
raise, lift	הֵרִים (מֵרִים, יָרִים)	to and fro	הֵנָּה וָהֵנָּה
she raised, lifted	הֵרִימָה	behold, here is, here are	הִנֵּה
they raised, lifted	הֵרִימוּ	history	הִסְטוֹרִיָּה
she thundered	הִרְעִימָה	they removed	הֵסִירוּ
Herzl	הֶרְצֵל	go around (מִסְתּוֹבֵב, יִסְתּוֹבֵב)	הִסְתּוֹבֵב
left behind	הִשְׁאִיר (מַשְׁאִיר, יַשְׁאִיר)	overturn, change	הָפַךְ (הוֹפֵךְ, יַהֲפֹךְ)
restore! return!	הָשִׁיבוּ (ע. הָשִׁיב)	opposite	הֵפֶךְ (הֲפָכִים)
complete! (m. pl.)	הַשְׁלִימוּ	set sail	הִפְלִיג (מַפְלִיג, יַפְלִיג)
he bowed down	הִשְׁתַּחֲוָה	rescue, deliver	הִצִּיל (מַצִּיל, יַצִּיל)
she fell in love with	הִתְאַהֲבָה בְּ...	she rescued, delivered	הִצִּילָה
I rolled	הִתְגַּלְגַּלְתִּי	they rescued, delivered	הִצִּילוּ
begin	הִתְחִיל (מַתְחִיל, יַתְחִיל)	succeed	הִצְלִיחַ (מַצְלִיחַ, יַצְלִיחַ)
she began	הִתְחִילָה	awaken	הֵקִיץ (מֵקִיץ, יָקִיץ)
he warmed himself	הִתְחַמֵּם	she awoke	הֵקִיצָה
contest, competition	הִתְחָרוּת נ. (הִתְחָרֻיּוֹת)	they awoke	הֵקִיצוּ
they were married	הִתְחַתְּנוּ	mountain	הַר (הָרִים)
he dressed himself	הִתְלַבֵּשׁ	Mt. Carmel	הַר הַכַּרְמֶל
physical exercise, calisthenics נ.	הִתְעַמְּלוּת	Mt. Moriah	הַר הַמּוֹרִיָּה
gymnasium ז.	חֲדַר־הִתְעַמְּלוּת	Mt. Scopus (near Jerusalem)	הַר הַצּוֹפִים
he was surprised	הִתְפַּלֵּא	Mt. Sinai	הַר סִינַי
they were surprised	הִתְפַּלְּאוּ	Mt. Zion (in Jerusalem)	הַר צִיּוֹן
disrobe, spread	הִתְפַּשֵּׁט	show! (imp.)	הַרְאֵה
was fulfilled	הִתְקַיֵּם	to show	לְהַרְאוֹת
he washed himself	הִתְרַחֵץ	much, many (adj.)	הַרְבֵּה
		he killed	הָרַג (הוֹרֵג, יַהֲרֹג)

[400]

shine (v.)	זָרַח (זוֹרֵחַ, יִזְרַח)	and	וְ, וּ, וָ
sow (v.)	זָרַע (זוֹרֵעַ, יִזְרַע)	And thou shalt love	וְאָהַבְתָּ
throw	זָרַק (זוֹרֵק, יִזְרֹק)	And thou shalt love thy neighbor	וְאָהַבְתָּ לְרֵעֶךָ
		surely, of course	וַדַּאי, בְּוַדַּאי
		vizier (prime minister)	וָזִיר
affection	חִבָּה	Leviticus (3rd book of the Bible)	וַיִּקְרָא
affectionately	בְּחִבָּה	and he saw	וַיַּרְא (ע. רָאָה)
composition	חִבּוּר (חִבּוּרִים)	Washington	וָשִׁינְגְּטוֹן
beloved by, dear to	חָבִיב עַל		
bundle	חֲבִילָה (חֲבִילוֹת)		
too bad!	חֲבָל	this	זֹאת נ.
friend; member	חָבֵר (חֲבֵרִים)	this	זֶה ז.
her friend (f.)	חֲבֶרְתָּהּ	each other (m. object)	זֶה אֶת זֶה
compose!	חַבֵּר (חַבְּרוּ)	pair	זוּג ז. (זוּגוֹת)
Hebron	חֶבְרוֹן נ.	match! (v.)	זַוֵּג (זַוְּגוּ)
saddle (horse); wear (hat)	חָבַשׁ (חוֹבֵשׁ, יַחֲבֹשׁ)	moved, stirred	זָז (זָז, יָזוּז)
holiday, festival	חַג (חַגִּים)	she moved, stirred	זָזָה
he celebrated	חָגַג	they moved, stirred	זָזוּ
celebration	חֲגִיגָה (חֲגִיגוֹת)	merit, win	זָכָה בְּ... (זוֹכֶה, יִזְכֶּה)
stop	חָדַל (חָדַל, יֶחְדַּל)	they won	זָכוּ
room	חֶדֶר (חֲדָרִים)	remembrance	זֵכֶר
the dining-room	חֲדַר הָאֹכֶל	male, masculine	זָכָר (זְכָרִים)
new	חָדָשׁ (נ. חֲדָשָׁה)	remembrance, memorial	זִכָּרוֹן ז. (זִכְרוֹנוֹת)
news	חֲדָשׁוֹת נ.ר.	drone, humming	זִמְזוּם
month	חֹדֶשׁ (חֳדָשִׁים)	season; term; period of time; tense	זְמַן (זְמַנִּים)
Eve	חַוָּה	a while, some time	זְמַן מָה
sand	חוֹל ז. (חוֹלוֹת)	old	זָקֵן (נ. זְקֵנָה)
sick	חוֹלֶה (נ. חוֹלָה)	beard	זָקָן (זְקָנִים)

[401]

English	Hebrew
dream	חָלַם (חוֹלֵם, יַחֲלֹם)
they dreamt	חָלְמוּ
Ḥelm	חֶלֶם נ׳
shirt, blouse	חֻלְצָה
portion, part	חֵלֶק (חֲלָקִים)
your (m. s.) part	חֶלְקְךָ
his part	חֶלְקוֹ
divide, distribute	חִלֵּק (מְחַלֵּק, יְחַלֵּק)
they shared, divided	חִלְּקוּ
smooth, blank	חָלָק (נ׳ חֲלָקָה)
warm	חַם (נ׳ חַמָּה)
donkey, mule	חֲמוֹר (חֲמוֹרִים)
fifth	חֲמִישִׁי (נ׳ חֲמִישִׁית)
five	חֲמִשָּׁה (נ׳ חָמֵשׁ)
fifteen	חֲמִשָּׁה עָשָׂר (נ׳ חֲמֵשׁ עֶשְׂרֵה)
fifteenth of Shevat—Arbor Day	חֲמִשָּׁה עָשָׂר בִּשְׁבָט
fifty	חֲמִשִּׁים
Hannah	חַנָּה
store	חֲנוּת נ׳ (חֲנֻיּוֹת)
department store	חֲנוּת כָּל בּוֹ
Ḥanukah, Feast of Lights	חֲנֻכָּה
Hanania	חֲנַנְיָה
kindness	חֶסֶד (חֲסָדִים)
freedom	חֹפֶשׁ
free	חָפְשִׁי (נ׳ חָפְשִׁית)
half	חֲצִי
court, yard	חָצֵר ז׳ונ׳ (חֲצֵרִים, חֲצֵרוֹת)
carve, engrave	חָקַק (חוֹקֵק, יָחֹק)

brown	חוּם (נ׳ חוּמָה)
outside	חוּץ
into the street	הַחוּצָה
hole, den, lair	חוֹר (חוֹרִים)
pale	חִוֵּר (חִוְרִים)
Ḥoran (district near Israel)	חוֹרָן
Ḥusham	חוּשָׁם
strong	חָזָק (נ׳ חֲזָקָה)
review (n.)	חֲזָרָה (חֲזָרוֹת)
wheat	חִטָּה
live (adj.)	חַי (נ׳ חַיָּה)
owe, responsible to	חַיָּב (נ׳ חַיֶּבֶת)
puzzle	חִידָה (חִידוֹת)
life	חַיִּים ז.ר.
soldier	חַיָּל (חַיָּלִים)
Haifa	חֵיפָה נ׳
wait	חִכָּה (מְחַכֶּה, יְחַכֶּה)
wait! (imp. m s.)	חַכֵּה
wise	חָכָם (נ׳ חֲכָמָה)
wisdom	חָכְמָה (חָכְמוֹת)
science of medicine	חָכְמַת הָרְפוּאָה
milk	חָלָב
become sick	חָלָה (חוֹלֶה, יֶחֱלֶה)
she became sick	חָלְתָה
they became sick	חָלוּ
dream (n.)	חֲלוֹם ז׳ (חֲלוֹמוֹת)
window	חַלּוֹן ז׳ (חַלּוֹנוֹת)
pioneer	חָלוּץ (חֲלוּצִים)

tasty	טָעִים (נ. טְעִימָה)	sickle	חֶרְמֵשׁ (חֶרְמֵשִׁים)
a drop	טִפָּה (טִפּוֹת)	Haran (place)	חָרָן
fool	טִפֵּשׁ (טִפְּשִׁים)	winter	חֹרֶף
Trumpeldor	טרוּמְפֶּלְדּוֹר	plough (v.)	חָרַשׁ (חוֹרֵשׁ, יַחֲרֹשׁ)
fresh	טָרִי (נ. טְרִיָּה)	think	חָשַׁב (חוֹשֵׁב, יַחֲשֹׁב)
		bill	חֶשְׁבּוֹן ז. (חֶשְׁבּוֹנוֹת)
		Ḥeshvan (8th month of the Hebrew calendar)	חֶשְׁוָן
he will build	יִבְנֶה (ע. בָּנָה)	darkness	חֹשֶׁךְ
he will flee	יִבְרַח (ע. בָּרַח)	cat	חָתוּל (חֲתוּלִים)
weary	יָגֵעַ	wedding	חֲתֻנָּה (חֲתֻנּוֹת)
hand	יָד נ. (יָדַיִם)		
well-known	יָדוּעַ (נ. יְדוּעָה)		
know	יָדַע (יוֹדֵעַ, אֵדַע)	Tavi	טָבִי
Judah	יְהוּדָה	(was) drowned	טָבַע
Jew	יְהוּדִי (יְהוּדִים)	Tiberias	טְבֶרְיָה נ.
Judith	יְהוּדִית	Tevet (10th month of the Hebrew calendar)	טֵבֵת
Jonathan	יְהוֹנָתָן	good	טוֹב (נ. טוֹבָה)
Joshua	יְהוֹשֻׁעַ	favor	טוֹבָה (טוֹבוֹת)
he will be	יִהְיֶה (ע. הָיָה)	fly, soar	טָס (טָס, יָטוּס)
Joel	יוֹאֵל	a hike	טִיּוּל (טִיּוּלִים)
jubilee	יוֹבֵל	flying, aviator	טַיָּס
he will be born	יִוָּלֵד	to hike	(לְ)טַיֵּל
day	יוֹם (יָמִים)	flyer, aviator	טַיָּס (טַיָּסִים)
day by day	יוֹם יוֹם	dew	טַל
today	הַיּוֹם	television	טֶלֶוִיזְיָה
Thursday	יוֹם חֲמִישִׁי	telephone	טֶלֶפוֹן
Day of Atonement	יוֹם כִּפּוּר	Tempo (a carbonated beverage)	טֶמְפּוֹ
Sunday	יוֹם רִאשׁוֹן	tennis	טֶנִיס

English	Hebrew
Wednesday	יוֹם רְבִיעִי
Tuesday	יוֹם שְׁלִישִׁי
Monday	יוֹם שֵׁנִי
Friday	יוֹם שִׁשִּׁי
Independence Day (Israel)	יוֹם הָעַצְמָאוּת ז.
Greek	יְוָנִי (נ. יְוָנִית)
Jonathan	יוֹנָתָן
more	יוֹתֵר
better	טוֹב יוֹתֵר
worse	רַע יוֹתֵר
the most...	הַיּוֹתֵר...
Jezreel (valley in Israel)	יִזְרְעֶאל
together	יַחַד
long live!	יְחִי (ע. חָיָה)
Yechya	יַחְיָא
singular	יָחִיד
wine	יַיִן ז. (יֵינוֹת)
(they) will enter	יִכָּנְסוּ
he will write	יִכְתֹּב (ע. כָּתַב)
boy, child	יֶלֶד (יְלָדִים)
girl	יַלְדָּה (יְלָדוֹת)
(used in a song in place of la-la)	יַלֵּיל
sea	יָם (יַמִּים)
Mediterranean Sea	(הַ)יָּם הַתִּיכוֹן
Dead Sea	יָם הַמֶּלַח
days	יָמִים (י. יוֹם)
he will sell	יִמְכֹּר (ע. מָכַר)

May he rest in peace!	יָנוּחַ בְּשָׁלוֹם עַל מִשְׁכָּבוֹ
foundation	יְסוֹד ז. (יְסוֹדוֹת)
he will help	יַעֲזֹר (ע. עָזַר)
they will help (m.)	יַעַזְרוּ
Jacob	יַעֲקֹב
forest	יַעַר (יְעָרִים)
beautiful, pretty, nice	יָפֶה (נ. יָפָה)
nicely	יָפֶה
handsome	יְפֵה תֹאַר
the most beautiful of	(הַ)יָּפֶה בְּ
Jaffa	יָפוֹ נ.
go out, leave	יָצָא (יוֹצֵא, יֵצֵא)
she went out	יָצְאָה
they went out	יָצְאוּ
Isaac	יִצְחָק
production, creation	יְצִירָה
he will take	יִקַּח (ע. לָקַח)
they shall establish, erect	יָקִימוּ (ע. הֵקִים)
dear	יַקִּיר (נ. יַקִּירָה)
my dear (m.)	יַקִּירִי
he will read, recite	יַקְרִיא (ע. הִקְרִיא)
descend	יָרַד (יוֹרֵד, יֵרֵד)
it will rain	יֵרֵד גֶּשֶׁם
(the) Jordan River	(הַ)יַּרְדֵּן ז.
Jerusalem	יְרוּשָׁלַיִם נ.
Jerusalemite	יְרוּשַׁלְמִי
moon	יָרֵחַ

English	Hebrew	English	Hebrew
soccer, football	כַּדּוּר רֶגֶל	vegetable	יָרָק ז. (יְרָקוֹת)
in order to	כְּדֵי לְ...	green	יָרֹק (נ. יְרֻקָּה)
priest	כֹּהֵן (כֹּהֲנִים)	there is, there are	יֵשׁ
glass, cup	כּוֹס נ. (כּוֹסוֹת)	he has	יֵשׁ לוֹ
strength	כֹּחַ	I have	יֵשׁ לִי
blue	כָּחֹל (נ. כְּחֻלָּה)	you (m. s.) have	יֵשׁ לְךָ
grew thin	כָּחַשׁ (כָּחוּשׁ, יִכְחַשׁ)	David has	יֵשׁ לְדָוִד
that (conj.); because	כִּי	sit, dwell	יָשַׁב (יוֹשֵׁב, יֵשֵׁב)
so	כָּךְ	they sat	יָשְׁבוּ
Paris Square (in Haifa)	כִּכַּר פָּרִיז נ.	Yeshiva, academy	יְשִׁיבָה (יְשִׁיבוֹת)
whole, every, each	כָּל	he will send	יִשְׁלַח (ע. שָׁלַח)
everybody	כָּל אִישׁ	sleep (v.)	יָשֵׁן (נ. יְשֵׁנָה)
so, so much	כָּל כָּךְ	Israel	יִשְׂרָאֵל
so big	כָּל כָּךְ גָּדוֹל	will unite	יִתְאַחֵד
dog	כֶּלֶב (כְּלָבִים)	he will give	יִתֵּן (ע. נָתַן)
Kalba Savua	כַּלְבָּא שָׂבוּעַ		
dish, vessel	כְּלִי (כֵּלִים)		
earthenware	כְּלֵי חֶרֶס	here	כָּאן
silverware	כְּלֵי כֶּסֶף	when (conj.)	כַּאֲשֶׁר
gold dishes	כְּלֵי זָהָב	honored	כֻּבַּד (מְכֻבָּד, יְכֻבַּד)
how much? how many?	כַּמָּה	honor	כָּבוֹד
how much does it cost?	בְּכַמָּה עוֹלֶה	paved road, highway	כְּבִישׁ (כְּבִישִׁים)
how old? (m.)	בֶּן כַּמָּה	already	כְּבָר
how old? (f.)	בַּת כַּמָּה	he conquered	כָּבַשׁ
like, as	כְּמוֹ	pitcher (of water)	כַּד זו"נ (כַּדִּים)
as thyself	כָּמוֹךָ	ball	כַּדּוּר (כַּדּוּרִים)
chemistry	כִּמְיָה	baseball	כַּדּוּר בָּסִיס
yes	כֵּן	basketball	כַּדּוּר סַל

class	כִּתָּה (כִּתּוֹת)	suffix, possessive pronoun	כִּנּוּי (כִּנּוּיִים)
written	כָּתוּב (נ· כְּתוּבָה)	meeting; convention	כִּנּוּס (כִּנּוּסִים)
The Writings (third section of Bible)	כְּתוּבִים	Knesset (Israeli parliament)	כְּנֶסֶת נ·
		Canaan	כְּנַעַן נ·
		chair	כִּסֵּא ז· (כִּסְאוֹת)
to	לְ	cover	כִּסָּה (מְכַסֶּה, יְכַסֶּה)
to; for a; for the	לְ; לַ;	Kislev (9th month of the Hebrew calendar)	כִּסְלֵו
no	לֹא	silver, money	כֶּסֶף (כְּסָפִים)
how much more so!	לֹא כָּל שֶׁכֵּן	Caspi	כַּסְפִּי
not only—but also	לֹא רַק... כִּי אָם	became angry	כָּעַס (כּוֹעֵס, יִכְעַס)
Leah	לֵאָה	she became angry	כָּעֲסָה
national	לְאֻמִּי (נ· לְאֻמִּית)	they became angry	כָּעֲסוּ
slowly	לְאַט לְאַט	gloves	כְּפָפוֹת נ·ר·
to eat	לֶאֱכֹל	village	כְּפָר (כְּפָרִים)
to say	לֵאמֹר (ע· אָמַר)	K'far Giladi	כְּפַר גִּלְעָדִי
whither?	לְאָן	K'far Yeḥezkel	כְּפַר יְחֶזְקֵאל
for a wife	(לְ)אִשָּׁה	ticket	כַּרְטִיס (כַּרְטִיסִים)
heart	לֵב ז· (לְבּוֹת)	binding (cover)	כְּרִיכָה (כְּרִיכוֹת)
my heart	לִבִּי	city, metropolis	כְּרַךְ (כְּרַכִּים)
his heart	לִבּוֹ	vineyard	כֶּרֶם (כְּרָמִים)
to come	לָבוֹא (ש· בּוֹא)	Carmel	כַּרְמֶל
to weep	לִבְכּוֹת	Carmelit (Haifa subway)	כַּרְמְלִית נ·
white	לָבָן (נ· לְבָנָה)	cut	כָּרַת (כּוֹרֵת, יִכְרֹת)
moon	לְבָנָה	I, you, cut	(כָּרַתִּי, כָּרַתָּ)
to build	לִבְנוֹת (ע· בָּנָה)	cut! (imp. m. s.)	כְּרֹת
to visit, attend	לְבַקֵּר	write	כָּתַב (כּוֹתֵב, יִכְתֹּב)
to ask, request	לְבַקֵּשׁ	Holy Scriptures; Bible	כִּתְבֵי הַקֹּדֶשׁ
he put on (clothes), dressed	לָבַשׁ (לוֹבֵשׁ, יִלְבַּשׁ)	address	כְּתֹבֶת נ· (כְּתֹבוֹת)

English	Hebrew	English	Hebrew
to you (f. s.)	לָךְ	on his way	לְדַרְכּוֹ
to dry	לְיַבֵּשׁ (ע. יָבֵשׁ)	to her, it (f.)	לָהּ
liter	לִיטֶר	to believe	לְהַאֲמִין (ע. הֶאֱמִין)
night	לַיְלָה ז. (לֵילוֹת)	to be redeemed	לְהִגָּאֵל
Lincoln	לִינְקוֹן	to revive	לְהַחֲיוֹת
lira	לִירָה	to be	לִהְיוֹת
to sleep	לִישׁוֹן (ע. יָשֵׁן)	to beat, strike	לְהַכּוֹת
go! (imp.)	לֵךְ (נ. לְכִי)	to fight	לְהִלָּחֵם
in honor of	לִכְבוֹד (כָּבוֹד)	to them (m. pl.)	לָהֶם
go! (imp. m. pl.)	לְכוּ (ע. הָלַךְ)	to them (f. pl.)	לָהֶן
to you (m. pl.)	לָכֶם	on the contrary	לְהֶפֶךְ
to you (f. pl.)	לָכֶן	to set up, erect	לְהָקִים
therefore	לָכֵן	to show	לְהַרְאוֹת
to go	לָלֶכֶת (ע. הָלַךְ)	to sustain oneself, support oneself	לְהִתְפַּרְנֵס
to study, to learn	לִלְמֹד	au revoir (till we meet again)	לְהִתְרָאוֹת
study	לָמַד (לוֹמֵד, יִלְמַד)	to him, it (m.)	לוֹ
teach	לָמַד (מְלַמֵּד, יְלַמֵּד)	to accompany, escort	(לְ)לַוּוֹת (ע. לִוָּה)
they taught	לִמְּדוּ	blackboard, calendar	לוּחַ ז. (לוּחוֹת)
below, downward	לְמַטָּה	Levy	לֵוִי
to substitute for, take the place of	לְמַלֵּא מָקוֹם...	to cherish	לְחַבֵּב (ע. חִבֵּב)
above, upward	לְמַעְלָה	to live	לִחְיוֹת (ע. חָיָה)
for the sake of	לְמַעַן	bread	לֶחֶם
to find	לִמְצֹא	whisper	לַחַשׁ
to us	לָנוּ	softly	בְּלַחַשׁ
to comfort	לְנַחֵם (ע. נִחַם)	to drown	לִטְבֹּעַ
to plant	לִנְטֹעַ	to hike	לְטַיֵּל (ע. טִיֵּל)
to travel, journey	לִנְסֹעַ (ע. נָסַע)	to me	לִי
Lessing (German dramatist)	לֶסִינְג	to you (m. s.)	לְךָ

[407]

English	עברית
to answer	לַעֲנוֹת (ע. עָנָה)
to take a hike	לַעֲרֹךְ טִיּוּל
to do	לַעֲשׂוֹת (ע. עָשָׂה)
according to	לְפִי
before	לִפְנֵי
a long time ago	לִפְנֵי זְמָן רַב
a year ago	לִפְנֵי שָׁנָה
before them (m.)	לִפְנֵיהֶם
formerly	לְפָנִים
at times, sometimes	לִפְעָמִים
to laugh at	לִצְחֹק (צָחַק) לְ...
to make fun of	לִצְחֵק בְּ...
to receive	לְקַבֵּל (ע. קִבֵּל)
to welcome	לְקַבֵּל פְּנֵי
take	לָקַח (לוֹקֵחַ, יִקַּח)
she took	לָקְחָה
to see	לִרְאוֹת (ע. רָאָה)
to quarrel	לָרִיב
tongue, language	לָשׁוֹן נ. (לְשׁוֹנוֹת)
to pay	לְשַׁלֵּם (ע. שִׁלֵּם)
to burn	לִשְׂרֹף (ע. שָׂרַף)
hearty appetite!	לְתֵאָבוֹן
inside of, into	לְתוֹךְ
very; very much	מְאֹד
hundred	מֵאָה (מֵאוֹת)
two hundred	מָאתַיִם

English	עברית
unite	מְאַחֵד (נ. מְאַחֶדֶת)
Meir	מֵאִיר
believe	מַאֲמִין (נ. מַאֲמִינָה)
from, by	מֵאֵת
test, examination	מִבְחָן (מִבְחָנִים)
look	מַבִּיט (נ. מַבִּיטָה)
understand	מֵבִין (נ. מְבִינָה)
spend, wear out	מְבַלֶּה (נ. מְבַלָּה)
visit, attend	מְבַקֵּר (נ. מְבַקֶּרֶת)
seek, request	מְבַקֵּשׁ (נ. מְבַקֶּשֶׁת)
hat	מִגְבַּעַת נ. (מִגְבָּעוֹת)
destination	מְגַמָּה
field, plot of land	מִגְרָשׁ (מִגְרָשִׁים)
chase away, expel	מְגָרֵשׁ (נ. מְגָרֶשֶׁת)
speak	מְדַבֵּר (נ. מְדַבֶּרֶת)
desert, wilderness	מִדְבָּר ז. (מִדְבָּרוֹת)
why?	מַדּוּעַ
from time to time	מִדֵּי פַּעַם בְּפַעַם
a state	מְדִינָה (מְדִינוֹת)
science	מַדָּע
what?	מַה, מֶה, מָה
how great!	מַה גָּדוֹל
how beautiful!	מַה יָּפֶה
that which	מַה שֶּׁ...
edition	מַהֲדוּרָה (מַהֲדוּרוֹת)
quickly	מַהֵר
modern	מוֹדֶרְנִי (נ. מוֹדֶרְנִית)
ready, prepared	מוּכָן (נ. מוּכָנָה)

English	Hebrew	English	Hebrew
honor, respect	מְכַבֵּד (נ. מְכַבֶּדֶת)	birthplace, homeland	מוֹלֶדֶת נ.
Maccabean	מַכַּבִּי (מַכַּבִּים)	Macedonian	מוֹקְדוֹן
Maccabiad (international Hebrew athletic meet held bi-annually in Tel Aviv)	מַכַּבִּיָה	teacher (m.)	מוֹרֶה
		teacher (f.)	מוֹרָה
strikes, hits, beats	מַכֶּה (נ. מַכָּה)	teachers	מוֹרִים; מוֹרוֹת
automobile	מְכוֹנִית נ. (מְכוֹנִיּוֹת)	settlement (semi-co-operative)	מוֹשָׁב (מוֹשָׁבִים)
recognize, know	מַכִּיר (נ. מַכִּירָה)	settlement (private)	מוֹשָׁבָה (מוֹשָׁבוֹת)
trousers	מִכְנָסַיִם ז.ר.	delivers	מוֹשִׁיעַ
ugly	מְכֹעָר (נ. מְכֹעָרָה)	death	מָוֶת ז.
sell	מָכַר (מוֹכֵר, יִמְכֹּר)	death of	מוֹת
obstacle	מִכְשׁוֹל (מִכְשׁוֹלִים)	weather	מֶזֶג אֲוִיר
letter (correspondence)	מִכְתָּב (מִכְתָּבִים)	valise, satchel	מִזְוָדָה (מִזְוָדוֹת)
full	מָלֵא (נ. מְלֵאָה)	secretary	מַזְכִּיר (מַזְכִּירִים)
Angel of Death	מַלְאַךְ הַמָּוֶת ז.	good luck	מַזָּל טוֹב
word	מִלָּה נ. (מִלִּים)	fork	מַזְלֵג ז. (מַזְלֵגוֹת)
salty	מָלוּחַ (נ. מְלוּחָה)	notebook	מַחְבֶּרֶת נ. (מַחְבָּרוֹת)
inn, hotel	מָלוֹן	revives	מְחַיֶּה (נ. מְחַיָּה)
dictionary	מִלּוֹן (מִלּוֹנִים)	price	מְחִיר (מְחִירִים)
salt	מֶלַח	wait	מְחַכֶּה (נ. מְחַכָּה)
Dead Sea	יָם הַמֶּלַח	tomorrow	מָחָר
war	מִלְחָמָה (מִלְחָמוֹת)	bed	מִטָּה (מִטּוֹת)
words	מִלִּים נ.ר. (י. מִלָּה)	meter	מֶטֶר
king	מֶלֶךְ (מְלָכִים)	umbrella	מִטְרִיָּה (מִטְרִיּוֹת)
utter, relate	מִלֵּל (מְמַלֵּל, יְמַלֵּל)	who?	מִי
teach	מְלַמֵּד	immediately	מִיָּד
waiter	מֶלְצַר	water	מַיִם ז.ר.
Malaga	מָלָקָה נ.	kind, class, gender	מִין (מִינִים)
from	מִן	cord	מֵיתָר (מֵיתָרִים)

[409]

ring (v.)	מְצַלְצֵל	count	מָנָה (מוֹנֶה, יִמְנֶה)
Egypt	מִצְרַיִם נ.	appoint	מִנָּה (מְמַנֶּה, יְמַנֶּה)
receive	מְקַבֵּל (נ. מְקַבֶּלֶת)	rest	מְנוּחָה
hope (v.)	מְקַוֶּה (נ. מְקַוָּה)	conquer, be victorious	מְנַצֵּחַ (נ. מְנַצַּחַת)
place, seat	מָקוֹם ז. (מְקוֹמוֹת)	around, about	מִסָּבִיב לְ...
instead of	בִּמְקוֹם	arrange	מְסַדֵּר (נ. מְסַדֶּרֶת)
infinitive	מָקוֹר ז. (מְקוֹרוֹת)	mask, cover	מַסֵּכָה (מַסֵּכוֹת)
a stick, staff	מַקֵּל ז. (מַקְלוֹת)	restaurant	מִסְעָדָה (מִסְעָדוֹת)
shower	מִקְלַחַת נ.	number	מִסְפָּר (מִסְפָּרִים)
curse (v.)	מְקַלֵּל (נ. מְקַלֶּלֶת)	tell, relate	מְסַפֵּר (נ. מְסַפֶּרֶת)
decorated	מְקֻשָּׁט (נ. מְקֻשָּׁטָה)	a little bit	מְעַט
Mr.	מַר	envelope	מַעֲטָפָה
show (v.)	מַרְאֶה (נ. מַרְאָה)	from (on)	מֵעַל
sight, appearance	מַרְאֶה ז. (מַרְאוֹת)	upward	מַעְלָה
rest	מַרְגּוֹעַ	elevator	מַעֲלִית נ. (מַעֲלִיּוֹת)
feel	מַרְגִּישׁ (נ. מַרְגִּישָׁה)	deed	מַעֲשֶׂה ז. (מַעֲשִׂים)
Mordecai	מָרְדְּכַי	chimney	מַעֲשֵׁנָה (מַעֲשֵׁנוֹת)
bitter herbs	מָרוֹר (מְרוֹרִים)	from mouth of	מִפִּי (פֶּה)
Miriam	מִרְיָם	napkin	מַפִּית נ. (מַפִּיּוֹת)
chariot, carriage	מֶרְכָּבָה	key	מַפְתֵּחַ ז. (מַפְתְּחוֹת)
dance	מְרַקֵּד (נ. מְרַקֶּדֶת)	find	מָצָא (מוֹצֵא, יִמְצָא)
crazy	מְשֻׁגָּע (נ. מְשֻׁגַּעָה)	I, you found	(מָצָאתִי, מָצָאתָ)
Moses	מֹשֶׁה	I liked	מָצָא חֵן בְּעֵינַי
singer, poet	מְשׁוֹרֵר	monument	מַצֵּבָה (מַצֵּבוֹת)
play (a game)	מְשַׂחֵק	commandment, command	מִצְוָה (מִצְווֹת)
a game	מִשְׂחָק (מִשְׂחָקִים)	according to the order of	כְּמִצְוַת
rule	מָשַׁל (מוֹשֵׁל, יִמְשֹׁל)	funny	מַצְחִיק (נ. מַצְחִיקָה)
guard	מִשְׁמֶרֶת נ.	draws, describes	מְצַיֵּר (נ. מְצַיֶּרֶת)

prince	נָגִיד (נְגִידִים)	family	מִשְׁפָּחָה (מִשְׁפָּחוֹת)
approach	נָגַשׁ (נִגַּשׁ, יִגַּשׁ)	sentence	מִשְׁפָּט (מִשְׁפָּטִים)
she approached	נִגְּשָׁה	servant	מְשָׁרֵת ז. (מְשָׁרְתִים)
they approached	נִגְּשׁוּ	banquet, feast	מִשְׁתֶּה ז. (מִשְׁתָּאוֹת)
beautiful, charming, majestic	נֶהְדָּר (נ. נֶהְדָּרָה)	spreads out	מִשְׂתָּרֵעַ
Nahalal (settlement in Emek)	נַהֲלָל ז.	dead	מֵת (נ. מֵתָה)
river	נָהָר (נְהָרִים)	he died	מֵת
let us kill	נַהֲרֹג (ע. הָרַג)	she died	מֵתָה
they were killed	נֶהֶרְגוּ (ש. הָרַג)	they died	מֵתוּ
convenience	נוֹחִיּוּת נ.	assemble, meet	מִתְאַסֵּף
was born	נוֹלַד	begin	מַתְחִיל
slumber!	נוּמָה (ש. נוּם)	when?	מָתַי
additional	נוֹסָף (נ. נוֹסֶפֶת)	dress oneself	מִתְלַבֵּשׁ (נ. מִתְלַבֶּשֶׁת)
fall	נוֹפֵל (נ. נוֹפֶלֶת)	mathematics	מָתֵמָטִיקָה
terrible	נוֹרָא (נ. נוֹרָאָה)	gift	מַתָּנָה (מַתָּנוֹת)
carry, raise	נוֹשֵׂא (נ. נוֹשֵׂאת)	attack	מִתְנַפֵּל (נ. מִתְנַפֶּלֶת)
topic, subject	נוֹשֵׂא (נוֹשְׂאִים)	pray	מִתְפַּלֵּל (נ. מִתְפַּלֶּלֶת)
rest	נָח (נָח, יָנוּחַ)	wash oneself	מִתְרַחֵץ (נ. מִתְרַחֶצֶת)
I, you rested	נַחְתִּי, נַחְתָּ	present; tip	מַתָּת נ.
they rested	נָחוּ		
we shall live	נִחְיֶה (ע. חָיָה)		
brook, stream	נַחַל (נְחָלִים)	please!	נָא
we shall violate, profane	נְחַלֵּל (ע. חָלַל)	beautiful	נָאֶה (נ. נָאָה)
charming, lovely	נֶחְמָד (נ. נֶחְמָדָה)	prophets	נְבִיאִים
we will stretch out	נֵט (ע. נָטָה)	we shall build	נִבְנֶה (ע. בָּנָה)
New Orleans	נְיוּ אוֹרְלֵיאַנְס נ.	Negev	נֶגֶב
New York	נְיוּ יוֹרְק נ.	against	נֶגֶד
Nisan (1st month of the Hebrew calendar)	נִיסָן	against me	נֶגְדִּי

we shall buy	נִקְנֶה (ע. קָנָה)	writing paper	נְיָר ז. (נְיָרוֹת)
sausage, frankfurter	נַקְנִיקִית נ.	correct (adj.)	נָכוֹן (נ. נְכוֹנָה)
is called	נִקְרָא (נ. נִקְרֵאת)	enter	נִכְנַס (נִכְנַס, יִכָּנֵס)
we shall see	נִרְאֶה (ע. רָאָה)	foreigner, alien	נָכְרִי (נָכְרִים)
raise, carry	נָשָׂא (נוֹשֵׂא, יִשָּׂא)	fail	נִכְשַׁל (נִכְשַׁל, יִכָּשֵׁל)
I, you raised, carried	נָשָׂאתִי, נָשָׂאתָ	we fought for	נִלְחַמְנוּ עַל
she raised, carried	נָשְׂאָה	low	נָמוּךְ (נ. נְמוּכָה)
they raised, carried	נָשְׂאוּ	we shall die	נָמוּת (ע. מֵת)
swear	נִשְׁבַּע (נ. נִשְׁבַּעַת)	port, harbor	נָמֵל
married	נָשׂוּא, נְשׂוּי	is found (m.)	נִמְצָא
president, prince	נָשִׂיא (נְשִׂיאִים)	journey	נְסִיעָה (נְסִיעוֹת)
is kept, preserved	נִשְׁמָר (נ. נִשְׁמֶרֶת)	construct (form of noun)	נִסְמָךְ
evening affair, celebration	נֶשֶׁף (נְשָׁפִים)	journey, travel	נָסַע (נוֹסֵעַ, יִסַּע)
became soiled	נִתְלַכְלֵךְ (מִתְלַכְלֵךְ, יִתְלַכְלֵךְ)	pleasant	נָעִים (נ. נְעִימָה)
		shoe	נַעַל נ. (נַעֲלִים)
give	נָתַן (נוֹתֵן, יִתֵּן)	we shall ascend	נַעֲלֶה
I, you give	נָתַתִּי, נָתַתָּ	youth, lad	נַעַר (נְעָרִים)
they gave	נָתְנוּ	girl, maiden	נַעֲרָה (נְעָרוֹת)
we shall give	נִתֵּן (ע. נָתַן)	we shall meet	נִפְגֹּשׁ
		fall	נָפַל (נוֹפֵל, יִפֹּל)
		wonderful, marvelous	נִפְלָא (נ. נִפְלָאָה)
		I was wounded	נִפְצַעְתִּי
grandfather	סָב (סָבִים)	he was wounded	נִפְצַע
turn around! (imp.)	סֹב	absolute (form of noun)	נִפְרָד
soap	סַבּוֹן	soul, mind	נֶפֶשׁ נ. (נְפָשׁוֹת)
around	סָבִיב	conquer	נִצֵּחַ (מְנַצֵּחַ, יְנַצֵּחַ)
environment, surrounding	סְבִיבָה	female	נְקֵבָה (נְקֵבוֹת)
suffer, endure	סָבַל (סוֹבֵל, יִסְבֹּל)	a point	נְקֻדָּה (נְקֻדּוֹת)
vice-president	סְגָן (סְגָנִים)		

sport	סְפּוֹרְט	close	סָגַר (סוֹגֵר, יִסְגֹּר)
sapphire	סַפִּיר	close! (*imp. m. s.*)	סְגֹר
to count	(לְ)סְפֹּר (ע. סָפַר)	close! (*imp. m. pl.*)	סִגְרוּ
count	סָפַר (סוֹפֵר, יִסְפֹּר)	close! (*imp. f. s.*)	סִגְרִי
book	סֵפֶר (סְפָרִים)	ordinal (number)	סִדּוּרִי
tell! (*imp. m. s.*)	סַפֵּר	to organize	(לְ)סַדֵּר (ע. סִדֵּר)
tell, relate	(לְ)סַפֵּר	arrange! (*imp. m. pl.*)	סַדְּרוּ
Spain	סְפָרַד נ.	order	סֵדֶר
literature	סִפְרוּת נ.	in order; fine; O.K.	בְּסֵדֶר
turn aside	סָר (סַר, יָסוּר)	everything is O.K.	הַכֹּל בְּסֵדֶר
I, you turned aside	סַרְתִּי, סַרְתָּ	soda	סוֹדָה
she turned aside	סָרָה	merchant, dealer	סוֹחֵר (סוֹחֲרִים)
they turned aside	סָרוּ	horse	סוּס (סוּסִים)
autumn	סְתָו	stormy	סוֹעֵר (נ. סוֹעֶרֶת)
		end	סוֹף
		finally	סוֹף סוֹף
servant, slave	עֶבֶד (עֲבָדִים)	Socrates	סוֹקְרָט
work	עָבַד (עוֹבֵד, יַעֲבֹד)	to turn aside	סוּר
work (*n.*)	עֲבוֹדָה	cigar	סִיגָרָה (סִיגָרוֹת)
homework	עֲבוֹדַת בַּיִת	Sivan (3rd month of the Hebrew calendar)	סִיוָן
past tense	עָבָר	sign (*n.*)	סִימָן (סִימָנִים)
pass	עָבַר (עוֹבֵר, יַעֲבֹר)	Sukkot—Feast of Tabernacles	סֻכּוֹת
Hebrew	עִבְרִי (עִבְרִים)	knife	סַכִּין נ. (סַכִּינִים)
Hebrew language	עִבְרִית	pardon; excuse me!	סְלִיחָה
until	עַד	construct state	סְמִיכוּת
congregation	עֵדָה (עֵדוֹת)	symbol	סֵמֶל (סְמָלִים)
Adloyada (Purim festival in Tel Aviv)	עַדְלָיָדַע	Sanhedrin (Jewish Supreme Court)	סַנְהֶדְרִין נ.
change (balance)	עֹדֶף	story	סִפּוּר (סִפּוּרִים)

stood	עָמַד (עוֹמֵד, יַעֲמֹד)
he stood guard	עָמַד עַל הַמִּשְׁמָר
passed a test	עָמַד בְּמִבְחָן
with me	עִמִּי
worker	עָמֵל (עֲמֵלִים)
valley	עֵמֶק (עֲמָקִים)
pleasure	עֹנֶג
answer	עָנָה (עוֹנֶה, יַעֲנֶה)
I, you answered	עָנִיתִי, עָנִיתָ
she answered	עָנְתָה
they answered	עָנוּ
answer! (*imp. m. s.*)	עֲנֵה
poor	עָנִי (נ. עֲנִיָּה)
necktie	עֲנִיבָה (עֲנִיבוֹת)
giant	עָנָק (עֲנָקִים)
pencil	עִפָּרוֹן ז. (עֶפְרוֹנוֹת)
tree	עֵץ (עֵצִים)
sad	עָצֵב (נ. עֲצֵבָה)
advice	עֵצָה (עֵצוֹת)
lazy	עָצֵל
laziness	עַצְלוּת נ.
myself	(בְּ)עַצְמִי
Akiva	עֲקִיבָא
evening	עֶרֶב (עֲרָבִים)
Arab	עַרְבִי (עַרְבִים)
arrange	עָרַךְ (עוֹרֵךְ, יַעֲרֹךְ)
take a hike	עוֹרֵךְ טִיּוּל
heap, pile	עֲרֵמָה (עֲרֵמוֹת)

more, else	עוֹד
once more, **again**	עוֹד פַּעַם
world	עוֹלָם (עוֹלָמִים)
forever	לְעוֹלָם
leather	עוֹר ז. (עוֹרוֹת)
do, make	עוֹשֶׂה (נ. עוֹשָׂה)
goat	עֵז נ. (עִזִּים)
abandon, leave	עָזַב (עוֹזֵב, יַעֲזֹב)
help	עָזַר (עוֹזֵר, יַעֲזֹר)
pen	עֵט (עֵטִים)
eye	עַיִן נ. (עֵינַיִם)
tired	עָיֵף (נ. עֲיֵפָה)
city	עִיר נ. (עָרִים)
now	עַכְשָׁו
on, concerning	עַל
concerning	עַל אֹדוֹת
concerning	עַל דְּבַר
alongside of, **near**	עַל יַד
you're welcome (lit. over nothing)	עַל לֹא דָבָר
according to	עַל פִּי
ascend	עָלָה (עוֹלֶה, יַעֲלֶה)
I, you ascended	(עָלִיתִי, עָלִיתָ)
they ascended	עָלוּ
was burned	עָלָה בָאֵשׁ
there occurred to him, he thought of	עָלָה בְלִבּוֹ
upon him, it (*m.*)	עָלָיו
with	עִם
people	עַם (עַמִּים)

philosopher	פִּילוֹסוֹף (פִּילוֹסוֹפִים)	he did, made	עָשָׂה (עוֹשֶׂה, יַעֲשֶׂה)
pepper	פִּלְפֵּל	I, you did, made	עָשִׂיתִי, עָשִׂיתָ
Philistine	פְּלִשְׁתִּי (פְּלִשְׁתִּים)	she did, made	עָשְׂתָה
leisure	פְּנַאי	they did, made	עָשׂוּ
face (of)	פְּנֵי	rich	עָשִׁיר (נ. עֲשִׁירָה)
Passover	פֶּסַח (פְּסָחִים)	tenth	עֲשִׂירִי (נ. עֲשִׂירִית)
image, statue	פֶּסֶל (פְּסִילִים)	smoke (n.)	עָשָׁן
verb	פֹּעַל (פְּעָלִים)	ten	עֲשָׂרָה (נ. עֶשֶׂר)
time, once	פַּעַם נ. (פְּעָמִים)	twenty	עֶשְׂרִים
bell	פַּעֲמוֹן (פַּעֲמוֹנִים)	time (season)	עֵת נ. (עִתִּים)
open (eyes)	פָּקַח (פּוֹקֵחַ, יִפְקַח)	old age	לְעֵת זִקְנָה
shrewd	פִּקֵּחַ (נ. פִּקַּחַת)	newspaper	עִתּוֹן (עִתּוֹנִים)
orange grove	פַּרְדֵּס (פַּרְדֵּסִים)	future	עָתִיד
penny	פְּרוּטָה (פְּרוּטוֹת)	ancient	עַתִּיק (נ. עַתִּיקָה)
minutes (meeting)	פְּרוֹטוֹקוֹל		
professor	פְּרוֹפֶסוֹר		
meaning, commentary	פֵּרוּשׁ (פֵּרוּשִׁים)	to meet	(לְ)פָגֹשׁ (ע. פָּגַשׁ)
flower	פֶּרַח (פְּרָחִים)	they met	פָּגְשׁוּ
change money	פָּרַט (פּוֹרֵט, יִפְרֹט)	redeem	פָּדָה (פּוֹדֶה, יִפְדֶּה)
fruit	פְּרִי ז. (פֵּרוֹת)	mouth	פֶּה ז. (פִּיּוֹת)
Paris	פָּרִיז נ.	here	פֹּה
Persia	פָּרַס נ.	Poland	פּוֹלַנְיָה נ.
prize	פְּרָס (פְּרָסִים)	workman, laborer	פּוֹעֵל (פּוֹעֲלִים)
Persian	פַּרְסִי	Purim (holiday)	פּוּרִים
disorder, pogrom	פְּרָעוֹת נ.ר.	fear (n.)	פַּחַד (פְּחָדִים)
break out	פָּרַץ (פּוֹרֵץ, יִפְרֹץ)	fear, is afraid	פָּחַד (פּוֹחֵד, יִפְחַד)
Ethics of the Fathers	פִּרְקֵי אָבוֹת	they were afraid	פָּחֲדוּ
simple, plain	פָּשׁוּט (נ. פְּשׁוּטָה)	less, minus	פָּחוֹת

English	Hebrew
form	צוּרָה (צוּרוֹת)
laughter, joke	צְחוֹק
laugh	צָחַק (צוֹחֵק, יִצְחַק)
to mock him	(לְ)צַחֵק בּוֹ
she laughed	צָחֲקָה
they laughed	צָחֲקוּ
mark	צִיּוּן (צִיּוּנִים)
to draw, to picture, to describe	(לְ)צַיֵּר
photograph	צִלּוּם (צִלּוּמִים)
young	צָעִיר (נ. צְעִירָה)
cry	צָעַק (צוֹעֵק, יִצְעַק)
grief, distress	צַעַר
north	צָפוֹן
bird	צִפּוֹר נ. (צִפֳּרִים)
narrow	צַר (נ. צָרָה)
I am sorry	צַר לִי
trouble (n.)	צָרָה (צָרוֹת)
need; must	צָרִיךְ (נ. צְרִיכָה)
cooperative settlement	קְבוּצָה (קְבוּצוֹת)
to receive	(לְ)קַבֵּל (ע. קִבֵּל)
receive	קִבֵּל (מְקַבֵּל, יְקַבֵּל)
she received	קִבְּלָה
they received	קִבְּלוּ
bury	קָבַר (קוֹבֵר, יִקְבֹּר)
grave	קֶבֶר (קְבָרִים)
holiness	קֹדֶשׁ

English	Hebrew
flax	פִּשְׁתָּן
suddenly	פִּתְאֹם
proverb	פִּתְגָּם (פִּתְגָּמִים)
open	פָּתַח (פּוֹתֵחַ, יִפְתַּח)
open! (imp. m. s.)	פְּתַח
Petach Tikva	פֶּתַח תִּקְוָה
open! (imp. f. s.)	פִּתְחִי
go forth! (imp. m. s.)	צֵא (ע. יָצָא)
go forth! (imp. m. pl.)	צְאוּ
sheep	צֹאן זו"נ
shepherd	רוֹעֵה צֹאן
army	צָבָא ז. (צְבָאוֹת)
cactus	צַבָּר
native of Israel (colloquial)	צַבְּרָא
side	צַד (צְדָדִים)
other (second) side	צַד שֵׁנִי
righteous	צַדִּיק (צַדִּיקִים)
right	צֶדֶק
you (m. s.) are right	(הַ)צֶּדֶק לְךָ
be right	צָדַק (צוֹדֵק, יִצְדַּק)
yellow	צָהֹב (נ. צְהֻבָּה)
neigh	צָהַל (צוֹהֵל, יִצְהַל)
noon	צָהֳרַיִם
he commanded	צִוָּה
imperative, command	צִוּוּי
(to) fast	צוּם (צָם, יָצוּם)

jump (*n.*)	קְפִיצָה (קְפִיצוֹת)	community	קְהִלָּה (קְהִלּוֹת)
to jump	(לְ)קְפֹּץ (ע· קָפַץ)	voice	קוֹל ז· (קוֹלוֹת)
short	קָצָר (נ· קְצָרָה)	aloud	בְּקוֹל
harvest (*v.*)	קָצַר (קוֹצֵר יִקְצֹר)	most loudly	(בְּ)קוֹלֵי קוֹלוֹת
cold (*adj.*)	קַר (נ· קָרָה)	arise! (*imp. m. s.*)	קוּם
read! call! (*imp. m. s.*)	קְרָא	floor (story)	קוֹמָה (קוֹמוֹת)
read, call	קָרָא (קוֹרֵא, יִקְרָא)	jump	קוֹפֵץ (נ· קוֹפֶצֶת)
I, you read, called	קָרָאתִי, קָרָאתָ	take! (*imp. m. s.*)	קַח (ע· לָקַח)
happen	קָרָה (יִקְרֶה)	take! (*imp. f. s.*)	קְחִי נ·
torn	קָרוּעַ (נ· קְרוּעָה)	small, little	קָטָן (נ· קְטַנָּה)
reading (*n.*)	קְרִיאָה	kilogram	קִילוֹ
University City (Jerusalem)	קִרְיַת הָאוּנִיבֶרְסִיטָה	kilometer	קִילוֹמֶטֶר
carnival	קַרְנְבָל	Caesar, emperor	קֵיסָר
hard, harsh	קָשֶׁה (נ· קָשָׁה)	summer	קַיִץ
decoration	קִשּׁוּט (קִשּׁוּטִים)	wall	קִיר ז· (קִירוֹת)
tie, bind	קָשַׁר (קוֹשֵׁר, יִקְשֹׁר)	easy, light	קַל (נ· קַלָּה)
		curse	קִלֵּל (מְקַלֵּל, יְקַלֵּל)
		sling	קֶלַע (קְלָעִים)
see	רָאָה (רוֹאֶה, יִרְאֶה)	his sling	קַלְעוֹ
I, you saw	רָאִיתִי, רָאִיתָ	arise	קָם (נ· קָמָה)
she saw	רָאֲתָה	has been revived	קָם לִתְחִיָּה
they saw	רָאוּ	buy	קָנָה (קוֹנֶה, יִקְנֶה)
see! (*imp. m. pl.*)	רְאוּ	I, you bought	קָנִיתִי, קָנִיתָ
Reuben	רְאוּבֵן	she bought	קָנְתָה
fitting, worthy, proper	רָאוּי (נ· רְאוּיָה)	they bought	קָנוּ
head	רֹאשׁ (רָאשִׁים)	buy! (*imp. m. s.*)	קְנֵה
New Year	רֹאשׁ הַשָּׁנָה	you (*m. pl.*) bought	קְנִיתֶם
initials	רָאשֵׁי תֵּבוֹת ר"ת	cinnamon	קִנָּמוֹן

English	Hebrew	English	Hebrew
first	רִאשׁוֹן (נ· רִאשׁוֹנָה)	Allenby Road	רְחוֹב אַלֶנְבִּי
Rishon Le-Zion	רִאשׁוֹן לְצִיּוֹן	Bialik Street	רְחוֹב בִּיאַלִיק
Rabbi	רַב (רַבָּנִים)	Jaffa Road	רְחוֹב יָפוֹ
much, many	רַב (נ· רַבָּה)	distant, far	רָחוֹק (נ· רְחוֹקָה)
plural, many	רַבִּים (נ· רַבּוֹת)	Rachel	רָחֵל
she quarreled	רָבָה (שׁ· רִיב)	merciful	רַחֲמָן (רַחֲמָנִים)
plural	רִבּוּי	wash	רָחַץ (רוֹחֵץ, יִרְחַץ)
Rabbi	רַבִּי	she washed	רָחֲצָה
fourth	רְבִיעִי (נ· רְבִיעִית)	they washed	רָחֲצוּ
one fourth, a quarter	רֶבַע	to wash, bathe	(לִ)רְחֹץ (ע· רָחַץ)
used to, accustomed	רָגִיל (נ· רְגִילָה)	quarrel	רִיב ז· (רִיבוֹת)
foot	רֶגֶל נ· (רַגְלַיִם)	odor, fragrance	רֵיחַ ז· (רֵיחוֹת)
moment	רֶגַע (רְגָעִים)	empty	רֵיק (נ· רֵיקָה)
go down (*imp. m. s.*)	רֵד (ע· יָרַד)	soft	רַךְ (נ· רַכָּה)
go down! (*imp. m. pl.*)	רְדוּ	mount (animal)	רָכַב (רוֹכֵב, יִרְכַּב)
radio	רַדְיוֹ	train	רַכֶּבֶת נ· (רַכָּבוֹת)
wind, spirit	רוּחַ זו"נ (רוּחוֹת)	tall, high	רָם (נ· רָמָה)
rotl (weight)	רוֹטְל	loud voice	קוֹל רָם
Rome	רוֹמָא נ·	Ramlah (city in Israel)	רַמְלָה נ·
novel (n.)	רוֹמָן (רוֹמָנִים)	neighbor, friend	רֵעַ
Russia	רוּסִיָּה נ·	bad, evil	רַע (נ· רָעָה)
shepherd	רוֹעֶה (רוֹעִים)	hunger, famine	רָעָב
shepherd	רוֹעֵה צֹאן	hungry	רָעֵב (נ· רְעֵבָה)
doctor, physician	רוֹפֵא (רוֹפְאִים)	idea, thought	רַעְיוֹן ז· (רַעְיוֹנוֹת)
to run	(לָ)רוּץ	thunder	רַעַם (רְעָמִים)
want, is willing	רוֹצֶה (נ· רוֹצָה)	noise	רַעַשׁ
Ruth	רוּת	cure	רִפֵּא (מְרַפֵּא, יְרַפֵּא)
street	רְחוֹב ז· (רְחוֹבוֹת)	she cured	רִפְּאָה

Shevat (11th month of the Hebrew calendar)	שְׁבָט	they cured	רִפְּאוּ
captivity	שְׁבִי	run	רָץ (נ. רָצָה)
into captivity	בַּשְׁבִי	want, wish	רָצָה (רוֹצֶה, יִרְצֶה)
seventh	שְׁבִיעִי (נ. שְׁבִיעִית)	I, you wanted	רָצִיתִי, רָצִיתָ
seven	שִׁבְעָה (נ. שֶׁבַע)	she wanted	רָצְתָה
seventeen	שִׁבְעָה עָשָׂר (נ. שְׁבַע עֶשְׂרֵה)	they wanted	רָצוּ
seventy	שִׁבְעִים	only	רַק
Sabbath	שַׁבָּת נ. (שַׁבָּתוֹת)	dance (v.)	רָקַד (רוֹקֵד, יִרְקֹד)
error	שְׁגִיאָה (שְׁגִיאוֹת)	impression	רֹשֶׁם (רְשָׁמִים)
field	שָׂדֶה ז. (שָׂדוֹת)	wicked	רָשָׁע (רְשָׁעִים)
robber, bandit	שׁוֹדֵד (שׁוֹדְדִים)	net	רֶשֶׁת נ. (רְשָׁתוֹת)
swim	שׂוֹחֶה (נ. שׂוֹחָה)		
idiot, fool, stupid	שׁוֹטֶה (שׁוֹטִים)		
different	שׁוֹנֶה (נ. שׁוֹנָה)	roar	שָׁאַג (שׁוֹאֵג, יִשְׁאַג)
judge	שׁוֹפֵט (נ. שׁוֹפֶטֶת)	Saul	שָׁאוּל
market	שׁוּק (שְׁוָקִים)	ask	שָׁאַל (שׁוֹאֵל, יִשְׁאַל)
chess	שַׁח	she asked	שָׁאֲלָה
black	שָׁחוֹר (נ. שְׁחוֹרָה)	they asked	שָׁאֲלוּ
to swim	(לִ)שְׂחוֹת (ע. שָׂחָה)	rest, remainder	שְׁאָר
play (game), act	שִׂחֵק (מְשַׂחֵק, יְשַׂחֵק)	sit! (imp. m. s.)	שֵׁב
they played, acted	שִׂחֲקוּ	sit! (imp. f. s.)	שְׁבִי
conversation	שִׂיחָה (שִׂיחוֹת)	sit! (imp. m. pl.)	שְׁבוּ
to put	(לָ)שִׂים	return	שָׁב (שָׁב, יָשׁוּב)
song, poem	שִׁיר (שִׁירִים)	they returned	שָׁבוּ
sing! (imp. m. s.)	שִׁיר	week	שָׁבוּעַ ז. (שָׁבוּעוֹת)
sing! (imp. m. pl.)	שִׁירוּ	Feast of Weeks, Pentecost	שָׁבוּעוֹת
lie down	שָׁכַב (שׁוֹכֵב, יִשְׁכַּב)	broken	שָׁבוּר (נ. שְׁבוּרָה)
neighbor	שָׁכֵן (שְׁכֵנִים)	tribe	שֵׁבֶט (שְׁבָטִים)

[419]

English	Hebrew	English	Hebrew
I, you put	שַׂמְתִּי, שַׂמְתָּ	rent (v.)	שָׂכַר (שׂוֹכֵר, יִשְׂכֹּר)
she put	שָׂמָה	wages, reward	שָׂכָר
they put	שָׂמוּ	rent (n.)	שְׂכַר דִּירָה ז.
he paid attention	שָׂם לֵב	of	שֶׁל
name	שֵׁם ז. (שֵׁמוֹת)	snow	שֶׁלֶג (שְׁלָגִים)
by the name of	בְּשֵׁם	their (m.)	שֶׁלָּהֶם
my name	שְׁמִי	his	שֶׁלּוֹ
his name	שְׁמוֹ	peace, greetings, hello, good-bye	שָׁלוֹם
common noun	שֵׁם עֶצֶם	how are you? (m.)	מַה שְׁלוֹמְךָ
there	שָׁם	how are you? (f.)	מַה שְׁלוֹמֵךְ
Shammai	שַׁמַּאי	I am well	שָׁלוֹם לִי
Samuel	שְׁמוּאֵל	Shalom Aleichem (pen name of famous Jewish humorist)	שָׁלוֹם עֲלֵיכֶם
Exodus (second book of the Bible)	שְׁמוֹת	send	שָׁלַח (שׁוֹלֵחַ, יִשְׁלַח)
happy	שָׂמֵחַ (נ. שְׂמֵחָה)	send! (imp. m. s.)	שְׁלַח
joy	שִׂמְחָה	send! (imp. m. pl.)	שִׁלְחוּ
heaven	שָׁמַיִם ז.ר.	to send	(לִ)שְׁלֹחַ (ע. שָׁלַח)
eighth	שְׁמִינִי (נ. שְׁמִינִית)	table	שֻׁלְחָן ז. (שֻׁלְחָנוֹת)
your (m. s.) name	שִׁמְךָ	sign, placard	שֶׁלֶט (שְׁלָטִים)
your (f. s.) name	שְׁמֵךְ	mine	שֶׁלִּי
dress (n.)	שִׂמְלָה (שְׂמָלוֹת)	your (m.)	שֶׁלְּךָ
fat	שֶׁמֶן (נ. שְׁמֵנָה)	your (f.)	שֶׁלָּךְ
eight	שְׁמֹנָה (נ. שְׁמֹנֶה)	third	שְׁלִישִׁי (נ. שְׁלִישִׁית)
eighteen	שְׁמֹנָה עָשָׂר (נ. שְׁמֹנֶה עֶשְׂרֵה)	your (m. pl.)	שֶׁלָּכֶם
eighty	שְׁמֹנִים	Solomon	שְׁלֹמֹה
listen, hear	שָׁמַע (שׁוֹמֵעַ, יִשְׁמַע)	three	שְׁלֹשָׁה (נ. שָׁלֹשׁ)
Shemaiah	שְׁמַעְיָה	thirteen	שְׁלֹשָׁה עָשָׂר (נ. שְׁלֹשׁ עֶשְׂרֵה)
Simon, son of Shataḥ	שִׁמְעוֹן בֶּן שָׁטַח	thirty	שְׁלֹשִׁים
watch, guard	שָׁמַר (שׁוֹמֵר, יִשְׁמֹר)	put	שָׂם (שָׂם, יָשִׂים)

sing	שָׁר (נ. שָׁרָה)	he remembered, kept it to himself	שָׁמַר בְּלִבּוֹ
Sarah	שָׂרָה	sun	שֶׁמֶשׁ זו"נ
a fire, conflagration	שְׂרֵפָה	sexton	שַׁמָּשׁ (שַׁמָּשִׁים)
six	שִׁשָּׁה (נ. שֵׁשׁ)	sleep (n.)	שֵׁנָה
sixteen	שִׁשָּׁה עָשָׂר (נ. שֵׁשׁ עֶשְׂרֵה)	change! (imp. m. s.)	שַׁנֵּה
sixth	שִׁשִּׁי (נ. שִׁשִּׁית)	change! (imp. m. pl.)	שַׁנּוּ
sixty	שִׁשִּׁים	year	שָׁנָה נ. (שָׁנִים)
sapling	שָׁתִיל (שְׁתִילִים)	hateful	שָׂנוּא (נ. שְׂנוּאָה)
twelve (f.)	שְׁתֵּים עֶשְׂרֵה נ.	second	שֵׁנִי (נ. שֵׁנִית)
keep silent	שָׁתַק (שׁוֹתֵק, יִשְׁתֹּק)	two (m.)	שְׁנַיִם
		two (f.)	שְׁתַּיִם
		both of them (m.)	שְׁנֵיהֶם
twins	תְּאוֹמוֹת נ.ר.	both of us	שְׁנֵינוּ
adjective	תֹּאַר (תֳּאָרִים)	twelve	שְׁנֵים עָשָׂר (נ. שְׁתֵּים עֶשְׂרֵה)
you (m. pl.) will come	תָּבֹאוּ	hour, o'clock	שָׁעָה (שָׁעוֹת)
letter-box	תֵּבַת מִכְתָּבִים נ.	a watch, clock	שָׁעוֹן (שְׁעוֹנִים)
you (m. s.) will be	תִּהְיֶה (ע. הָיָה)	lesson	שִׁעוּר (שִׁעוּרִים)
thanks (n.)	תּוֹדָה	homework	שִׁעוּרֵי בַיִת ז.ר.
you (m. s.) will be able	תּוּכַל (ע. יָכֹל)	gate	שַׁעַר (שְׁעָרִים)
benefit	תּוֹעֶלֶת נ.	lip, language	שָׂפָה (שְׂפָתַיִם)
score, result	תּוֹצָאוֹת נ.ר.	his lips	שְׂפָתָיו
"made in Israel"	תּוֹצֶרֶת הָאָרֶץ נ.	maid	שִׁפְחָה (שְׁפָחוֹת)
Torah (Pentateuch)	תּוֹרָה	he judged	שָׁפַט
revival	תְּחִיָּה	spill, pour	שָׁפַךְ (שׁוֹפֵךְ, יִשְׁפֹּךְ)
she will live	תִּחְיֶה (ע. חִיָה)	seashore	שְׂפַת הַיָּם נ.
station	תַּחֲנָה (תַּחֲנוֹת)	quiet, silence	שֶׁקֶט
competition, competitive game, contest	תַּחֲרוּת נ.	set, descend	שָׁקַע (שׁוֹקֵעַ, יִשְׁקַע)
under	תַּחַת	officer, prince	שַׂר (שָׂרִים)

English	Hebrew	English	Hebrew
taken, occupied	תָּפוּשׂ (נ. תְּפוּשָׂה)	Yemenite	תֵּימָנִי (תֵּימָנִים)
prayer	תְּפִלָּה (תְּפִלּוֹת)	tourist	תַּיָּר (תַּיָּרִים)
menu	תַּפְרִיט (תַּפְרִיטִים)	contents	תֹּכֶן
you will succeed	תַּצְלִיחַ (ע. הִצְלִיחַ)	immediately, promptly	תֵּכֶף
you (m. s.) will take	תִּקַּח (ע. לָקַח)	Tel Aviv	תֵּל אָבִיב נ.
correct! (imp. m. s.)	תַּקֵּן	Tel Ḥai	תֵּל חַי נ.
correct! (imp. m. pl.)	תַּקְּנוּ	hanging, suspended	תָּלוּי (נ. תְּלוּיָה)
culture, civilization	תַּרְבּוּת נ.	pupil (m.)	תַּלְמִיד (תַּלְמִידִים)
translation	תִּרְגּוּם	pupil (f.)	תַּלְמִידָה (תַּלְמִידוֹת)
exercise (n.)	תַּרְגִּיל (תַּרְגִּילִים)	scholar	תַּלְמִיד חָכָם (תַּלְמִידֵי חֲכָמִים)
translate (imp. m. s.)	תַּרְגֵּם	Tammuz (4th month of the Hebrew calendar)	תַּמּוּז
translate! (imp. m. pl.)	תַּרְגְּמוּ	picture	תְּמוּנָה (תְּמוּנוֹת)
rooster	תַּרְנְגֹל (תַּרְנְגֹלִים)	you (m. s.) will die	תָּמוּת (ע. מֵת)
answer	תְּשׁוּבָה (תְּשׁוּבוֹת)	always	תָּמִיד
ninth	תְּשִׁיעִי (נ. תְּשִׁיעִית)	Tamar	תָּמָר
nine	תִּשְׁעָה (נ. תֵּשַׁע)	give! (imp. m. s.)	תֵּן (ע. נָתַן)
Ninth of Av (fast day)	תִּשְׁעָה בְּאָב	give! (imp. f. s.)	תְּנִי
nineteen	תִּשְׁעָה עָשָׂר (נ. תְּשַׁע עֶשְׂרֵה)	Bible	תַּנַ"ךְ ז. (תּוֹרָה, נְבִיאִים, כְּתוּבִים)
ninety	תִּשְׁעִים	report card	תְּעוּדָה (תְּעוּדוֹת)
Tishri (7th month of the Hebrew calendar)	תִּשְׁרִי	beauty, pride	תִּפְאֶרֶת
wear it well! (m. s.)	תִּתְחַדֵּשׁ (ע. הִתְחַדֵּשׁ)	orange	תַּפּוּחַ זָהָב (תַּפּוּחֵי זָהָב)

ENGLISH—HEBREW VOCABULARY מִלּוֹן אַנְגְּלִי־עִבְרִי

able	יָכֹל (יָכֹל, יוּכַל)	Akiva	עֲקִיבָא
Abner	אַבְנֵר	alas!	אוֹי
about	עַל; עַל אֹדוֹת	Alexander	אָלֶכְּסַנְדֶּר
above	מֵעַל; לְמַעְלָה	all	כָּל; הַכֹּל
Abraham	אַבְרָהָם	Allenby Road	רְחוֹב אַלֶּנְבִּי
absolute form of noun	נִפְרָד	all right	בְּסֵדֶר
academy	בֵּית מִדְרָשׁ; יְשִׁיבָה	aloud	בְּקוֹל
accident	אָסוֹן זּ. (אֲסוֹנוֹת)	alphabet	א״ב
according to	לְפִי	already	כְּבָר
accustomed	רָגִיל (נ. רְגִילָה)	also	גַּם; גַּם כֵּן
additional	נוֹסָף (נ. נוֹסֶפֶת)	always	תָּמִיד
address	כְּתֹבֶת נ. (כְּתֹבוֹת)	America	אָמֶרִיקָה
adjective	תֹּאַר (תְּאָרִים)	American	אָמֶרִיקָאִי
Adloyada (Purim carnival)	עַדְלֹיָדַע	among	בֵּין
advice	עֵצָה (עֵצוֹת)	ancient	עַתִּיק (נ. עַתִּיקָה)
affectionately	בְּחִבָּה	and	וְ, וּ, וַ
(be) afraid	פָּחַד (פּוֹחֵד, יִפְחַד)	angel	מַלְאָךְ (מַלְאָכִים)
after	אַחַר; אַחֲרֵי	anger (n.)	כַּעַס
afterwards	אַחֲרֵי כֵן, אַחַר כָּךְ	(to be) angry	כָּעַס (כּוֹעֵס, יִכְעַס)
against	נֶגֶד	another	עוֹד; אַחֵר
ago	לִפְנֵי	answer (n.)	תְּשׁוּבָה (תְּשׁוּבוֹת)
a year ago	לִפְנֵי שָׁנָה	answer (v.)	עָנָה (עוֹנֶה, יַעֲנֶה)
agora (Israeli coin: 1/100 of lira)	אֲגוֹרָה	to answer	לַעֲנוֹת
Ahasuerus	אֲחַשְׁוֵרוֹשׁ	appearance	מַרְאֶה זּ. (מַרְאוֹת)
airplane	אֲוִירוֹן (אֲוִירוֹנִים)	appoint	מִנָּה (מְמַנֶּה, יְמַנֶּה)

[423]

approach (v.)	נִגַּשׁ (נִגַּשׁ, יִגַּשׁ)	baseball	כַּדּוּר בָּסִיס
approaching	הוֹלֵךְ וּבָא	basketball	כַּדּוּר סַל
Arab	עֲרָבִי (עֲרָבִים)	football, soccer	כַּדּוּר רֶגֶל
Arbor Day (fifteenth of Shevat)	חֲמִשָּׁה עָשָׂר בִּשְׁבָט	bank	בַּנְק
arise	קוּם (קָם, יָקוּם)	bath house	בֵּית רַחֲצָה ז. (בָּתֵּי רַחֲצָה)
army	צָבָא ז. (צְבָאוֹת)	bathing suit	בֶּגֶד יָם (בִּגְדֵי יָם)
around	סָבִיב; מִסָּבִיב לְ	be	הָיָה (הָיָה, יִהְיֶה)
go around	הִסְתּוֹבֵב	to be	לִהְיוֹת
arrange	סִדֵּר (מְסַדֵּר, יְסַדֵּר)	beard	זָקָן (זְקָנִים)
as	כְּמוֹ; כַּאֲשֶׁר	beautiful	יָפֶה (נ. יָפָה)
ascend	עָלָה (עוֹלֶה, יַעֲלֶה)	beauty	יֹפִי
ask	שָׁאַל (שׁוֹאֵל, יִשְׁאַל)	became	הָיָה לְ...
ate	אָכַל	because	כִּי
athlete	אַתְלֵיט (אַתְלֵיטִים)	bed	מִטָּה (מִטּוֹת)
Atonement, Day of	יוֹם כִּפּוּר	Bedouin (pl.)	בֵּידוּאִים
attack (v.)	הִתְנַפֵּל (מִתְנַפֵּל, יִתְנַפֵּל)	Beersheba	בְּאֵר שֶׁבַע ג.
attend	בִּקֵּר (מְבַקֵּר, יְבַקֵּר)	before	לִפְנֵי
aunt	דּוֹדָה (דּוֹדוֹת)	before them	לִפְנֵיהֶם
au revoir	לְהִתְרָאוֹת	begin	הִתְחִיל (מַתְחִיל, יַתְחִיל)
autobus	אוֹטוֹבּוּס (אוֹטוֹבּוּסִים)	(in the) beginning	בְּרֵאשִׁית; בָּרִאשׁוֹנָה
automobile	מְכוֹנִית נ. (מְכוֹנִיּוֹת)	behold	הִנֵּה
autumn	סְתָו	believe	הֶאֱמִין (מַאֲמִין, יַאֲמִין)
awaken	הֵקִיץ (מֵקִיץ, יָקִיץ)	bell	פַּעֲמוֹן (פַּעֲמוֹנִים)
		beloved	אָהוּב (נ. אֲהוּבָה)
		below	לְמַטָּה
back (of the body)	גַּב	Berlin	בֶּרְלִין נ.
bad	רַע (נ. רָעָה)	better	יוֹתֵר טוֹב
ball	כַּדּוּר (כַּדּוּרִים)	between	בֵּין

[424]

English	עברית	English	עברית
between them	בֵּינֵיהֶם	boy	יֶלֶד (יְלָדִים); נַעַר (נְעָרִים)
Bezalel	בְּצַלְאֵל	bread	לֶחֶם
Bialik	בִּיאָלִיק	breakfast	אֲרוּחַת הַבֹּקֶר
Bialik St.	רְחוֹב בִּיאָלִיק	break out	פָּרַץ (פּוֹרֵץ, יִפְרֹץ)
Bible	תַּנַ"ךְ	bring	הֵבִיא (מֵבִיא, יָבִיא)
big	גָּדוֹל (נ. גְּדוֹלָה)	broken	שָׁבוּר (נ. שְׁבוּרָה)
bill	חֶשְׁבּוֹן ז. (חֶשְׁבּוֹנוֹת)	brook	נַחַל (נְחָלִים)
binding	כְּרִיכָה (כְּרִיכוֹת)	brother	אָח (אַחִים)
biology	בִּיוֹלוֹגְיָה	brought	הֵבִיא
bird	צִפּוֹר נ. (צִפֳּרִים)	brown	חוּם (נ. חוּמָה)
birthplace	מוֹלֶדֶת נ.	build	בָּנָה (בּוֹנֶה, יִבְנֶה)
bitter herb	מָרוֹר (מְרוֹרִים)	builder	בּוֹנֶה (בּוֹנִים)
black	שָׁחוֹר (נ. שְׁחוֹרָה)	bundle	חֲבִילָה (חֲבִילוֹת)
blackboard	לוּחַ ז. (לוּחוֹת)	burn	שָׂרַף (שׂוֹרֵף, יִשְׂרֹף)
blank	חָלָק (נ. חֲלָקָה)	bury	קָבַר (קוֹבֵר, יִקְבֹּר)
bless	בֵּרַךְ (מְבָרֵךְ, יְבָרֵךְ)	but	אֲבָל, אַךְ
blessing	בְּרָכָה (בְּרָכוֹת)	buy	קָנָה (קוֹנֶה, יִקְנֶה)
blouse	חֻלְצָה (חֻלְצוֹת)	by	מֵאֵת; אֵצֶל
blue	כָּחֹל (נ. כְּחֻלָּה)		
boat	אֳנִיָּה (אֳנִיּוֹת)		
body	גּוּף (גּוּפִים)	cactus (colloquially, "native of Israel")	צַבָּרָא
book	סֵפֶר (סְפָרִים)	calendar	לוּחַ ז. (לוּחוֹת)
border	גְּבוּל (גְּבוּלִים)	calisthenics	הִתְעַמְּלוּת
born	נוֹלַד (נוֹלָד, יִוָּלֵד)	call	קָרָא (קוֹרֵא, יִקְרָא)
Boston	בּוֹסְטוֹן נ.	came	בָּא
both (of them)	שְׁנֵיהֶם	camel	גָּמָל (גְּמַלִּים)
boundary	גְּבוּל (גְּבוּלִים)	Canaan	כְּנַעַן נ.
bow down	הִשְׁתַּחֲוָה (מִשְׁתַּחֲוֶה, יִשְׁתַּחֲוֶה)	(into) captivity	(בְּ)שֶׁבִי

Carmelit (Haifa subway)	כַּרְמְלִית	clear	בָּהִיר (נ. בְּהִירָה)
carnival	קַרְנְבָל; עַדְלִידַע	clever	חָכָם (נ. חֲכָמָה)
carry	נָשָׂא (נוֹשֵׂא, יִשָּׂא)	close	סָגַר (סוֹגֵר, יִסְגֹּר)
carve	חָקַק (חוֹקֵק, יָחֹק)	clothing	בְּגָדִים
Caspi	כַּסְפִּי	club, organization	אֲגֻדָּה (אֲגֻדּוֹת)
cat	חָתוּל (חֲתוּלִים)	coat	בֶּגֶד (בְּגָדִים)
celebrate	חָגַג (חוֹגֵג, יָחֹג)	coffin	אָרוֹן ז. (אֲרוֹנוֹת)
celebration	חֲגִיגָה (חֲגִיגוֹת)	cold (adj.)	קַר (נ. קָרָה)
chair	כִּסֵּא נ. (כִּסְאוֹת)	colony	מוֹשָׁבָה (מוֹשָׁבוֹת)
chalk	גִּיר	cooperative	קְבוּצָה (קְבוּצוֹת)
change (v.)	שִׁנָּה (יְשַׁנֶּה, מְשַׁנֶּה)	semi-cooperative	מוֹשָׁב (מוֹשָׁבִים)
change money (v.)	פָּרַט (פּוֹרֵט, יִפְרֹט)	come	בּוֹא (בָּא, יָבוֹא)
here is your change!	הִנֵּה הָעֹדֶף	comfort (v.)	נָחַם (מְנַחֵם, יְנַחֵם)
chariot	מֶרְכָּבָה (מֶרְכָּבוֹת)	command (v.)	צִוָּה (מְצַוֶּה, יְצַוֶּה)
charming	נֶהְדָּר (נ. נֶהְדָּרָה);	commandment	מִצְוָה (מִצְווֹת)
	נֶחְמָד (נ. נֶחְמָדָה)	community	קְהִלָּה (קְהִלּוֹת)
chase away	גֵּרֵשׁ (מְגָרֵשׁ, יְגָרֵשׁ)	complete (v.)	הִשְׁלִים (מַשְׁלִים, יַשְׁלִים)
cheap	בְּזוֹל	compose	חִבֵּר (מְחַבֵּר, יְחַבֵּר)
cherish	חִבֵּב (מְחַבֵּב, יְחַבֵּב)	composition	חִבּוּר (חִבּוּרִים)
chess	שָׁח	concerning	עַל; עַל אֹדוֹת
child	יֶלֶד (יְלָדִים)	congregation	עֵדָה (עֵדוֹת)
children	בָּנִים; יְלָדִים	conquer	כָּבַשׁ (כּוֹבֵשׁ, יִכְבֹּשׁ)
chimney	מַעֲשֵׁנָה (מַעֲשֵׁנוֹת)	construct state	סְמִיכוּת
choose	בָּחַר (בּוֹחֵר, יִבְחַר)	contempt	בּוּז
cigar	סִיגָרָה (סִיגָרוֹת)	content	שָׂמֵחַ (נ. שְׂמֵחָה)
cinnamon	קִנָּמוֹן	contents	תֹּכֶן
city	עִיר נ. (עָרִים)	contest	הִתְחָרוּת, תַּחֲרוּת
class	כִּתָּה (כִּתּוֹת)	continue	הִמְשִׁיךְ (מַמְשִׁיךְ, יַמְשִׁיךְ)

convenience	נוֹחִיּוּת	day by day	יוֹם יוֹם
convention	כִּנּוּס (כִּנּוּסִים)	Dead Sea	יָם הַמֶּלַח
conversation	שִׂיחָה (שִׂיחוֹת)	(my) dear	יַקִּירִי (נ. יַקִּירָתִי)
cooperative settlement	קְבוּצָה (קְבוּצוֹת)	dear to	חָבִיב עַל
correct (v.)	תִּקֵּן (מְתַקֵּן, יְתַקֵּן)	death	מָוֶת ז.
correct (adj.)	נָכוֹן (נ. נְכוֹנָה)	decide	הֶחֱלִיט (מַחֲלִיט, יַחֲלִיט)
count (v.)	סָפַר (סוֹפֵר, יִסְפֹּר)	decorated	מְקֻשָּׁט (נ. מְקֻשֶּׁטָה)
courageous	גִּבּוֹר (נ. גִּבּוֹרָה)	decoration	קִשּׁוּט (קִשּׁוּטִים)
court	חָצֵר ז"נ (חֲצֵרוֹת)	deed	מַעֲשֶׂה ז. (מַעֲשִׂים)
cover (v.)	כִּסָּה (מְכַסֶּה, יְכַסֶּה)	department store	חֲנוּת כָּל בּוֹ
crazy	מְשֻׁגָּע (נ. מְשֻׁגַּעַה)	descend	יָרַד (יוֹרֵד, יֵרֵד)
create	בָּרָא (בּוֹרֵא, יִבְרָא)	to descend	לָרֶדֶת
cry (v.)	צָעַק (צוֹעֵק, יִצְעַק)	desert	מִדְבָּר ז. (מִדְבָּרוֹת)
culture	תַּרְבּוּת	destroy	אִבֵּד (מְאַבֵּד, יְאַבֵּד)
cup	כּוֹס נ. (כּוֹסוֹת)	dew	טַל
cure (v.)	רִפֵּא (מְרַפֵּא, יְרַפֵּא)	dictionary	מִלּוֹן (מִלּוֹנִים)
curse (v.)	קִלֵּל (מְקַלֵּל, יְקַלֵּל)	did	עָשָׂה
cut (v.)	כָּרַת (כּוֹרֵת, יִכְרֹת)	die	מוּת (מֵת, יָמוּת)
		different	שׁוֹנֶה (נ. שׁוֹנָה)
		difficult	קָשֶׁה (נ. קָשָׁה)
Dad	אַבָּא	dining room	חֲדַר אֹכֶל
Dan	דָּן	discouraged	נָפַל רוּחוֹ
dance (n.)	רִקּוּד	dish	כְּלִי (כֵּלִים)
dance (v.)	רָקַד (רוֹקֵד, יִרְקֹד)	distant	רָחוֹק (נ. רְחוֹקָה)
darkness	חֹשֶׁךְ	distress	צַעַר
daughter	בַּת (בָּנוֹת)	divide	חִלֵּק (מְחַלֵּק, יְחַלֵּק)
David	דָּוִד	do (make)	עָשָׂה (עוֹשֶׂה, יַעֲשֶׂה)
day	יוֹם (יָמִים)	to do	לַעֲשׂוֹת

English	Hebrew	English	Hebrew
doctor	רוֹפֵא (רוֹפְאִים)	eight	שְׁמֹנֶה (נ. שְׁמֹנָה)
dog	כֶּלֶב (כְּלָבִים)	eighteen	שְׁמֹנָה עָשָׂר (נ. שְׁמֹנֶה עֶשְׂרֵה)
donkey	חֲמוֹר (חֲמוֹרִים)	eighth	שְׁמִינִי (נ. שְׁמִינִית)
don't	אֵין	eighty	שְׁמֹנִים
don't (neg. imp.)	אַל	elevator	מַעֲלִית נ. (מַעֲלִיּוֹת)
door	דֶּלֶת נ. (דְּלָתוֹת)	eleven	אַחַד עָשָׂר (נ. אַחַת עֶשְׂרֵה)
draw (a picture)	צִיֵּר (מְצַיֵּר, יְצַיֵּר)	else	עוֹד
dream (n.)	חֲלוֹם ז. (חֲלוֹמוֹת)	emperor	קֵיסָר
dream (v.)	חָלַם (חוֹלֵם, יַחֲלֹם)	empty	רֵיק (נ. רֵיקָה)
dress (n.)	שִׂמְלָה (שְׂמָלוֹת)	end	סוֹף
dress oneself	הִתְלַבֵּשׁ (מִתְלַבֵּשׁ, יִתְלַבֵּשׁ)	England	אַנְגְּלִיָּה נ.
drop (n.)	טִפָּה (טִפּוֹת)	English (language)	אַנְגְּלִית נ.
drown	טָבַע (טוֹבֵעַ, יִטְבַּע)	English (adj.)	אַנְגְּלִי (נ. אַנְגְּלִית)
dry (v.)	יִבֵּשׁ (מְיַבֵּשׁ, יְיַבֵּשׁ)	enough	דַּי
dwell	יָשַׁב (יוֹשֵׁב, יֵשֵׁב)	enter	נִכְנַס (נִכְנָס, יִכָּנֵס)
to dwell	לָשֶׁבֶת	envelope	מַעֲטָפָה (מַעֲטָפוֹת)
		environment	סְבִיבָה (סְבִיבוֹת)
		escort (v.)	לִוָּה (מְלַוֶּה, יְלַוֶּה)
		establish	הֵקִים (מֵקִים, יָקִים)
each	כָּל	Esther	אֶסְתֵּר
each other	זֶה אֶת זֶה	Ethics of the Fathers	פִּרְקֵי אָבוֹת
ear	אֹזֶן נ. (אָזְנַיִם)	Europe	אֵירוֹפָּה
earth	אֲדָמָה; אֶרֶץ	Eve	חַוָּה
earthenware	כְּלֵי חֶרֶס	even, even if	אֲפִילוּ
easy	קַל (נ. קַלָּה)	evening	עֶרֶב (עֲרָבִים)
eat	אָכַל (אוֹכֵל, יֹאכַל)	every	כָּל
to eat	לֶאֱכֹל	everybody	כָּל אִישׁ; הַכֹּל
edition	מַהֲדוּרָה (מַהֲדוּרוֹת)	everything	הַכֹּל
Egypt	מִצְרַיִם נ.		

[428]

English	Hebrew	English	Hebrew
examination	מִבְחָן (מִבְחָנִים)	fight	נִלְחַם (נִלְחָם, יִלָּחֵם)
exercise (n.)	תַּרְגִּיל (תַּרְגִּילִים)	to fight	לְהִלָּחֵם
expression	בִּטּוּי (בִּטּוּיִים)	finally	סוֹף סוֹף
eye	עַיִן נ. (עֵינַיִם)	find	מָצָא (מוֹצֵא, יִמְצָא)
		finish	גָּמַר (גּוֹמֵר, יִגְמֹר)
		fire	אֵשׁ נ.
face (n.)	פָּנִים זו"נ	(a) fire	שְׂרֵפָה (שְׂרֵפוֹת)
fail	נִכְשַׁל (נִכְשָׁל, יִכָּשֵׁל)	first	רִאשׁוֹן (נ. רִאשׁוֹנָה)
fall	נָפַל (נוֹפֵל, יִפֹּל)	fish	דָּג (דָּגִים)
family	מִשְׁפָּחָה (מִשְׁפָּחוֹת)	fisherman	דַּיָּג (דַּיָּגִים)
famine	רָעָב	fit (v.)	הָלַם (הוֹלֵם, יַהֲלֹם)
farmer	אִכָּר (אִכָּרִים)	five	חֲמִשָּׁה (נ. חָמֵשׁ)
fast (adv.)	מַהֵר	flax	פִּשְׁתָּן
(to) fast	צוֹם (צָם, יָצוּם)	flee	בָּרַח (בּוֹרֵחַ, יִבְרַח)
fat	שָׁמֵן (נ. שְׁמֵנָה)	floor	רִצְפָּה; קוֹמָה
father	אָב (אָבוֹת)	flower	פֶּרַח (פְּרָחִים)
favor	טוֹבָה (טוֹבוֹת)	food	אֹכֶל
fear (n.)	פַּחַד (פְּחָדִים)	fool	טִפֵּשׁ (טִפְּשִׁים); שׁוֹטֶה (שׁוֹטִים)
feast	מִשְׁתֶּה ז. (מִשְׁתָּאוֹת)	foot	רֶגֶל נ. (רַגְלַיִם)
feel	הִרְגִּישׁ (מַרְגִּישׁ, יַרְגִּישׁ)	for	לְ; בְּעַד
feminine	נְקֵבָה (נְקֵבוֹת)	forbidden	אָסוּר (נ. אֲסוּרָה)
fence	גָּדֵר נ. (גְּדֵרוֹת)	foreigner	נָכְרִי (נָכְרִים)
festival	חַג (חַגִּים)	forget	שָׁכַח (שׁוֹכֵחַ, יִשְׁכַּח)
(a) few	אֲחָדִים	forest	יַעַר (יְעָרִים)
field	שָׂדֶה ז. (שָׂדוֹת)	forever	לְעוֹלָם
fifteen	חֲמִשָּׁה עָשָׂר (נ. חֲמֵשׁ עֶשְׂרֵה)	fork	מַזְלֵג ז. (מַזְלֵגוֹת)
fifth	חֲמִישִׁי (נ. חֲמִישִׁית)	form	צוּרָה (צוּרוֹת)
fifty	חֲמִשִּׁים	formerly	לְפָנִים

forty	אַרְבָּעִים	German	גֶּרְמָנִי
foundation	יְסוֹד ז. (יְסוֹדוֹת)	Germany	גֶּרְמַנְיָה
four	אַרְבָּעָה (נ. אַרְבַּע)	get up	קוּם (קָם, יָקוּם)
fourteen	אַרְבָּעָה עָשָׂר (נ. אַרְבַּע עֶשְׂרֵה)	giant	עֲנָק (עֲנָקִים)
fourth	רְבִיעִי (נ. רְבִיעִית)	gift	מַתָּנָה (מַתָּנוֹת)
fragrance	רֵיחַ ז. (רֵיחוֹת)	girl	יַלְדָּה (יְלָדוֹת); נַעֲרָה (נְעָרוֹת);
frankfurter	נַקְנִיקִית נ. (נַקְנִיקִיּוֹת)		בַּחוּרָה (בַּחוּרוֹת)
free	חָפְשִׁי (נ. חָפְשִׁית)	give	נָתַן (נוֹתֵן, יִתֵּן)
freedom	חֹפֶשׁ	to give	לָתֵת
fresh	טָרִי (נ. טְרִיָּה)	(a) glass	כּוֹס נ. (כּוֹסוֹת)
friend	חָבֵר (חֲבֵרִים)	glove	כְּפָפָה (כְּפָפוֹת)
from	מִן (מִ, מֵ)	go	הָלַךְ (הוֹלֵךְ, יֵלֵךְ)
fruit	פְּרִי ז. (פֵּרוֹת)	to go	לָלֶכֶת
(to be) fulfilled	הִתְקַיֵּם (מִתְקַיֵּם, יִתְקַיֵּם)	go! (imp.)	לֵךְ
full	מָלֵא (נ. מְלֵאָה)	goat	עֵז נ. (עִזִּים)
(make) fun (of)	צָחַק בְּ (מְצַחֵק, יִצְחַק)	God	אֱלֹהִים; הַשֵּׁם
funeral	הַלְוָיָה (הַלְוָיוֹת)	God willing	אִם יִרְצֶה הַשֵּׁם
funny	מַצְחִיק (נ. מַצְחִיקָה)	go down	יָרַד (יוֹרֵד, יֵרֵד)
future	עָתִיד	to go down	לָרֶדֶת
		gold	זָהָב
		Goliath	גָּלְיָת
Galilee	גָּלִיל נ.	good	טוֹב (נ. טוֹבָה)
game	מִשְׂחָק (מִשְׂחָקִים)	good-bye	שָׁלוֹם
garden	גַּן (גַּנִּים)	go out	יָצָא (יוֹצֵא, יֵצֵא)
gate	שַׁעַר (שְׁעָרִים)	to go out	לָצֵאת
gender	מִין (מִינִים)	go up	עָלָה (עוֹלֶה, יַעֲלֶה)
generation	דּוֹר ז. (דּוֹרוֹת)	grammar	דִּקְדּוּק

grandfather	סָב (סָבִים)	head	רֹאשׁ (רָאשִׁים)
grave	קֶבֶר (קְבָרִים)	healthy	בָּרִיא (נ. בְּרִיאָה)
great	גָּדוֹל (נ. גְּדוֹלָה)	hear	שָׁמַע (שׁוֹמֵעַ, יִשְׁמַע)
Greek	יְוָנִי	heart	לֵב ז. (לִבּוֹת)
green	יָרֹק (נ. יְרֻקָּה)	hearty appetite!	לְתֵאָבוֹן
greeting	בְּרָכָה (בְּרָכוֹת)	heaven	שָׁמַיִם ז.ר.
grow	גָּדֵל (גָּדַל, יִגְדַּל)	Hebrew (language)	עִבְרִית
guest	אוֹרֵחַ (אוֹרְחִים)	Hebrew (adj.)	עִבְרִי (נ. עִבְרִית)
gymnasium (physical exercise)	חֲדַר הִתְעַמְּלוּת	Hebron	חֶבְרוֹן נ.
		hello	שָׁלוֹם
		hello (telephone)	הַלּוֹ
Haifa	חֵיפָה נ.	help	עָזַר (עוֹזֵר, יַעֲזֹר)
half	חֲצִי	her	אוֹתָהּ; לָהּ
hallelujah	הַלְלוּיָהּ	here	פֹּה
hand	יָד נ. (יָדַיִם)	here is	הִנֵּה
handsome	יְפֵה תֹאַר (נ. יְפַת תֹּאַר)	hero	גִּבּוֹר (גִּבּוֹרִים)
hanging	תָּלוּי	heroism	גְּבוּרָה
Hannah	חַנָּה	Herzl	הֶרְצֵל
happen	קָרָה (יִקְרֶה)	high	גָּבֹהַּ (נ. גְּבֹהָה)
happy	שָׂמֵחַ (נ. שְׂמֵחָה)	high school	בֵּית סֵפֶר תִּיכוֹן ז. (בָּתֵּי סֵפֶר תִּיכוֹנִים)
hard	קָשֶׁה (נ. קָשָׁה)		
harvest	קָצַר (קוֹצֵר, יִקְצֹר)	highway	כְּבִישׁ (כְּבִישִׁים)
has	לְ	hike (n.)	טִיּוּל (טִיּוּלִים)
I have	(יֵשׁ) לִי	hike (v.)	טִיֵּל (מְטַיֵּל, יְטַיֵּל)
hat	מִגְבַּעַת נ. (מִגְבָּעוֹת)	to take a hike	עָרַךְ (עוֹרֵךְ, יַעֲרֹךְ) טִיּוּל
hateful	שָׂנוּא (נ. שְׂנוּאָה)	hill	גִּבְעָה (גְּבָעוֹת)
he	הוּא	Hillel	הִלֵּל

him; to him	אוֹתוֹ; לוֹ
his	שֶׁלּוֹ
history	הִסְטוֹרְיָה
hole	חוֹר (חוֹרִים)
holiday	חַג (חַגִּים)
holiness	קֹדֶשׁ
home	בַּיִת ז. (בָּתִּים)
home (*adv.*)	הַבַּיְתָה
homeland	מוֹלֶדֶת נ.
homework	שִׁעוּרֵי בַיִת
honor (*n.*)	כָּבוֹד
honor (*v.*)	כִּבֵּד (מְכַבֵּד, יְכַבֵּד)
hope	קִוָּה (מְקַוֶּה, יְקַוֶּה)
Hora (national Israeli dance)	הוֹרָה
horse	סוּס (סוּסִים)
hotel	מָלוֹן
hour	שָׁעָה (שָׁעוֹת)
house	בַּיִת ז. (בָּתִּים)
how?	אֵיךְ
how are you?	מַה שְׁלוֹמְךָ?
how many?	כַּמָּה?
how much is it?	בְּכַמָּה זֶה עוֹלֶה?
how nice!	מַה יָפֶה!
how old?	בֶּן כַּמָּה?
hundred	מֵאָה (מֵאוֹת)
hungry	רָעֵב (נ. רְעֵבָה)
husband	בַּעַל (בְּעָלִים)

I	אֲנִי
ice cream	גְּלִידָה
idea	רַעְיוֹן ז. (רַעְיוֹנוֹת); עֵצָה (עֵצוֹת)
if	אִם
if that's the case	אִם כֵּן
image (statue)	פֶּסֶל (פְּסִילִים)
immediately	תֵּכֶף
imperative	צִוּוּי
impossible	אִי אֶפְשָׁר (נ. אִי אֶפְשָׁרִית)
impression	רֹשֶׁם (רְשָׁמִים)
in; in the	בְּ; בַּ
in it	בּוֹ (נ. בָּהּ)
incorrect	בִּלְתִּי נָכוֹן (נ. בִּלְתִּי נְכוֹנָה)
indeed	אָמְנָם
Independence Day (5th of Iyyar)	יוֹם הָעַצְמָאוּת ז.
infinitive	מָקוֹר ז. (מְקוֹרוֹת)
initials	רָאשֵׁי תֵבוֹת ז.ר.
ink	דְּיוֹ ז"נ
innkeeper	בַּעַל מָלוֹן
inside of	בְּתוֹךְ; לְתוֹךְ
instead of	בִּמְקוֹם
instructions	הוֹרָאוֹת
into	לְ; לְתוֹךְ
invite	הִזְמִין (מַזְמִין, יַזְמִין)
Isaac	יִצְחָק
Israel	יִשְׂרָאֵל
Land of Israel	אֶרֶץ יִשְׂרָאֵל נ.

מַפְתֵּחַ ז. (מַפְתְּחוֹת)	key	אֶרֶץ יִשְׂרָאֵלִי (נ. אֶרֶץ יִשְׂרָאֵלִית)	Israeli
הָרַג (הוֹרֵג, יַהֲרֹג)	kill	בְּנֵי יִשְׂרָאֵל	Israelites
קִילוֹמֶטֶר	kilometer	אוֹתוֹ (נ. אוֹתָהּ)	it
מִין (מִינִים)	kind (n.)	בּוֹ (נ. בָּהּ)	(in) it
טוֹב לֵב (נ. טוֹבַת לֵב)	kind (adj.)	אִיטַלְיָה נ.	Italy
חֶסֶד	kindness		
מֶלֶךְ (מְלָכִים)	king		
בָּרַךְ (בּוֹרֵךְ, יִבְרַךְ)	kneel	יַעֲקֹב	Jacob
כְּנֶסֶת נ.	Knesset (Israeli Parliament)	יָפוֹ נ.	Jaffa
סַכִּין נ. (סַכִּינִים)	knife	רְחוֹב יָפוֹ	Jaffa Road
דְּפִיקָה (דְּפִיקוֹת)	knock (n.)	יְרוּשָׁלַיִם	Jerusalem
דָּפַק (דוֹפֵק, יִדְפֹּק)	knock (v.)	יְרוּשַׁלְמִי	Jerusalemite
יָדַע (יוֹדֵעַ, יֵדַע)	know	יְהוּדִי (יְהוּדִים)	Jew
לָדַעַת	to know	אֶבֶן יְקָרָה נ. (אֲבָנִים יְקָרוֹת)	jewel
יָדוּעַ (נ. יְדוּעָה)	known	יוֹאֵל	Joel
הִכִּיר (מַכִּיר, יַכִּיר)	know	יְהוֹנָתָן	Jonathan
		הַיַּרְדֵּן	Jordan (river)
		יְהוֹשֻׁעַ	Joshua
אֶרֶץ נ. (אֲרָצוֹת)	land	נְסִיעָה (נְסִיעוֹת)	journey
לָשׁוֹן נ. (לְשׁוֹנוֹת); שָׂפָה (שָׂפוֹת)	language	שִׂמְחָה	joy
גָּדוֹל (נ. גְּדוֹלָה)	large	יוֹבֵל (יוֹבְלִים)	jubilee
אַחֲרוֹן (נ. אַחֲרוֹנָה)	last	יְהוּדָה	Judah
צָחַק (צוֹחֵק, יִצְחַק)	laugh (v.)	שׁוֹפֵט (שׁוֹפְטִים)	judge (n.)
צְחוֹק	laughter	שָׁפַט (שׁוֹפֵט, יִשְׁפֹּט)	judge (v.)
עַצְלוּת נ.	laziness	יְהוּדִית	Judith
עָצֵל (נ. עֲצֵלָה)	lazy	קָפַץ (קוֹפֵץ, יִקְפֹּץ)	jump (v.)
לֵאָה	Leah	קְפִיצָה (קְפִיצוֹת)	jump (n.)
לָמַד (לוֹמֵד, יִלְמַד)	learn		

English	Hebrew	English	Hebrew
leather	עוֹר ז. (עוֹרוֹת)	long	אָרֹךְ (נ. אֲרֻכָּה)
leave	עָזַב (עוֹזֵב, יַעֲזֹב)	look	הִבִּיט (מַבִּיט, יַבִּיט)
leave behind	הִשְׁאִיר (מַשְׁאִיר, יַשְׁאִיר)	lord	אָדוֹן
leisure (time)	פְּנַאי	lose	אָבַד (אוֹבֵד, יֹאבַד)
less	פָּחוֹת	I lost	אָבַד לִי
lesson	שִׁעוּר (שִׁעוּרִים)	love (n.)	אַהֲבָה
letter (of alphabet)	אוֹת נ. (אוֹתִיּוֹת)	love (v.)	אָהַב (אוֹהֵב, יֶאֱהַב)
letter (correspondence)	מִכְתָּב (מִכְתָּבִים)	fall in love with	הִתְאַהֵב בְּ...
letter box	תֵּבַת מִכְתָּבִים נ.	low	נָמוּךְ (נ. נְמוּכָה)
lie down	שָׁכַב (שׁוֹכֵב, יִשְׁכַּב)	luck	מַזָּל
life	חַיִּים ז.ר.	good luck	מַזָּל טוֹב
lift (v.)	הֵרִים (מֵרִים, יָרִים)	lunch	אֲרוּחַת הַצָּהֳרַיִם נ.
light (n.)	אוֹר ז. (אוֹרוֹת)		
light (adj.)	קַל (נ. קַלָּה)		
like, as	כְּמוֹ	Ma	אִמָּא
as thyself	כָּמוֹךָ	Maccabee	מַכַּבִּי (מַכַּבִּים)
(I) liked	מָצָא חֵן בְּעֵינַי	Macedonian	מוֹקְדוֹן
likeness	דְּמוּת נ.	"made in Israel"	תּוֹצֶרֶת הָאָרֶץ נ.
Lincoln	לִינְקוֹן	maid	שִׁפְחָה (שְׁפָחוֹת)
lion	אֲרִי ז. (אֲרָיוֹת)	make	עָשָׂה (עוֹשֶׂה, יַעֲשֶׂה)
lip	שָׂפָה (שְׂפָתַיִם)	to make	לַעֲשׂוֹת
lira (Israeli)	לִירָה (לִירוֹת)	Malaga	מָלַקָה
listen	שָׁמַע (שׁוֹמֵעַ, יִשְׁמַע)	male	זָכָר (זְכָרִים)
literature	סִפְרוּת נ.	man	אִישׁ (אֲנָשִׁים)
little	קָטָן (נ. קְטַנָּה)	many	רַבִּים (נ. רַבּוֹת)
a little bit	מְעַט	mark	צִיּוּן (צִיּוּנִים)
live	חָיָה (חַי, יִחְיֶה)	market	שׁוּק (שְׁוָקִים)
long live	יְחִי	married	בַּעַל אִשָּׁה; נָשׂוּי

English	עברית	English	עברית
marry	הִתְחַתֵּן (מִתְחַתֵּן, יִתְחַתֵּן)	Miss	גְּבֶרֶת
mask	מַסֵּכָה (מַסֵּכוֹת)	mistake	שְׁגִיאָה (שְׁגִיאוֹת)
master	בַּעַל (בְּעָלִים)	mock	צָחַק (מְצַחֵק, יְצַחֵק)
match (v.)	זִוֵּג (מְזַוֵּג, יְזַוֵּג)	modern	מוֹדֶרְנִי (נ. מוֹדֶרְנִית)
mathematics	מָתֵמָטִיקָה	moment	רֶגַע (רְגָעִים)
(to) me	אוֹתִי; לִי	money	כֶּסֶף
meal	אֲרוּחָה (אֲרוּחוֹת)	month	חֹדֶשׁ (חֳדָשִׁים)
meaning	פֵּרוּשׁ (פֵּרוּשִׁים)	monument	מַצֵּבָה (מַצֵּבוֹת)
meat	בָּשָׂר	moon	יָרֵחַ
medicine	רְפוּאָה (רְפוּאוֹת)	Mordecai	מָרְדְּכַי
Mediterranean Sea	הַיָּם הַתִּיכוֹן	more	עוֹד; יוֹתֵר
meet (v.)	הִתְאַסֵּף (מִתְאַסֵּף, יִתְאַסֵּף); פָּגַשׁ (פּוֹגֵשׁ, יִפְגֹּשׁ)	morning	בֹּקֶר
(a) meeting	אֲסֵפָה (אֲסֵפוֹת)	Moses	מֹשֶׁה
Meir	מֵאִיר	mother	אֵם (אִמּוֹת)
member (of club)	חָבֵר בְּ (חֲבֵרִים בְּ)	mountain	הַר (הָרִים)
members of the family	בְּנֵי הַמִּשְׁפָּחָה	mouth	פֶּה ז. (פִּיּוֹת)
memorial	זִכָּרוֹן ז. (זִכְרוֹנוֹת)	move (v.)	זוּז (זָז, יָזוּז)
men	אֲנָשִׁים (י. אִישׁ)	Mr.	אָדוֹן, מַר
menu	תַּפְרִיט (תַּפְרִיטִים)	Mrs.	גְּבֶרֶת
merchant	סוֹחֵר (סוֹחֲרִים)	Mt. Carmel	הַר הַכַּרְמֶל
merciful	רַחְמָן (נ. רַחְמָנִיָּה)	Mt. Scopus	הַר הַצּוֹפִים
meter (a measure)	מֶטֶר	Mt. Sinai	הַר סִינַי
mighty	גִּבּוֹר (נ. גִּבּוֹרָה)	Mt. Zion	הַר צִיּוֹן
milk	חָלָב	much	הַרְבֵּה; רַב
minute	דַּקָּה (דַּקּוֹת)	must	צָרִיךְ לְ (נ. צְרִיכָה לְ)
minutes (of a meeting)	פְּרוֹטוֹקוֹל	my, mine	שֶׁלִּי
Miriam	מִרְיָם	myself	בְּעַצְמִי

English	עברית
name	שֵׁם (שֵׁמוֹת)
named	בְּשֵׁם
napkin	מַפִּית (מַפִּיּוֹת)
narrow	צַר
national	לְאֻמִּי (נ. לְאֻמִּית)
near	אֵצֶל; עַל יַד
necktie	עֲנִיבָה; דָּג מָלוּחַ
need	צָרִיךְ לְ (נ. צְרִיכָה לְ)
neighbor	שָׁכֵן (שְׁכֵנִים)
net	רֶשֶׁת נ. (רְשָׁתוֹת)
never	אַף פַּעַם; אַף פַּעַם לֹא
nevertheless	בְּכָל זֹאת
new	חָדָשׁ (נ. חֲדָשָׁה)
New Orleans	נְיוּ אוֹרְלִיאַנְס נ.
news	חֲדָשׁוֹת
newspaper	עִתּוֹן (עִתּוֹנִים)
New Year	רֹאשׁ הַשָּׁנָה
New York	נְיוּ יוֹרְק נ.
next to	אֵצֶל
nice	יָפֶה (נ. יָפָה)
nicely	יָפֶה
night	לַיְלָה ז. (לֵילוֹת)
nine	תִּשְׁעָה (נ. תֵּשַׁע)
nineteen	תִּשְׁעָה עָשָׂר (נ. תְּשַׁע עֶשְׂרֵה)
ninety	תִּשְׁעִים
ninth	תְּשִׁיעִי (נ. תְּשִׁיעִית)
no	לֹא
noise	רַעַשׁ
noon	צָהֳרַיִם
north	צָפוֹן
nose	אַף (אַפִּים)
notebook	מַחְבֶּרֶת נ. (מַחְבָּרוֹת)
novel (n.)	רוֹמָן (רוֹמָנִים)
now	עַכְשָׁו
number	מִסְפָּר (מִסְפָּרִים)
obstacle	מִכְשׁוֹל (מִכְשׁוֹלִים)
occupied	תָּפוּס (נ. תְּפוּסָה)
o'clock	שָׁעָה
three o'clock	הַשָּׁעָה הַשְּׁלִישִׁית
of	שֶׁל
officer	שַׂר (שָׂרִים)
O.K.	בְּסֵדֶר
it's O.K.	זֶה בְּסֵדֶר
old	זָקֵן (נ. זְקֵנָה)
a year old	בֶּן שָׁנָה (נ. בַּת שָׁנָה)
on	עַל
once	פַּעַם אַחַת
one	אֶחָד (נ. אַחַת)
only	רַק
only son	בֵּן יָחִיד
open	פָּתַח (פּוֹתֵחַ, יִפְתַּח)
open (eyes)	פָּקַח (פּוֹקֵחַ, יִפְקַח)
opposite	הֶפֶךְ
or	אוֹ

English	Hebrew
orange	תַּפּוּחַ זָהָב (תַּפּוּחֵי זָהָב)
orange grove	פַּרְדֵּס (פַּרְדֵּסִים)
order	סֵדֶר
in order to	כְּדֵי לְ
ordinal (number)	מִסְפָּר סִדּוּרִי
other	אַחֵר (נ׳ אַחֶרֶת)
outside	בַּחוּץ
owe	חַיָּב (נ׳ חַיֶּבֶת)
pair	זוּג ז׳ (זוּגוֹת)
palace	אַרְמוֹן ז׳ (אַרְמוֹנוֹת)
pale	חִוֵּר (נ׳ חִוֶּרֶת)
paper	נְיָר ז׳ (נְיָרוֹת)
pardon!	סְלִיחָה
Paris	פָּרִיז נ׳
part	חֵלֶק (חֲלָקִים)
party (celebration)	נֶשֶׁף (נְשָׁפִים)
pass (v.)	עָבַר (עוֹבֵר, יַעֲבֹר)
passed a test	עָמַד בְּמִבְחָן
Passover	פֶּסַח (פְּסָחִים)
past tense	עָבָר
patriarchs	אָבוֹת
pay (v.)	שִׁלֵּם (מְשַׁלֵּם, יְשַׁלֵּם)
peace	שָׁלוֹם
peasant	אִכָּר (אִכָּרִים)
pen	עֵט (עֵטִים)
pencil	עִפָּרוֹן (עֶפְרוֹנִים)
penny	פְּרוּטָה (פְּרוּטוֹת)
people (nation)	עַם (עַמִּים)
people (persons)	אֲנָשִׁים (י׳ אִישׁ)
pepper	פִּלְפֵּל
perhaps	אוּלַי
Persia	פָּרַס נ׳
Persian	פַּרְסִי (פַּרְסִים)
Philistine	פְּלִשְׁתִּי (פְּלִשְׁתִּים)
philosopher	פִּילוֹסוֹף (פִּילוֹסוֹפִים)
photograph	צִלּוּם (צִלּוּמִים)
picture	תְּמוּנָה (תְּמוּנוֹת)
pioneer	חָלוּץ (חֲלוּצִים)
pitcher (of water)	כַּד ז׳ ר׳ (כַּדִּים)
place (n.)	מָקוֹם ז׳ (מְקוֹמוֹת)
plan (v.)	עָרַךְ (עוֹרֵךְ, יַעֲרֹךְ)
plant	נָטַע (נוֹטֵעַ, יִטַּע)
play a game	שִׂחֵק (מְשַׂחֵק, יְשַׂחֵק)
pleasant	נָעִים (נ׳ נְעִימָה)
please	בְּבַקָּשָׁה; נָא
pleasure	עֹנֶג
plot of land	מִגְרָשׁ (מִגְרָשִׁים)
plough (v.)	חָרַשׁ (חוֹרֵשׁ, יַחֲרֹשׁ)
poem	שִׁיר (שִׁירִים)
poet	מְשׁוֹרֵר (מְשׁוֹרְרִים)
a point	נְקֻדָּה (נְקֻדּוֹת)
Poland	פּוֹלַנְיָה נ׳

poor	עָנִי (נ. עֲנִיָּה)	quarrel (v.)	רִיב (רָב, יָרִיב)
port	נָמֵל	(a) quarter (of)	רֶבַע
portion	חֵלֶק (חֲלָקִים)	quick, quickly	מַהֵר
possessive pronouns	כִּנּוּיִים	quiet (n.)	שֶׁקֶט
possible	אֶפְשָׁר		
post office	בֵּית הַדֹּאַר ז. (בָּתֵּי הַדֹּאַר)		
(by) power (of)	בְּיַד	Rabbi	רַב; רַבִּי
pray	הִתְפַּלֵּל (מִתְפַּלֵּל, יִתְפַּלֵּל)	Rachel	רָחֵל
prayer	תְּפִלָּה (תְּפִלּוֹת)	radio	רַדְיוֹ
precious	יָקָר (נ. יְקָרָה)	rain	גֶּשֶׁם (גְּשָׁמִים)
present tense	הֹוֶה	it is raining	גֶּשֶׁם יוֹרֵד
president	נָשִׂיא (נְשִׂיאִים)	raise	הֵרִים (מֵרִים, יָרִים)
pretty	יָפֶה (נ. יָפָה)	read	קָרָא (קוֹרֵא, יִקְרָא)
price	מְחִיר (מְחִירִים)	ready	מוּכָן (נ. מוּכָנָה)
pride	גַּאֲוָה	receive	קִבֵּל (מְקַבֵּל, יְקַבֵּל)
priest	כֹּהֵן (כֹּהֲנִים)	recite	הִקְרִיא (מַקְרִיא, יַקְרִיא)
prince	נָגִיד (נְגִידִים); בֶּן מֶלֶךְ	recognize	הִכִּיר (מַכִּיר, יַכִּיר)
prison	בֵּית אֲסוּרִים נ. (בָּתֵּי אֲסוּרִים)	red	אָדֹם (נ. אֲדֻמָּה)
prize	פְּרָס (פְּרָסִים)	redeem	פָּדָה (פּוֹדֶה, יִפְדֶּה)
product	תּוֹצֶרֶת נ.	regards (greetings)	דְּרִישַׁת שָׁלוֹם
professor	פְּרוֹפֵיסוֹר	registered (mail)	בְּאַחֲרָיוּת, רָשׁוּם
prophet	נָבִיא (נְבִיאִים)	religion	דָּת נ. (דָּתוֹת)
proverb	פִּתְגָּם (פִּתְגָּמִים)	remembrance	זֵכֶר
pupil	תַּלְמִיד (תַּלְמִידִים)	remove	הֵסִיר (מֵסִיר, יָסִיר)
purple	אַרְגָּמָן	rent (v.)	שָׂכַר
put	שִׂים (שָׂם, יָשִׂים)	rent (n.)	שְׂכַר דִּירָה
puzzle	חִידָה (חִידוֹת)	report card	תְּעוּדָה (תְּעוּדוֹת)
		request (v.)	בִּקֵּשׁ (מְבַקֵּשׁ, יְבַקֵּשׁ)

[438]

English	Hebrew	English	Hebrew
reside	גָּר (גָּר, יָגוּר)	room	חֶדֶר (חֲדָרִים)
respect (v.)	כִּבֵּד (מְכַבֵּד, יְכַבֵּד)	room (place)	מָקוֹם
rest (v.)	נָח (נָח, יָנוּחַ)	rooster	תַּרְנְגוֹל
rest (n.)	מְנוּחָה	rule (v.)	מָשַׁל (מוֹשֵׁל, יִמְשֹׁל)
rest in peace!	יָנוּחַ בְּשָׁלוֹם עַל מִשְׁכָּבוֹ	run	רוּץ (רָץ, יָרוּץ)
rest (remainder)	שְׁאָר	Russia	רוּסִיָה נ׳
restaurant	מִסְעָדָה (מִסְעָדוֹת)	Ruth	רוּת
return	שׁוּב (שָׁב, יָשׁוּב)		
return (restore)	הֵשִׁיב (מֵשִׁיב, יָשִׁיב)		
Reuben	רְאוּבֵן	Sabbath	שַׁבָּת (שַׁבָּתוֹת)
review (n.)	חֲזָרָה (חֲזָרוֹת)	sad	עָצֵב (נ׳ עֲצֵבָה)
revive	מִחְיָה	saddle (v.)	חָבַשׁ (חוֹבֵשׁ, יַחֲבֹשׁ)
revival	תְּחִיָּה (תְּחִיּוֹת)	sail (v.)	הִפְלִיג (מַפְלִיג, יַפְלִיג)
rich	עָשִׁיר (נ׳ עֲשִׁירָה)	(for) sake (of)	לְמַעַן
ride (an animal)	רָכַב (רוֹכֵב, יִרְכַּב)	salt	מֶלַח
right	נָכוֹן (נ׳ נְכוֹנָה)	salty	מָלוּחַ (נ׳ מְלוּחָה)
(be) right	צָדַק (צוֹדֵק, יִצְדַּק)	Samuel	שְׁמוּאֵל
you were right	צָדַקְתָּ	sand	חוֹל ז׳ (חוֹלוֹת)
righteous	צַדִּיק (נ׳ צַדֶּקֶת)	sapling	שָׁתִיל (שְׁתִילִים)
ring (v.)	צִלְצֵל (מְצַלְצֵל, יְצַלְצֵל)	sapphire	סַפִּיר (סַפִּירִים)
road	דֶּרֶךְ זו״נ (דְּרָכִים)	Sarah	שָׂרָה
on the road	בַּדֶּרֶךְ	Saul	שָׁאוּל
roar (v.)	שָׁאַג (שׁוֹאֵג, יִשְׁאַג)	save (deliver)	הִצִּיל (מַצִּיל, יַצִּיל)
rob	גָּזַל (גּוֹזֵל, יִגְזֹל)	saw (v.)	רָאָה
robber	שׁוֹדֵד (שׁוֹדְדִים)	say	אָמַר (אוֹמֵר, יֹאמַר)
roll down	הִתְגַּלְגֵּל (מִתְגַּלְגֵּל, יִתְגַּלְגֵּל)	said to himself	אָמַר בְּלִבּוֹ
Rome	רוֹמָא נ׳	scholar	תַּלְמִיד חָכָם (תַּלְמִידֵי חֲכָמִים)
roof	גַּג ז׳ (גַּגּוֹת)	school	בֵּית סֵפֶר ז׳ (בָּתֵּי סֵפֶר)

science	מַדָּע	shirt (blouse)	חֻלְצָה (חֻלְצוֹת)
score	תּוֹצָאָה	shoe	נַעַל נ׳ (נְעָלִים)
Scriptures	תּוֹרָה; כִּתְבֵי הַקֹּדֶשׁ	short	קָצָר (נ׳ קְצָרָה)
sea	יָם (יַמִּים)	show (v.)	הֶרְאָה (מַרְאֶה, יַרְאֶה)
seashore	שְׂפַת הַיָּם	shower	מִקְלַחַת נ׳
season	זְמַן (זְמַנִּים)	shrewd	פִּקֵּחַ (נ׳ פִּקַּחַת)
second	שֵׁנִי (נ׳ שֵׁנִית)	sick	חוֹלֶה (נ׳ חוֹלָה)
secondary school	גִּמְנַסְיָה	sickle	חֶרְמֵשׁ (חֶרְמֵשִׁים)
secretary	מַזְכִּיר (מַזְכִּירִים)	side	צַד (צְדָדִים)
secretly	בַּסֵּתֶר	sign (placard)	שֶׁלֶט (שְׁלָטִים)
see	רָאָה (רוֹאֶה, יִרְאֶה)	sign (proof)	סִימָן (סִימָנִים)
to see	לִרְאוֹת	silence	שֶׁקֶט
seek	בִּקֵּשׁ (מְבַקֵּשׁ, יְבַקֵּשׁ)	silver	כֶּסֶף
send	שָׁלַח (שׁוֹלֵחַ, יִשְׁלַח)	silverware	כְּלֵי כֶסֶף
servant	עֶבֶד (עֲבָדִים); מְשָׁרֵת (מְשָׁרְתִים)	Simon	שִׁמְעוֹן
sell	מָכַר (מוֹכֵר, יִמְכֹּר)	simple	פָּשׁוּט (נ׳ פְּשׁוּטָה)
sentence	מִשְׁפָּט (מִשְׁפָּטִים)	sing	שָׁר (שָׁר, יָשִׁיר)
seven	שִׁבְעָה (נ׳ שֶׁבַע)	singular	יָחִיד (נ׳ יְחִידָה)
seventeen	שִׁבְעָה עָשָׂר (נ׳ שְׁבַע עֶשְׂרֵה)	sir	אָדוֹן, אֲדוֹנִי
seventh	שְׁבִיעִי (נ׳ שְׁבִיעִית)	sister	אָחוֹת (אֲחָיוֹת)
seventy	שִׁבְעִים	sit	יָשַׁב (יוֹשֵׁב, יֵשֵׁב)
several	אֲחָדִים	to sit	לָשֶׁבֶת
sexton	שַׁמָּשׁ (שַׁמָּשִׁים)	six	שִׁשָּׁה (נ׳ שֵׁשׁ)
she	הִיא	sixteen	שִׁשָּׁה עָשָׂר (נ׳ שֵׁשׁ עֶשְׂרֵה)
sheep	צֹאן	sixth	שִׁשִּׁי (נ׳ שִׁשִּׁית)
sheet (of paper)	גִּלָּיוֹן ז׳ (גִּלְיוֹנוֹת)	sixty	שִׁשִּׁים
shepherd	רוֹעֶה	sleep (n.)	שֵׁנָה
shine (v.)	זָרַח (זוֹרֵחַ, יִזְרַח)	sleep (v.)	יָשֵׁן (יָשֵׁן, יִישַׁן)

English	Hebrew	English	Hebrew
sling-shot	קֶלַע (קְלָעִים)	speak	דִּבֵּר (מְדַבֵּר, יְדַבֵּר)
slowly	לְאַט לְאַט	speech	דִּבּוּר
slumber (v.)	נוּם (נָם, יָנוּם)	spend (time)	בִּלָּה (מְבַלֶּה, יְבַלֶּה)
small	קָטָן (נ׳ קְטַנָּה)	spill	שָׁפַךְ (שׁוֹפֵךְ, יִשְׁפֹּךְ)
smile (n.)	בַּת צְחוֹק	sport (athletics)	סְפּוֹרְט
smoke (n.)	עָשָׁן	spread out	הִשְׂתָּרֵעַ (מִשְׂתָּרֵעַ, יִשְׂתָּרֵעַ)
smooth	חָלָק (נ׳ חֲלָקָה)	spring (the season)	אָבִיב
snow	שֶׁלֶג (שְׁלָגִים)	stable	אֻרְוָה (אֻרְווֹת)
soap	סַבּוֹן	stamp	בּוּל (בּוּלִים)
socks (n.)	גַּרְבַּיִם	stand	עָמַד (עוֹמֵד, יַעֲמֹד)
soda	סוֹדָה	state	מְדִינָה (מְדִינוֹת)
soda water	גָּזוֹז	station	תַּחֲנָה (תַּחֲנוֹת)
soft	רַךְ (נ׳ רַכָּה)	steal	גָּנַב (גּוֹנֵב, יִגְנֹב)
softly	בְּלַחַשׁ	stick	מַקֵּל ז׳ (מַקְלוֹת)
soil	אֲדָמָה	stone	אֶבֶן נ׳ (אֲבָנִים)
soiled	נִתְלַכְלֵךְ (מִתְלַכְלֵךְ, יִתְלַכְלֵךְ)	stop	חָדַל (חָדֵל, יֶחְדַּל)
soldier	חַיָּל (חַיָּלִים)	store	חֲנוּת (חֲנִיּוֹת)
Solomon	שְׁלֹמֹה	stormy	סוֹעֵר (נ׳ סוֹעֶרֶת)
sometimes	לִפְעָמִים	story	סִפּוּר (סִפּוּרִים)
so much	כָּל כָּךְ	street	רְחוֹב ז׳ (רְחוֹבוֹת)
son	בֵּן (בָּנִים)	strength	כֹּחַ
song	שִׁיר (שִׁירִים)	strong	חָזָק (נ׳ חֲזָקָה)
(I am) sorry	צַר לִי	struck	הִכָּה (מַכֶּה, יַכֶּה)
soul	נֶפֶשׁ נ׳ (נְפָשׁוֹת)	study	לָמַד (לוֹמֵד, יִלְמַד)
sour (v.)	הֶחְמִיץ (מַחְמִיץ, יַחְמִיץ)	style	מוֹדָה; אָפְנָה
south	דָּרוֹם	subject	נוֹשֵׂא (נוֹשְׂאִים)
sow (v.)	זָרַע (זוֹרֵעַ, יִזְרַע)	substitute for	מִלֵּא מָקוֹם (מְמַלֵּא, יְמַלֵּא)
Spain	סְפָרַד נ׳	succeed	הִצְלִיחַ (מַצְלִיחַ, יַצְלִיחַ)

suddenly	פִּתְאֹם	tell	סִפֵּר (מְסַפֵּר, יְסַפֵּר)
suffer	סָבַל (סוֹבֵל, יִסְבֹּל)	Temple	בֵּית הַמִּקְדָּשׁ ז׳
summer	קַיִץ	ten	עֲשָׂרָה (נ׳ עֶשֶׂר)
sun	שֶׁמֶשׁ ז״נ (שְׁמָשׁוֹת)	tennis	טֶנִיס
supper	אֲרוּחַת הָעֶרֶב נ׳	tense	זְמָן (זְמַנִּים)
support himself	הִתְפַּרְנֵס (מִתְפַּרְנֵס, יִתְפַּרְנֵס)	tent	אֹהֶל (אֹהָלִים)
surely	וַדַּאי	tenth	עֲשִׂירִי (נ׳ עֲשִׂירִית)
(be) surprised	הִתְפַּלֵּא (מִתְפַּלֵּא, יִתְפַּלֵּא)	term (semester)	זְמָן (זְמַנִּים)
swamp	בִּצָּה (בִּצּוֹת)	terrible	נוֹרָא (נ׳ נוֹרָאָה)
swear	נִשְׁבַּע (נִשְׁבָּע, יִשָּׁבַע)	test	מִבְחָן (מִבְחָנִים)
swim	שָׂחָה (שׂוֹחֶה, יִשְׂחֶה)	thanks (n.)	תּוֹדָה
symbol	סֵמֶל (סְמָלִים)	that (conj.)	כִּי
synagogue	בֵּית כְּנֶסֶת ז׳ (בָּתֵּי כְנֵסִיּוֹת)	that (rel. pr.)	אֲשֶׁר; שֶׁ
		that book	הַסֵּפֶר הַהוּא
		the	הַ, הָ, הֶ
Tabernacles, Feast of	סֻכּוֹת	their	שֶׁלָּהֶם (נ׳ שֶׁלָּהֶן)
table	שֻׁלְחָן ז׳ (שֻׁלְחָנוֹת)	them	אוֹתָם (נ׳ אוֹתָן)
take	לָקַח (לוֹקֵחַ, יִקַּח)	then	אָז
to take	לָקַחַת	there	שָׁם
take out	הוֹצִיא (מוֹצִיא, יוֹצִיא)	there is, there are	יֵשׁ
tall	גָּבֹהַּ (נ׳ גְּבֹהָה)	therefore	לָכֵן
teach	לִמֵּד (מְלַמֵּד, יְלַמֵּד)	these	אֵלֶּה; הָאֵלֶּה
teacher	מוֹרָה (מוֹרִים)	they	הֵם (נ׳ הֵן)
tear (n.)	דִּמְעָה (דְּמָעוֹת)	(became) thin	כָּחַשׁ (כָּחוּשׁ, יִכְחַשׁ)
Tel Aviv	תֵּל אָבִיב נ׳	think	חָשַׁב (חוֹשֵׁב, יַחְשֹׁב)
telephone	טֶלֶפוֹן	third	שְׁלִישִׁי (נ׳ שְׁלִישִׁית)
Tel Ḥai	תֵּל חַי נ׳	thirteen	שְׁלֹשָׁה עָשָׂר (נ׳ שְׁלֹשׁ עֶשְׂרֵה)
television	טֶלֶוִיזְיָה	thirty	שְׁלֹשִׁים

[442]

English	עברית	English	עברית
this	זֶה (נ. זֹאת)	touch (v.)	נָגַע (נוֹגֵעַ, יִגַּע)
those	הָהֵם (נ. הָהֵן)	tourist (m.)	תַּיָּר (תַּיָּרִים)
thought (n.)	רַעְיוֹן ז. (רַעְיוֹנוֹת)	train	רַכֶּבֶת נ. (רַכָּבוֹת)
thought (v.)	חָשַׁב; אָמַר בְּלִבּוֹ	translate	תִּרְגֵּם (מְתַרְגֵּם, יְתַרְגֵּם)
thousand	אֶלֶף (אֲלָפִים)	translation	תַּרְגּוּם
three	שְׁלֹשָׁה (נ. שָׁלֹשׁ)	travel (v.)	נָסַע (נוֹסֵעַ, יִסַּע)
through	בְּעַד; דֶּרֶךְ	tree	עֵץ (עֵצִים)
throw	זָרַק (זוֹרֵק, יִזְרֹק)	tribe	שֵׁבֶט (שְׁבָטִים)
thunder (n.)	רַעַם	trouble	צָרָה (צָרוֹת)
thunder (v.)	הִרְעִים (מַרְעִים, יַרְעִים)	trousers	מִכְנָסַיִם ז.ר.
thus	כָּךְ	trunk	מִזְוָדָה (מִזְוָדוֹת)
Tiberias	טְבֶרְיָה	truth	אֱמֶת
ticket	כַּרְטִיס (כַּרְטִיסִים)	turn	הָפַךְ (הוֹפֵךְ, יַהֲפֹךְ)
tie (v.)	קָשַׁר (קוֹשֵׁר, יִקְשֹׁר)	turn aside	סוּר (סָר, יָסוּר)
time (season)	זְמַן (זְמַנִּים)	twelve	שְׁנֵים עָשָׂר (נ. שְׁתֵּים עֶשְׂרֵה)
what time is it?	מָה הַשָּׁעָה?	twenty	עֶשְׂרִים
time	פַּעַם נ.	twins	תְּאוֹמִים ז.ר.
many times	פְּעָמִים רַבּוֹת	two	שְׁנַיִם, שְׁנֵי (נ. שְׁתַּיִם, שְׁתֵּי)
tip (to a waiter)	מַתָּת נ.; שֵׁרוּת זו"ן		
tired	עָיֵף (נ. עֲיֵפָה)		
to	אֶל; לְ	ugly	מְכֹעָר (נ. מְכֹעֶרֶת)
to me	אֵלַי; לִי	umbrella	מִטְרִיָּה (מִטְרִיּוֹת)
today	הַיּוֹם	uncle	דּוֹד (דּוֹדִים)
together	יַחַד	under	תַּחַת
tomorrow	מָחָר	understand	הֵבִין (מֵבִין, יָבִין)
tongue	לָשׁוֹן נ. (לְשׁוֹנוֹת)	undress	הִתְפַּשֵּׁט (מִתְפַּשֵּׁט, יִתְפַּשֵּׁט)
topic	נוֹשֵׂא (נוֹשְׂאִים)	unite	אִחֵד (מְאַחֵד, יְאַחֵד)
torn	קָרוּעַ (נ. קְרוּעָה)		

[443]

English	עברית	English	עברית
university	אוּנִיבֶרְסִיטָה	war	מִלְחָמָה (מִלְחָמוֹת)
until	עַד	warm	חַם (נ׳ חַמָּה)
upon	עַל	warm himself	הִתְחַמֵּם (מִתְחַמֵּם, יִתְחַמֵּם)
upward	לְמַעְלָה	was	הָיָה (נ׳ הָיְתָה)
use (n.)	תּוֹעֶלֶת	I was	הָיִיתִי
		wash	רָחַץ (רוֹחֵץ, יִרְחַץ)
		wash oneself	הִתְרַחֵץ (מִתְרַחֵץ, יִתְרַחֵץ)
valley	עֵמֶק (עֲמָקִים)	Washington	וָשִׁינְגְטוֹן
vegetable	יָרָק ז׳ (יְרָקוֹת)	waste	אִבֵּד (מְאַבֵּד, יְאַבֵּד)
verb	פֹּעַל (פְּעָלִים)	watch (v.)	שָׁמַר (שׁוֹמֵר, יִשְׁמֹר)
very; very much	מְאֹד	watch (clock)	שָׁעוֹן (שְׁעוֹנִים)
vice-president	סְגָן (סְגָנִים)	water	מַיִם ז״ר
(be) victorious	נִצַּח (מְנַצֵּחַ, יְנַצֵּחַ)	way	דֶּרֶךְ זו״נ (דְּרָכִים)
village	כְּפָר (כְּפָרִים)	we	אֲנַחְנוּ
vineyard	כֶּרֶם (כְּרָמִים)	wear	לָבַשׁ (לוֹבֵשׁ, יִלְבַּשׁ)
violate	חִלֵּל (מְחַלֵּל, יְחַלֵּל)	wear (a hat)	חָבַשׁ (חוֹבֵשׁ, יַחֲבֹשׁ)
visit	בִּקֵּר (מְבַקֵּר, יְבַקֵּר)	wear it well!	תִּתְחַדֵּשׁ
vizier	וָזִיר	weather	מֶזֶג אֲוִיר
voice	קוֹל ז׳ (קוֹלוֹת)	wedding	חֲתֻנָּה (חֲתֻנּוֹת)
in a loud voice	בְּקוֹל, בְּקוֹל רָם	week	שָׁבוּעַ ז׳ (שָׁבוּעוֹת)
at the top of his voice	בְּקוֹלֵי קוֹלוֹת	weep	בָּכָה (בּוֹכֶה, יִבְכֶּה)
		(you are) welcome	בְּבַקָּשָׁה; עַל לֹא דָבָר
		welcome home	בָּרוּךְ הַבָּא
wages	שָׂכָר	(a) well	בְּאֵר נ׳ (בְּאֵרוֹת)
wait	חִכָּה (מְחַכֶּה, יְחַכֶּה)	well (healthy)	בָּרִיא (נ׳ בְּרִיאָה)
waiter	מֶלְצַר (מֶלְצָרִים)	I am well	שָׁלוֹם לִי
wall	קִיר (קִירוֹת)	went	הָלַךְ
want	רָצָה (רוֹצֶה, יִרְצֶה)	(they) were	הָיוּ

English	Hebrew	English	Hebrew
what	מַה, מֶה, מָה	without	בְּלִי
wheat	חִטָּה	woman	אִשָּׁה (נָשִׁים)
wheel (steering)	הֶגֶה	won	זָכָה בּ (זוֹכֶה, יִזְכֶּה)
when (conj.)	כַּאֲשֶׁר	wonderful	נִפְלָא (נ. נִפְלָאָה)
when?	מָתַי	word	מִלָּה נ. (מִלִּים); דָּבָר (דְּבָרִים)
where?	אֵיפֹה; אַיֵּה	work (n.)	עֲבוֹדָה
whereto?	לְאָן	work (v.)	עָבַד (עוֹבֵד, יַעֲבֹד)
which?	אֵיזֶה (נ. אֵיזוֹ)	workman	פּוֹעֵל (פּוֹעֲלִים)
which (rel. pr.)	אֲשֶׁר; שֶׁ	world	עוֹלָם (עוֹלָמִים)
while	כַּאֲשֶׁר	worthy	רָאוּי (נ. רְאוּיָה)
a while	זְמַן מָה	wound (v.)	פָּצַע (פּוֹצֵעַ, יִפְצַע)
whisper	לַחַשׁ	wrap (v.)	אָרַז (אוֹרֵז, יֶאֱרֹז)
white	לָבָן (נ. לְבָנָה)	write	כָּתַב (כּוֹתֵב, יִכְתֹּב)
who?	מִי	written	כָּתוּב
who (rel. pr.)	אֲשֶׁר, שֶׁ	Writings (3rd section of the Bible)	כְּתוּבִים
whole	כֹּל		
why?	מַדּוּעַ		
wicked	רָשָׁע (נ. רְשָׁעָה)	year	שָׁנָה נ. (שָׁנִים)
wife	אִשָּׁה (נָשִׁים)	yellow	צָהֹב (נ. צְהֻבָּה)
his wife	אִשְׁתּוֹ	Yemenite	תֵּימָנִי (תֵּימָנִים)
will be	יִהְיֶה	yes	כֵּן
wind	רוּחַ זו"נ (רוּחוֹת)	Yeshiva	יְשִׁיבָה (יְשִׁיבוֹת)
window	חַלּוֹן (חַלּוֹנוֹת)	yesterday	אֶתְמוֹל
wine	יַיִן ז. (יֵינוֹת)	you	אַתָּה (אַתֶּם); אַתְּ (אַתֶּן)
winter	חֹרֶף	you (obj. pr.)	אוֹתְךָ (אֶתְכֶם); אוֹתָךְ (אֶתְכֶן)
wisdom	חָכְמָה	young	צָעִיר (נ. צְעִירָה)
wise	חָכָם (נ. חֲכָמָה)	your	שֶׁלְּךָ (שֶׁלָּכֶם); שֶׁלָּךְ (שֶׁלָּכֶן)
with	עִם; בְּ	youth	בָּחוּר (בַּחוּרִים)

[445]

INDEX

INDEX OF GRAMMATICAL AND CULTURAL TOPICS

INDEX